1 MONTH OF
FREE
READING

at

www.ForgottenBooks.com

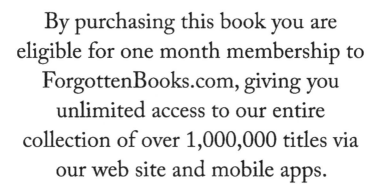

By purchasing this book you are eligible for one month membership to ForgottenBooks.com, giving you unlimited access to our entire collection of over 1,000,000 titles via our web site and mobile apps.

To claim your free month visit:

www.forgottenbooks.com/free1319854

ISBN 978-0-428-87361-5
PIBN 11319854

This book is a reproduction of an important historical work. Forgotten Books uses
state-of-the-art technology to digitally reconstruct the work, preserving the original format
whilst repairing imperfections present in the aged copy. In rare cases, an imperfection in
the original, such as a blemish or missing page, may be replicated in our edition. We do,
however, repair the vast majority of imperfections successfully; any imperfections that
remain are intentionally left to preserve the state of such historical works.

Tartüffe.

Komödie in fünf Aufzügen

von

Molière.

Deutsch von

Emilie Schröder.

vorwortet nebst Andeutungen für die Darstellung der Rolle des
Tartüffe auf der Bühne

von

Prof. Dr. H. Th. Rötscher.

Leipzig,

Druck und Verlag von Philipp Reclam jun.

Vorwort.

Wenn man von irgend einer Komödie sagen kann, daß sie eine weltgeschichtliche Bedeutung erhalten hat, so gilt dies von Molière's Tartüffe. Obgleich in Frankreich im Zeitalter Ludwig XIV. entstanden, hat sich diese Komödie doch über das ganze civilisirte Europa Bahn gebrochen. Wenn auch Tartüffe zunächst den Zweck verfolgt die Scheinheiligkeit zu entlarven und der frömmelnden Heuchelei die Maske abzureißen, so ist er doch durchaus kein sogenanntes Tendenzstück. Es verfolgt seinen Zweck nicht durch Phrasen und doctrinäre Redensarten, sondern echt künstlerisch: durch die Macht der Situationen und der Handlung. Es zeugt von Molière's künstlerischem Geiste, daß er zur Trägerin seines Stücks und namentlich zur Entlarvung des Scheinheiligen ein edles Weib gewählt hat, welches gleich ausgezeichnet durch sittliche Würde und den feinsten Verstand diese Entwickelung herbeiführt. Dadurch ist Elmire zur natürlichen Heldin, um diesen Ausdruck hier zu brauchen, der Komödie geworden. Nur ein Weib konnte durch die seltene Vereinigung von Sittlichkeit und Scharfsinn einen solchen Scheinheiligen besiegen. Indem sie demselben die Maske der Scheinheiligkeit abreißt, überläßt sie zugleich den Orgon dem bittersten Gefühle der Beschämung. In diesem Sinne haben auch die ausgezeichnetsten Darsteller des Orgon in Frankreich den Wendepunkt dieser Rolle aufgefaßt. Je mehr man sich in die Architektonik dieser Komödie vertieft, desto mehr wird man von Bewunderung für den Künstler Molière erfüllt. Schon Goethe hat dies in den Gesprächen mit Eckermann hervorgehoben, indem er sagt: „Ich kenne und liebe Molière seit meiner Jugend und habe während meines ganzen Lebens von ihm gelernt. Ich unterlasse nicht, jährlich von ihm einige Stücke zu lesen, um mich immer im Verkehr des Vortrefflichen zu erhalten. Es ist nicht blos das vollendete künstlerische Verfahren, was mich an ihm entzückt, sondern vorzüglich auch das liebenswürdige Naturell, das hochgebildete

Innere des Dichters. — Es ist in ihm eine Grazie und ein Takt für das Schickliche und ein Ton des feinen Umgangs, wie es seine angeborne schöne Natur nur im täglichen Verkehr mit den vorzüglichsten Menschen seines Jahrhunderts errei= chen konnte. Von Menander kenne ich nur die wenigen Bruchstücke, aber diese geben mir von ihm gleichfalls eine so hohe Idee, daß ich diesen großen Griechen für den ein= zigen Menschen halte, der mit Molière wäre zu vergleichen gewesen." Molière's Tartüffe ist von ewiger Bedeutung, denn die Gattung der Scheinheiligen wird niemals aus= sterben und es wird stets ein heiliges Bedürfniß bleiben, diese Gattung in ihrer ganzen Nichtswürdigkeit hinzustellen. Dadurch gehört Tartüffe allen civilisirten Völkern Europa's an. Wenn irgend ein Werk das Wort bestätigt, daß die Schaubühne „eine moralische Anstalt" sei, so gilt dies von Tartüffe. Es ist daher eine natürliche Folge, daß sich Tartüffe in gleicher Frische auf der Bühne erhalten wird und daß seine stete Wiederbelebung ein Bedürfniß des sittlichen Geistes ist.

Auch ist es ein höchst beredtes Zeugniß für die große und allgemeine Bedeutung des Tartüffe, daß man den Eigennamen Tartüffe zu einem Gattungsnamen für den Heuchler und Scheinheiligen erweitert hat. Denn Jedermann versteht es sogleich, wenn wir einen Menschen als Tartüffe bezeichnen, daß darunter ein Scheinheiliger gemeint ist.

Hier einige Andeutungen für die Darstellung der Rolle des Tartüffe auf der Bühne.

Der Charakter des Tartüffe ist in seiner Darstellung viel schwieriger, als in seiner Auffassung. Wenn es bei manchen Charakteren vor Allem darauf ankommt, ihren Lebensnerv herauszufinden und das Princip ihres Denkens und Handelns klar und in richtiger Beziehung zu den mit= handelnden Personen aufzufassen, und sich die Darstellung nach einer solchen Erkenntniß mit Nothwendigkeit ergibt, so bietet dagegen bei Andern die Ergreifung ihres Lebensge= setzes fast gar keine Schwierigkeiten dar, wohl aber die wahre Versinnlichung desselben. Dies ist der Fall mit dem Tar= tüffe. In der Auffassung möchte sich nicht leicht Jemand

vergreifen. Sein Lebensnerv, die Heuchelei der Frömmigkeit
zur Erreichung selbstsüchtiger und unsittlicher Zwecke, liegt
zu klar vor uns, als daß man darin fehl greifen könnte;
aber die Kunst dies mit Wahrheit zu versinnlichen, Tartüffe
dadurch in das richtige Licht zu seiner ganzen gleichsam in
zwei feindliche Lager geschiedenen Umgebung zu setzen, ist
von großer Schwierigkeit und gelingt nur den wenigsten
Darstellern.

Die Schwierigkeit, durch das erste Erscheinen zu wirken,
wächst für die Darstellung des Charakters in dem Maaße,
als derselbe bereits durch den dramatischen Vorhergang lebendig in unsrer Phantasie geworden ist. Erscheint er nun
gar bis zu seinem Auftreten als die Spiralfeder des ganzen
Dramas, als die Angel, um welche sich alle Verhältnisse
und Situationen, alle Sympathieen und Antipathieen aller
andern Personen drehen, so steigert sich noch die Aufgabe
für sein erstes wirkungsreiches Erscheinen. Dies ist der
Fall bei Tartüffe. Was wir bis zum Anfang des dritten
Aktes haben vorgehn sehn, der ganze Verlauf der Handlung
war aus Tartüffe's Persönlichkeit und seiner Stellung im
Hause Orgons erwachsen; er beherrscht als der unsichtbare
Geist die ganze dramatische Bewegung; er steht vor unsrer
Phantasie als die unheimlich wirkende Gestalt, die Zwietracht
in die Familie bringt und alles häusliche Glück derselben
zu zerstören droht; er ist für uns, und das ist das Wich-
tigste, bereits ein von der Mehrzahl der Familienmitglieder
durchschauter Heuchler, für zwei dagegen ein Heiliger,
dem man nur mit Verehrung begegnen dürfe. Welche
Forderung ergibt sich daraus für das erste Erscheinen des
Tartüffe und die Versinnlichung seiner ersten Scene? Tartüffe soll als Heuchler vor uns erscheinen, aber doch als
ein solcher, der durch seine Heuchelei wirklich täuschen und
berücken kann. Die Erscheinung Tartüffe's hat also diesen
Gegensatz, oder vielmehr diese entgegengesetzten Auffassungen
seiner Frömmigkeit und Tugend begreiflich zu machen. Der
Tartüffe wird also weder die undurchdringliche Maske der
Heuchelei zeigen, noch auch sie so lose tragen, daß Jedweder
das wahre Gesicht darunter erkennen kann. Im ersten Falle
bliebe es unerklärlich, wie ihn fast alle Familienglieder

durchschauen, im zweiten würden uns Madame Pernelle
und Orgon gar zu einfältig und schwachsinnig erscheinen.
Freilich muß man dabei in Anschlag bringen, daß die Ersteren
bei Tartüffe auch schon manchen Widerspruch zwischen Wort
und That vor Augen haben, aus welchem sich die Ueberzeugung von seiner Heuchelei gebildet hat. Dennoch darf
der Ton, in welchem Tartüffe seine Frömmigkeit, seine Demuth und seine sittliche Strenge darthut, nicht wirklich die
volle Wahrheit dieser Eigenschaften athmen, sondern muß
uns eine gewisse Absichtlichkeit verrathen. Gleich sein erster
Ruf an den Diener wird uns im Ton einen leisen Anflug
von erheuchelter Frömmigkeit geben, welche man unter der
Decke der erkünstelten Gesinnung hindurch schimmern sehen
muß. Auf das Maaß dabei kommt es natürlich allein an.
Nicht minder wird die Lüsternheit in der Anrede an Dorine aus der erheuchelten Sittenstrenge hervorblicken. Der
Blick wird, als von dem Willen weniger abhängig als
der Ton, uns besonders über die sinnliche Lust Tartüffe's
belehren, wie sich denn in der gleichfolgenden Bitte der
Dorine, Elmiren eine Unterredung zu gönnen, die
Freude an dieser für Tartüffe's Neigung so günstigen
Wendung unwillkürlich hervordrängen wird.

Die erste Unterredung mit Elmiren muß uns sowohl
den seinen, behutsam auftretenden, als den von einer bren-
nenden, sinnlichen Neigung zu der schönen Frau ergriffenen
Mann zeigen. Hier ist in dem Eingang der Unterredung
dem Tone die Farbe der Wahrheit und zugleich eine Mäßigung zu leihen, welche die sich regende Begierde zügelt.
Tartüffe, ohne Argwohn gegen Elmiren, ist voll Theilnahme,
wie voll Wärme und voll Hoffnung nahen Glückes. Darauf
hin legt er den Plan der Verführung an. Er strebt zunächst
das Zutrauen der schönen Frau zu gewinnen, er will sie
von seinem wahren Antheil überzeugen, ihr begreiflich machen, wie schmerzlich er es empfunden, mißverstanden worden zu sein. Unter dieser Hülle glimmt aber der Funke
der Lüsternheit, der sich von dem Anblick und der Nähe
Elmirens genährt, immer stärker anfacht. Es ist unerläß-
lich, daß sich in den nächstfolgenden Reden Tartüffe's, verbunden mit seiner Geberdensprache, die unwillkürlich ihn

ergreifende Luft jenes heimlich ihn verzehrenden Feuers an-
fündige. Wir wollen Tartüffe in seinen Aeußerungen des
Entzückens in Elmiren verloren sehen, so daß die sinnlichen Zeichen, wie das Ergreifen der Hand, das Näher-
rücken des Stuhls, das Befühlen des Shawls, halb wie
unfreiwillige Bethätigungen der sinnlichen Lust erscheinen.
Es kommt nun bei der Darstellung, wie bei der Recitation
der ganzen folgenden Stelle besonders darauf an, der Rede
jenen Duft der Lüsternheit mitzutheilen, welche Tartüffe
so ganz beherrscht. Der Ton wird bisweilen etwas Ver-
schwebendes haben und von jenem leichten Hauch begleitet
sein, der uns die innere Bewegung, die in der Tiefe gäh-
rende Sinnlichkeit andeutet. Dabei wird aber Tartüffe
nicht aufhören sich selbst zu beherrschen, um der Herr der
Situationen zu bleiben. Aber grade darin liegt der Reiz
dieser Scene und ihr Zauber in einer gelungenen Darstellung, daß wir Tartüffe gewissermaßen von der Macht
der Lüsternheit und zugleich von dem Streben, sich nicht
zu verrathen, halb freiwillig, halb unfreiwillig, hin und
hergeschaukelt sehn. Als Elmire aber die erste, Tartüffe
enttäuschende Rede anhebt, durch welche ihr ganzes bis-
heriges Verhalten ihm plötzlich als eine angelegte Maske
erscheint, wird Tartüffe im Moment verwirrt sein, und
sich dann mühsam fassend, zur folgenden Rede mit feiner
Wendung einlenken. Man muß sehn, wie viel dem Tartüffe dabei auf dem Spiele steht und der sich rechtfertigen-
den Rede seinen Eifer, sich zu reinigen und durch die Schmeichelei Elmiren zu gewinnen, anhören.
     Tartüffe hat während der folgenden Scene, wo der
entrüstete Damis sich als verborgener Zeuge darstellt, kein
leichtes Spiel. Derselbe wird die ganze Scene hindurch in
ängstlicher Spannung nur mühsam seine innere Aufregung
verbergend und das ganze Gewicht des für ihn verhängniß-
vollen Augenblicks empfindend erscheinen. Das Versprechen
Elmirens über den ganzen Vorhergang ein Stillschweigen
zu beobachten, das sie auch, nach Damis stürmischem Verlangen, Orgon Alles zu entdecken, nicht aufgibt, wird
Tartüffe zwar eine gewisse Zuversicht zurückgeben, die ihn
aber doch nicht ganz ohne Bangigkeit für die folgende Ent-

wicklung läßt. Aber mit dem Erscheinen Orgons und mit
Elmirens Abgang sehen wir ihn die volle Ruhe wieder-
gewinnen. Er kennt zu sehr seine Macht über den schwachen Orgon, und hat so eben die Beweise erhalten, daß
Elmire gesonnen ist, ihr Schweigen zu bewahren, als daß
er von dem leidenschaftlichen Damis glaube Gefahr für sich
besorgen zu dürfen.

Für die folgende Scene zwischen Orgon, Damis und
Tartüffe kommt es bei der Darstellung des Letzteren vor
Allem darauf an, daß er in seinem Ton der Selbstanklage
und der Mahnung zur Milde gegen Orgon durchaus
wahr und einfach ist. Wer hier dem Tartüffe etwas von
salbungsvoller Heuchelei leiht, verfehlt den Eindruck durchaus; denn der Erfolg dieser Scene liegt grade in der Vir-
tuosität, mit welcher Tartüffe hier seine Verstellung übt.
Er weiß was auf dem Spiele steht, er wird also über
alle seine Geisteskräfte gebieten, um den Eindruck der Zer-
knirschung, der Demuth und Milde, je nachdem ihm die
Aeußerung jeder dieser innern Bewegungen nützlich zu sein
scheint, mit höchster Treue hervorzubringen. Tartüffe ist
in dieser Scene vollendeter Schauspieler, der uns vergessen
machen soll, daß er eine Rolle spielt. Er darf bisweilen,
wie z. B. bei seinem Auftreten, oder in unbewachten Mo-
menten, wo ihn seine Sinnlichkeit überrascht, in seinem Ton
den Heuchler leise hervorblicken lassen, aber in dieser Scene
soll er der Meister der Verstellung sein. Auch nach dem
vollendeten Siege über Damis, wo Tartüffe, nach dem
Abgange des Letztern, mit Orgon allein ist, muß sich diese
Kunst der Verstellung fortsetzen. Tartüffe ist zwar seinen
Feind los und Orgon ist in seiner Hand, aber der Sieg
muß benutzt werden. Besonders ist es wichtig, daß uns
Tartüffe, als ihm die sittliche Ueberwachung der Elmire
anvertraut wird, in seinem Ton durchaus keine Freude
verrathe und vorlaut aus seiner Maske hervorgucke. Wohl
aber darf das Auge Tartüffe's, weil es viel unfreiwilliger
die innere Bewegung abspiegelt als das Wort, uns in
die Gemüthsverfassung des Heuchlers blicken lassen. Namentlich werden wir Tartüffe bei der Erzählung Orgons
von dem bei ihm verwahrten Kästchen seines Freundes

Argant, mit kaum zu bergender freudiger Spannung auf-
horchen sehn, weil der Gedanke dabei in seiner Seele auf-
taucht, dies zu einer Quelle des Gewinns für sich zu benutzen. Den Vorschlag selbst wird Tartüffe mit dem Tone
herzlicher theilnehmender Freundschaft machen, welche sich
freut, so viele Liebesdienste vergelten zu können. Es gehört
zu den zarten Nüancen, diesem Ton ein wenig von der
unwillkürlich den Tartüffe überschleichenden Freude mitzutheilen, gleichsam durch den bewußt gewählten Ton der
Freundschaft jene Farbe der Lust durchschimmern zu lassen,
welche in diesem Moment die Seele des Heuchlers erfüllt.
Aber freilich ist dies Maaß sehr schwer zu treffen. Wir
können die Aufgabe für den Darsteller nur andeuten.

Der vierte Act ist für Tartüffe der reichste. Er zeigt
uns denselben in seiner Meinung der Erfüllung seiner hei-
ßesten Wünsche so nah und zugleich seinen jähen Sturz, seine
völlige Entlarvung. Elmire hat die schwierige Aufgabe
übernommen, dem Tartüffe die Maske abzureißen. Orgon
soll den Heuchler mit Händen greifen können. Zu diesem
Zweck hat Elmire den Tartüffe zu sich entbieten lassen.
Sie hat bei der Ausführung dieses Planes allerdings ein
schweres Spiel, denn sie hat den Tartüffe schon einmal
durch ihre List an den Rand des Abgrunds gebracht. Jetzt
soll das natürliche Mißtraun des Heuchlers niedergerissen
und der Glaube an Elmiren in ihm erzeugt werden. Diese
Situation gibt das Gesetz für die Darstellung des Tartüffe
im Eingange dieser Scene. Derselbe nähert sich Elmiren
mit Feinheit und Galanterie. Die Sinnlichkeit taucht bei
dem Anblick der reizenden Frau in Tartüffe auf. Nachdem
er sich auf Elmirens Wunsch überzeugt hat, daß sie unbe-
horcht sind, kehrt er zurück. Tartüffe wird der ersten Rede
der Elmire mit Spannung und dem Ausdruck der Ungläu-
bigkeit zuhören. Wir müssen ihm anmerken, daß er eine
Falle befürchtet. Aus dieser Besorgniß muß seine erste kurze
Erwiederung erwachsen. Elmire löst indessen mit der ge-
wandtesten Feinheit diese Befürchtung auf. Das Spiel
Tartüffe's während dieser Rede hat uns ein Schweben zwischen Mißtrauen und Freude auszudrücken. Er horcht in
tiefer Spannung auf; die Lust gewinnt den Sieg; seine fol-

gende Rede hebt er mit dem Ausdruck der Zärtlichkeit an.
Aber zur vollen Besiegelung der Wahrheit Elmirens for=
dert er Beweise. Die Entgegnung der Elmire weckt die So=
phistik Tartüffe's. Durch sie soll das Gewissen der schönen
Frau beschwichtigt werden. Er wird daher diese Reflexion
sehr eindringlich mit dem Tone fester Ueberzeugung sprechen,
uns aber zugleich die Lüsternheit, die ihn beherrscht und
das Vorgefühl nahen Sieges hindurch scheinen lassen.
Diese Reden dürfen daher keine Spur eines docirenden To=
nes verrathen; sie sind das Produkt der Situation, der von
sinnlicher Lust beherrschten Stimmung des Heuchlers, wel=
cher zu ihrer Befriedigung zu diesen Waffen greift. Tar=
tüffe kann daher nicht geschmeidig, nicht überzeugend und
zart genug in seinem Tone sein. Mit dem Ausdruck hef=
tiger Leidenschaft küßt er die dargebotene Hand Elmirens.
Er ist auf dem Gipfel seiner Hoffnungen. Tartüffe entfernt
sich einen Augenblick, um ungestört seinen Sieg zu feiern.
Entzückt kehrt er zurück. Sein Puls schlägt feurig, die
Augen glänzen von Lüsternheit, die letzten Worte der kur=
zen Rede athmen Liebesleidenschaft. Da trifft ihn Orgons
Arm. Der Wuth des Betrogenen folgt das ihn demüthi=
gende Wort Elmirens. Tartüffe steht einen Augenblick
vernichtet, fassungslos, er stammelt eine Entschuldigung;
Orgon weist ihn heftig aus seinem Hause. Mit diesem
Worte kehrt die Fassung wieder. Es weckt augenblicklich
den Gedanken der Rache. Der fassungslos Dastehende er=
hebt sich plötzlich zum Ausdruck der concentrirtesten Bos=
heit. Das Wort Orgons „aus meinem Hause" muß Tar=
tüffe blitzähnlich treffen; es ruft alle Waffen der Vernich=
tung gegen Orgon in ihm auf. Tartüffe geht daher plötz=
lich aus einem Vernichteten in den Ton des Gebieters über,
der seiner Stellung völlig Herr ist. Aber in diesem Mo=
ment muß in Ton und Blick die bisher verlarvte Nichts=
würdigkeit hervorbrechen. Wir müssen ein Gemisch von
Bosheit, Schadenfreude und Wuth hören. Der Ausdruck
des Gesichts wird jene sittliche Häßlichkeit zeigen, welcher
verworfene Menschen voll innrer Feigheit so nahe an die
Grenze des Thieres rückt. Tartüffe's Angesicht wird hä=
misch erscheinen, wie das eines Affen. In diesem Augen=

lick entspricht er dem Bilde Dorinens, die Tartüffe
inen rechten Affen nennt, während ihn Orgon dagegen
ls einen schönen Mann bezeichnet. Es wäre der größte
eißgriff, wollte ein Darsteller den Tartüffe wirklich so
nschön zeichnen, als ihn uns Dorine durch jene Benennung
hildert. Mag auch Orgon etwas übertreiben; wir dürfen
jn jedenfalls als einen Mann von wohlgebildetem Aeu=
ern betrachten, der sich, verbunden mit der Geschmeidigkeit
nd Feinheit seiner Manieren, leicht Eingang gewinnt.
lber die Nichtswürdigkeit, wenn sie einmal hervorbricht,
obald die Verhältnisse einmal die Verstellung überwälti=
en, verzerrt auch plötzlich selbst ein, architektonisch betrach=
et, wohlgebildetes Gesicht.

Am Schlusse des fünften Actes begegnen wir Tartüffe
och einmal. Er erscheint als ein Triumphirender, um
sich an der Verzweiflung des zu Grunde gerichteten Orgon
und seiner Familie zu weiden. Dem alten Orgon tritt
er mit dem Tone einer boshaften Ironie und Schaden=
freude entgegen. Derselbe verwandelt sich in der darauf
folgenden Rede, nach Orgons Apostrophe der Verzweiflung,
in den Ton der Biederherzigkeit, welche mit Schmerz einer
höhern Pflicht die Pflicht der Dankbarkeit geopfert zu haben
eingesteht. Tartüffe hat mit dieser Rede den Gipfel der
Niederträchtigkeit erstiegen, daher sie auch sehr angemessen
unmittelbar seiner eignen Vernichtung vorhergeht. Tartüffe
wird die Rede mit einer gewissen Salbung sprechen, der
man die Freude anhört, dem Unheil, welches er über Or=
gon gebracht hat, noch die Maske der Pflichterfüllung und
Selbstüberwindung geben zu können. Der Heuchler darf da=
her bei ihr nicht, wie früher in den Scenen mit Orgon,
so ängstlich besorgt sein, den Widerspruch zwischen Gesin=
nung und Wort gänzlich zu verdecken. Tartüffe ist jetzt
weit entfernt, diejenigen an welche er seine Rede richtet, wirk=
lich von der Wahrheit der erheuchelten Pflichttreue und des
erheuchelten Schmerzes überzeugen zu wollen; er bildet sich
nicht ein, Orgon und seine Familie dadurch über seine
Motive zu täuschen; er findet vielmehr eine Genugthuung
darin, seiner Rache noch diesen Hohn einer erheuchelten
Großmuth zu leihen und dadurch das Maaß der Kränkung

gegen die zur Ohnmacht Verurtheilten zu steigern. Wir be=
zeichnen daher diesen Moment als die Spitze der Nichts=
würdigkeit Tartüffe's, die Form der Heuchelei selbst wieder
zu einem Mittel zur Befriedigung der Bosheit zu machen,
also um sich für die entlarvte Heuchelei zu rächen, durch
die Maske der Heuchelei die Ironie über dieselbe durchschei=
nen zu lassen. Daraus folgt, daß dem salbungsvollen Tone
dieser Rede selbst die Farbe einer gewissen Heuchelei gege=
ben werden dürfe. Die Mimik selbst, das Maaß dieser
Farbe, ist freilich nicht leicht zu treffen. Der Darsteller soll
hier zwischen den Klippen einer völligen Illusion der aus=
gesprochenen Gesinnung durch die Kunst der Verstellung
und dem Ausbruck einer plumpen Heuchelei hindurch steu=
ern. Solche Farbe gibt nur die schöpferische Anschauung
und jenes fein organisirte Ohr für die zarten Schwin=
gungen der Rede.

Die gewaltsame Zerschneidung des Knotens, der einzige
Mangel des Kunstwerks, läßt dem Tartüffe weiter keinen
Raum zu einer weitern Entwickelung. Innerlich ist die
Gestalt Tartüffe's mit dem Moment der Entlarvung durch
Orgon eigentlich abgeschlossen. Ihm gehört jetzt nur noch
das Erstaunen und der Aerger nach der Nachricht von der
durch den König ausgesprochenen Amnestie und der ihn,
bis auf einen Ausruf, sprachlos machende plötzliche Glücks=
wechsel. Für den Darsteller liegt hier Alles in der Schärfe
seines mimischen Ausdrucks. Er soll uns die Wandlungen
von dem triumphirenden, höhnischen Heuchler bis zu dem
in seiner eigenen Bosheit erstickenden moralischen Feigling
zeigen.

In Deutschland würden wir Molière's Tartüffe am an=
gemessendsten als „Schauspiel" bezeichnen. Die Franzosen,
welche nur die beiden Gattungen der Komödie und Tra=
gödie kennen, für unsere Mischgattung „Schauspiel" keinen
eigenen Ausbruck haben, können natürlich den Tartüffe
nur als Komödie bezeichnen, was indessen dem hohen sitt=
lichen Ernst dieses Kunstwerks durchaus keinen Eintrag thut.
An die Darstellung des Tartüffe in Deutschland knüpfen
sich keine Erinnerungen an große Berühmtheiten in der
Schauspielkunst, wie wir denn überhaupt in Deutschland

mit der Darstellung des Tartüffe von Molière keinen großen Staat machen können. Nur einmal brachte der un-
ergeßliche Seydelmann in einer öffentlichen Vorlesung in
Berlin den Tartüffe zu seiner vollsten dramatischen Geltung.

Die folgende Uebertragung der Komödie in Jamben,
zu welcher wir selbst gerathen haben, um das Werk auf
unserm Boden um so heimischer zu machen, erfüllt alle
Forderungen, welche wir an eine Uebersetzung zu machen
berechtigt sind. Sie gibt nicht nur den Geist des Orginals
wieder, sondern trifft auch den leichten Ton der Conversation eines französischen Lustspiels. Deshalb ist diese Uebersetzung besonders geeignet von der Bühe herab den Geist
dieser unsterblichen Komödie zu versinnlichen.

H. Th. Rötscher.

Personen.

Madame Pernelle, Orgons Mutter.

Orgon, Elmirens Mann.

Elmire, Orgons Frau.

Damis, Orgons Sohn.

Mariane, Orgons Tochter.

Valer, Marianens Liebhaber.

Cleante, Orgons Schwager.

Tartüffe, Scheinheiliger.

Dorine, Marianens Kammerjungfer.

Herr Loyal, Sergeant.

Ein Polizeibeamter.

Flipote, Madame Pernelles Dienerin.

Die Scene spielt in Paris im Hause Orgons.

Erster Aufzug.

Erster Auftritt.

Madame Pernelle. Elmire. Mariane. Cleante. Damis. Dorine. Flipote.

Mad. Pernelle. Flipote, komm! ich will hier nicht mehr weilen.

Elmire. Sie geh'n so schnell daß man kaum folgen kann.

Mad. Pernelle. Genug Frau Tochter, mühen Sie sich nicht.
Die Höflichkeit ist hier nicht angebracht.

Elmire. Wir thun nicht mehr als das, was sich gebührt.
Doch woher kommt's, daß Sie so eilig sind?

Mad. Pernelle. Weil ich die Wirthschaft hier nicht sehen mag.
Man nimmt auf mich nicht die geringste Rücksicht.
Sehr schlecht erbaut geh' ich von Euch hinweg.
Was ich auch sage, man beachtet's nicht;
Es führt ein Jeder hier das große Wort,
Und alles geht Kopf über und Kopf unter.

Dorine. Wenn . . .

Mad. Pernelle. Meine Liebe, Sie ist Dienerin,
Ein wenig gar zu schnell mit Ihrem Mund;
Sie mischt in alles sich mit Ihrem Rath.

Damis. Jedoch . . .

Mad. Pernelle. Ein Narr bist du, mit einem Wort.
Ich sag' es dir, mein Sohn, die Großmama,
Und sagt' es deinem Vater hundertmal,
Daß wie ein Taugenichts du dich beträgst,
Der nichts ihm machen wird als vielen Kummer.

Mariane. Ich glaube . . .

Mad. Pernelle. Hört doch! seine stille Schwester,
Das sanfte Täubchen spricht! Sonst rührt dich nichts.
Doch stille Wasser, wie man sagt, sind tief.
Was im Geheim du treibst, gefällt mir nicht.

Elmire. Frau Mutter . . .

Mad. Pernelle. Um es rund heraus zu sagen:
Gefallen kann mir Ihr Benehmen nicht.
Ein Beispiel sollten Sie den Kindern geben.
Die sel'ge Mutter wußte was sich schickt.

Sie sind Verschwend'rin, und es ärgert mich,
Daß Sie geputzt gleich der Prinzessin geh'n.
Wer seinem Manne nur gefallen will,
Der hat, Frau Tochter, so viel Putz nicht nöthig.

    Cleante. Jedoch, Madam ...

    Mad. Pernelle. Was Sie betrifft, mein Herr,
Ich schätze Sie sehr hoch, verehre Sie,
Jedoch, wär' ich an meines Sohnes Statt,
Ich bäte Sie zu meiden unser Haus.
Die schönen Lebensregeln, die Sie pred'gen,
Sind für honnette Leute nicht zu brauchen.
Ich sage meine Meinung frei heraus,
Wie mir's um's Herz ist, ohne Hinterhalt.

    Damis. Ihr Herr Tartüffe ist wahrlich zu beneiden.

    Mad. Pernelle. O folgte man ihm nur, dem guten Mann.
Die Galle läuft mir über gleich vor Zorn,
Zu seh'n, daß solch ein Narr ihn kränkt wie du.

    Damis. Wie! dulden soll ich, daß ein solcher Krittler
In unserm Hause herrscht wie ein Thrann?
Und daß wir uns an nichts ergötzen können,
Wenn dieser Herr nicht Ja dazu gesagt?

    Dorine. Ja, wollte man auf seine Lehren hören,
Man könnte nichts thun, das nicht Sünde wär';
Denn einen schlimmern Krittler gibt es nicht.

    Mad. Pernelle. Er thut sehr wohl daran, der gute Mann.
Der Weg zum Himmel ist's, den er Euch zeigt,
Und wie mein Sohn ihm folgt, müßt Ihr ihm folgen.

    Damis. Nein, Großmama, es gibt nichts auf der Welt,
Daß diesem Mann geneigt mich machen könnte;
Ich müßte lügen, spräch' ich von ihm anders.
Zuwider ist mir all' sein Thun und Treiben.
Ich seh' voraus, daß es mit diesem Schelm
Sehr bald zu einem großen Streite kommt.

    Dorine. Es hält die ganze Welt sich drüber auf,
Daß so ein Fremder sich hier eingenistet.
Ein Bettler, der hieher kam ohne Schuh',
Mit einem Rock, der nicht sechs Pfennig werth.
Er hat es schon so weit gebracht, der Schelm,
Daß er im Haus so gut ist wie der Herr.

Mad. Pernelle. Bei Gott, viel beſſer wär's in dieſem Haus,
Wenn alles ging nach ſeinem frommen Sinn.

Dorine. In Ihrem Kopf mag er ein Heil'ger ſein,
Doch all' ſein Thun iſt nichts als Heuchelei.

Mad. Pernelle. Du Läſtermaul!

Dorine. Auch Lorenz trau' ich nicht;
Denn wie der Herr iſt auch der Diener, ſagt man.

Mad. Pernelle. Was an dem Diener iſt, das weiß ich nicht,
Doch für den frommen Herrn verbürg' ich mich.
Ich weiß es ſchon warum er Euch mißfällt,
Weil er die Wahrheit in's Geſicht Euch ſagt.
Die Sünde iſt es, gegen die er eifert;
Nur um des Himmels willen thut er es.

Dorine. Ja wohl; jedoch warum ſeit ein'ger Zeit
Will er nicht leiden, daß man uns beſucht?
Verletzt den Himmel ein Beſuch in Ehren,
Daß er ſo lärmt und uns den Kopf verrückt?
Soll unter uns den wahren Grund ich ſagen?

(Auf Elmire deutend.)

Es plagt die Eiferſucht ihn um Madam.

Mad. Pernelle. Nicht weiter. Ueberleg' Sie was Sie ſpricht.
Er tadelt dieſe Wirthſchaft nicht allein.
Der Lärmen iſt's, der den Beſuchen folgt,
Die Kutſchenreih', die vor der Thüre hält,
Der Diener Troß, die Menge der Lakai'n,
Die nichts als Aergerniß den Nachbarn geben.
Ich glaube gern, daß man nichts Schlimmes thut,
Jedoch man ſpricht davon und das iſt ſchlimm.

Cleante. Ei! wollen Sie verhindern, daß man ſchwatzt?
Das würde Ihnen ſehr viel Mühe machen.
Damit die Leute nicht darüber reden,
Soll man mit ſeinem beſten Freunde brechen?
Entſchlöſſe man ſich auch dazu, Madam,
Sind Sie gewiß, die Zungen würden ruh'n?
Zum Schutz vor Bosheit gibt es keinen Wall.
D'rum ſorgen wir uns nicht um das Gerede.
Spricht unſer Herz uns nur vom Vorwurf frei,
So haben wir die Schwätzer nicht zu fürchten.

Dorine. Am End' iſt's Daphne gar, die Nachbarin

Mit ihrem kleinen Mann, die uns beklatscht?
Wer selber Grund zu Spott und Tadel gibt,
Ist stets geneigt auf And're loszuzieh'n.
Wo sie nur einen Schein von Lieb' entdecken,
Zu einem Berge wird ein Sandkorn gleich.
Mit Lust verbreiten sie die Neuigkeit,
Schön ausgemalt, daß sie nach Wahrheit klingt.
Ihr eig'nes Thun trau'n sie den Andern zu,
Und mit dem falschen Schein von Aehnlichkeit,
Den Laster oft auch mit der Tugend hat,
Gedenken sie den Tadel abzuwenden,
Der diese Heuchler nur allein betrifft.

    Mad. Pernelle. All' diese Schwätzerei'n sind überflüssig.
Man weiß, Orante führt ein Musterleben,
Das auf den Himmel nur gerichtet ist;
Doch diese Wirthschaft hier verdammt sie sehr.

    Dorine. Ein schönes Beispiel führen Sie uns an.
Fürwahr, die Gute lebt wie eine Heil'ge,
Doch erst im Alter kam die Frömmigkeit;
Man weiß, daß sie nur ungern spröde ist.
So lang' sie konnte Herzen an sich zieh'n,
Hat sie sich jeden Vorzugs wohl erfreut;
Doch jetzt, da ihren Reiz sie schwinden sieht,
Entflieht sie einer Welt, die ihr entflieht,
Und hüllt, was noch die Jugend ihr gelassen,
In's prächtige Gewand der Tugend ein,
Wie dies Kokettenart von jeher war,
Die ihre Anbeter entfliehen seh'n.
Verlassen, finst'rer Unruh' hingegeben,
Ist Spröde spielen ihnen einz'ger Trost.
Der fromme Eifer dieser guten Frau'n —
An keinem Ding läßt er ein gutes Haar,
Bei Jeder finden sie etwas zu tadeln.
Doch nicht aus Christlichkeit, der Neid nur ist's,
Der nicht bei einer Andern sehen kann,
Was Alter sie nicht mehr genießen läßt.

    Mad. Pernelle (zu Elmiren).
Die Märchen schwatzt sie Ihnen zu Gefallen.
Zum Stilleschweigen ist man hier gezwungen,

Denn die Mamsell ist immer an der Reihe.
Jedoch jetzt will auch ich zu Worte kommen.
Ich sag' Euch, daß mein Sohn nichts Klüg'res that,
Als diesen frommen Mann in's Haus zu nehmen;
Ihn hat der Himmel uns zum Heil gesandt,
Daß er vom falschen Weg zurück Euch führt.
Zu Eurem Wohle müßt ihr auf ihn hören;
Er tadelt nichts, was nicht zu tadeln ist.
Die Feste, Bälle, Unterhaltungen,
Von einem bösen Geist sind sie erfunden,
Denn niemals hört man da ein frommes Wort.
Man hört nichts als Geschwätz und lust'ge Lieder,
Und auch der Nächste kriegt sein gutes Theil,
Man weiß auf den, auf jenen was zu sagen;
Vernünft'gen Leuten wird der Kopf verrückt
In diesem Wirwarr solcher Assemblee'n.
Man wechselt über Nichts viel tausend Worte,
Und wie sehr treffend jüngst ein Doktor sagte,
Es ist wie bei dem Thurm zu Babylon,
Denn Jeder schwätzt so lange wie er kann.
Doch hört, wie er auf die Geschichte kam.
(Auf Cleante zeigend.)
Ei seht doch, wie der Herr schon wieder lacht!
Bei Euern Narren gibt es was zu lachen. (Zu Elmire.)
Adieu, Frau Tochter; laßt's gesagt Euch sein,
Genug hab' ich in diesem Haus erfahren.
Schön muß das Wetter sein, seht Ihr mich wieder.
(Indem sie Flipote eine Ohrfeige gibt.)
Was steht Sie hier und hält Maulaffen feil,
Potz Wetter! ich will Ihr die Ohren reiben.
Marsch, Jungfer, marsch!

Zweiter Auftritt.
Cleante. Dorine.

Cleante. Ich will sie nicht begleiten
Aus Furcht, sie fängt auf's Neue mit mir an;
Die gute alte Frau . . .

Dorine. Ach schade ist's,
Daß sie nicht hörte Ihre böse Zunge;

2*

Sie würde Ihnen gut die Meinung sagen:
Sie alt zu nennen, die sich jung noch fühlt.

    Cleante. Sie hat um Nichts sich gegen uns erhitzt.
In ihren Herrn Tartüffe scheint sie vernarrt!

    Dorine. Das Alles im Vergleich zum Sohn ist nichts.
Den sollten Sie erst sich benehmen sehn!
Er stand im Rufe eines klugen Mannes,
Der Muth bewies im Dienste seines Fürsten.
Jedoch er ist geworden wie ein Narr,
Seitdem Tartüffe ihm hat den Kopf verdreht.
Er nennt ihn Bruder, liebt von Herzen ihn,
Viel mehr als Mutter, Sohn, als Tochter, Frau.
Vertraut mit allen seinen Heimlichkeiten,
Ist er der weise Führer seiner Thaten.
Er küßt, umarmt ihn und man könnte nicht
Mehr Zärtlichkeit für die Geliebte haben.
Ihm ist bei Tisch der erste Platz bestimmt.
Mit Freuden sieht er essen ihn für sechs.
Die besten Bissen müssen ihm gehören,
Und wenn er rülpst, so sagt er: helf euch Gott.
Mit einem Wort, er ist vernarrt in ihn;
Bewundernd führt er ihn als Vorbild an.
Was er auch thut, ein Wunder scheint es ihm,
Und jedes Wort ist ein Orakelwort.
Doch jener kennt das Opfer seiner List,
Durch tausend Künste weiß er ihn zu fangen.
Schon manche Summe hat er ihm entlockt
Und wagt's dabei noch über uns zu spotten.
Sogar der Fant, der sich sein Diener nennt,
Erfrecht sich gute Lehren uns zu geben.
Er hält mit wildem Blick uns lange Reden,
Die Bänder, Schmuck und Schminke abzuthun.
Der Heuchler, jüngst zerriß er uns ein Schnupftuch,
Weil er's in einem heil'gen Buche fand,
Und nannte es ein schreckliches Verbrechen,
Die Frömmigkeit durch Teufelsschmuck zu stören.

Dritter Auftritt.

Elmire. Mariane. Damis. Cleante. Dorine.

Elmire (zu Cleante). Ein Glück, daß Sie uns nicht hinaus
begleitet!
Sie hielt uns an der Thür noch eine Rede.
Es kam mein Mann; da er mich nicht gesehn,
Will ich in meinem Zimmer ihn erwarten.
    Cleante. Ich warte nicht zum Zeitvertreib auf ihn,
Und einen guten Tag will ich ihm wünschen.

Vierter Auftritt.

Cleante. Damis. Dorine.

    Damis. O sprechen Sie von meiner Schwester Hochzeit!
Ich fürchte, daß Tartüffe sie hintertreibt,
Denn unser Vater sinnt auf Ausflucht stets.
Sie wissen, welchen Antheil ich d'ran nehme;
Wie meine Schwester und Vater sich lieben,
So liebe ich die Schwester dieses Freund's.
Und wenn . . .
    Dorine. Er kommt.

Fünfter Auftritt.

Orgon. Cleante. Dorine.

    Orgon. Ah Schwager! guten Tag.
    Cleante. Ich wollte gehn; mich freut's, daß Sie zurück.
Das Land entfaltet jetzt noch wenig Reiz.
    Orgon. Dorine . . . (Zu Cleante.) Schwager, bitte, bleiben Sie.
Mein Herz von Sorgen zu befrei'n, will ich
Mich nur erkund'gen, was sich zugetragen. (Zu Dorine).
Wie geht's seit den zwei Tagen, die ich fort?
Im Hause ist doch alles noch gesund?
    Dorine. Madam litt vorgestern am Fieber sehr,
Mit einem Kopfschmerz, der kaum auszuhalten.
    Orgon. Jedoch Tartüffe?
    Dorine. Tartüffe! dem geht's vortrefflich.
Ist dick und fett, sieht aus wie Milch und Blut.
    Orgon. Der gute Mann!
    Dorine. Sehr übel war Madam,

Und rührte Abends keinen Bissen an,
Denn immer ärger schmerzte ihr der Kopf.

Orgon. Jedoch Tartüffe?

Dorine. Er saß am Abend bei ihr,
Mit Andacht speiste er ein Rebhuhnpaar
Und dann noch eine halbe Hammelkeule.

Orgon. Der gute Mann!

Dorine. Die Nacht verlief sehr schlecht,
Sie schloß die Augen keinen Augenblick,
Die Fieberhitze raubte ihr den Schlaf,
Und bis zum Morgen wachten wir bei ihr.

Orgon. Jedoch Tartüffe?

Dorine. Von süßem Schlaf getrieben,
Erhob er sich von Tisch nach seiner Stube.
Er kroch tief unter in sein warmes Bett,
Wo sorglos bis zum andern Tag er schlief.

Orgon. Der gute Mann!

Dorine. Zuletzt durch Ueberredung,
Entschloß sie sich zu einem Aderlaß,
Und die Erleicht'rung folgte gleich darauf.

Orgon. Jedoch Tartüffe?

Dorine. Er faßte sich ein Herz.
Um sich zu stärken gegen alle Leiden,
Trank er zum Frühstück zwei Bouteillen Wein;
Das Blut ersetzend, das Madam verloren.

Orgon. Der gute Mann!

Dorine. Nun sind sie beide wohl.
Ich geh' jetzt zu Madam, ihr anzuzeigen,
Wie sehr an ihrem Wohl Sie Antheil nehmen.

Sechster Auftritt.

Orgon. Cleante.

Cleante. Sie macht sich lustig über Sie, Herr Schwager.
Ich habe nicht die Absicht Sie zu reizen,
Doch sag' ich's frei heraus, mit Recht geschieht's.
Hat man von solcher Grille je gehört?
Und kann ein solcher Mensch Sie so umgarnen,
Daß Alles Sie vergessen über ihn?
Nachdem Sie aus dem Elend ihn gezogen,

Ist er so . . .

Orgon. Halt, Herr Schwager, halt, sag' ich.
Sie kennen nicht den Mann von dem Sie sprechen.

Cleante. Ich kenn' ihn nicht, weil Sie es also wollen;
Doch um dem Menschen auf die Spur zu kommen . . .

Orgon. Sie wären glücklich ihn zu kennen, Schwager,
Und Ihr Entzücken nähme nie ein Ende.
Er ist ein Mann, der, ach! . . . genug, ein Mann.
Wer seinen Lehren folgt, der hat den Frieden,
Wie eitel Nichts betrachtet er die Welt.
Ich ward ein andrer Mensch durch seinen Umgang,
Von jeder Neigung hat er mich bekehrt,
Vor jeder Freundschaft stählte er mein Herz;
Und stürbe Bruder, Mutter, Frau und Kind mir,
Ich würde mich darum gewiß nicht grämen.

Cleante. Fürwahr, das sind humane Lehren, Schwager!

Orgon. Ach, wären Sie mit ihm wie ich bekannt,
Sie würden ihm die gleiche Freundschaft weih'n.
Andächtig ging er täglich in die Kirche,
Und fiel mir gegenüber auf die Knie;
Die heiße Gluth mit der er betete,
Ließ aller Blicke nur auf ihn sich richten;
Und laute schwere Seufzer stieß er aus,
In tiefer Demuth küßte er die Erde;
Und brach ich auf, so ging er mir voran,
Um an der Thür Weihwasser mir zu bieten.
Von seiner Dürftigkeit und wer er sei
Hat mich sein treuer Diener unterrichtet.
Ich gab ihm Geld, doch mit Bescheidenheit
Wies er davon stets einen Theil zurück,
Indem er sprach: die Hälfte ist genug,
Denn ich verdiene Euer Mitleid nicht.
Und da ich es nicht wiedernehmen wollte,
Gab er vor meinen Augen es den Armen.
Drauf führte ihn der Himmel in mein Haus,
Und seit er hier, scheint alles zu gedeih'n.
Er tadelt was er sieht, und achtet sehr,
Der Ehre wegen, auch auf meine Frau.
Er sagt mir, wer ihr süße Blicke wirft,

Und mehr als mich, plagt ihn die Eifersucht.
Sie glauben nicht, wie weit sein Eifer geht;
Er hält für Sünde die geringste Sache,
Ein bloßes Nichts vermag ihn aufzuregen.
Jüngst hielt er es für eine große Sünde,
Daß im Gebet er einen Floh gefangen,
Den er im Zorne gleich getödtet habe.

Cleante. Sie sind ein Narr, Herr Schwager, wie ich glaube;
Sie wollen über mich sich lustig machen?
Was soll's? Was wollen Sie mit dem Geschwätz?

Orgon. Das schmeckt, Herr Schwager, nach Freigeisterei.
Auch Sie sind schon ein wenig angesteckt;
Und mehr als zehnmal hab' ich Sie ermahnt;
Sie werden sich noch schlimme Händel machen.

Cleante. So läßt sich Ihresgleichen immer hören.
Sie wollen Jeder sei so blind wie Sie.
Wer gute Augen hat, ist Freigeist gleich!
Und wer die eitle Thuerei nicht mag,
Versündigt sich an Gott und an dem Glauben.
All' Eure Reden können mich nicht schrecken;
Ich spreche mit Bedacht, der Himmel kennt
Mein Herz, man ist nicht Sclave Eurer Gaukler.
Die falschen Frommen sind wie schlechte Krieger;
Ein wahrhaft tapfrer Mann macht kein Geschrei,
Und schreitet ruhig auf der Ehre Bahn.
Die wahrhaft Frommen, die uns Vorbild sind,
Sind Jene nicht, die nur Grimassen machen.
Vermögen Sie denn nicht zu unterscheiden
Die wahre Frömmigkeit von Heuchelei?
Soll beide denn dasselbe Wort bezeichnen
Und gleich geehrt sein Maske wie Gesicht?
Zwar Ihnen scheint die Lüge wie die Wahrheit:
Sie trennen nicht das Wesen von dem Schein,
Und achten das Phantom gleich der Person.
Sie nehmen falsches Gold für baare Münze.
Die meisten Menschen sind sehr eigner Art,
Man sieht sie nie in ihrem wahren Wesen,
Vernunft hat ihnen viel zu enge Grenzen;
Was sie auch thun, sie müssen übertreiben.

Verdorben werden so die besten Dinge,
Weil man sich zwingt noch mehr daraus zu machen:
Für Sie wollt' ich dies nur bemerken, Schwager.

    Orgon. Sie sind das Muster eines Philosophen;
Nur Sie allein sind weis' und aufgeklärt;
Ein Cato blicken Sie in uns're Zeit,
Und im Vergleich mit Ihnen sind wir Thoren.

    Cleante. Ich bin kein musterhafter Philosoph,
Und bin auch nicht so weis' und aufgeklärt,
Jedoch mit einem Wort, gelernt hab' ich
Die Wahrheit von der Falschheit unterscheiden;
Und wie ich keinen Helden denken kann,
Der höher als ein wahrhaft Frommer steht,
Wie nichts so schön und edel auf der Welt,
Als eines wahren Eifers heil'ge Gluth;
So scheint mir nichts verächtlicher zu sein,
Als jene Gleisnerei mit frommer Miene,
Als jene Charlatans auf off'ner Straße,
Für die die Frömmigkeit nur Trugspiel ist.
Sie treiben ungestraft mit allem Spott,
Was sonst den Menschen hoch und heilig gilt.
Nach Vortheil streben diese Leute nur,
Und machen aus der Frömmigkeit Gewerbe.
Sie wollen Rang und Würde sich erkaufen,
Mit Augendreh'n und affectirtem Schrei'n.
Man sieht, wie sie auf hohen Himmelswegen
Dem eignen Glücke nachzulaufen wissen.
Die jeden Tag mit Schrei'n und Beten füllen,
Und Buße pred'gen mitten im Vergnügen.
Die Tugend passen sie dem Laster an;
Sie sind voll Rachsucht, schlau, gewandt und listig,
Und gilt es einen Gegner zu vernichten,
So thuen sie es nur des Himmels wegen,
Um so gefährlicher in ihrem Zorn,
Als sie mit heil'gen Waffen uns bekämpfen,
Und als ihr Eifer, dem man Dank noch zollt,
Das Herz uns trifft mit dem geweihten Dolch.
An Heuchlern dieser Art ist man jetzt reich,
Doch auch die wahrhaft Frommen sind zu kennen.

Auch Solche zeigt uns unsre Zeit, Herr Schwager,
Die uns als rühmlich Vorbild dienen können.
Betrachten Sie Ariston, Periander,
Alcidamas, Clitander und Oront.
Der Ruf ist ihnen wohl noch nie bestritten,
Doch sie sind Tugendprahler nie gewesen.
Es macht sich nie ihr heil'ger Eifer breit,
Und ihre Frömmigkeit bleibt immer menschlich.
Sie tadeln unser Thun und Lassen nicht,
Weil dies wie Ueberhebung ihnen schiene;
Und stolze Worte andern überlassend,
Verbessern sie durch ihre Thaten uns.
Bei ihnen findet der Verdacht nicht Raum,
Sie neigen stets zur Nachsicht gegen And're,
Von List und von Kabale sind sie frei,
Und sorgen nur, daß recht sie selber leben.
Nur um der Sünde willen eifern sie,
Doch nicht mit Hast verfolgen sie den Sünder.
Sie wollen nicht mit ungestümem Eifer
Mehr für den Himmel thun als selbst er will.
Das sind die Leute, wie sie seien sollen,
Das ist das Beispiel, dem man folgen muß.
Jedoch Ihr Mann ist nicht nach diesem Muster;
Und wenn Sie gläubig seiner Tugend trau'n,
So ist's ein falscher Schein, der Sie verblendet.

Orgon. Herr Schwager, sind Sie jetzt zu Ende?

Cleante. Ja.

Orgon. Ich grüße Sie.

Cleante. Ein Wort noch, Schwager, bitte.
Genug von dem Gespräch. Sie wissen doch,
Daß Sie Valer der Tochter Hand gelobt?

Orgon. Ja.

Cleante. Auch der Tag der Hochzeit war bestimmt.

Orgon. Gewiß.

Cleante. Warum verschieben Sie ihn noch?

Orgon. Ich weiß nicht . . .

Cleante. Haben Sie jetzt and're Pläne?

Orgon. Vielleicht.

Cleante. Nicht halten wollen Sie Ihr Wort?

Orgon. Das sag' ich nicht.

Cleante. Es ist kein Grund, Herr Schwager,
Der Sie verhindern kann, Ihr Wort zu halten.

Orgon. Je nun . . . .

Cleante. Wozu Ausflüchte machen, Schwager?
Zu wissen wünscht Valer, woran er sei.

Orgon. Der Himmel sei gelobt!

Cleante. Was soll ich sagen?

Orgon. Was Ihnen recht.

Cleante. Doch nöthig scheint es uns,
Zu kennen den Beschluß, den Sie gefaßt?

Orgon. So wie's der Himmel will, so mög's gescheh'n.

Cleante. Sei'n wir uns klar. Ihr Wort hat schon Valer.
Soll es gehalten werden oder nicht?

Orgon. Adieu.

Cleante (allein). Ein Mißgeschick droht seiner Liebe,
Und schnell will ich ihm sagen, wie es steht.

Zweiter Aufzug.

Erster Auftritt.
Orgon. Mariane.

Orgon. Mariane!

Mariane. Vater?

Orgon. Komm, ich muß dich sprechen,
Ganz im Vertrau'n.

Mariane (zu Orgon, der in ein Kabinet blickt). Was suchen Sie?

Orgon. Ich seh'
Ob Niemand da, der uns belauschen kann,
Dies Kabinet ist wie gemacht dazu.
Wir sind allein. Mariane, ja in dir
Hab' ich ein sanftes Wesen stets erkannt,
Und immer hab' ich dich auch lieb gehabt.

Mariane. Für Ihre Liebe bin ich tief verpflichtet.

Orgon. Sehr brav, mein Kind, und um sie zu verdienen,
Mußt du in Allem mir gehorsam sein.

Mariane. Auch dies hab' ich zu meiner Pflicht gemacht.

Orgon. Sehr gut. Nun sag', wie denkst du von Tartüffe?

Mariane. Wer? ich?

Orgon. Bedenke deine Antwort wohl.

Mariane. O weh! ich — werde sagen, was Sie wollen

Zweiter Auftritt.

Orgon. Mariane. Dorine, die leise hereintritt und sich ungesehen hinter Orgon stellt.

Orgon. Das heißt vernünftig sprechen ... Sag' mir, Tochter
Sein ganzes Wesen glänze von Verdiensten;
Geneigt sei ihm dein Herz, und süß wär' dir's,
Wenn er durch meine Wahl dein Gatte würde.

Mariane. Wie?

Orgon. Nun?

Mariane. Was?

Orgon. Was?

Mariane. Hab' ich denn falsch gehört?

Orgon. Wie so?

Mariane. Von wem, mein Vater, soll ich sagen:
Geneigt sei ihm mein Herz und süß wär' mir's,
Wenn er durch Ihre Wahl mein Gatte würde?

Orgon. Von Herrn Tartüffe.

Mariane. Das ist nicht wahr, mein Vater.
Wie soll ich eine solche Thorheit sagen?

Orgon. Ich aber wünsche, daß es Wahrheit wird;
Es ist für dich genügend, daß ich's will.

Mariane. Sie wollen's, Vater? ...

Orgon. Ja, ich habe vor
Tartüffe mit meinem Hause zu verbinden.
Er wird dein Gatte, so hab' ich's beschlossen,
Und wie ich deinen Wunsch ... (Dorine bemerkend) was macht
Sie da?
Die Neugier, meine Liebe, plagt Sie sehr,
Denn nur zum Lauschen ist Sie hergekommen.

Dorine. Fürwahr, ich weiß es nicht ob das Gerücht,
Das geht, die Lüge oder Wahrheit spricht.
Man hat von dieser Heirath mir erzählt,
Jedoch für Unsinn hab' ich's gleich erklärt.

Orgon. Was! ist die Sache so unglaublich denn?

Dorine. So sehr, daß ich selbst Ihnen sie nicht glaubte.

Orgon. Ich weiß das Mittel, daß Ihr an sie glaubt.

Dorine. Ja, ja, Sie binden uns ein Mährchen auf!

Orgon. Von dem man bald die Wahrheit hören wird.

Dorine. Ah Possen!

Orgon. Voller Ernst ist, was ich sage.

Dorine. Ei, glauben Sie es Ihrem Vater nicht,
    scherzt

Orgon. Ich sage Euch . . .

Dorine. Genug, genug,
Man glaubt es Ihnen nicht.

Orgon. So wird mein Zorn . . .

Dorine. Man glaubt's ja schon und schlimm genug für Sie.
Was! Kann ein Mann, der aussieht wie ein Weiser,
Mit diesem langen Barte im Gesicht,
So thöricht sein und wollen . . .

Orgon. Hör' Sie, Jungfer,
Sie nimmt sich hier im Hause viel heraus,
Was mir mißfällt; laß Sie's gesagt sich sein.

Dorine. Verzeihung, Herr, wir wollen ruhig sprechen.
Sie machen über dies Complot sich lustig?
Für Ihre Tochter paßt ein Frömmler nicht;
Der hat zu denken an ganz andre Dinge.
Und was gewinnen Sie bei dieser Heirath?
Mit allem Ihren Gelde wollen Sie
Solch einen Lump . . .

Orgon. Schweig still. Weil er nichts hat,
Grad' deshalb muß man ihn verehren.
Sein Elend ist ein ehrenvolles Elend.
Es muß ihn hoch erheben über Alle;
Denn seines Gutes ließ er sich berauben,
Weil er um irb'sche Dinge sich nicht kümmert.
Durch meinen Beistand wird es ihm gelingen,
Daß er in seine Güter wieder eintritt.
Er hat das Recht vom Staat sie zu verlangen.
Wie Ihr ihn seht ist er ein Edelmann.

Dorine. Das sagt er selbst, und solche Eitelkeit,
Mein Herr, steht seiner Frömmigkeit schlecht an.
Wer eines heil'gen Lebens Unschuld liebt,
Prahlt nicht so sehr mit Namen und Geburt.

Die stille Demuth wahrer Frömmigkeit
Verträgt den Glanz von diesem Ehrgeiz nicht.
Wozu der Stolz? . . . Sie hören das nicht gern.
Genug vom Adel. Jetzt von der Person.
Vermögen Sie es wirklich über sich,
Der Tochter einen solchen Mann zu geben?
Sie sollten doch den Anstand nicht vergessen,
Und an die Folgen dieser Heirath denken.
Man bringt des Mädchens Tugend in Gefahr,
Wenn man sie zwingt zur Ehe ohne Neigung.
Denn brav als Frau im Ehestand zu bleiben,
Hängt sehr vom Manne ab, den man ihr gibt.
Nach dessen Stirn man mit dem Finger zeigt,
Hat selber seine Frau so weit gebracht.
Gewissen Männern von gewisser Art
Ist es sehr schwer, die Treue zu bewahren.
Wer seiner Tochter einen Mann aufbringt,
Der ist verantwortlich für ihre Fehler.
Bedenken Sie, wie viel Gefahr dabei.

Orgon. Hörst du? Die will mir Lebensregeln geben!

Dorine. Ja, möchten Sie nur meinen Lehren folgen.

Orgon. Genug jetzt mit den Possen, meine Tochter.
Als Vater weiß ich, was dir dienlich ist.
Ich hatte schon mein Wort Valer gegeben,
Doch wie man sagt, soll er ein Spieler sein,
Und ich vermuthe, daß er Freigeist ist,
Denn nie bemerkte ich ihn in der Kirche.

Dorine. Soll zur bestimmten Stunde er dort sein,
Wie jene, die sich wollen sehen lassen?

Orgon. Ich frage Sie um Ihre Meinung nicht.
Doch auf dem Andern ruht des Himmels Segen,
Und dieser Schatz ist keinem zu vergleichen.
Beglücken wird dich dieser Ehebund
Und alle deine Wünsche dir erfüllen.
In Wonne wird das Leben Euch verfließen;
Ihr liebt wie Kinder Euch, wie Turteltauben;
Es bleiben Zank und Streit Euch immer fern,
Und deinem Willen wird er stets gehorchen.

Dorine. Sie wird aus ihm nur machen einen Tropf.

Orgon. Du Schwätzerin!

Dorine. Ich sag', den Anschein hat's.
Der Einfluß, den er üben wird, mein Herr,
Kann nur von Unheil sein für Ihre Tochter.

Orgon. Sie ist gar zu besorgt. Sie soll jetzt schweigen.

Dorine. Ja, liebte man Sie nicht.

Orgon. Das soll Sie nicht.

Dorine. Ich liebe Sie, auch wenn Sie es nicht wollen.

Orgon. Ach!

Dorine. Ihre Ehre ist mir theuer, Herr.
Ich kann nicht leiden, daß man Sie verhöhnt.

Orgon. Schweigt Sie jetzt still?

Dorine. Es ist Gewissenssache,
Zu hindern die Verbindung wie ich kann.

Orgon. Wird Sie nun endlich schweigen, gift'ge Schlange.

Dorine. Sie sind ein Frommer, der sich so beträgt!

Orgon. Mir kocht das Blut bei diesen Albernheiten!
Zum letzten Mal verbiet' ich Ihr den Mund.

Dorine. Ich spreche nicht, doch denk' ich was ich will.

Orgon. Denk' Sie, wenn Sie es will, doch hüt' Sie sich,
Mir jemals noch davon zu sprechen, sonst .., (zu seiner Tochter)
Wohl überlegt ist Alles . . .

Dorine. Ich sticke,
Daß ich nicht sprechen darf.

Orgon. Kein Damenheld
Ist Herr Tartüffe . . .

Dorine (für sich). Ach nein, er ist ein Affe.

Orgon. Und wenn du ihm noch nicht gewogen wärst,
So wird sein Werth . . .

Dorine (für sich). Da ist sie schön versorgt! (Orgon wendet sich
zu Dorine, hört sie mit gekreuzten Armen an und sieht ihr in's Gesicht).
Wär' ich an ihrem Platz, so sollt' kein Mann,
Den ich nicht wollte, ungestraft mich frei'n;
Bald nach der Hochzeit würde ich ihm zeigen,
Daß eine Frau auch ihre Rache hat.

Orgon (zu Dorine). Hat Sie vergessen, was ich Ihr gesagt?

Dorine. Was haben Sie? Ich spreche nicht mit Ihnen.

Orgon. Was macht Sie denn?

Dorine. Ich spreche mit mir selbst.

Orgon (für sich). Nun gut. Um Ihre Frechheit zu bestrafen,
Müßt' ich jetzt meine Hand zu Hülfe nehmen. (Er setzt sich in Po=
situr, Dorinen eine Ohrfeige zu geben und bei jedem Worte, das er zu seiner
Tochter spricht, sieht er Dorinen an, die stumm und grade vor ihm steht.)
Mein Kind, du weißt, daß meine Absicht gut.
Vertrau' . . . der Mann, den ich für dich gewählt . . .
Sagt Sie sich nichts?

Dorine. Ich hab' mir nichts zu sagen.

Orgon. Ein Wörtchen nur.

Dorine. Ich hab' jetzt keine Lust.

Orgon. Ich warte drauf.

Dorine. Mein Treu, wie dumm wär' ich!

Orgon. Mein Kind, du mußt dich mir gehorsam zeigen
Und mußt mit meiner Wahl zufrieden sein.

Dor. (entfliehend). Bedanken würd' ich mich für solchen Mann.

Orgon (nachdem er versucht hatte, Dorinen eine Ohrfeige zu geben).
Die ist ja wie die Pest für dich, mein Kind;
Mit der kann man nicht leben ohne Fehl.
Ich bin jetzt außer Staude, fortzufahren,
Zu aufgeregt bin ich von dieser Frechheit.
Die frische Luft wird mich beruhigen.

Dritter Auftritt.

Mariane. Dorine.

Dorine. Wie, haben Sie die Sprache denn verloren?
Und mußt' ich Ihre Rolle übernehmen?
Sie dulden ruhig einen solchen Vorschlag,
Erwidern nicht ein einzig Wörtchen drauf!

Mariane. Was kann ich gegen einen Vater thun?

Dorine. Was Noth thut, solche Drohung abzuwenden.

Mariane. Was?

Dorine. Sagen, daß man nicht für And're liebt,
Daß Sie für ihn nicht nehmen einen Mann;
Und da die Sache Sie am meisten trifft,
So muß nicht ihm, nein Ihnen er gefallen;
Und wenn Tartüffe für ihn so reizend ist,
So kann er ohne Hinderniß ihn frei'n.

Mariane. Der Vater hat auf uns so viel Gewalt,
Daß ich ihm nicht zu widersprechen wagte.

Dorine. Bedenken Sie, Valer hielt um Sie an;
Ob Sie ihn lieben, frag' ich, oder nicht?

Mariane. Wie ungerecht denkst du von meiner Liebe!
Dorine, kannst du diese Frage thun?
Wie oft hab' ich mein Herz dir nicht eröffnet?
Und weißt du nicht, wie heiß es für ihn schlägt?

Dorine. Wie weiß ich, ob der Mund das Herz verrieth,
Und ob es Wahrheit ist, daß Sie ihn lieben?

Mariane. Sehr Unrecht thust du mir, daran zu zweifeln;
Zu oft hat mein Gefühl sich dir verrathen.

Dorine. Sie lieben ihn gewiß?

Mariane. Mit aller Gluth.

Dorine. Wie es den Anschein hat, liebt er Sie auch?

Mariane. Ich glaube, ja.

Dorine. Und beide brennen Sie
Vereinigt sich zu seh'n?

Mariane. O sicherlich.

Dorine. Doch wie entgeh'n Sie jener andern Heirath?

Mariane. Ich gebe mir den Tod, wenn man mich zwingt.

Dorine. Den Tod! an diesen Ausweg dacht' ich nicht.
Er bringt Sie schnell aus der Verlegenheit.
Dies Mittel ist vortrefflich! Ich bin wüthend,
Sobald ich solche Reden hören muß.

Mariane. Mein Gott! wie mißmuthig bist du, Dorine.
Du hast kein Mitgefühl mit Andrer Leiden.

Dorine. Ich hab's auch nicht mit dem, der Unsinn spricht
Und, wo es gilt, kein Herz zu fassen wagt.

Mariane. Doch was verlangst du? wenn ich ängstlich bin...

Dorine. Die wahre Liebe will Entschlossenheit.

Mariane. Bewahr' ich meine Liebe nicht Valer?
Ist's nicht an ihm den Vater umzustimmen?

Dorine. Doch wenn Ihr Vater nun ein Starrkopf ist,
Der nur Tartüffe in's Herz geschlossen hat,
Und sein gegeb'nes Wort jetzt wieder bricht,
Soll Ihr Geliebter büßen diese Schuld?

Mariane. Und werd' ich nicht durch Trotz und Widerspruch
Verrathen, daß mein Herz zu heiß ihn liebt?
Soll ich für ihn, wie würdig er auch ist,
Die Sitte und der Tochter Pflicht verletzen?

3

Und willſt du, daß ich laut' vor aller Welt . . .

Dorine. Nein, ich verlange nichts. Ich ſehe wohl,
Sie wollen Herrn Tartüffe, und Unrecht wär's,
Von ſolcher Heirath Sie zurückzuhalten.
Warum auch kämpf' ich gegen Ihre Wünſche?
Sehr vortheilhaft iſt ſicher die Parthie.
Denn Herr Tartüffe, oh, über den geht nichts;
Tartüffe verſteht ſich auf die Sache gut;
Er iſt gewiß kein Mann von dummer Art.
Kein kleines Glück iſt's ſeine Frau zu ſein.
Die ganze Welt iſt ſeines Ruhmes voll.
Ein Edelmann und ſtattlich von Geſtalt,
Mit rothen Ohren, blühendem Geſicht.
Er iſt der Mann, der Sie beglücken kann!

Mariane. Mein Gott! . . .

Dorine. Wie glücklich müſſen Sie ſich fühlen,
Solch eines ſchönen Mannes Frau zu werden.

Mariane. Hör' auf, ich bitte dich, mit ſolchen Reden,
Und hilf mir dieſer Heirath zu entgeh'n.
Ich füge mich und bin bereit zu Allem.

Dorine. Die Tochter muß gehorchen ihrem Vater,
Gibt er auch einen Affen ihr zum Mann.
Ein ſchönes Loos! worüber klagen Sie?
Sie fahren nobel hin nach ſeinem Städtchen,
Das mit Verwandtſchaft reich geſegnet iſt.
Ergötzlich wird die Unterhaltung ſein.
Dann führt man Sie in die Geſellſchaft ein.
Bei Ihrer Ankunft machen Sie Beſuche
Bei der Frau Räthin und Frau Amtmännin,
Die höflich Sie erſuchen Platz zu nehmen.
Sie haben Ausſicht in dem Carneval
Auf einen Ball mit herrlicher Muſik,
Mit Pfeiff' und Dudelſack und Marionetten;
Und dann der Herr Gemahl . . .

Mariane. Du tödteſt mich.
Erſinne Rath vielmehr, um mir zu helfen.

Dorine. Ergeb'ne Dienerin.

Mariane. Dorine, bleib . . .

Dorine. Zu Ihrer Strafe muß es alſo kommen.

Mariane. Mein gutes Mädchen!

Dorine. Nein.

Mariane. Laß dir erklären . . .

Dorine. Nichts. Herr Tartüffe, der ist der Mann für Sie.

Mariane. Du weißt, ich habe stets mich dir vertraut!

Dorine. Sie werden meiner Treu tartüfficirt!

Mariane. Nun, da mein Schicksal dich nicht rühren kann,
So geh' und überlaß' mich der Verzweiflung.
Sie ist's, die meinem Herzen Beistand leiht.
Ein Mittel gibt's, das meine Leiden heilt. (Mariane will gehn.)

Dorine. Halt! Bleiben Sie, der Zorn verläßt mich schon.
Man muß trotz Allem Mitleid für Sie haben.

Mariane. Wenn man mich diesen Leiden überläßt,
Ich sage dir Dorine, daß ich sterbe.

Dorine. Nur Muth gefaßt. Noch ist es nicht zu spät.
Doch seht, der beste Tröster naht, Valer.

Vierter Auftritt.
Valer. Mariane. Dorine.

Valer. Man bringt mir eben eine Neuigkeit,
Die mich nicht wenig überrascht, mein Fräulein.

Mariane. Was ist's?

Valer. Sie werden sich Tartüffe vermählen.

Mariane. Mein Vater hat sich's in den Kopf gesetzt.

Valer. Ihr Vater?

Mariane. Ja, sein Plan hat sich geändert.
Er hat es mir so eben vorgestellt.

Valer. Wie so? im Ernst?

Mariane. Ja wohl, in vollem Ernst.
Er hat für diese Heirath sich erklärt.

Valer. Und wie ist der Entschluß, den Sie gefaßt,
Mein Fräulein?

Mariane. Weiß ich's?

Valer. Eine schöne Antwort.
Sie wissen's nicht?

Mariane. Nein.

Valer. Nein?

Mariane. Was rathen Sie?

Valer. Ich rathe Ihnen diesen Mann zu nehmen.

3*

Mariane. Das rathen Sie?

Valer. Nun ja.

Mariane. Im Ernst?

Valer. Kein Zweifel.

Die Wahl ist glänzend, man muß sie erwägen.

Mariane. Nun gut, mein Herr, ich folge diesem Rath.

Valer. Mir scheint, nicht schwer wird's Ihnen, ihm zu folgen.

Mariane. Nicht schwerer, als es Ihnen, ihn zu geben.

Valer. Ich gab ihn, Fräulein, Ihnen zu gefallen.

Mariane. Zu Ihrem Wohlgefallen folg' ich ihm.

Dorine (sich in den Hintergrund zurückziehend).

Ich bin begierig, wie das enden wird.

Valer. So liebt man also? Eine Täuschung war's,
Als Sie . . .

Mariane. O sprechen wir nicht mehr davon.
Sie sagten frei heraus, ich müsse den
Zum Gatten nehmen, den man mir bestimmt;
Und ich erkläre darauf einzugehn,
Weil Sie es sind, der diesen Rath mir gab.

Valer. Entschuld'gen Sie sich nicht auf meine Kosten;
Sie hatten längst schon den Entschluß gefaßt,
Und greifen jetzt zu einem leeren Vorwand,
Um zu rechtfert'gen Ihr gebroch'nes Wort.

Mariane. Wahrhaftig, gut gesagt.

Valer. Ja, ohne Zweifel.
Ihr Herz hat niemals wahrhaft mich geliebt.

Mariane. Ach, denken Sie darüber was Sie wollen.

Valer. Jawohl, vielleicht kommt mein beleidigt Herz
Mit gleichem Plan dem Ihrigen zuvor.
Ich weiß, wo Herz und Hand willkommen sind.

Mariane. Ich zweifle gar nicht, das Verdienst erweckt
Der Liebe Gluth . . .

Valer. Ach, das Verdienst bei Seite!
Sie zeigen mir, daß es gering nur ist.
Doch hoff' ich auf die Güte einer Andern;
Und eine Seele weiß ich mir geneigt,
Das zu ersetzen, was ich hier verlor.

Mariane. Ach, der Verlust ist nicht so groß, mein Herr.
Sehr leicht wird's Ihnen werden, sich zu trösten.

Valer. Ich werd's versuchen, sein Sie überzeugt.
Ein treulos Herz ruft uns're Ehre wach.
Wir müssen uns bemüh'n es zu vergessen,
Und wenn es nicht gelingt, doch also thun.
Denn nie wird man die Schwäche sich vergeben,
Da Liebe zeigen, wo man uns verlassen.
Wie? wünschen Sie, daß ich in meiner Brust
Für Sie bewahre meiner Liebe Flamme?
Soll ich Sie sehn an eines Andern Arm,
Und nicht verschenken dies verschmähte Herz?

Mariane. Im Gegentheil, ich wünsche es sogar,
Ich wollte, daß es schon geschehen wär'.

Valer. Das wollten Sie?

Mariane. Ja.

Valer. Gut, wir sind am Ziel,
Mein Fräulein, ich erfülle Ihren Wunsch.

(Er thut einen Schritt zum Fortgehn.)

Mariane. Sehr gut.

Valer (zurückkommend). Bedenken Sie, daß Sie es sind,
Die mich zu diesem Aeußersten gebracht.

Mariane. Ja.

Valer. Und daß der Entschluß, den ich gefaßt,
Nach Ihrem Beispiel ist.

Mariane. Nach meinem Beispiel.

Valer. Genug: Sie sollen gleich bedient sich sehn.

Mariane. Sehr gut.

Valer (noch einmal zurückkehrend). Sie sehen mich zum letzten Mal.

Mariane. Ganz recht.

Valer (kehrt an der Thür noch einmal wieder um). Wie?

Mariane. Was?

Valer. Sie haben mich gerufen?

Mariane. Sie träumen.

Valer. Gut, ich gehe meinen Weg.
Adieu.

Mariane. Adieu, mein Herr.

Dorine (zu Mariane). Fast scheint es mir,
Als ob Sie Beide den Verstand verlören.
Ich habe Sie so lange streiten lassen,
Nur um zu sehn, wie weit es gehen würde.

He! Herr Valer! (Sie faßt Valer beim Arm.)

Valer (sich scheinbar wehrend). Was willst du denn, Dorine?

Dorine. O bleiben Sie.

Valer. Nein, nein, ich bin gekränkt.

Mich hindert nichts an dem, was s i e gewollt.

Dorine. Sie müssen bleiben.

Valer. Nein, es ist beschlossen.

Dorine. Ach!

Mariane (für sich). Meine Gegenwart vertreibt ihn, scheint's,
Ich werde besser thun, ihm Platz zu machen.

Dorine (verläßt Valer und eilt zu Mariane).

Auch s i e! wohin so schnell?

Mariane. Laß' mich.

Dorine. Sie bleiben.

Mariane. Umsonst versuchst du, mich zurückzuhalten.

Valer (für sich). Ich sehe wohl, mein Anblick macht ihr Qual,
Und besser ist's, davon sie zu befrei'n.

Dorine (verläßt Mariane und eilt zu Valer).

Nun wieder e r! Potz Wetter, bleiben Sie!
Hört jetzt zu schmollen auf, kommt Beide her.

     (Sie nimmt Valer und Mariane bei der Hand.)

Valer (zu Dorine). Was hast du vor?

Mariane (zu Dorine). Was willst du mit uns thun?

Dorine. Versöhnen will ich Sie und Alles schlichten. (Zu Valer.)
Sind Sie nicht toll, sich so herum zu streiten?

Valer. Hast du gehört, wie sie zu mir gesprochen?

Dor. (zu Mariane). Sind Sie nicht toll, sich darauf einzulassen?

Mariane. Hast du gesehen, wie er mich behandelt?

Dorine (zu Valer). Ach Narrheit beiderseits. Sie denkt an nichts,
Als nur für Sie zu leben, ich bezeug's. (Zu Mariane.)
Er liebt nur Sie und wünscht nichts sehnlicher,
Als Ihr Gemahl zu sein, mein Wort darauf.

Mar. (zu Valer). Doch warum gaben Sie mir solchen Rath?

Valer (zu Mariane). Doch warum stellten Sie mir solche Frage?

Dor. Sie sind nicht klug. Hier, jeder seine Hand. (Zu Valer.)
Geschwind.

Valer (der Dorine die Hand gibt). Wozu die Hand?

Dorine (zu Mariane). Die Ihre, schnell!

Mariane (ebenfalls die Hand gebend). Wozu das Alles?

Dorine. Kommen Sie, nur schnell.
Sie lieben sich viel mehr, als Sie es denken.

(Valer und Mariane halten sich bei der Hand, ohne sich anzublicken.)

Valer (sich zu Mariane wendend).

Man muß die Sachen so genau nicht nehmen,
Und ohne Groll die Leute sich betrachten.

(Mariane wendet sich lächelnd zu Valer.)

Dorine. Verliebte sind verrückt, das muß ich sagen.

Valer (zu Mariane). Ei was? hatt' ich nicht Grund mich zu
beklagen?

Gestehen müssen Sie, nicht artig war's,
Daß Sie so leicht hin mich betrüben konnten?

Mariane. Doch sind Sie nicht der undankbarste Mann ...

Dorine. Verschieben wir den Streit auf beß're Zeit,
Und sinnen wir der Heirath zu entgeh'n.

Mariane. O sage, welches Mittel helfen kann?

Dorine. Wir müssen alle Minen springen lassen. (Zu Mariane.)
Ihr Vater ärgert sich, (zu Valer) doch das sind Possen. (Zu Mar.)
Für Sie wird es gerathen sein zu thun,
Als gingen Sie auf seinen Vorschlag ein,
Damit im Nothfall Sie die Freiheit haben,
Die Heirath möglichst weit hinauszuschieben;
Denn viel gewinnt man, wenn man Zeit gewinnt.
Bald fühlen Sie, daß Ihnen unwohl ist,
Und Aufschub stets verlangt ein solcher Fall.
Bald sind es schlimme Vorbedeutungen:
Ein Leichenzug, dem Sie begegnet sind,
Ein Glas, das brach, ein Traum, der Sie erschreckt.
Das Beste aber bleibt, wenn Sie nicht wollen,
Es kann Sie Niemand zwingen, ja zu sagen.
Doch scheint es mir auf jeden Fall gerathen,
Man findet Sie nicht im Gespräch zusammen. (Zu Valer.)
Drum gehn Sie, Ihre Freunde zu gewinnen,
Damit man halten kann, was man versprach.
Wir suchen uns den Bruder anzufeuern,
Und auch die Stiefmama muß mit uns sein.
Adieu.

Valer (zu Mariane). Was immer auch geschehen mag,
Auf Sie allein stützt meine Hoffnung sich.

Mar. (zu Valer). Ich kann nicht wissen, was der Vater sinnt,
Jedoch ich weiß, daß ich Valer gehöre.
Valer. Wie froh bin ich! Was man auch wagen sollte...
Dorine. Verliebte können nie genug sich sagen.
Fort, fort, sag' ich.
Valer. Doch wenn ...
Dorine. Was für ein Schwätzer!
Sie dort hinaus und Sie nach dieser Seite.
(Dorine stößt sie nach verschiedenen Seiten hinaus.)

Dritter Aufzug.

Erster Auftritt.
Damis. Dorine.

Damis. Es soll der Blitz mich auf der Stelle treffen,
Den allergrößten Schuft soll man mich nennen,
Wenn irgend eine Macht mich hindern könnte,
Das auszuführen, was ich mir erdacht!
Dorine. Ich bitte, mäß'gen Sie den Uebermuth.
Ihr Vater hat ja nur davon gesprochen.
Man thut nicht gleich, was man sich vorgenommen;
Der Weg ist weit vom Wollen bis zur That.
Damis. Ich muß die Ränke dieses Schurken hindern;
Und will zwei Worte in das Ohr ihm sagen.
Dorine. Nur sacht! Die Stiefmama versteht am besten
Mit ihm wie mit dem Vater umzugeh'n.
Sie ist nicht ohne Einfluß auf Tartüffe,
Er leiht dem, was sie sagt ein willig Ohr
Und hat vielleicht ein warmes Herz für sie.
Fürwahr, wenn das sich träf', es wäre schön.
Genug, sie hat ihn zu sich rufen lassen,
Ihn zu erforschen über diese Heirath;
Zu wissen, wie er denkt und ihm zu sagen,
Welch großer Zwist daraus erwachsen könnte,
Wenn er von diesem Plan nicht lassen will.
Ich konnte ihn nicht sprechen, weil er betet;
Sein Diener sagt, er komme bald herunter.
Drum gehen Sie, ich will ihn hier erwarten.

Damis. Ich kann bei dem Gespräch zugegen sein.

Dorine. Sie muß allein ihn sehn.

Damis. Ich sag' ihm nichts.

Dorine. Nein, nein; man kennt schon Ihre Heftigkeit,
Das Mittel wär's, die Sache zu verderben.
Fort, fort.

Damis. Dabei sein will ich ohne Zorn.

Dorine. Sie quälen mich! Er kommt. Hinweg, geschwind.

(Damis verbirgt sich in einem Kabinet im Hintergrund.)

Zweiter Auftritt.

Tartüffe. Dorine.

Tartüffe (spricht, sobald er Dorine bemerkt, laut zu seinem Diener, der hinter der Scene ist).

Lorenz, mein Bußkleid und den Strick schließ' ein
Und bete, daß der Himmel dich erleuchte.
Wenn man zu sprechen mich verlangt, so sag',
Ich brächt' Almosen den Gefangenen.

Dorine (bei Seite). Wie affectirt und prahlerisch ist er!

Tartüffe. Was will Sie?

Dorine. Ihnen . . .

Tart. (ein Taschentuch hervorziehend). Ach mein Gott! ich bitte . . .
Bevor Sie weiter spricht, nehm' Sie dies Tuch.

Dorine. Wozu?

Tartüffe. Bedecke Sie damit den Busen.
Dergleichen bringt die Seelen in Gefahr,
Erzeugt Gedanken, die s r sündhaft sind.

Dorine. Empfänglich scheint's, sind Sie für die Versuchung,
Und großen Eindruck macht auf Sie das Fleisch.
Die Gluth, die Sie ergreift, versteh' ich nicht.
Ich wenigstens bin nicht so schnell bereit,
Und nackt könnt' ich Sie sehn von Kopf zu Fuß,
Ihr Anblick würde mich durchaus nicht rühren.

Tartüffe. Sei Sie anständiger in Ihren Reden,
Sonst laß' ich auf der Stelle Sie allein.

Dorine. Nein, ich will gehn und Sie nicht weiter stören;
Zwei Worte hab' ich Ihnen nur zu sagen.
Madam kommt gleich in diesen Saal herunter,
Und bittet Sie um eine Unterredung.

Tartüffe. Mein Gott! ſehr gern.

Dorine (bei Seite). Wie ſanft dies Wort ihn macht!
Mein Treu, ich bleib' dabei, was ich geſagt.

Tartüffe. Und kommt ſie bald?

Dorine. Mir iſt als hört' ich ſie;
Da iſt ſie ſchon, ich laſſe Sie allein.

Dritter Auftritt.
Elmire. Tartüffe.

Tartüffe. Der Himmel ſchenke Ihnen ſeine Gnade
Und ſtärke Ihren Leib und Ihre Seele;
Er ſegne Ihre Tage, wie es Alle
Demüthig fleh'n, von ſeiner Lieb' erfüllt.

Elmire. Ich bin verbunden für den frommen Wunſch.
Doch wird's bequemer ſein, daß wir uns ſetzen.

Tart. (ſich ſetzend). Wie geht es Ihnen jetzt nach Ihrem Uebel?

Elmire. Sehr gut; das Fieber hat mich bald verlaſſen.

Tartüffe. Ach, mein Gebet hat nicht Verdienſt genug,
Vom Himmel dieſe Gnade zu erfleh'n,
Doch war ſein Inhalt ſtets der fromme Wunſch,
Sie möchten von dem Uebel bald geneſen.

Elmire. Ihr Eifer ſorgt ſich viel zu ſehr um mich.

Tartüffe. Man iſt für Ihr Wohl nie genug beſorgt;
Ich gäbe gern das meine dafür hin.

Elmire. Das heißt zu weit die Chriſtenliebe treiben;
Ich bin für Ihre Güte ſehr verbunden.

Tartüffe. Ich thue weniger als Sie verdienen.

Elmire. Ich möchte im Vertrau'n mit Ihnen ſprechen
Und bin erfreut, daß man uns hier nicht ſieht.

Tartüffe. Auch mich entzückt es ſehr und ſüß iſt mir's,
Madam, mit Ihnen mich allein zu ſeh'n.
Um dieſe Gunſt bat ich den Himmel oft,
Doch ohne daß er ſie bis jetzt gewährt.

Elmire. Ich wünſche dies Geſpräch mit Ihnen nur,
Damit Sie ganz Ihr Innerſtes mir zeigen.
(Damis öffnet, ohne ſich ſehen zu laſſen, die Thür des Kabinets, in welches
er ſich zurückgezogen, um die Unterredung mit anzuhören.)

Tartüffe. Auch ich erflehe keine größ're Gnade,
Als Ihnen meine Seele zu enthüllen,

Und wenn ich oft es laut getadelt habe,
Daß man so viel Besuche hier empfing,
So schwör' ich, nicht aus Haß war's gegen Sie;
Zu warmer Eifer nur trieb mich dazu,
Der reinsten Regung . . .

Elmire. So versteh' ich's auch;
Es ist mein Wohl, das Ihnen Sorge macht.

Tartüffe (nimmt Elmirens Hand und drückt sie).
Gewiß, Madam; mein Eifer ist der Art . . .

Elmire. O weh! Sie drücken mich.

Tartüffe. Nur Eifer ist's.
Ich wollte niemals Ihnen wehe thun,
Im Gegentheil . . . (Er legt die Hand auf Elmirens Knie.)

Elmire. Was soll hier Ihre Hand?

Tartüffe. Ihr Kleid befühl' ich, dessen Stoff so weich.

Elmire. Ach bitte, lassen Sie's, ich bin sehr kitzlich.
(Elmire schiebt Ihren Sessel zurück und Tartüffe rückt ihr nach.)

Tartüffe (das Halstuch Elmirens befühlend).
Mein Gott, wie schön ist diese Stickerei!
Man hat es heute darin weit gebracht.
Noch nie sah man ein solches Meisterwerk.

Elmire. Gewiß. Doch jetzt zur Sache, möcht' ich bitten.
Es heißt mein Mann hat vor, sein Wort zu brechen,
Und Ihnen will er seine Tochter geben.
Ist's wahr?

Tartüffe. Er sagte mir davon, Madam;
Jedoch nach diesem Glücke seufz' ich nicht;
Ich seh ganz anders wo den Reiz der Schönheit,
Die meines Glückes höchsten Wunsch enthält.

Elmire. Jawohl, Sie lieben ird'sche Dinge nicht!

Tartüffe. Das Herz in meiner Brust ist nicht von Stein.

Elmire. Ich glaubte nach dem Himmel seufzen Sie,
Und nichts hinieden fess'le Ihre Wünsche.

Tartüffe. Die Liebe die zur ew'gen Schönheit zieht,
Erstickt in uns die ird'sche Liebe nicht;
Sehr leicht ist unser Sinn bewegt von Dingen,
Die so vollkommen schuf des Himmels Huld.
Sein Abglanz strahlt in Ihres Gleichen wieder,
Jedoch auf Sie wirft er die schönsten Strahlen;

Er hat auf Sie die Schönheit ausgegossen,
Von der das Aug' entzückt ist und das Herz gerührt,
Und nie konnt' ich Sie seh'n, vollkommnes Wesen,
Daß ich in Ihnen nicht den Schöpfer pries,
Mein Herz von heißer Lieb' ergriffen fühlte,
Vor dieser Schönheit, die sein Abbild ist.
Zuerst meint' ich, daß diese stille Gluth,
Nichts als Versuchung sei des bösen Geistes,
Und ich beschloß zu fliehen ihren Anblick;
Sie schienen meinem Heil im Weg zu steh'n.
Jedoch zuletzt erkannt' ich, holde Schönheit,
Daß diese Leidenschaft nicht sündhaft ist,
Daß sie mit Züchtigkeit sich wohl verträgt,
Und deshalb giebt sich auch mein Herz ihr hin.
Bekennen muß ich, eine große Kühnheit ist's,
Daß Ihnen dieses Herz zu huld'gen wagt.
Jedoch von Ihrer Güte hoff' ich alles,
Und nichts von meiner Schwachheit eitlem Streben.
Bei Ihnen ist mein Hoffen, Glück und Heil,
Sie bringen Qual mir oder Seligkeit,
Und Ihr Beschluß allein soll es entscheiden,
Ob Sie mich glücklich machen oder elend.

Elmire. Gar zu galant, mein Herr, ist dies Geständniß,
Doch ist's, fürwahr, ein wenig überraschend.
Mich dünkt, Sie müßten mehr ihr Herz bewachen
Und viel besonnener zu Werke geh'n.
Ein Frommer, wie man überall Sie nennt . . .

Tartüffe. Ach, auch als Frommer bin ich doch ein Mensch!
Und sieht das Auge Ihren hohen Reiz,
Giebt sich das Herz und der Verstand gefangen.
Ich weiß, befremdlich muß mein Wort erscheinen.
Jedoch, Madam, Sie seh'n, ich bin kein Engel;
Und müßten Sie verdammen mein Geständniß,
So klagen Sie die eigne Schönheit an.
Seitdem ihr überird'scher Glanz mich blendet,
Sind Sie allein des Herzens Königin.
Die Engelslieblichkeit in Ihren Blicken,
Bezwang das Herz, das wiederstehn wollte,
Besiegte Alles, Fasten, Beten, Thränen,

Und wandte jeden Wunsch auf Ihren Reiz.
Was Blick und Seufzer tausendmal gesagt,
Das wag' ich jetzt dem Worte zu vertrau'n.
Ach, könnte Ihre Seele Mitleid fühlen
Mit diesen Leiden Ihres treuen Sklaven,
Vermöchte Ihre Güte mich zu trösten
Und sich herab zu lassen bis zu mir,
Dann weiht' ich Ihnen stets, o süße Schönheit,
Des Herzens Huldigung, der keine gleich,
Bei mir läuft Ihre Ehre nie Gefahr,
Und ist von meiner Seite nicht's zu fürchten.
Galante Herrn, die leicht den Frau'n gefallen,
Sind laut in ihrem Thun und ihrem Sprechen;
Man hört sie stets sich ihrer Siege rühmen,
Und keine Gunst, mit der sie sich nicht brüsten;
Ihr Mund, der nichts verschweigt und dem man traut,
Entwürdigt den Altar, auf dem sie opfern.
Doch Leute uns'rer Art glüh'n im Verborg'nen,
Bei ihnen ist man sicher, daß sie schweigen.
Die Rücksicht, die wir für uns selber nehmen,
Sie weiß auch die Geliebte zu bewahren;
Bei uns wird nie, wenn man sich uns vertraut.
Die Liebe durch Scandal und Angst gestört.

Elmire. Ich höre zu, wie Ihre Redekunst,
Mit großer Deutlichkeit sich mir erklärt.
Befürchten Sie denn nicht, es fiel mir ein,
Von dieser Gluth mit meinem Mann zu sprechen?
Und daß es Ihrer Freundschaft schaden würde,
Wenn er von einer solchen Liebe hörte?

Tartüffe. Ich weiß, daß Sie zu gütig sind und mild,
Und daß Sie Nachsicht meiner Kühnheit schenken.
Sie werden mit der allgemeinen Schwäche
Der Liebe Gluth, die Sie verletzt, entschuld'gen
Und in den Spiegel blickend, eingesteh'n,
Daß man nicht blind ist, Fleisch und Blut besitzt.

Elmire. Vielleicht daß And're anders hierbei denken,
Doch ich will zeigen, daß ich schweigen kann.
Mein Mann soll nicht ein Wort davon erfahren;
Jedoch verlang' ich einen Gegendienst:

Sie müffen offen, ohne Hinterlift
Marianens Heirath mit Valer betreiben,
Und auf die Ungerechtigkeit verzichten
Die Sie bereichern will mit fremdem Gut.

Vierter Auftritt.
Elmire. Tartüffe. Damis.

Damis (aus dem Kabinet kommend, wo er sich verborgen hatte).
Nein, nein, Frau Mutter, Jeder soll's erfahren.
Verborgen war ich dort und hörte Alles.
Des Himmels Güte führte mich hierher,
Den Hochmuth des Verräthers zu vernichten
Und mir den Weg zur Rache frei zu machen,
Für seine Heuchelei und seine Frechheit.
Der Vater soll im rechten Licht ihn seh'n,
Den Bösewicht, der hier von Liebe spricht.

Elmire. Nein, Damis, es genügt, daß er's beherzige
Und die Verzeihung zu verdienen ftrebe;
Denn ich verfprach fie ihm und damit gut.
Es ift nicht meine Art, Aufseh'n zu machen;
Zu folchen Dingen lächelt eine Frau
Und quält damit des Mannes Ohren nicht.

Damis. Sie haben Ihre Gründe, fo zu handeln,
Und ich die meinigen, es nicht zu thun.
Ihm zu verzeihen ift ein wahrer Hohn,
Denn diefes Frechen Stolz und Heuchelei
Hat schon zu lange meinen Zorn gereizt
Und zu viel Streit in unfer Haus gebracht,
Zu lange herrfcht der Schlaue über meinen Vater,
Steht meiner Lieb' und der Valer's im Weg.
Entlarvt foll feine Heuchelei jetzt werden;
Der Himmel bietet felbft dazu das Mittel.
Für die Gelegenheit bin ich ihm dankbar,
Sie ift zu günftig, um fie nicht zu nutzen;
Es hieße wahrlich Spott und Hohn verdienen,
Wollt' ich fie jetzt aus meinen Händen geben.

Elmire. Damis . . . .

Damis. Erlauben Sie, ich thu' was Recht,
Es giebt kein größ'res Glück für meine Seele.

Vergebens sucht Ihr Wort mich zu bewegen,
Die Freude, mich zu rächen, aufzugeben.
Ohn' Weit'res ist die Sache abgethan;
Und grade jetzt find' ich Gelegenheit.

Fünfter Auftritt.

Orgon. Elmire. Damis. Tartüffe.

Damis. Wir wollen, Vater, Ihre Ankunft feiern,
Durch ein Ereigniß neu und staunenswerth.
Sie werden gut bezahlt für alle Liebe,
Der Herr lohnt sie um einen schönen Preis.
Sein Eifer für Ihr Wohl zeigt sich jetzt klar:
Er hat nichts wen'ger vor, als Sie entehren.
Ich hab' ihn überrascht, wie er Madam
Von seiner sünd'gen Liebe Kunde gab.
Sie wollte, sanft und gütig, wie sie ist,
Um keinen Preis die Sache lautbar machen.
Doch ich begünst'ge solche Frechheit nicht,
Und schwieg' ich, glaubt' ich Sie zu kränken, Vater.

Elmire. Ich meine, daß man nicht mit solchen Dingen
Die Ruhe eines Mannes stören soll.
Dergleichen kann die Ehre nicht verletzen,
Wenn wir uns zu vertheid'gen nur versteh'n.
So dacht' ich, und Sie hätten nichts gesagt,
Damis, hätt' ich auf Sie nur ein'gen Einfluß.

Sechster Auftritt.

Orgon. Damis. Tartüffe.

Orgon. O Himmel, ist es glaublich, was ich höre?

Tartüffe. Mein Bruder, ja, ich bin ein Bösewicht,
Ein unglückseliger, ruchloser Sünder,
Der größte Uebelthäter, der je war.
Mein ganzes Leben ist mit Schmach bedeckt,
Es ist nur eine Reihe böser Thaten;
Ich sehe wohl, der Himmel will mich strafen.
Welch großer Schandthat man mich auch beschuldigt,
Ich werde nicht aus Hochmuth mich vertheid'gen.
Sie mögen alles glauben und im Zorn,
Mich als Verbrecher aus dem Hause jagen.

Ich wüßte keine Schmach auch noch so groß,
Daß ich nicht eine größ're noch verdiente.

    Orgon (zu seinem Sohn).

Verräther, wagst du wirklich durch Verleumdung,
Die Reinheit seiner Tugend anzuschwärzen?

    Damis. Was! diese List der heuchlerischen Seele
Vermag Sie so ...

    Orgon. Schweig' still, verwünschte Pest.

    Tartüffe. Sie thun ihm Unrecht, lassen Sie ihn sprechen,
Denn besser ist's, Sie glauben seinem Wort.
Weshalb bei solcher That noch Nachsicht üben?
Und wissen Sie, wozu ich fähig bin?
Mein Bruder, meinem Aeußern trauen Sie,
Und halten mich für besser, als ich bin?
Nein, nein, Sie lassen durch den Schein sich täuschen;
Ich bin durchaus nicht, was man von mir denkt.
Die Welt hält mich für einen frommen Mann,
Die Wahrheit aber ist, daß ich nichts tauge.

                (Sich zu Damis wendend.)

Mein theurer Sohn, ja, sprechen Sie es aus,
Daß ich ein Schurke, Dieb, ein Mörder bin;
Belasten Sie mich mit noch schlimm'ren Namen,
Ich habe sie verdient, ich sage nichts;
Und will auf meinen Knie'n den Schimpf erdulden,
Als Strafe für die Sünden meines Lebens. (Er kniet.)

    Orgon (zu Tartüffe). Zu viel mein Bruder. (Zu seinem Sohn.)
                         Regt sich nicht dein Herz,
Verräther!

    Damis. Was! sein Wort verleitet Sie ...

    Orgon (Tartüffe aufhebend). Schweig, Strick! Mein Bruder,
                steh'n Sie auf, ich bitte! (Zu seinem Sohn.)
Abscheulicher!

    Damis. Er kann ...

    Orgon. Schweig still.

    Damis. Ich rase.

    Orgon. Ein Wort noch, ich zerbreche dir die Glieder.

    Tartüffe. Um Gotteswillen, Bruder, nicht so heftig!
Ich will die größte Pein viel lieber dulden,
Als daß durch mich das Kleinste ihm geschieht.

Orgon (zu seinem Sohn). Du Undankbarer!

Tartüffe. Knieend fleh' ich Sie,
Ihm zu verzeih'n . . .

Orgon (wirft sich gleichfalls auf die Knie und umarmt Tartüffe).
Ich ist es wirklich denn? (Zu seinem Sohn.)
Wie gut er ist!

Damis. Doch . . .

Orgon. Still!

Damis. Wie . . .

Orgon. Still, sag' ich.
Ich weiß es wohl, daß Ihr ihn alle haßt,
Daß Kinder, Frau und Diener ihn befeinden.
Man nimmt zu jedem Mittel seine Zuflucht,
Um diesen frommen Mann mir zu entreißen.
Je mehr Ihr aber sinnt ihn zu entfernen,
Je mehr sinn' ich darauf ihn hier zu halten;
Ich will sogleich ihm meine Tochter geben,
Und so den Hochmuth von Euch allen bengen.

Damis. Man will sie zwingen seine Hand zu nehmen?

Orgon. Ja, heute noch, um Euch in Wuth zu bringen.
Ich forb'r' Euch all' heraus und will Euch zeigen,
Daß man gehorcht, daß ich der Herr im Hause.
Geschwind, Halunke, mach' dein Unrecht gut,
Fall' ihm zu Füßen, bitt' ihn um Verzeihung.

Damis. Was? Ich? Dem Schurken, der durch seine Lügen...

Orgon. Du willst nicht, Schlingel, und beleidigst ihn?
(Zu Tartüffe, der ihm den Arm hält.)
Den Stock! Den Stock her! Lassen Sie mich los.
(Zu seinem Sohn.)
Fort! aus dem Hause, auf der Stelle fort,
Und wag' es nicht, dich wieder seh'n zu lassen.

Damis. Ich gehe, aber . . .

Orgon. Schnell, hinweg mit dir;
Marsch! ich enterbe dich, du Galgenstrick,
Und gebe dir noch meinen Fluch dazu.

Siebenter Auftritt.
Orgon. Tartüffe.

Orgon. So zu beleib'gen einen frommen Mann!

Tart. Vergib ihm, Himmel, was er mir gethan! (Zu Orgo
O wüßten Sie, wie es mich schmerzt, mich so
Bei meinem Bruder angeschwärzt zu seh'n . . .

Orgon. Ach!

Tartüffe. Der Gedanke schon an diesen Undank
Läßt meine Seele eine Qual erdulden . . .
Der Schauder, der mich faßt . . . Mir thut das Herz we
Daß ich nicht sprechen kann, ich glaub' ich sterbe.

Orgon (läuft weinend zur Thür, aus der er seinen Sohn gejagt hat.)
Du Schelm, mich reut, daß meine Hand dich schonte,
Und dich nicht gleich hier auf der Stelle todtschlug. (Zu Tartüff
Mein Bruder, Fassung, grämen Sie sich nicht.

Tartüffe. Wir wollen allem Streit ein Ende machen.
Ich sehe, welchen Sturm ich bracht' in's Haus,
Und besser ist's, mein Bruder, daß ich gehe.

Orgon. Wie? wär' es Ernst?

Tartüffe. Man haßt mich, und man sucht
Bei Ihnen meine Treue zu verdächt'gen.

Org. Was schadet's? Seh'n Sie, daß mein Herz drauf hört

Tartüffe. Man wird dabei gewiß nicht stehen bleiben,
Und der Bericht, den heute Sie verwerfen,
Er wird vielleicht ein ander Mal gehört.

Orgon. Nein, Bruder, nie.

Tartüffe. Ach, Bruder, eine Frau
Kann leicht des Mannes Seele überlisten.

Orgon. Nein, nein.

Tartüffe. Indem ich mich von hier entferne,
Ist ihrem Hasse jeder Grund genommen.

Orgon. Nein, bleiben Sie; mein Leben hängt daran.

Tartüffe. Nun gut. So muß ich denn die Qual ertragen
Doch, wenn Sie wollten . . .

Orgon. Ach!

Tartüffe. Es sei, kein Wort mehr.
Ich weiß, wie man sich hier betragen muß.
Die Ehr' ist zart, Freundschaft verpflichtet,
Dem Lärm und der Verleumbung vorzubeugen.
Ich fliehe Ihre Frau, Sie werden sehn . . .

Orgon. O nein, Sie werden sie erst recht besuchen,
Die Welt in Wuth zu bringen macht mir Freude.

Man soll Sie seh'n mit ihr zu jeder Stunde.
Doch nicht genug, um sie noch mehr zu hetzen,
Setz' ich nur Sie zu meinem Erben ein,
Und geh' jetzt gleich, in allerbester Form
Mein Gut als Schenkung Ihnen zu vermachen.
Ein guter Freund und künft'ger Schwiegersohn
Ist theurer mir als Sohn, als Frau und Eltern.
Sie werden mein Geschenk doch nicht verschmäh'n?

  Tartüffe. So wie's der Himmel will, so mög's gescheh'n.
  Orgon. Der gute Mann! Nun schnell die Schrift verfaßt,
Und bersten soll der Neid an diesem Aerger.

Vierter Aufzug.

Erster Auftritt.

Cleante. Tartüffe.

  Cleante. Sie können's glauben, jeder spricht davon,
Und nicht zu Ihrem Ruhm dient diese Sache.
Sie kommen mir jetzt eben recht, mein Herr,
Um Ihnen kurz zu sagen wie ich denke.
Ich will nicht auf den Grund der Sache geh'n,
Ich nehme an, daß man sie übertreibe.
Gesetzt, daß Damis sich nicht recht betragen,
Und daß man Unrecht hat Sie zu beschuld'gen;
Doch ist's nicht Christenpflicht ihm zu verzeih'n
Und jeden Wunsch nach Rache zu ersticken?
Ertragen können Sie, daß Ihretwegen
Der Sohn verbannt sei aus dem Haus des Vaters?
Ich wiederhol' es Ihnen frei und offen,
Daß Groß und Klein darüber sich empört.
Drum stellen Sie den Frieden wieder her
Und treiben Sie die Sache nicht zu weit.
Entsagen Sie dem Zorn aus Christenpflicht,
Versöhnen Sie den Sohn mit seinem Vater.

  Tartüffe. Was mich betrifft, ich thät's von Herzen gern.
Ich hege keinen Groll für ihn, mein Herr,
Verzeih' ihm Alles, tadl' ihn über Nichts

4*

Und möchte ihm von ganzer Seele dienen.
Doch darf ich's nicht aus Rücksicht für den Himmel;
Käm' er zurück, so müßte ich ihm weichen.
Nachdem, wie er sich gegen mich betrug,
Kann der Verkehr mit ihm nur Aerger bringen.
Gott weiß, was alle Welt darüber dächte.
Man würde meinen, es sei List von mir;
Ich heuchle, weil ich mich für schuldig hielte,
Für den, der mich verklagt, die wärmste Liebe,
Daß ich ihn fürchte und ihn schonen wollte,
Um ihn so zu bewegen, still zu schweigen.

    Cleante. Sie suchen nichtige Entschuldigungen
Und Ihre Gründe sind weit hergeholt.
Warum berufen Sie sich auf den Himmel,
Der ohne uns den Schuld'gen strafen kann?
Sie sollten ihm allein die Rache lassen,
An die Verzeihung denkend, die er will,
Und nicht sich um der Menschen Urtheil kümmern,
Wenn Sie des Himmels höchster Weisung folgen.
Was! bloß die Furcht, man könnte Schlimmes glauben,
Soll uns an einer guten That verhindern?
Nein, folgen wir des Himmels Weisung nur
Und quälen wir uns nicht mit andern Sorgen.

    Tartüffe. Ich sagte schon, daß ihm mein Herz verzeiht;
Und so erfüll' ich, was der Himmel will.
Doch nach dem Auftritt und Skandal von heute,
Gebeut der Himmel nicht, mit ihm zu leben.

    Cleante. Gebeut er Ihnen, dem ein Ohr zu leih'n,
Was Eigensinn nur seinem Vater räth,
Und des Vermögens Schenkung anzunehmen,
Wo Recht und Pflicht verlangt sie auszuschlagen?

    Tartüffe. Ein Jeder, der mich kennt, wird nimmer glauben,
Daß Eigennutz dazu der Antrieb sei.
Ich achte nicht die Güter dieser Welt,
Mich blendet nicht ihr trügerischer Schein;
Und wenn ich mich entschließe diese Schenkung
Des Vaters anzunehmen, wie er's will,
Geschieht es wahrlich nur, weil ich befürchte,
Daß all' sein Gut in schlechte Hände falle,

n Leute, die es nicht zu brauchen wissen,
s nur an Dinge dieser Welt vergeuden,
ie sich desselben nicht wie ich bedienen,
um Ruhm des Himmels und zum Wohl des Nächsten.
  Cleante. Mein Herr, zu zart sind die Befürchtungen,
ie für den Erben Grund zur Klage wären.
rlauben Sie ihm, ohne sich zu sorgen,
aß er sein Gut verwalte, wie er will;
enn besser ist's, daß er es schlecht verbrauche,
ls daß man Sie beschuld'ge des Betrugs.
ch staune nur, mein Herr, wie Sie den Vorschlag
nnehmen konnten, ohne zu erröthen?
enn gibt es für den Frommen einen Satz
er lehrt, den rechten Erben zu berauben?
nd wär' allein die Rücksicht auf den Himmel
as Hinderniß, mit Damis nicht zu leben,
är' es für einen braven Mann nicht besser,
aß er aus Rücksicht dieses Haus verließe,
ls zuzugeben gegen alles Recht,
Daß man den Sohn jagt aus dem Haus des Vaters?
Dies würde Ihre Redlichkeit beweisen,
Mein Herr . . .
  Tartüffe. Die Uhr zeigt jetzt halb vier, mein Herr.
Es ruft mich eine fromme Pflicht hinauf;
Sie werden mich entschuld'gen, daß ich gehe.
  Cleante (allein). Ah!

Zweiter Auftritt.

Elmire. Mariane. Cleante. Dorine.

  Dorine (zu Cleante). Mein Herr, ach bitten Sie mit uns für sie.
Ihr Herz erduldet eine Todesqual,
Denn heut' wird sie der Vater noch verloben,
Und jeden Augenblick will sie verzweifeln.
Er kommt. Vereinigen wir unsre Bitten,
Und suchen wir mit List und mit Gewalt
Die unglücksel'ge Absicht zu erschüttern.

Dritter Auftritt.

Orgon. Elmire. Mariane. Dorine.

Orgon. Mich freut's, daß ich Euch hier beisammen seh'.

(Zu Mariane.)

In dieser Schrift hab' ich, was dich erfreut;
Du weißt schon, was ich damit sagen will.

Mariane (kniend zu Orgon).

Beim Himmel, Vater, welcher meinen Schmerz kennt,
Bei Allem, was Ihr Herz bewegen kann,
Besteh'n Sie nicht so streng auf Ihrem Recht,
Und fordern Sie Gehorsam nicht von mir.
O bringen Sie mich nicht durch Zwang so weit,
Daß ich verwünsche, was ich Ihnen schulde;
Und dieses Leben, ach, das Sie mir gaben,
Mein Vater, machen Sie es nicht zur Qual!
Und darf ich ferner nicht die Hoffnung nähren,
Dem zu gehören, den ich lieben durfte,
So lassen Sie mich doch — auf Knieen fleh' ich —
Nicht dem gehören, der mich schaudern macht;
O — treiben Sie mich zur Verzweiflung nicht,
Indem Sie mir die Macht des Vaters zeigen.

Orgon (der bewegt wird).

Sei fest, mein Herz und zeige keine Schwäche.

Mariane. Mich kränkt die Liebe nicht, die Sie ihm weih'n,
Sie mag sich zeigen, geben Sie ihm Alles;
Ist's nicht genug, das Meine noch dazu;
Ich überlasse Ihnen Alles gern,
Jedoch mich selbst, mein Vater, schonen Sie.
Erlauben Sie, daß ich in einem Kloster
Vertrau're die mir zugezählten Tage.

Orgon. Aha! Da haben wir's. Gleich sind sie Nonnen,
Sobald der Vater ihre Liebe stört.
Steh auf. Je mehr dein Herz ihm widerstrebt,
Um desto mehr erwirbst du dir Verdienst.
Zur Buße mag dir diese Heirath dienen;
Jetzt schrei' mir länger nicht die Ohren voll.

Dorine. Was! . . .

Orgon. Sie schweigt still. Sprech Sie bei Ihresgleichen.

Sie untersteht sich nicht den Mund zu öffnen.

Cleante. Wenn Sie mir einen Rath erlauben wollten...

Orgon. Herr Schwager, keinen bessern Rath als Ihren;
Gewiß, ich lege viel Gewicht auf ihn;
Doch wie Sie seh'n, ich kann ihn jetzt nicht brauchen.

Elmire (zu Orgon). Ich weiß nicht, was ich hierzu sagen soll,
Und über Ihre Blindheit muß ich staunen.
Nachdem was heut' gescheh'n uns Lügen strafen,
Das nenn' ich ganz und gar vernarrt in ihn.

Orgon. Ich bin Ihr Diener! Was ich sehe, glaub' ich.
Sie nehmen meinen Schelm von Sohn in Schutz,
Besorgt, den Streich mir zu verheimlichen,
Den er dem frommen Manne spielen wollte.
Sie hätten sonst ganz anders sich benommen
Und wären nicht so still dabei gewesen.

Elmire. Soll denn bei einem bloßen Liebeswort,
Sich uns're Ehre gleich in Harnisch setzen?
Muß man gleich Allem, was ihr nahe tritt,
Mit Feuerblick und Donnerwort begegnen?
Was mich betrifft, ich lach' zu solchen Dingen,
Und finde keinen Spaß, gleich Lärm zu schlagen.
Wir sollen sittsam sein und sanft doch bleiben,
Denn ich bin nicht für jene wilden Spröden,
Die zur Vertheid'gung gleich die Zähne zeigen
Und bei dem ersten Worte auch schon kratzen.
Der Himmel schütze mich vor solcher Tugend!
Ich will die Tugend ohne Teufelei,
Und glaube, daß ein strenges, kaltes Nein
Hinreichend sei, ein Herz zurückzustoßen.

Orgon. Schon gut, ich lasse mich nicht irre machen.

Elmire. Ich kann nur staunen über diese Schwäche;
Jedoch was würden Sie mir antworten,
Wenn Sie mit Angen' säh'n, was man gesagt?

Orgon. Mit Angen?

Elmire. Ja.

Orgon. Ah, Possen.

Elmire. Ei, warum?
Wenn hell und klar ich's Ihnen zeigen könnte?...

Orgon. Wind.

Elmire. Welch ein Mann! So hören Sie doch nur.
Ich sage nicht, daß Sie uns glauben sollen;
Gesetzt jedoch, daß man an einem Ort
Sie Alles seh'n und Alles hören ließe,
Was sagten Sie zu Ihrem frommen Mann?

Orgon. Dann würd' ich sagen, daß ... ich sagte nichts.
Unmöglich ist's.

Elmire. Zu lang' währt schon der Streit,
Und allzu sehr heißt es mich Lügen strafen.
Drum sollen Sie zum Scherz jetzt Zeuge sein
Von Allem, was man Ihnen hat gesagt.

Orgon. Ich nehme Sie beim Wort. Wir wollen seh'n
Wie Ihr Versprechen Sie erfüllen werden.

Elmire (zu Dorine). So laß' ihn kommen.

Dorine (zu Elmire). Er ist auf der Hut,
Und schwer wird er zu überlisten sein.

Elmire (zu Dorine). O nein, Verliebte sind sehr leicht zu täuschen;
Er fängt sich selber durch die Eigenliebe.
Führ' ihn herunter. (Zu Cleante und Mariane.) Sie zieh'n sich zurück.

Vierter Auftritt.
Elmire. Orgon.

Elmire. Verbergen Sie sich unter diesen Tisch.

Orgon. Warum?

Elmire. Sie müssen gut verborgen sein.

Orgon. Wie, unter diesen Tisch?

Elmire. Mein Gott, geschwind;
Ich habe meinen Plan, Sie sollen seh'n.
Hinunter, sag' ich, kein Geräusch gemacht
Und Acht gegeben, daß man Sie nicht sieht.

Orgon. Das nenn' ich sehr gefällig sein von mir,
Doch will ich seh'n, was aus der Sache wird.

Elmire. Sie werden mir nichts vorzuwerfen haben.
(Zu Orgon, der unter dem Tisch sitzt).
Der Punkt ist zart, den ich berühren muß,
Erhitzen Sie sich drum in keiner Weise;
Was ich auch sagen mag, es muß erlaubt sein,
Denn es geschieht, um Sie zu überzeugen.
Ich kann nicht anders, als durch Liebesworte,

Entlarven diese heuchlerische Seele;
Ich muß entgegenkommen seiner Liebe,
Und seiner Frechheit weiten Spielraum geben.
Da's nur für Sie geschieht, ihn zu beschämen,
Wenn ich so thu', als wollt' ich ihn erhören,
So hör' ich auf, sobald Sie sich ergeben,
Und geh' nicht weiter, als Sie selbst es wollen.
Es steht bei Ihnen, seine Gluth zu dämpfen,
Sobald Sie seh'n die Sache geht zu weit,
Die Frau zu schonen, und nicht länger mich,
Als bis Sie überzeugt sind, bloßzustellen.
Für Sie geschieht's, Sie haben zu gebieten,
Und ... still, man kommt. Verbergen Sie sich schnell.

Fünfter Auftritt.

Tartüffe. Elmire. Orgon, unter dem Tisch.

Tartüffe. Man sagte mir, Sie wollten hier mich sprechen.
Elmire. Ja, Ihnen ein Geheimniß zu enthüllen.
Doch schließen Sie die Thür, bevor wir sprechen,
Und seh'n Sie, daß man uns nicht überrascht.
              (Tartüffe schließt die Thür.)
Ein gleicher Auftritt, wie er neulich war,
Der wär' uns sicherlich hier nicht willkommen.
Wohl nie hat man was Aehnliches erlebt;
Es machte Damis mich für Sie erbeben.
Sie sahen wohl, wie sehr ich mich bemühte,
Um ihn von seinem Vorsatz abzubringen.
Doch war ich leider so verwirrt von Allem,
Daß mir nicht einfiel, Lügen ihn zu strafen.
Dadurch ging, Dank dem Himmel! alles besser,
Und sich'rer steh'n die Dinge jetzt als je.
Ihr hohes Ansehn hat den Sturm verscheucht,
Und frei von jedem Argwohn ist mein Mann.
Die bösen Zungen recht in Gang zu bringen
Wünscht er, daß stets wir bei einander sei'n.
Darum kann ich jetzt ohne Furcht vor Tadel,
Auch hier mit Ihnen eingeschlossen sein,
Und darf ich in ein Herz Sie blicken lassen,
Das Ihre Gluth vielleicht zu schnell erwidert.

Tartüffe. Sehr schwer ist diese Sprache zu versteh'n,
Madam, Sie sprachen sonst in anderm Ton.

Elmire. Wenn Sie bei solchem Nein gleich zornig sind,
Da kennen Sie das Herz der Frauen schlecht
Und wissen nicht was es verrathen will,
Wenn man so schwach es sich vertheid'gen sieht!
Selbst dann noch kämpft das Schamgefühl in uns,
Wenn uns die Zärtlichkeit schon überwunden;
Wie auch die Liebe sei, die uns besiegt,
Man hat ein wenig Scheu, sie zu bekennen.
Man wiedersteht zuerst, doch wie man's thut,
Zeigt nur zu sehr, daß sich das Herz ergibt,
Daß unser Mund Nein sagt der Ehre wegen
Und daß ein solches Weigern viel erlaubt.
Das heißt doch offen ein Geständniß machen,
Und rücksichtslos selbst unsre Schwäche zeigen.
Jedoch, da jetzt die Rede davon ist:
Hätt' ich so eifrig Damis wohl gehindert,
Und würde ich es so geduldig hören,
Daß Sie mir lang und breit von Liebe sprechen;
Nähm ich die Sache wohl, wie Sie es sahn,
Wenn Ihre Huldigung mir nicht gefiel?
Und als ich dann sogar Sie zwingen wollte,
Von der bewußten Ehe abzusteh'n,
Was sollte dies Verlangen wohl beweisen,
Wenn nicht den Antheil, den man daran nimmt,
Und den Verdruß, den man empfinden würde,
Nur halb zu haben, was man ganz gern möchte?

Tartüffe. Es ist gewiß, Madam, ein hohes Glück,
Aus dem geliebten Mund solch Wort zu hören.
Sein Zauber läßt durch meine Adern strömen
So süße Wonne, wie man nie gefühlt.
Ihr Wohlgefallen ist mein höchstes Streben,
Aus Ihren Wünschen schöpf' ich Seligkeit.
Doch dieses Herz erbittet sich die Freiheit,
Daß es an seinem Glücke zweifeln darf.
Ich könnt' in diesen Worten List nur seh'n,
Mich abzulenken von dem Ehebund.
Und, soll ich Ihnen offen mich erklären,

Ich traue eher nicht den süßen Worten,
Als bis ein wenig Gunst, nach der ich seufze,
Mich überzeugt, daß sie Wahrheit sind,
Und an die Güte, die Sie für mich zeigen,
Mir festen Glauben in die Seele pflanzt.

Elmire (nachdem sie gehustet hat, um ihren Mann aufmerksam zu machen).
Wie? so geschwind gehn Sie dem Ziele zu
Und wollen gleich die Zärtlichkeit erschöpfen?
Man zwingt sich zum Geständniß süßer Triebe;
Indeß für Sie ist das noch nicht genug?
Und giebt es nichts, zufrieden Sie zu stellen,
Als daß Sie gleich die letzte Gunst erringen?

Tartüffe. Man darf nicht hoffen, was man nicht verdient;
Durch Worte wird die Sehnsucht nicht gestillt.
Sehr leicht mißtraut man solchen Glückes Loos,
Und will vorher genießen, eh' man glaubt.
Ich, der ich nicht verdiene Ihre Huld,
Ich zweifle noch ob meines Glücks Erfolg
Und glaube Ihnen nichts, Madam, bis Sie
Nicht durch die Wirklichkeit mich überzeugt.

Elmire. O Ihre Liebe ist ja ein Tyrann,
Die meine Seele in Verwirrung bringt.
Wie grausam unterwirft sie sich die Herzen,
Begehrt mit Heftigkeit, was sie ersehnt!
Wie? ist vor Ihnen kein Entrinnen möglich,
Und geben Sie kaum Zeit zum Athmen noch?
Darf man mit solcher Strenge vorwärts gehn,
Zu fordern ohne Gnade, was man will,
Und so durch Zwang die Schwäche irre führen,
Die, wie Sie sehn, die Leute für Sie haben?

Tartüffe. Wenn Sie mit gnäd'gem Blicke auf mich sehn,
Warum verweigern Sie mir den Beweis?

Elmire. Wie kann ich darauf eingeh'n was Sie wünschen,
Und nicht ein Unrecht an dem Himmel thun?

Tartüffe. Wenn nur der Himmel mir entgegensteht,
So kann ich leicht dies Hinderniß beseit'gen,
Und deshalb darf Ihr Herz sich gar nicht scheuen.

Elmire. Man droht so sehr uns mit des Himmels Strafen.

Tartüffe. Ich kann die lächerliche Furcht verscheuchen,

Madam, und weiß die Skrupel aufzuheben.
Wahr ist's, der Himmel hat gewisse Rechte,
Jedoch man weiß sich mit ihm abzufinden.
Je nach Bedarf gibt's eine Wissenschaft,
Die dem Gewissen freien Spielraum läßt,
Das Ueble, das in einer Handlung liegt,
Zu bessern durch die Reinheit uns'rer Absicht.
Hierin, Madam, will ich Sie unterweisen,
Sie dürfen nur von mir sich leiten lassen.
Gewähren Sie den Wunsch und ohne Angst,
Ich steh' für Alles, nehm' auf mich die Sünde.

(Elmire hustet stärker.)

Sie husten sehr, Madam?

Elmire. Ich bin gefoltert.

Tartüffe. Befehlen Sie ein Stück Lakritzensaft?

Elmire. Ein böser Husten, ja, ich sehe wohl,
Daß aller Saft der Welt nichts helfen wird.

Tartüffe. Das ist sehr schlimm.

Elmire. Ja, schlimmer als man sagt.

Tartüffe. Doch leicht sind Ihre Skrupel aufzuheben.
Sein Sie versichert der Verschwiegenheit;
Das Böse liegt im Aufseh'n, das es macht,
Im Lärmen, den die Welt darüber schlägt;
Die Sünde im Geheim ist keine Sünde.

Elmire (nachdem sie abermals gehustet und auf den Tisch geklopft hat).
Ich sehe wohl, hier hilft kein Widerstehen,
Man muß auf Alles eingehn was Sie wollen;
Und wenn's nicht anders ist, verlang' ich nur,
Daß man zufrieden sei und sich ergebe.
Wohl ist es schlimm, daß man so weit gekommen,
Und gegen meinen Willen thu' ich es.
Doch weil man mich gewaltsam dazu zwingt,
Weil man nicht meinen Worten glauben will,
Weil man Beweise will, die stärker sind,
So muß man endlich sich dazu entschließen.
Wenn das, was ich jetzt thue, sündhaft ist,
So fällt's auf den, der mich dazu gebracht;
Ich trage sicher nicht die Schuld daran.

Tartüffe. Ich nehme sie auf mich; die Sache ist . .

Elmire. Ich bitte, öffnen Sie einmal die Thür
Und seh'n Sie, ob mein Mann nicht draußen ist.

Tartüffe. Was machen Sie um ihn sich so viel Sorge?
Das ist ein Mann, den führt man an der Nase.
Er findet Alles rühmlich, was wir thun;
Er sieht's und glaubt es nicht; so hab' ich ihn.

Elmire. Gleichviel. Ich bitte Sie, gehn Sie hinaus
Und sehn Sie überall genau sich um.

Sechster Auftritt.
Orgon. Elmire.

Orgon (unter dem Tisch hervorkommend).
Ich muß gestehn, ein schauderhafter Mensch!
Kaum halt' ich mich; das Alles bringt mich um.

Elmire. Wie, schon so bald? Sie wollen mit uns scherzen.
Geschwind hinunter, noch ist es nicht Zeit;
Um klar zu sehn, erwarten Sie das Ende
Und trau'n Sie nicht bloß den Vermuthungen.

Orgon. Nein, Schlechteres kam aus der Hölle nie.

Elmire. Mein Gott, man muß nicht gleich an Alles glauben.
Sein Sie erst klar, bevor Sie sich ergeben,
Sie könnten sich am Ende doch noch täuschen.

(Elmire läßt Orgon hinter sich treten.)

Siebenter Auftritt.
Tartüffe. Elmire. Orgon.

Tartüffe (ohne Orgon zu sehen).
Zu meinem Glück, Madam, trifft Alles zu.
Ich habe alle Zimmer durchgespürt,
Und Niemand ist zu sehn; mein Herz verlangt . . .

(Während Tartüffe mit offenen Armen auf Elmire zueilt, sie zu umarmen
tritt sie zurück und Tartüffe steht vor Orgon.)

Orgon (Tartüffe festhaltend.)
Nur sacht! Sie sind zu schnell in Ihrer Liebe,
Sie müssen sich nicht gar zu sehr erhitzen.
Ha, ha! Sie frommer Mann, Sie zeigen mir's!
Sie überlassen Sie sich der Versuchung!
Die Tochter frei'n und meine Frau verführen!
Ich habe erst gezweifelt, meinte immer,

Man würde bald in anderm Tone sprechen;
Doch der Beweis ist weit genug getrieben.
Ich für mein Theil, ich habe ganz genug.

Elm. (zu Tartüffe). Ich that dies Alles gegen meinen Willen;
Man zwang mich, so mit Ihnen umzugehn.

Tartüffe (zu Orgon). Was, glauben können Sie ..

Orgon. Nur still, ich bitte,
Und schnell sich aus dem Hause fortgemacht.

Tartüffe. Mein Plan ...

Orgon. Nicht angebracht sind diese Reden;
Verlassen Sie das Haus gleich auf der Stelle!

Tartüffe. An Ihnen ist's, der Sie der Herr sich glauben;
Denn mir gehört dies Haus, ich werd's beweisen,
Und zeigen werd' ich jetzt, daß Sie umsonst
Durch Winkelzüge Streit zu machen suchen;
Das man so leicht mich nicht beleid'gen darf;
Daß ich zu strafen die Verleumdung weiß,
Den Himmel räche, welchen man beleidigt.
Wer hier mich gehen hieß, der soll's bereu'n.

Achter Auftritt.
Elmire. Orgon.

Elmire. Was haben diese Reden zu bedeuten?

Orgon. Ich bin verwirrt, und mache keinen Spaß.

Elmire. Wie so?

Orgon. Ich sehe meinen Fehler ein,
Und jene Schenkung bringt mich in Verwirrung.

Elmire. Die Schenkung?

Orgon. Ja, denn sie ist abgemacht.
Doch eine and're Sache quält mich noch.

Elmire. Und was?

Orgon. Sie sollen's wissen. Seh'n wir erst
Ob ein gewisses Kästchen oben ist.

Fünfter Aufzug.

Erster Auftritt.
Orgon. Cleante.

Cleante. Wohin so schnell?

Orgon. Ach, was weiß ich!

Cleante. Mir scheint,
Daß man zusammen überlegen sollte,
Was man in diesem Fall beginnen müßte.

Orgon. Die größte Sorge macht mir jenes Kästchen,
Und bringt mich mehr als Alles in Verzweiflung.

Cleante. Welch' wichtiges Geheimniß birgt dies Kästchen?

Orgon. Argas, mein Freund, den ich so sehr beklage,
Hat mir es im Geheimen anvertraut;
Er übergab es mir bei seiner Flucht.
Papiere sind's, so viel er sagen konnte,
Woran sein Leben und Vermögen hinge.

Cleante. Warum denn gaben Sie's in and're Hände?

Orgon. Gewissensskrupel brachten mich dazu.
Ich schenkte mein Vertrauen dem Verräther,
Der mich durch seine Reden dahin brachte,
Das Kästchen zur Bewahrung ihm zu geben,
Damit im Falle einer Untersuchung
Ich gleich den Vortheil einer Ausflucht hätte,
Wodurch mit voller Ruhe mein Gewissen
Beschwören könnte, daß ich nichts besäße.

Cleante. Mit Ihnen steht's nach allem Anschein übel.
Die Schenkung und das mächtige Vertraun
Sind, um die Wahrheit offen zu gestehn,
Verirrungen, die Sie im Leichtsinn machten.
Man muß Sie davor zu bewahren suchen.
Und da Sie dieser Mensch in Häuden hat,
So ist es unklug, ihn noch aufzuhetzen;
Sie sollten drum versuchen, einzulenken.

Orgon. Wie! unter einem Schein von heil'gem Eifer
Ein Herz voll solcher Schlechtigkeit verbergen!
Und ich, ich nahm ihn auf als Bettler, und . . .
Genug davon; ich kenne jetzt die Frommen;
Ich werde jetzt vor ihnen Schauder haben,
Und schlimmer als ein Teufel für sie sein.

Cleante. Da haben wir die Uebertreibung wieder!
Sie finden nie den goldnen Mittelweg.
Bei Ihnen geht Vernunft stets aus dem Gleise,
Und immer wirft Sie ein Extrem in's andre.

Sie sehen Ihren Irrthum ein, erkennen,
Daß jene Frömmigkeit nur Maske war,
Und, Ihren Fehler wieder gut zu machen,
Verfallen Sie in einen noch viel größern;
Denn mit dem Herzen eines Taugenichts
Verwechseln Sie das Herz des wahrhaft Frommen.
Was! weil ein frecher Schelm Sie hat betrogen
Mit der Grimasse seiner Sittenstrenge,
Drum glauben Sie, ein jeder sei wie er,
Es sei kein wahrhaft Frommer mehr zu finden?
Freigeister machen solche Folgerungen.
Sie sollten Tugend von dem Scheine trennen,
Nicht gar zu schnell mit Ihrer Achtung sein
Und hübsch dafür die rechte Mitte finden.
Verehren Sie nicht blindlings Heuchelei,
Doch thun Sie wahrem Eifer auch nicht Unrecht.
Und müssen Sie in ein Extrem verfallen,
So lassen Sie sich lieber ferner täuschen.

Zweiter Auftritt.

Orgon. Cleante. Damis.

Damis. Ist's wahr, mein Vater, dieser Schuft droht Ihnen?
Hat er vergessen was Sie für ihn thaten,
Und schmiedet er in frechem Hochmuth jetzt
Aus Ihrer Güte Waffen gegen Sie?
Org. So ist's, mein Sohn; mein Schmerz ist ohne Gleichen.
Damis. Die beiden Ohren schneide ich ihm ab.
Ich geh' nicht seiner Frechheit aus dem Wege;
Mit einem Schlag befrei' ich Sie von ihm.
Am besten ist's, ich schlage gleich ihn todt.
Cleante. Das heißt so recht als junger Mensch gesprochen.
Doch mäß'gen Sie den Ausbruch solchen Zorn's.
Wir sind in einem Staat und einer Zeit,
Wo mit Gewalt nichts auszurichten ist.

Dritter Auftritt.

Madam Pernelle. Orgon. Elmire. Cleante. Mariane. Damis. Dorine.

Mad./Pernelle. Was geht hier vor? ich höre schlimme Dinge!
Orgon. Ja, Dinge, die ich selbst mit Augen sah.

e sollen sehn, wie man die Wohlthat lohnt.
  nehm' ihn sorgsam auf, den armen Mann,
b halte ihn wie meinen eignen Bruder;
t Wohlthat wird er täglich überhäuft;
  geb ihm meine Tochter, mein Vermögen,
b in derselben Zeit sinnt der Verruchte,
eulose, wie er meine Frau verführt.
ch nicht genug an dieser Schändlichkeit,
oht er mit meiner eignen Wohlthat mir;
  meinem Untergang benutzt er Alles,
ozu ich selber ihm die Waffen gab;
  jagt aus meinem eignen Hause mich
b bringt mich in die Noth, die er einst litt.

Dorine. Der gute Mann!

Mad. Pernelle. Mein Sohn, ich kann's nicht glauben,
ß er so eine schwarze That ersann.

Orgon. Wie so?

Mad. Pernelle. Der Neid verfolgt den Frommen stets.

Orgon. Was wollen Sie mit diesen Reden sagen,
au Mutter?

Mad. Pernelle. Daß man sonderbar hier lebt
ıb daß man weiß, wie sehr man ihn hier haßt.

Orgon. Was hat der Haß zu thun mit meinen Worten?

Mad. Pernelle. Als du ein Kind warst, sagt' ich oft zu dir:
e Tugend wird auf Erden stets verfolgt,
e Neider sterben, doch der Neid stirbt nie.

Orgon. Wie aber paßt das zu den heut'gen Dingen?

Mad. Pernelle. Man hat dir wohl ein Märchen aufgebunden.

Orgon. Ich sagte schon, daß ich es selbst gesehn.

Mad. Pernelle. Der Lästermäuler Bosheit geht sehr weit.

Orgon. Sie machen mich noch rasend. Sagt' ich nicht,
ıß ich den Frevel sah mit eig'nen Augen?

Mad. Pernelle. An gift'gen Zungen hat es nie gefehlt,
b nichts vermag vor ihnen uns zu schützen.

Orgon. Das nenn' ich reden in den Tag hinein.
 sah's, sag' ich, mit meinen eignen Augen sah ich's,
e man's nur sehen kann. Muß ich es Ihnen
ı hundert Malen in die Ohren schrei'n?

Mad. Pern. Mein Gott, es täuscht der Schein uns nur zu oft;

5

Man muß nicht immer glauben was man sieht.

Orgon. Ich rase!

Mad. Pernelle. Irren kann der Mensch sich leicht,
Und oft legt er das Gute aus zum Bösen.

Orgon. Ich soll darin wohl Christenliebe seh'n,
Wenn er für meine Frau in Liebe brennt?

Mad. Pernelle. Um anzuklagen, muß man Ursach haben
Und erst gewiß sein solltest du der Sache.

Orgon. Zum Teufel! Was soll noch mich überzeugen?
Soll ich, Frau Mutter, seh'n mit eignen Augen,
Daß . . . Laffen Sie mich nicht so thöricht sprechen.

Mad. Pernelle. Vom reinsten Eifer ist sein Herz erfüllt,
Und will es mir durchaus nicht in den Sinn,
Daß er sich so etwas erlauben könnte.

Orgon. Genug, wenn Sie nicht meine Mutter wären,
Ich wüßte nicht, wozu der Zorn mich brächte.

Dorine (zu Orgon). Das ist, mein Herr, auf Erden die Ver=
                              geltung:
Sie glaubten nicht, jetzt glaubt man Ihnen nicht.

Cleante. Mit nicht'gen Dingen halten wir uns auf
Und denken nicht daran zu überlegen.
Man darf nicht ruh'n bei dieses Schurken Drohung.

Damis. Was, seine Frechheit könnte so weit gehn?

Elmire. Ich glaube nicht, daß diese Klage möglich,
Denn nur zu sichtbar blickt sein Undank durch.

Cleante (zu Orgon). Man kann nicht trau'n. Wer weiß,
                              was er benutzt,
Sich gegen Sie den Schein des Rechts zu geben;
Auf jeden Fall versucht er durch Kabale
Die Leute in ein Labyrinth zu führen.
Ich wiederhol's, bewaffnet wie er ist,
War's unbedachtsam, seinen Zorn zu reizen.

Orgon. Gewiß. Was kann man thun? Beim Uebermuth
Des Frechen blieb' ich meiner selbst nicht Herr.

Cleante. Den Knoten aufzulösen, wär's zu wünschen,
Daß man zum Schein den Frieden stellte her.

Elmire. Wußt' ich, daß er uns so in Händen hat,
So hätt' ich keinen Grund zum Streit gegeben,
Vielmehr . . .

Orgon (zu Dorine, indem er Herrn Loyal eintreten sieht).
Was will der Mann? Geh, frag' Sie ihn.
Ich bin ganz in der Stimmung für Besuche.

Vierter Auftritt.

Orgon. Mad. Pernelle. Elmire. Mariane. Cleante. Damis.
Dorine. Herr Loyal.

H. Loyal (zu Dorine im Hintergrund).
Gott grüß' Euch, liebes Kind; ich wünsche sehr
Den Herrn zu sprechen.

Dorine. Er ist nicht allein.
Ich zweifle, daß er jetzt sich sprechen läßt.

H. Loyal. Ich will nicht lästig sein an diesem Ort.
Mein Kommen wird ihn, glaub' ich, nicht verdrießen,
Vielmehr wird er erfreut darüber sein.

Dorine. Ihr Name?

H. Loyal. Sagen Sie ihm nur, ich käme
Im Namen Herrn Tartüffe's, um sein Vermögen.

Dorine (zu Orgon). Sehr sanft und höflich ist der Mann
und kommt
Von Herrn Tartüffe in Sachen, wie er sagt,
Die Sie erfreuen werden.

Cleante (zu Orgon). Sehen wir
Wer dieser Mann ist, was er wollen kann.

Orgon (zu Cleante).
Er kommt vielleicht zum gütlichen Vergleich;
Wie soll ich mich ihm gegenüber zeigen?

Cleante. Sie dürfen keinen Aerger blicken lassen,
Und spricht er vom Vergleich, muß man ihn hören.

H. Loyal (zu Orgon). Mein Herr, ich grüße. Schütze Sie
der Himmel,
Sei er so gnädig Ihnen, wie ich's wünsche!

Orgon (leise zu Cleante). Der gute Anfang stimmt mit meinem Urtheil
Und deutet auf Verständigung schon hin.

H. Loyal. Ihr ganzes Haus war mir von jeher werth,
Da ich der Diener Ihres Vaters war.

Orgon. Ich bin beschämt und bitte um Vergebung,
Daß ich nicht Sie, noch Ihren Namen kenne.

H. Loyal. Ich heiß' Loyal, bin aus der Normandie,
Und Diener des Gerichts, dem Neid zum Aerger.
Seit vierzig Jahren habe ich das Glück,
Mit Ehren meinem Amte vorzusteh'n.
Und mach' ich Sie damit bekannt, mein Herr,
Daß ich im Auftrag des Gerichtes komme . . .

Orgon. Was! Sie sind hier . . .

H. Loyal. Mein Herr, ich bitt' um Ruhe.
Nichts weiter ist's, als eine Aufforb'rung,
Die Ihnen und den Ihrigen befiehlt,
Dies Haus von allen Möbeln hier zu räumen,
Und ohne Aufschub, wie's befohlen ist.

Orgon. Ich, aus dem Hause gehn?

H. Loyal. Ja, wenn's beliebt.
Dies Haus gehört jetzt ohne Widerspruch
Dem guten Herrn Tartüffe, wie Sie wohl wissen.
Gebieter ist er Ihres Eigenthums
Laut des Contract's, den ich hier überbringe.
Er ist in bester Form, unwiderruflich.

Dam. (zu H. Loyal). Gewiß, die Frechheit ist bewundernswürdig.

H. Loal (zu Damis). Mein Herr, mit Ihnen hab' ich nichts
zu thun; (Auf Orgon zeigend).
Mit diesem Herrn, der sanft ist und vernünftig,
Als Ehrenmann kennt er zu gut die Pflicht,
Um nicht zu trotzen der Gerechtigkeit.

Orgon. Doch —

H. Loyal. Ja, mein Herr, ich weiß, nicht um Millionen,
Vermöchten Sie es, sich zu widersetzen.
Als Mann von Anstand werden Sie erlauben,
Daß ich hier thu', was meines Amtes ist.

Damis. Ihr schwarzer Rock, Herr Diener des Gerichts,
Kann hier mit meinem Stock Bekanntschaft machen.

H. Loyal (zu Orgon). Mein Herr, Ihr Sohn muß schweigen
oder gehn.
Es würde leid mir sein, ihn aufzuschreiben,
Und Sie in meinem Protocoll zu seh'n.

Dorine (bei Seite). Der Herr Loyal erscheint sehr unloyal.

H. Loyal. Den Ehrenmännern bin ich sehr gewogen,
Und unterzog ich mich nur diesem Auftrag,

m Ihnen mich gefällig zu erweisen,
nd zu verhüten, daß vielleicht ein Andrer,
er nicht für Sie die Rücksicht nimmt wie ich,
uf eine wen'ger sanfte Art verfahre.
Orgon. Kann man den Leuten Schlimm'res thun, als aus
em eig'nen Haus sie treiben?
H. Loyal. Man läßt Zeit,
nd will ich zur Vollziehung des Befehls
is morgen noch, mein Herr, gern Aufschub geben.
ch komme nur, die Nacht hier zuzubringen
it zehn von meinen Leuten, ohne Lärm.
ie Form verlangt, daß man vor Schlafengehn
efälligst mir des Hauses Schlüssel bringe.
ch trage Sorge, daß man Sie nicht stört,
nd dulde nichts, das nicht geboten wäre.
och morgen in der Früh' sein Sie bereit,
as Haus bis auf das letzte Stück zu räumen.
h habe starke Leute ausgesucht,
ie Ihnen bei der Räumung helfen werden.
Ich denke, besser kann man nicht verfahren,
Und wie ich gegen Sie voll Rücksicht bin,
So bitt' ich Sie, mein Herr, es auch zu sein,
Und mich in meiner Amtspflicht nicht zu stören.
Orgon (bei Seite). Ich gäbe herzlich gern gleich auf der Stelle
Die schönsten Louisd'or, die mir geblieben,
Könnt' ich nach Herzenslust dem Unverschämten
Gehörig eins mit meiner Faust versetzen.
Cleante (leise zu Orgon). Nur nichts verderben.
Damis. Kaum kann ich mich halten
Und prügeln möcht' ich ihn für diese Frechheit.
Dorine. Auf einem solchen Rücken, Herr Loyal,
Würd' eine Prügeltracht nicht übel sitzen.
H. Loyal. Sehr leicht wär's, diese Worte zu bestrafen;
Man weiß auch gegen Frauen einzuschreiten.
Cleante (zu H. Loyal). Zum Ziele jetzt, mein Herr, genug davon.
Ich bitte, geben Sie die Schrift und gehn Sie.
H. Loyal. Auf Wiedersehn. Der Himmel schütze Alle.
Orgon. Vernichte dich und den, der dich gesandt.

Fünfter Auftritt.

Orgon. Mad. Pernelle. Elmire. Cleante. Mariane. Damis. Dorine.

Orgon. Sie seh'n nun, Mutter, ob ich Recht gehabt,
Auch können Sie's durch diese Schrift erfahren.
Ist Ihnen seine Schändlichkeit jetzt klar?

Mad. Pernelle. Ich bin erstaunt, als fiel ich aus den Wolken!

Dorine (zu Orgon). Mit Unrecht klagen Sie und tadeln ihn,
Denn seine fromme Absicht wollt' er zeigen,
Wie er in Nächstenliebe sich verzehrt;
Er weiß, daß Reichthum leicht verdirbt die Menschen;
Aus Christlichkeit befreit er Sie von Allem,
Was Ihrem Seelenheile schaden könnte.

Orgon. Schweig' Sie. Wie oft soll man's Ihr wiederholen.

Cleante (zu Orgon). Wir wollen jetzt berathen, was zu thun ist.

Elmire. Enthüllen Sie des Undankbaren Frechheit,
Gelöst ist der Vertrag durch sein Benehmen,
Denn die Treulosigkeit erscheint zu schwarz,
Als daß man an Erfolg je glauben könnte.

Sechster Auftritt.

**Valer. Orgon. Mad. Pernelle. Elmire. Cleante. Mariane.
Damis. Dorine.**

Valer. Es thut mir leid, mein Herr, Sie zu betrüben,
Jedoch mich zwingt die dringende Gefahr.
Ein Freund, der mir sehr treu ergeben ist,
Der das Int'resse, daß ich für Sie nehme, kennt,
Verletzte meinetwegen das Geheimniß,
Das man den Staatsgeschäften schuldig ist,
Und schickte mir so eben eine Nachricht,
Die Sie zur schnellsten Flucht bestimmen muß.
Der Schurke, der so lange Sie betrog,
Hat anzuklagen Sie gewußt beim Fürsten,
Und gab in seine Hand, Sie zu vernichten,
Das wicht'ge Kästchen eines Staatsverbrechers,
In dem Sie gegen Unterthanenpflicht,
Ein strafbares Geheimniß aufbewahrten.
Ich weiß das Näh're nicht, was Sie betrifft,

Doch ein Befehl ist da, Sie zu verhaften.
Und er soll selbst, ihn besser zu vollziehn,
Den hergeleiten, der Sie arretirt.

Cleante. Da sehen Sie die Waffen des Verräthers,
Mit denen er zum Herrn des Ihrigen sich macht.

Orgon. Der Mensch, ich muß gesteh'n, ist eine Bestie.

Valer. Das kleinste Zögern kann Verderben bringen,
Zur Flucht bereit, steht vor der Thür mein Wagen,
Mit tausend Louis, die ich Ihnen bringe.
Verlieren wir nicht Zeit, der Pfeil ist tödtlich,
Und eh' er trifft, muß man die Flucht ergreifen.
Ich selbst begleite Sie und geh' nicht eher,
Als bis ich weiß, daß Sie geborgen sind.

Orgon. Ach, wie verpflichtet bin ich Ihrer Sorge!
Zu einer bessern Zeit kann ich erst danken.
Ich fleh' zum Himmel, gnädig mir zu sein,
Damit ich einst vergelte diesen Dienst.
Lebt Alle wohl, und sorgt . . .

Cleante. Geh'n Sie geschwind.
Wir werden sinnen, Schwager, was zu thun.

Siebenter Auftritt.

**Tartüffe. Ein Sergeant. Mad. Pernelle. Orgon. Elmire. Cleante.
Mariane. Valer. Damis. Dorine.**

Tartüffe (Orgon festhaltend).
Sehr schön, mein Herr, nur eilen Sie nicht so,
Sie finden früh genug Ihr Nachtquartier.
Sie sind Gefangner in des Fürsten Namen.

Orgon. Verräther! Das erspartest du mir noch.
Das ist der Schlag, Verruchter, der mich trifft,
Der alle deine Schändlichkeiten krönt.

Tartüffe. Ihr Wort hat nichts, was mich erbittern kann;
Ich lernte für den Himmel Alles dulden.

Orgon. Die Mäßigung ist groß, ich muß gesteh'n.

Damis. Wie frech der Schurke mit dem Himmel spielt!

Tartüffe. All' Ihre Heftigkeit bewegt mich nicht.
Ich sinn' auf nichts, als meine Pflicht zu thun.

Mariane. Sie haben dadurch großen Ruhm in Aussicht;
Der Auftrag ist sehr ehrenvoll für Sie.

Tartüffe. Nur ruhmvoll ist ein Auftrag, den die Macht
Mir auferlegt, die mich hierher gesandt.

Orgon. Erinnerst du dich nicht, daß meine Hand
Dich aus dem Elend zog, du Undankbarer?

Tartüffe. Ich weiß, was ich von Ihnen konnt' empfangen;
Jedoch der Fürst ist meine erste Pflicht.
Der wahre Eifer dieser heil'gen Pflicht
Erstickt die Dankbarkeit in meinem Herzen.
Ich würde opfern diesen mächt'gen Banden
Freund, Weib und Eltern, ja mich selbst mit ihnen.

Elmire. Der Heuchler!

Dorine. Wie verräth'risch weiß er sich
In Alles einzuhüllen, was uns heilig!

Cleante. Jedoch wenn so vollkommen, wie Sie sagen,
Der Eifer ist, den Sie zum Vorwand nehmen,
Wie kommt's, daß er nicht früher sich gezeigt,
Als bis er Sie bei seiner Frau geseh'n?
Und daß Sie nicht ihn eher angezeigt,
Als bis die Ehr' ihn zwang, Sie fortzujagen?
Ich spreche nicht, der Pflicht ihn zu entbinden,
Von jener Schenkung, die er Ihnen machte;
Doch da Sie heut' als Schuld'gen ihn behandeln,
Warum denn nahmen Sie etwas von ihm?

Tartüffe (zu dem Sergeanten).
Befrei'n Sie mich, mein Herr, von dem Gezänk;
Vollziehen Sie, ich bitte, den Befehl.

Der Sergeant. Gewiß, es hat zu lange schon gedauert,
Ihr Mund mahnt mich zur rechten Zeit daran.
Wohlan, so folgen Sie mir auf der Stelle
In das Gefängniß, das für Sie bestimmt.

Tartüffe. Wer? ich, mein Herr?

Der Sergeant. Ja, Sie.

Tartüffe. Wie, in's Gefängniß?

Der Sergeant. Nicht Ihnen hab' ich Rechenschaft zu geben.
(Zu Orgon.)
Erholen Sie sich von der Angst, mein Herr,
Ein Fürst beherrscht uns, der die Lüge haßt;
Ein Fürst, der bis in's Herz der Menschen sieht,
Den alle Kunst des Heuchlers nicht betrügt;

Von feinstem Scharffinn ist sein hoher Geist,
Der stets die Dinge sieht im rechten Lichte;
Bei ihm kann nichts zu große Macht gewinnen,
Denn alles Uebermaß ist ihm zuwider;
Er weiß den wahrhaft Frommen hoch zu ehren,
Doch Heuchelei vermag ihn nicht zu blenden,
Und seine Liebe für den wahren Eifer
Erfüllt sein Herz mit Schauder vor dem falschen.

(Auf Tartüffe zeigend.)

Der hier vermag ihn nicht zu überlisten,
Man sah ihn fein're Netze schon zerreißen.
Er drang sogleich mit scharfem Blick
In jede Falte seines schlechten Herzens.
Als er Sie angeklagt, verrieth er sich,
Und eine höh're Macht hat es gefügt,
Daß unserm Fürsten sich ein Schelm entdeckte,
Den er schon kannte unter anderm Namen;
Denn er verübte so viel schwarze Thaten,
Daß Bücher man mit ihnen füllen könnte.
Mit einem Worte, der Monarch verabscheut
Des Undankbaren Frechheit und Verrath.
Voll ist das Maß von seinen Schändlichkeiten.
Bis hierher sollt' ich seiner Leitung folgen,
Nur um zu seh'n, wie weit die Frechheit ginge,
Und Sie durch ihn Genugthuung erhielten.
Auch alle die Papiere, die er sein nennt,
Soll ich zurück in Ihre Hände geben.
Des Fürsten höchste Macht löst den Contract,
Der Ihr Vermögen zum Geschenk ihm macht.
Verzeihen will er Ihnen das Vergeh'n,
Das Sie begingen durch die Flucht des Freunds.
So dankt er Ihnen jetzt für jenen Eifer,
Mit dem Sie seine Rechte einst vertheidigt,
Und zeigt damit, daß er die gute That
Zu lohnen weiß, je wen'ger man es denkt,
Daß niemals die Verdienste er vergißt,
Und mehr gedenkt des Guten als des Schlechten.

Dorine. Der Himmel sei gelobt!

Mad. Pernelle. Ich athme wieder!

Elmire. O welches Glück!

Mariane. Wer wagte das zu hoffen?

Orgon (zu Tartüffe, den der Sergeant abführt).

Wohlan! Verräther, jetzt . . .

Achter Auftritt.

**Mad. Pernelle. Orgon. Elmire. Mariane. Cleante. Valer.
Damis. Dorine.**

Cleante. Nicht weiter, Schwager.
Entwürd'gen Sie sich durch Beschimpfung nicht,
Und überlassen Sie ihn seinem Schicksal.
Sie haben keinen Vorwurf ihm zu machen;
Sie sollten vielmehr wünschen, daß sein Herz
Dereinst den Weg zur Tugend wieder finde,
Daß er sein lasterhaftes Leben beff're,
Damit der Fürst die Strafe ihm erleicht're.
Sie aber gehn und danken ihm auf Knie'n,
Daß er so gnädig gegen Sie verfuhr.

Orgon. Gewiß. Mit Freuden fall' ich ihm zu Füßen,
Zu preisen seine Huld, die er uns zeigt.
Und haben wir erst diese Pflicht erfüllt,
Dann müssen wir an eine andre denken,
Und krönen durch ein zartes Eheband
Die heldenmüth'ge Liebe des Valer.

Ende.

von Philipp Reclam jun. in Leipzig.

Miniaturausgaben

in eleganten und soliden Ganzleinenbänden:

Archenholtz, Geschichte des sie= benjähr. Krieges. . 12 Sgr.
Blumauer, Aeneis. . . . 8 Sgr.
Börne, Skizzen 2c. . . 10 Sgr.
Bürger, Gedichte. . . . 10 Sgr.
—, Münchhausens Abenteuer. 6 Sgr.
Burns' Lieder u. Ballad. 8 Sgr.
Chamisso, Gedichte. . 12 Sgr.
—, Peter Schlemihl. 6 Sgr.
Gaudy, Schneidergesell. 6 Sgr.
Gellert, Fabeln . . . . 8 Sgr.
Goethe, Gedichte. Gldschn.12 Sgr.
—, Faust. 2 Thle. in 1 Bd. 8 Sgr.
—, — Mit Goldschnitt. 10 Sgr.
—, Herman u. Dorothea.6 Sgr.
—, Dramatische Meisterwerke. (Götz von Berlichingen. Egmont. Iphigenie auf Tauris. Tor= quato Tasso.) . . . . 10 Sgr.
—, Reineke Fuchs. . . 6 Sgr.
—, Werthers Leiden. 6 Sgr.
Goldsmith, Landprediger von Wakefield . . . . . . 8 Sgr.
Gottschall, Rose vom Kaukasus. 6 Sgr.
Hauff, Lichtenstein. . 10 Sgr.
—, Mann im Monde. 8 Sgr.
—, Märchen. . . . . 10 Sgr.
—, Memoirenb.Satan 10 Sgr.
—, Phantasien im Bremer Rathskeller . . . . . 6 Sgr.
Hebel, Allem. Gedichte. 6 Sgr.
—, Schatzkästlein. . . . 8 Sgr.
Herder, Der Cid. . . . 6 Sgr.
Hertz, René's Tochter. 6 Sgr.

Hoffmann, Kater Murr. 12 Sgr.
—, Klein Zaches. . . . 6 Sgr.
—, Elixire des Teufels. 10 Sgr.
Homers Werke. (Ilias. Odyssee.) Von Voß. . . . ! . . . 15 Sgr.
Jean Paul, Flegeljahre. 12 Sgr.
—, Quintus Fixlein. 8 Sgr.
—, Dr. Katzenberger. 8 Sgr.
—, Der Komet. . . . 12 Sgr.
—, Siebenkäs . . . . 12 Sgr.
Immermann, Münchhausen. 2 Leinenbände. . . . . 20 Sgr.
—, Tulifäntchen . . 6 Sgr.
Kleist, E. Chr. v., Werke. 6 Sgr.
Körner, Leyer u. Schwert.6 Sgr.
Lessing, Dram. Meisterwerke. (Nathan d. Weise. Emilia Galotti. Minna von Barnhelm.) 8 Sgr.
Longfellow, Gedichte. . 8 Sgr.
Matthisson, Gedichte. . 6 Sgr.
Platen, Gedichte , . . . 8 Sgr.
St. Pierre, Paul u. Virginie. 6 Sgr.
Schiller, Gedichte. . . . 6 Sgr.
—, — M. Goldschn. 10 Sgr.
—, Don Carlos. . . . 6 Sgr.
—, Tell. . . . . . . 6 Sgr.
—, Wallenstein. . . . . 8 Sgr.
Schulze, Bezaub. Rose. 6 Sgr.
Seume, Spaziergang nach Sy= rakus . . . . 10 Sgr.
Silberstein, Trutz=Nachtigal. 6 Sgr.
Sterne, Empfindf.Reise.6 Sgr.
Voß, Luise . . . . . 6 Sgr.
Wieland, Oberon . . . 8 Sgr.

Goethe's sämmtliche Werke
in 45 Bänden.
Geheftet 3 Thlr. 22½ Sgr. — In 10 eleganten Leinenbänden 6 Thlr.

Goethe's Werke. Auswahl.
16 Bände in 4 eleganten Leinenbänden 2 Thlr.

Grabbe's sämmtliche Werke.
Herausgegeben von Rudolf Gottschall.
2 Bände. Geheftet 1 Thlr. — In 2 eleg. Leinenbänden 1 Thlr. 12 Sgr.

Hauffs sämmtliche Werke.
2 Bände. Geheftet 20 Sgr. — In 2 eleganten Ganzleinenbänden 1 Thlr.

Körner's sämmtliche Werke.
Geheftet 10 Sgr. — In elegantem Leinenband 15 Sgr.

Lessing's Werke
in 6 Bänden.
Geheftet 1 Thlr. — In 2 eleganten Ganzleinenbänden 1 Thlr. 12 Sgr.

Lessing's poetische und dramatische Werke.
Geheftet 10 Sgr. — In elegantem Leinenband 15 Sgr.

Milton's poetische Werke.
Deutsch von Adolf Böttger.
Geheftet 15 Sgr. — In elegantem rothem Leinenband 22½ Sgr.

Schiller's sämmtliche Werke
in 12 Bänden.
Geheftet 1 Thlr. — In 3 Halbleinenbänden 1½ Thlr. — In 4 eleg. Ganzleinenbänden 1 Thlr. 24 Sgr. — In 4 eleganten Halbfranzbänden 2 Thlr.

Shakspere's sämmtliche dramatische Werke.
12 Bände mit 12 Stahlstichen.
Deutsch v. Ad. Böttger, Th. Mügge, Th. Oelckers, K. Simrock u. A.
Geheftet 1½ Thlr. — In 4 eleganten Leinenbänden 2 Thlr.

Die gelehrten Frauen.

Lustspiel in fünf Aufzügen

von

Molière.

Uebersetzt von

Malvine Gräfin Maltzan.

Leipzig,

Druck und Verlag von Philipp Reclam jun.

Perſonen.

———

Chryſale, Bürger.

Philaminta, ſeine Frau.

Armande, }
Henriette, } Beider Töchter.

Ariſte, }
Beliſe, } Chryſale's Geſchwiſter.

Clitander, Henriettens Liebhaber.

Triſſotin, Schöngeiſt.

Badius, Gelehrter.

Julian, deſſen Diener.

Lepin, }
Martine, } in Chryſale's Dienſten.

Ein Notar.

Die Handlung findet zu Paris im Hauſe Chryſale's ſtatt.

Erster Aufzug.

Erste Scene.

Armande. Henriette.

Arm. Wie Schwester, willst dem schönen Namen Jungfrau,
Dem holden Ehrentitel Du entsagen?
Kannst Du im Ernst Dich freu'n, Dich zu vermählen,
Und solcher niedern Absicht gar Dich rühmen?

Henriette. Ja, Schwester.

Armande. Kann man dieses Ja ertragen?
Wird man nicht unwohl, wenn man es vernimmt?

Henriette. Weshalb denn übt die Ehe solche Wirkung
Auf Dich —?

Armande. O pfui!

Henriette. Warum?

Armande. Noch einmal pfui!
Begreifst Du nicht, wie widrig dieses Wort
Den Geist berührt, wie es durch wirre Bilder
Uns tief verletzt, und wie es dem Gedanken
Aussichten wüster, ekler Art erschließt?
Faßt Dich nicht Schauder, Schwester? Kann Dein Herz
Die Folgen jenes Wortes wohl ermessen?

Henriette. Wenn ich die Folgen jenes Worts betrachte,
So zeigen sie mir einen Gatten, Kinder
Und eine Häuslichkeit; doch darin sehe
Ich nichts, was Schauder weckt, noch mich verletzt.

Armande. O Himmel! Scheint Dir solches Loos erträglich?

Henriette. Kann man in meinen Jahren Beßres thun,
Als einem Mann sich dauernd zu vereinen,
Der treu uns liebt, und eben so geliebt wird,
Und durch dies Band, aus Zärtlichkeit geschlossen,
Ein schuldlos, glücklich Dasein sich zu gründen?
Gesteh', hat solch ein Bündniß nicht auch Reize?

Armande. Mein Gott, wie steht Dein Geist auf niedrer Stufe!
Welch winz'ge Rolle spielst du in der Welt,
Wenn, eingepfercht in fade Wirthschaftssorgen,

Du den Gemahl und Deine Kinderschaar
Als einzig Ideal von Glück bewunderst!
Laß doch den Pöbel und die Alltagsmenschen
An solchen niedern Freuden sich ergötzen;
Auf höhre Dinge richte Deinen Blick;
Zu reinerm Glück erhebe Deine Wünsche;
Entsage der Materie und den Sinnen,
Und laß, wie wir, vom Geist nur Dich beherrschen:
Als leuchtend Vorbild diene Dir die Mutter,
Die als Gelehrte überall man ehrt;
Zeig' Dich, gleich mir, als ihre ächte Tochter;
Gesell' Dich den Genies in der Familie,
Und werd' empfänglich für die hohe Lust,
Mit welcher Wissensdrang das Herz beseligt.
Statt einem Gatten Dich zu unterwerfen,
Vermähl' Dich, Schwester, der Philosophie,
Die zu der Menschheit Höhen uns emporträgt,
Und der Vernunft den Herrscherthron erbaut;
Weil sie das Irdische in uns bekämpfet,
Das uns durch groben Trieb zum Thier erniedrigt.
Nur höhrer Neigung schöne Flammen dürfen
Des Daseins Augenblicke uns versüßen,
Und alle Mühen, die sich Frauen schaffen,
Erscheinen mir verächtlich und abscheulich.

Henriette. Des Himmels Wille hat bei der Geburt schon
Uns zu verschiedenem Beruf bestimmt,
Und nicht ein jeder Geist ist von dem Stoffe,
Aus dem ein Philosoph sich schnitzen läßt.
Strebt nun der Deine zu den Regionen,
Wohin der Weisen Forschersinn sie trägt,
So bleibt der meine still auf dieser Erde,
Und sorgt und waltet froh in ihren Grenzen;
Drum fügen wir uns denn des Himmels Vorschrift,
Und Jede folge ihrer Neigung Drang.
Schwing Du, vom Genius emporgehoben,
Dich auf zum Reiche der Philosophie,
Indessen gern hienieden ich verweile,
Mit irb'schem Eheglück mich zu begnügen.
Wir werden dann — zwar auf verschiedne Art —

Doch unsrer Mutter nachzueifern streben;
Du Deinerseits durch edle Seelentriebe,
Ich meinerseits durch menschlich heitres Thun,
Du durch Erzeugnisse voll Geist und Licht —
Ich durch Producte materiellern Stoffes!

Armande. Muß der Person, die man zum Vorbild wählt,
Man doch im Schönen nur zu gleichen trachten,
Und wenn, wie sie, man hustet auch und spuckt,
Ist man deshalb ihr lange noch nicht ähnlich.

Henriette. Doch wärst Du das nicht, dessen Du Dich rühmst,
Besaß die Mutter nur die höh're Richtung,
Und daß sie nicht allein Philosophie
Beschäftigt, kommt auch, Schwester, Dir zu statten.
Drum dulde gnädig doch an mir das Niedre,
Dem Dein Genie den Ursprung dankt, und hindre,
Indem Du Nachahmung von mir begehrst,
Nicht einen kleinen Weisen am Erscheinen.

Armande. Ich seh' wohl, daß von Deiner Ehelust
Du nicht zu heilen bist. Nun aber sage,
Wen Du zum Gatten ausersehn? Ich hoffe,
Daß nicht etwa Clitander Du erwählt?

Henriette. Und weshalb nicht? Verdient er keine Neigung?
Wär' diese Wahl erniedrigend für mich?

Armande. Das grade nicht; allein es scheint mir unrecht,
Daß einer Andern Du sein Herz entführst;
Zu gut ja weiß die Welt, daß einst Clitander
Für mich geseufzt, und offen mir gehuldigt.

Henriette. Ja wohl. Doch war vergeblich sein Bemühen,
Denn Du verschmähst so menschliche Gefühle;
Dein stolzer Geist verzichtet auf die Ehe,
Und deine Liebe ist Philosophie.
Was also kümmert's Dich, wenn zu Clitander
Mein Herz sich neigt, da Deines ihm verschlossen?

Armande. Wenn die Vernunft gleich unsern Sinn beherrscht,
Verschmäht deshalb man doch nicht Huldigungen;
Und will man Jemand auch zum Gatten nicht,
Mag als Verehrer man nicht gern ihn missen.

Henriette. Ich hab' ihn nicht verhindert, Deinen Gaben
Auch ferner seine Anbetung zu weih'n,

Und als er seine Liebe mir geboten,
Nahm ich nur einfach an, was Du verschmäht.

Armande. So baust Du auf die Wahrheit der Gefühle,
Die ein erzürnter Liebender Dir schwört,
Und hältst die Leidenschaft für Dich so mächtig,
Daß völlig sie die Gluth für mich erstickt?

Henriette. Er sagt es, Schwester, und ich glaub' es gern.

Armande. Sei nicht so leichten Glaubens, liebe Schwester;
Denn sagt er auch, er habe Deinetwegen
Mich aufgegeben — er belügt sich selbst.

Henriette. Das weiß ich nicht; doch macht es Dir Vergnügen,
So laß die Sache uns in's Reine bringen,
Dort kommt er; mög' er selber unumwunden
Uns jetzt erklären, wie sein Herz gesinnt!

Zweite Scene.

Clitander. Die Vorigen.

Henriette. Die Zweifel zu zerstreu'n, die meine Schwester
In mir erweckt, enthüllen Sie, Clitander,
Uns Ihre Seele. Laut bekennen Sie,
Wer von uns Beiden Recht hat auf Ihr Herz.

Armande. O nein! Ich bin so grausam nicht, von Ihnen
Erklärung solcher Art zu fordern, denn
Ich schone gern die Leute. Weiß ich doch,
Wie peinlich so ein öffentlich Geständniß.

Clitander. Nicht doch, mein Fräulein; ohne jeden Zwang,
Gesteht mein Herz, das nicht Verstellung kennt,
Ganz frei und offen, laut und unumwunden,
Und, weit entfernt, Verlegenheit zu fühlen,
Daß diese sanften Bande, die mich fesseln, (auf Henriette deutend)
Mein Lieben, wie mein Wünschen in sich einen.
Befremden darf Sie dies Geständniß nicht,
Denn, wie die Sache steht — es ist Ihr Werk. —
Von Ihren Reizen angezogen, gab ich
Der Hoffnung Ausdruck, die mein Herz bewegte,
Das hochentflammt, voll Treue für Sie schlug.
Doch schien der Sieg gering in Ihren Augen,
Denn grausam ließen Sie Ihr Joch mich fühlen,
Und zeigten sich als launische Tyrannin.

Da sucht' ich denn von Qual und Kummer müde,
Mir einen mildern Sieger, sanftre Ketten — (Zu Henriette.)
Ihr Blick verhieß mir, was mein Herz ersehnte,
Sein holder Strahl nahm es für ewig ein;
Voll Mitleid trockneten Sie meine Thränen,
Und haben, was verschmäht ward, nicht verachtet.
Solch selt'ne Güte hat mich so gefesselt,
Daß meine Treue niemals wanken wird.   (Zu Armande.)
Drum wag' ich, Sie, mein Fräulein, zu beschwören,
Nicht gegen meine Liebe anzukämpfen,
Und nicht ein Herz zu sich zurückzurufen,
Das in den neuen Banden sterben will.

  Arm. Wer sagt denn, daß man danach strebt, mein Herr,
Und überhaupt so sehr sich um Sie kümmert?
Das nur zu denken, ist ja lächerlich,
Und höchst impertinent, es gar zu sagen.

  Henriette. Gemach, gemach! Wo bleibt nur die Moral,
Die ja das Thierische in uns zu zügeln
Versteht und unsern Zorn im Zaume hält?

  Armande. Hast Du etwa Moral geübt, als Du
Flugs ohne Deine Eltern zu befragen,
Die Liebe annahmst, welche man Dir bot?
Erheischt die Pflicht nicht, ihnen zu gehorchen?
Nur den durch sie Erwählten darfst Du lieben,
Denn sie sind Deines Herzens Eigenthümer,
Und strafbar ist's, darob selbst zu verfügen.

  Henriette. Ich danke Dir für Deine große Güte,
Die über meine Pflicht mich will belehren;
Mein Herz soll fortan Deiner Vorschrift folgen:
Und daß Du siehst, wie es damit mir Ernst,
Bitt' ich, Clitander, sorgen Sie dafür,
Daß unsern Bund der Eltern Segen kröne,
Und ich Sie ohne Vorwurf lieben darf.

  Clitander. Ich harrte längst, daß Sie es mir gestatten,
Und gehe freudig offen nun zu Werk!

  Arm. Du triumphirst, und scheinst zu glauben, Schwester,
So kündet Dein Gesicht, daß ich mich ärgre!

  Henriette. Ich? Nicht doch! Die Vernunft, das weiß ich ja,
Beherrscht Dich mächtig. Durch der Weisheit Lehren

Bist gegen solche Schwächen Du gewappnet.
Nein, weit entfernt Dir Aerger zuzutraun,
Hoff' ich sogar auf Deine Unterstützung.
Vermittle durch Dein Fürwort seine Werbung,
Und suche die Vermählung zu beschleun'gen.
Ich bitte Dich! Und um dafür zu wirken —

    Armande. Dein kleiner Geist beliebt zu scherzen! Macht Dich
Dies Herz, das man Dir zuwarf, doch ganz stolz!

    Henriette. Ob zugeworfen — einst mißfiel Dir's nicht;
Und hätt' Dein Aug' die Macht es aufzuraffen,
Es scheute sicher nicht des Bückens Müh'.

    Armande. Zur Antwort läßt mein Stolz sich nicht herab,
Man muß auf solchen Unsinn gar nicht hören.

    Henriette. Da thust Du recht; wir sind beinah verwundert,
Daß Du so große Mäßigung uns zeigst.   (Armande ab.)

Dritte Scene.

Henriette. Clitander.

    Henriette. Ihr Freimuth hat sie dennoch überrascht.

    Clitander. Verdient sie doch solch offenes Geständniß,
Und ihrer Eitelkeit verrückter Hochmuth
Erheischte volle Wahrheit. Doch, mein Fräulein,
Da Sie mir die Erlaubniß ja ertheilt
Mit Ihrem Vater —

    Henriette. Mit der Mutter sprechen
Sie doch zuerst. Mein Vater ist ein Mann,
Der leicht verspricht, doch gilt sein Wort nicht viel.
Der Himmel gab ihm große Seelengüte,
Die ihn der Gattin völlig unterwirft.
Sie leitet Alles, und ihr Herrscherwort
Erhebet zum Gesetz, was sie beschlossen.
Drum wär mir's lieb, wenn ihr und meiner Tante
Sie sich ein wenig liebenswürd'ger zeigten,
Und deren Neigung zu gewinnen strebten,
Indem Sie ihrer Geistesrichtung schmeicheln.

    Clitander. Zur Heuchelei zu ehrlich, kount' der Richtung,
Bei Ihrer Schwester selbst, ich niemals schmeicheln,
Denn die gelehrten Frauen lieb' ich nicht.
Wohl seh' ich's gern, wenn eine Dame Einsicht

n Alles hat; allein mich stört die Sucht
elehrt zu sein, nur um dafür zu gelten.
eit lieber ist mir's, wenn bei manchen Fragen
ie nicht zu wissen scheint, was sie doch weiß.
uch muß geheim ihr Studium sie betreiben,
iel wissen, aber niemals damit prahlen;
utoren nicht citiren, sich nicht mühen,
it Geistesphrasen jed' Gespräch zu spicken. —
och acht ich Ihre Mutter, doch ich kann
icht die Chimäre loben, der sie huldigt,
och mich zum Echo ihrer Worte machen,
enn ihren Geisteshelden sie erhebt.
uwider ist mir dieser Trissotin,
nd es empört mich, daß sie solch' Subject
ann achten und als großen Geist uns rühmen;
en Pinsel, dessen Schriften man verlacht,
en trocknen Pedanten, dessen Feder
Den Markt freigebig mit Papier versorgt.
   Henriette. Ich theile Ihre Ansicht. Seine Schriften,
Wie sein Gespräch erregen Langeweile;
Doch da er Einfluß auf die Mutter ausübt,
Bequemen Sie sich, freundlich ihm zu nah'n.
Ein Liebender muß sich zu Gunsten stimmen,
Was seiner Flamme Gegenstand umgiebt,
Und, daß ja Niemand ihm entgegen, such' er
Dem Hund des Hauses selber zu gefallen.
   Clitander. Sie haben recht. Allein Herr Trissotin
Ist mir so in den Tod verhaßt, daß ich
Zum Lobe seiner Geisteskinder nicht
Mich kann entehren, um ihn zu gewinnen.
Durch diese trat zuerst er mir vor Augen,
Und so denn kannt' ich ihn, eh ich ihn sah.
In diesem Schriftenwuste zeigte deutlich
Sich mir sein prahlerisch, pedantisch Wesen;
Der immer gleiche Umfang seines Hochmuths;
Die Frechheit seines Urtheils, seiner Meinung,
So wie sein felsenfestes Selbstvertrau'n,
Das ihn so selig selbstzufrieden macht,
Und so mit Lust erfüllt an seinen Werken,

Daß stets ob sein Verdienst er freudig-lächelt,
Und selbst nicht gegen eines Feldherrn Rang
Wohl seines Namens Ruhm vertauschen würde!

    Henriette. Welch' scharfer Blick, das Alles zu gewahren!

    Clitander. O selbst sein Aeußres malt' ich richtig aus;
Denn seinen Versen, die er reichlich spendet,
Entnahm ich, wie der Dichter sei gestaltet,
Und habe seine Züge so errathen,
Daß, als mir im Justizpalast ein Mann
Entgegentrat, ich eine Wette einging,
Daß Trissotin es sei, und — ich gewann!

    Henriette. Sie scherzen!

    Clitander. Nein, es ist die reine Wahrheit.
Doch Ihre Tante kommt. Gestatten Sie,
Daß ich sogleich ihr unsern Bund entdecke,
Und um ihr Fürwort bei der Mutter werbe!   *(Henriette ab.)*

Vierte Scene.

Belise. Clitander.

    Clitander. Erlauben Sie, daß ich den Augenblick,
So günstig zur Erklärung, flugs benutze,
Um Sie zu sprechen, Ihnen zu gestehen —

    Belise. Nicht allzu offen spreche Ihre Seele;
Denn, wenn ich als Verehrer Sie auch schätze,
Darf doch Ihr Blick allein nur Dolmetsch sein:
In andrer Sprache geben Sie den Wünschen
Nicht Ausdruck, da Sie mich beleib'gen würden.
Sie dürfen lieben, seufzen, schmachten, brennen,
Doch sei es mir erlaubt — von Nichts zu wissen.
Ich schließ' die Augen vor geheimen Flammen,
So lang bescheiden Sie sich stumm verhalten;
Allein beginnt der Mund sich drein zu mischen,
Muß flugs Verbannung davon Folge sein.

    Clitander. O meine Neigung darf Sie nicht erschrecken,
Denn Henriette ist es, die ich liebe;
Und meiner Werbung Beistand zu gewähren,
Nur fleh' ich Ihre Güte innig an!

    Belise. Ah! Wirklich? Diese Wendung zeigt von Geist;

lan muß die Feinheit solcher Ausflucht loben!
n keinem der Romane, die ich las,
and ich so sinnreich ausgedachte List.

Clitander. Es ist nicht List, noch Feinheit; ich bekenne
ur frei und offen, was mein Herz bewegt.
er Himmel fesselte an Henriette
ür ewig mich mit unlösbaren Banden;
lit sanfter Macht beherrscht mich Henriette,
ur ihr Besitz ist meiner Wünsche Ziel!
nd da Sie großen Einfluß üben, bitt' ich
ie recht von Herzen, mich zu unterstützen!

Belise. Ich sehe wohl, wohin Sie zielen, weiß,
as unter diesem Namen ich darf hören.
ehr schlau ist die Idee, und, treu der Rolle,
ntwort' ich, wie mein Herz es mir gebeut:
aß Henriette Feindin ist der Ehe,
nd ohne Wunsch für sie man glühen soll!

Clitander. Weßhalb, Madame, so nutzlos uns verwirren
nd denken wollen, was ja doch nicht ist.

Belise. Mein Gott, warum noch ferner sich verstellen,
Und läugnen, was mir längst Ihr Blick gestand?
Genügt es nicht, daß man den Umweg billigt,
Den Ihre Liebe wählte? Ja, daß man
Selbst in der Rolle, welche Ehrfurcht schuf,
Die Huldigungen duldet und begünstigt,
So lang die Leidenschaft, bewacht von Achtung,
Nur reine Wünsche meinem Altar weiht?

Clitander. Jedoch —

Belise. Adieu! Für jetzt genug davon.
Ich sagte mehr schon, als ich sagen wollte.

Clitander. Allein Ihr Irrthum —

Belise. Still! O jetzt erröth' ich,
Daß ich der Scham so weit vergessen konnte!

Clitander. Ich will gehängt sein, lieb ich Sie, und klug —

Belise. Nein, nein! Ich will durchaus nichts weiter hören!

(Ab.)

Fünfte Scene.

Clitander (allein).

Der Teufel hol' die hirnverrückte Närrin!
Sah jemals unterm Mond man solchen Wahn?
Ich muß nun andern Beistand mir gewinnen,
Mein Glück vernünft'gern Händen anvertrau'n.

Zweiter Aufzug.

Erste Scene.

Ariste (zu dem abgehenden Clitander).

Ja, ja! Ich bringe Ihnen schleunigst Antwort,
Und thu', was ich vermag. Wie viele Worte
Macht solch' Verliebter um ein einzig Wörtchen!
Wie ungeduldig seine Wünsche sind!
Niemals —

Zweite Scene.

Chrysale. Ariste.

Ariste. Ah Bruder! Grüß Dich Gott!
Chrysale. Dich gleichfalls,
Mein Bruder!
Ariste. Weißt Du, was mich herführt?
Chrysale. Nein. Aber sprich. Ich bin bereit zu hören.
Ariste. Schon ziemlich lange kennst Du ja Clitander.
Chrysale. Wohl. Und ich seh ihn oft in meinem Hause.
Ariste. Und wie erscheint er Dir, mein lieber Bruder?
Chrysale. Als Ehrenmann an Geist und Herz und Sitten;
Nur wen'ge junge Leute sind ihm gleich.
Ariste. Es freut mich, daß Du ihm so wohl gesinnt bist,
Da ich in seinem Auftrag zu Dir komme.
Chrysale. Ich war in Rom mit seinem sel'gen Vater.
Ariste. Sehr gut!
Chrysale. Das war ein echter Edelmann!
Ariste. So heißt's.
Chrysale. Wir zählten Acht und Zwanzig Jahre;
Nun, und wir waren frische, lust'ge Burschen!

Arifte. Ich glaub's!

Chrysale. Wir huldigten den röm'schen Damen,
Und viel erzählte man von unsern Streichen.
O, wir erregten Eifersucht!

Arifte. Vortrefflich!
Doch endlich nun zur Ursach' meines Hierseins!

Dritte Scene.

Belife tritt leise ein und hört zu.   Die Vorigen.

Arifte. Bei Dir zum Dolmetsch wählte mich Clitander,
Denn hoch entflammt ist er für Henriette.

Chrysale. Für meine Tochter?

Arifte. Ja. Clitander liebt sie;
Nie sah ich solche Gluth der Leidenschaft.

Belife (vortretend). Nein, nein! Ich hörte Alles. Du verstehst
Die Sache falsch. Sie steht ganz anders, Bruder.

Arifte. Wie, Schwester?

Belife. Er — Clitander — er verstellt sich.

Arifte. Du scherzest. Liebt er Henriette nicht?

Belife. O nein. Ich weiß es besser.

Arifte. Doch er sagt es.

Belife. Ei! — ja! —

Arifte. In seinem Auftrag wollt' die Werbung
Bei ihrem Vater jetzt ich unternehmen.

Belife. Sehr gut!

Arifte. Und die Verbindung zu befördern,
Hat seine Liebe bringend mich beschworen.

Belife. Noch besser! O man kann nicht feiner täuschen;
Hör' Bruder; unter uns, ein Vorwand nur
Ist Henriette; nur ein zarter Schleier,
Der andre Flammen schlau verhüllen soll.
Ich kenne das Geheimniß, und will gern
Euch Beide jetzt aus Eurem Irrthum reißen.

Arifte. Ei, Schwester, bist so gut Du unterrichtet,
Nenn' doch die Andre, die er sich erwählt.

Belife. Ihr wollt es?

Arifte. Ja. Wer ist es?

Belife. Ich.

Arifte. Wie? Du?!

Belise. Ich selbst.

Ariste. Oh! Oh!

Belise. Was soll dies Oh bedeuten?
Und was befremdet Dich in meinen Worten?
Hat man doch Ursach', mein' ich, sich zu rühmen,
Daß manches Herz man schon in Fesseln schlug.
Dorant und Damis, Lycidas, Cleont,
Sie Alle fühlten meiner Reize Macht.

Ariste. Die Herren alle lieben Dich?

Belise. Gewaltig.

Ariste. Sie haben Dir's gesagt?

Belise. Das wagte Keiner.
So tief ist ihre Ehrfurcht, daß bis heut
Kein Wort von ihrer Liebe sie gesprochen.
Doch daß sie Herz und Dienste mir gewidmet,
Bewiesen stumme, doch beredte Zeichen.

Ariste. Höchst selten sah man Damis hier im Hause.

Belise. Um desto größre Achtung mir zu zeigen.

Ariste. Mit spitz'gem Wort verletzt Dich oft Dorante.

Belise. So bittres Gift erzeugt die Eifersucht.

Ariste. Cleont und Lycidas vermählten sich.

Belise. Wohl! Aus Verzweiflung. Ich bin schuld daran.

Ariste. Das, liebe Schwester, sind ja Visionen!

Chrysale. Chimären solcher Art mußt Du verbannen.

Belise. Chimären! Ah! Chimären nennt man das!
Chimären! Ich! Fürwahr, das Wort ist gut.
Ich freu' mich, lieben Brüder, der Chimären,
Und wußt' es nicht, daß ich Chimären habe! (Ab.)

Vierte Scene

Ariste. Chrysale.

Chrysale. Die Schwester ist verrückt.

Ariste. S' wird täglich ärger.
Doch kommen wir auf das zurück, was mich
Hat hergeführt. — Clitander wirbt bei dir
Um Henriette. Was hat er zu hoffen?

Chrysale. Bedarf's der Frage? Freudig sag' ich Ja,
Und seh in der Verbindung eine Ehre.

Ariste. Doch hat er, wie Du weißt, nicht viel Vermögen

Und —

Chrysale. O was schadet das! Ist er an Tugend
Doch reich, und gilt das nicht viel mehr wie Schätze?
Auch war sein Vater ja mein zweites Ich.

Ariste. So laß mit Deiner Frau uns sprechen, um
Sie für —

Chrysale. Ich sagte Ja, und das genügt.

Ariste. Doch, Bruder, wär' es sich'rer, wie mich dünkt,
Wenn sie genehmigte, was Du beschlossen,
Drum komm, und —

Chrysale. Spottest Du? Es ist unnöthig.
Ich steh' für meine Frau, und nehm's auf mich.

Ariste. Doch —

Chrysale. Laß mich machen, und sei unbesorgt;
Ich will sie augenblicklich unterrichten.

Ariste. Nun gut. Ich sprech indeß' mit Henriette,
Und will dann hören —

Chrysale. Es ist abgemacht;
Ich künde meiner Frau gleich meinen Willen. (Ariste ab.)

Fünfte Scene.

Martine. Chrysale.

Martine. Da ging mir's schön! Wie wahr ist doch das
 Sprüchwort:
Wer will den Hund ersäufen nennt ihn toll;
Und fremder Leute Dienst ist keine Erbschaft.

Chrysale. Was hast Du denn, Martine?

Martine. Was ich habe?

Chrysale. Nun ja!

Martine. Ich habe Nichts wie meinen Abschied.

Chrysale. Wie? Abschied?

Martine. Ja. Madame — sie jagt mich fort!

Chrysale. Das ist mir unbegreiflich.

Martine. Geh' ich nicht,
So droht mir eine Tracht von hundert Hieben!

Chrysale. Nicht doch, Du bleibst. Ich bin mit Dir zufrieden.
Ein wenig hitzig ist oft meine Frau.
Ich will nicht, daß —

Sechste Scene.

Philaminta. Belise. Die Vorigen.

Philaminta (Martine erblickend). Wie, Schelmin! Du noch hier?
Fort auf der Stelle, freches Ding, und zeige
Dich niemals wieder hier vor meinen Augen!

Chrysale. Gemach!

Philaminta. Nein. Es ist aus.

Chrysale. Wie?

Philaminta. Sie muß fort.

Chrysale. Was denn in aller Welt hat sie begangen?

Philaminta. Du stehst ihr bei?

Chrysale. Das fällt mir ja nicht ein.

Philaminta. Ah! Du vertheidigst sie?

Chrysale. Behüte Gott.
Nur was sie hat verbrochen, möcht' ich wissen.

Philaminta. Würd' ohne trift'gen Grund ich sie entlassen?

Chrysale. Das sag' ich nicht. Doch sollen unsre Leute —

Philaminta. Fort muß sie, sag' ich Dir, aus unserm Hause.

Chrysale. Nun ja. Man wendet nichts dagegen ein.

Philaminta. Man soll nicht meinen Wünschen widersprechen.

Chrysale. Das geb' ich zu.

Philaminta. Und Dir, als guten Gatten,
Gebührt's, den Zorn den sie erweckt, zu theilen.

Chrysale (zu Martine).
Das thu ich auch! — Ganz recht hat meine Frau;
Was Du begangen, ist nicht zu verzeihen.

Martine. Was that ich denn?

Chrysale (leise). Bei Gott, ich weiß es nicht.

Philaminta. Sie scheint die Sache gar noch leicht zu nehmen.

Chrysale. Hat einen Spiegel sie etwa zerschlagen?
Zerbrach sie Porzellan, daß Du so wüthest?

Philaminta. Meinst Du, ich würde deshalb sie entlassen,
Um solche Kleinigkeiten mich erzürnen?

Chrysale (zu Martine). Was heißt das? (Zu Philaminta.) Ist
die Sache so bedeutend?

Philamenta. Natürlich. Hältst Du mich für ungerecht?

Chrysale. Hat sie von unserm Silberzeuge gar
Nachlässig etwas sich entwenden lassen?

Philaminta. Das wär' mir gleich.

Chrysale (zu Martine). Zum Henker! Saubres Kräutchen!
(Zu Philaminta.)
Haft Du sie auf Betrügerei ertappt?

Philaminta. O es ist schlimmer.

Chrysale. Schlimmer noch?

Philaminta. Viel schlimmer!

Chrysale (zu Martine). Verdammtes Weibsbild (Zu Philaminta.)
Hätte sie vielleicht —

Philaminta. Sie hat mit einer Frechheit sonder Gleichen,
Trotz dreißig Lectionen, doch mein Ohr
Durch ein gemeines, niedres Wort beleidigt,
Das Vaugelas ausdrücklich hat verdammt.

Chrysale. Und das ist Alles?

Philaminta. Unfre Lehren höhnend,
Verletzt sie rücksichtslos ja die Grammatik,
Den Grundstein alles Wissens, welche Kön'gen
Gesetze giebt — sie zum Gehorsam zwingt!

Chrysale. Ich hielt der größten Missethat sie schuldig.

Philaminta. So scheint Dir ihr Vergeh'n nicht unverzeihlich?

Chrysale. O doch!

Philaminta. Ich möchte sehn, wie Du's entschuldigst!

Chrysale. Ich bin ja weit entfernt.

Belise. Es ist erbärmlich!
Die Construction wird ganz durch sie zerstört,
Ob hundertmal man ihr die Regeln lehrte.

Mart. Was Sie mir pred'gen, mag recht gut und schön sein,
Doch lern' ich nimmermehr Ihr Kauderwelsch.

Philamenta. Vernünft'ge Rede, wie bei uns gebräuchlich,
Wagt diese Freche, Kauderwelsch zu nennen!

Martine. Wen man versteht, der redet, mein ich, gut;
Und Ihre prächt'gen Sprüche nützen Nichts nicht.

Philaminta. Wie nun? Hast Du genug an diesem Styl?
Dies Nichts nicht —?

Belise. O, Du unfolgsamer Schwachkopf!
Kann man mit aller Mühe Dir denn nicht,
Dich endlich richtig auszudrücken lehren?
Hat man Dir doch erklärt, daß Nichts vor nicht
Ein Ueberfluß sei an Verneinung. Wie?

2*

Martine. Herr Gott! Ich bin ja nicht wie Sie Studente,
Und rede grad' heraus wie Unsersgleichen.

Philaminta. Ist das zu dulden?

Belise. Welch ein Solecismus!

Philaminta. Mit zartem Ohre könnt' daran man sterben.

Belise. Ja, jammervoll ist Dein Begriffsvermögen!
Ist ich doch Singular, und unser Plural!
Willst ewig die Grammatik Du beleib'gen?

Martine. Ich kenn' die Frau nicht; warum sie beleib'gen?

Philaminta. O Himmel!

Belise. Du verstehst Grammatik falsch;
Sagt' ich Dir doch, woher dies Wort.

Martine. Ei was!
Komm' sie aus Chaillot, Pontoise, Auteuil;
Mich scheert es nichts.

Belise. Welch eine Bauernseele!
Es lehrt ja die Grammatik uns die Regeln
Von dem Nominativ und Verbum, wie
Von Adjectiv und Substantiv.

Martine. Madame,
Die Leutchen kenn' ich nicht.

Philaminta. Welch eine Marter!

Belise. Es sind nur Wörternamen. Man muß trachten,
Daß sie stets richtig mit einander stimmen.

Martine. Was thut's, ob sie sich prügeln oder stimmen?

Philaminta (zu Belise). Mein Gott so ende dies Gespräch
       doch endlich! (Zu Chrysale.)
Verlangst Du noch nicht, daß sie sich entferne?

Chrys. Thu' was Du willst. (Für sich.) Ich füg' mich ihrer Laune.
Geh! Rege sie nicht auf. Geh nur, Martine!

Philaminta. Wie! Fürchtest Du die Dirne zu verletzen,
Daß Du so sanft und höflich mit ihr sprichst?

Chrysale (mit festem Ton.) Ich? Nicht doch! (Zu Martine barsch.)
    Pack Dich! (Sanfter.) Geh, mein armes Kind!
      (Martine ab).

Siebente Scene.
Die Vorigen ohne Martine.

Chrysale. Du bist befriedigt. Sie ist fort. Doch kann ich

Nicht billigen, daß Du sie fortgeschickt.
Das Mädchen hat den Dienst ganz gut versehen,
Und unrecht ist's, um Nichts sie zu entlassen.

Philaminta. Verlangst Du, daß ich sie im Dienst behalte,
Und täglich neu mein Ohr soll foltern lassen?
Daß jedes Sprachgesetz verhöhnt wir sehen,
Durch ihren Wust von groben Redesünden,
Zerstückten Worten, schlechtverbund'nen Sätzen,
Sprichwörtern, aus den Gossen aufgelesen?

Belise. Ja wohl, man leidet Pein bei ihren Reden,
Denn täglich reißt sie Vaugelas in Fetzen,
Und die geringsten Fehler dieser Dirne
Sind Kakophonie oder Pleonasmus.

Chrysale. Was thut's, daß gegen Vaugelas sie sündigt,
Wenn ihre Pflicht sie in der Küche thut?
Weit lieber ist mir's, wenn sie das Gemüse
Ausliest, und Namen, Verben schlecht behandelt,
Ein plumpes Wort auch wiederholt, als daß sie
Den Braten mir verbrennt, versalzt die Suppe;
Von Speisen, nicht von schönen Reden, leb' ich.
Dein Vaugelas lehrt kein Gemüse kochen;
Und Balzac, wie Malherbe, gelehrt in Worten,
Sie wären in der Küche dumme Jungen.

Philaminta. Wie solche Reden tief mich niederdrücken!
Ist es doch dessen unwerth, der sich Mensch nennt,
Nur materiellen Sorgen sich zu neigen,
Anstatt zum Geistigen sich zu erheben.
Verdient der Körper, dieser Lumpen, wohl,
Daß man so große Wichtigkeit ihm beilegt?
Man sollte endlich sich davon entwöhnen.

Chrysale. Mein Körper ist mein Ich; ist er ein Lumpen,
So sorg' ich für den lieben Lumpen gern.

Belise. Doch, Bruder, gilt nur mit dem Geist der Körper;
Und schenkst Du den Gelehrten Glauben, so
Hat vor dem Körper stets der Geist den Vorrang,
Und unsre größte Sorge muß es sein,
Ihn mit dem Saft der Wissenschaft zu nähren.

Chrysale. Wenn Deinen Geist Du so zu nähren strebst,
Geschieht's mit losem Fleische, wie man sagt,

Und Du haſt weder Sorg' noch Mühewalten
Um —

Philaminta. Mühewalten! Wie dies Wort mein Ohr
Verletzt! Es riecht ſehr ſtark nach Aktenſtaub!

Beliſe. Ja, ſteif und ganz verjährt iſt dieſes Wort!

Chryſale. Wollt Ihr mich hören? Ich muß endlich ſprechen,
Mein Herz erleichtern, und die Maske lüften.
Für närriſch hält man Euch, und ich empfinde —

Philaminta. Was heißt das?

Chryſale. Schweſter, Dir gilt meine Rede;
Das kleinſte Sprachvergehen weckt Dir Grauen;
Und doch begehſt Du manchen groben Fehler.
Dein Bücherkram mißfällt mir, darum, außer
Dem dicken Band Plutarch, der meine Kragen
Zu glätten taugt, verbrenn' den ganzen Plunder,
Und überlaß das Studium den Gelehrten.
Vom Boden nimm herab das lange Fernrohr,
Vor dem die Leute ſich entſetzen, wie
All' jene andern dummen Spielereien.
Forſch' nicht, was auf dem Mond ſich zuträgt, kümmre
Um d a s Dich lieber, was im Haus geſchieht,
Und daß es hier nicht drunter geh' und drüber.
Aus vielen Gründen iſt es gar nicht ſchicklich,
Daß eine Frau ſtudiert, und Alles weiß. —
Die Kinder gut erziehen, ihren Haushalt
Verſtändig leiten, auf die Diener ſehn,
Ihr Wirthſchaftsgeld mit Sparſamkeit verwalten,
Das ſei ihr Studium und Philoſophie.
In dieſem Punkte waren unſre Väter
Sehr klug, indem ſie meinten, eine Frau
Beſäße Geiſt genug, wenn ſie ein Beinkleid
Von einem Wammſe könne unterſcheiden.
Die ihren laſ e n nicht, doch l e b t e n gut;
Ihr Haushalt nur war ihre Unterhaltung;
Zwirn, Fingerhut, Nähnadeln, ihre Bücher,
Womit der Töchter Mitgift ſie erſchufen.
Die heut'gen Frauen ſpotten jener Sitten;
Sie wollen ſchreiben, ja, Autoren heißen;
Für ſie iſt keine Wiſſenſchaft zu tief.

Vor Allem steht es so in diesem Hause:
Ein jegliches Geheimniß löst man hier;
Weiß Alles, außer was man wissen sollte.
Man weiß, wie sich der Mond und der Polarstern
Wie Mars, Saturn und Venus sich bewegen,
Und während man solch eitles Wissen fern sucht,
Sieht man nicht auf die Töpfe in der Küche. —
Weil Ihr es wünscht, studiret mein Gesinde,
Und Keiner thut, was seine Pflicht erheischt;
Mein ganzes Haus vernünftelt und hält Reden,
Bis die Vernunft ist völlig weggeschwatzt.
Indeß der Eine liest, verdirbt der Braten,
Der Andre dichtet, wenn ich trinken möchte,
Kurz, da sie sich bemühn Euch nachzuahmen,
Hab' ich zwar Diener, doch bin nicht bedient.
Nur eine arme Magd war mir geblieben,
Die frei von Ansteckung sich noch gehalten,
Und diese jagt mit großem Lärm man fort,
Weil sie nicht Vaugelas gemäß gesprochen;
Daß dieses Treiben mir mißfällt, erklär' ich
Dir Schwester, weil mein Wort an Dich gerichtet.
Höchst ungern duld' ich Dein gelehrtes Volk —
Besonders Euren Trissotin — im Hause;
Er macht Euch lächerlich durch seine Verse,
Und sein Geschwätz ist Nichts als dummes Zeug;
Vergeblich sucht man Sinn in seinen Reden,
Er hat, so scheint's mir, einen Sparrn zu viel.

    Philam. O Himmel! Wie gemein sind Sinn und Ausdruck!

    Belise. Giebt es so plumpe Körper, im Verein
Mit Geistern aus noch gröberen Atomen?
Ist's möglich, daß wir wirklich Eines Blutes?
Ich hasse mich von Deinem Stamm zu sein!
Und das Entsetzen treibt mich flugs von hinnen! (Ab.)

Achte Scene.

Philaminta. Chrysale.

Philaminta. Hast Du der Pfeile mehr noch zu versenden?
    Chrysale. Nein. Lassen wir die Sache ruh'n und sprechen
Von etwas Anderm. Deine ältre Tochter

Scheint Hymens Banden ernstlich abgeneigt;
Ich sage Nichts, denn sie ist Philosophin,
Dabei sehr wohl erzogen; mag's drum sein!
Doch andern Sinn's ist ihre jüng're Schwester,
Drum sorgen wir, daß Henriette bald
Sich einen Gatten wählt.

   Philaminta. So denk' auch ich,
Und will Dir meine Absicht jetzt erklären.
Herr Trissotin, des Umgang Du uns vorwirfst,
Den Du mit Deiner Achtung nicht beehrst,
Er ist's, den ich zum Schwiegersohn erkoren,
Denn mehr wie Du erkenn' ich seinen Werth.
Ein jeder Streit deshalb ist überflüssig,
Da ich die Sache fest bei mir beschlossen;
Drum sprich kein Wort mir gegen diese Wahl.
Mit unsrer Tochter will ich vor Dir sprechen,
Und handle so aus Gründen; sicherlich
Erfahr' ich's, kommst Du mir etwa zuvor!   (Ab.)

Neunte Scene.
Ariste. Chrysale.

Ariste. Nun, Bruder, Deine Frau verließ Dich eben;
Ich seh' wohl, daß Ihr Euch besprochen habt.

Chrysale. Nun ja.

Ariste. Wie steht's? Bekommt er Henriette?
Gab sie ihr Ja? Ist Alles abgemacht?

Chrysale. Noch nicht so ganz.

Ariste. Sie ist dagegen?

Chrysale. Nicht doch?

Ariste. So ist sie unentschlossen?

Crysale. Keineswegs.

Ariste. Nun denn?

Chrysale. Sie will nur einen andern Eidam.

Ariste. Wie! Einen Andern?

Chrysale. Ja doch.

Ariste. Und der heißt —?

Chrysale. Herr Trissotin.

Ariste. Wie! Dieser Trissotin?

Chrysale. Ja, der von Versen und Latein nur spricht.

Ariſte. Du haſt ihn angenommen?

Chryſale. Gott bewahre!

Ariſte. Was haſt Du denn entgegnet?

Chryſale. Nichts; und freu' mich,
aß ich kein Wort erwidert, das mich bindet.

Ariſte. Sehr ſchön! Das iſt bereits ein Schritt zum Ziele.
och ſchlugſt Du mindeſtens Clitander vor?

Chryſale. Da einen andern Schwiegerſohn ſie wählte,
ielt ich's für beſſer, noch zurückzuhalten.

Ariſte. O Deine Weisheit iſt unübertrefflich!
Schämſt Du Dich Deiner Feigheit nicht? Iſt's möglich,
Daß ſich ein Mann ſo tief erniedrigt, um
Der Frau die ganze Macht zu überlaſſen?
Und nichts, was ſie beſchloß, zu ſtören wagt?

Chryſale. Mein Gott, Du haſt gut reden, lieber Bruder,
Doch weißt Du nicht, wie ſehr den Lärm ich haſſe;
Ich liebe Ruh' und Eintracht über Alles,
Und — meine Frau iſt ſchrecklich, wenn ſie zankt! —
Zwar prahlt ſie häufig mit Philoſophie,
Doch iſt ihr Zorn deshalb nicht minder heftig,
Und ob Moral ſie ſtets im Munde führt,
Wirkt doch dieſelbe nicht auf ihre Galle.
Wenn dem nun, was ſie wünſcht, man widerſpricht,
So giebt es mindeſtens acht Tage Sturm:
Ich weiß alsdann vor Angſt nicht wo mich bergen
Und zittre vor der Stimme dieſes Drachen.
Dabei nun, trotz dem hölliſchen Gebahren,
Soll doch: „mein Herz und Liebchen," ich ſie nennen!

Ariſte. Geh! Das iſt lächerlich! Dankt Deine Frau
Doch — unter uns — die Herrſchaft Deiner Schwäche,
Und ihre Macht beruht auf Deiner Ohnmacht;
Du ſelbſt haſt ſie zur Herrin Dir beſchworen
Und ihrem Hochmuth Dich anheim gegeben,
Drum führt ſie an der Naſe Dich herum.
Wie! Wagſt Du's wirklich nicht, Dich zu entſchließen,
Einmal ein Mann zu ſein und Deinen Wünſchen
Ein Weib zu beugen? Wirſt Du niemals denn
Ein Herz Dir faſſen, um: Ich will! zu ſagen?
Kannſt der Familie thörichten Ideen

Du Deine Tochter schamlos opfern lassen,
Den Lump mit Deinem Gut bereichern wollen,
Der sein Latein benutzet um zu blenden;
Ihn, den Pedanten, welchen Deine Frau
Zum Philosoph und Schöngeist hat erhoben,
Den sie als Dichter ohne Gleichen preist,
Und der nichts wen'ger ist, wie Alles dies!
Geh, geh! Das grenzt an Narrheit; Deine Feigheit
Verdient, daß alle Welt darüber lacht!

Chrysale. Ja, es ist wahr. Ich seh' mein Unrecht ein,
Und will fortan mich muth'ger zeigen, Bruder.
Ich will's wahrhaftig!

Ariste. Gut gesagt.

Chrysale. Erbärmlich
Ist's, einer Frau sich unterthan zu machen.

Ariste. Ganz recht.

Chrysale. Sie trotzte stets auf meine Sanftmuth.

Ariste. Gewiß.

Chrysale. Mißbraucht nur hat sie meine Güte.

Ariste. So ist's.

Chrysale. Doch heut will ich ihr endlich zeigen,
Daß ich, als Vater meiner Tochter, Herr bin,
Ihr einen Mann nach meinem Sinn zu geben.

Ariste. Das ist vernünftig! So gefällst Du mir.

Chrysale. Du bist Clitanders Freund, weißt ihn zu finden;
Geh, such' ihn auf, und schick' ihn her zu mir!

Ariste. Ich eile hin zu ihm.

Chrysale. Zu lange litt ich,
Und will nun Mann sein, aller Welt zum Trotz!

Dritter Aufzug.

Erste Scene.

Philaminta. Armande. Belise. Trissotin. Lepin.

Philaminta. O setzen wir uns, dem Gedicht zu lauschen,
In welchem jede Sylbe von Gewicht!

Armande. Wie brenn' ich es zu hören!

Belise. Und ich schmachte!

Philaminta (zu Trissotin). Voll hohem Reiz für mich sind
Ihre Verse!

Armande. Ich wüßte Nichts, was mir so süß erschiene!

Belise. Sie sind für mich ein wahrer Ohrenschmaus.

Philaminta. O laffen Sie uns nicht zu lange warten!

Armande. Schnell! Schnell!

Belise. Beeilen Sie doch unser Glück!

Philaminta. Wir harr'n voll Ungeduld des Epigramms.

Trissotin (zu Philaminta.) Madame, es ist ein neugebornes
Kind;
Doch sein Geschick muß Ihren Antheil wecken,
Da ich in Ihrem Kreise es gebar.

Philaminta. Des Vaters wegen ist es schon mir theuer.

Trissotin. Als Mutter dien' ihm Ihre Anerkennung.

Belise. Wie geistreich! Oh!

Zweite Scene.

Henriette. Die Vorigen.

Philaminta (zu Henriette, welche sich zurückziehen will).
Bleib hier! Weßhalb entfliehst Du?

Henriette. Aus Furcht, daß ich die Unterhaltung störe.

Philaminta. Komm näher; theile unser Glück, ein Wunder
Mit anzuhören. Sei ganz Ohr, wie wir.

Henriette. Versteh' ich mich doch schlecht auf Geisteswerke,
Und weiß der Verse Schönheit nicht zu schätzen.

Philaminta. Das schadet nichts. Auch hab' ich ein Ge=
heimniß
Dir mitzutheilen, das Du wissen mußt.

Trissotin (zu Henriette). Die Wissenschaft vermag Sie nicht
zu reizen,
Sie wollen zu bezaubern nur verstehn.

Henriette. O keins von beiden, und ich möchte nicht —

Belise. Gedenken wir des neugebornen Kindes!

Philaminta (zu Lepin). Geh', Kleiner, bring uns Stühle!
Aber schnell! — (Lepin fällt.)
Der Unverschämte! Wie nur darf man fallen,
Wenn man der Dinge Gleichgewicht erkannt?

Belise. Gewahrst Du nicht die Ursach' Deines Falls?
Daß er erfolgt, weil Du vom festen Punkte

Entfernt, was wir den Schwerpunkt nennen, Dummkopf?

Lepin. Madame, da ich am Boden lag, begriff ich's.

Philaminta (zu dem abgehenden Lepin). Du Tölpel!

Trissotin. Wohl ihm, daß er nicht von Glas.

Armande. O welch ein Geist!

Belise. Er sprühet Witzesfunken. (Sie setzen sich.)

Philaminta. Nun tischen Sie Ihr köstlich' Mahl uns auf!

Trissotin. Für einen so zur Schau getrag'nen Hunger,
Scheint ein Gericht mir von acht Versen dürftig;
Und angemessen wär' es, wie mich dünkt,
Dem Epigramme oder Madrigal,
Noch ein Sonettragout hinzuzufügen,
Das eine Fürstin sehr geschmackvoll fand;
Viel attisch Salz enthält es, wohlvertheilet,
Und wird, so hoff ich, Ihnen gleichfalls munden.

Armande. Ich zweifle nicht.

Philaminta. O lassen Sie uns prüfen!

Belise (unterbricht Trissotin jedesmal, wenn er sich zum Lesen anschickt).
Im Voraus fühl' ich froh mein Herz erbeben;
Die Poesie ist meine Leidenschaft,
Besonders wenn die Verse zart und sinnig.

Philaminta. Wie kann er lesen, wenn wir ewig schwatzen!

Trissotin. So —

Belise (zu Henriette). Schweig doch, Nichte!

Armande. Still! Laßt ihn beginnen!

Trissotin. Sonett an die Prinzessin Uranie über ihr Fieber.
Schläft Deine Klugheit, muß man fragen,
Daß prachtvoll Du empfangen hast,
Und glänzend wohnen läßt als Gast,
Ein feindlich' Uebel, reich an Plagen.

Belise. Ein hübscher Anfang!

Armande. Welche feine Wendung!

Philaminta. So leicht und fließend weiß nur er zu dichten!

Armande. Vor Klugheit, welche schläft, muß man
sich beugen!

Belise. Als Gast ein feindlich' Uebel find ich reizend!

Philaminta. Prachtvoll empfangen — glänzend
wohnen läßt!

Wie sind die zwei Adverbien hier am Platze!

Belise. O weiter! Hören wir die andern Verse!

Trissotin. Schläft Deine Klugheit, muß man fragen,
    Daß prachtvoll Du empfangen hast,
    Und glänzend wohnen läßt als Gast,
    Ein feindlich Uebel, reich an Plagen.

Armande. Klugheit die schläft —

Belise. Als Gast ein feindlich Uebel —

Philaminta. Prachtvoll empfangen — glänzend wohnen
                  läßt —

Trissotin. Hinaus mit ihm, was sie auch sagen,
    Aus Deinem lieblichen Palast,
    Wo sich's voll dankvergeßner Hast,
    Will an Dein schönes Leben wagen.

Belise. Zu schön! Erbarmen! Ich muß Athem schöpfen!

Armande. O gönnen Sie uns Muße zum Bewundern!

Philaminta. Man fühlt, ich weiß nicht was, bei diesen
                  Versen,
Die Seele schwellen — man ist außer sich!

Armande. Hinaus mit ihm, was sie auch sagen,
us Deinem lieblichen Palast: —
ie lieblicher Palast so hübsch gesagt ist!
ie geistreich und geschmackvoll hier das Gleichniß!

Philaminta. Hinaus mit ihm, was sie auch sagen!
as sie auch sagen ist bewunderswerth!
chon diese Stelle scheint mir unbezahlbar.

Armande. Ich bin verliebt in dies: Was sie auch sagen!

Belise. Ja wohl! Was sie auch sagen ist entzückend!

Armande. Hätt' ich's erdacht!

Belise. Es wiegt ein ganzes Stück auf.

Philaminta. Versteht man auch, wie ich, die ganze Feinheit?

Armande und Belise. Oh! Oh!

Philaminta. Hinaus mit ihm, was sie auch sagen!
Man nimmt sich gleichsam hier des Fiebers an;
Beacht es nicht, verspotte das Geschwätz!
    Hinaus mit ihm, was sie auch sagen!
    Was sie auch sagen — was auch sagen!
Mehr als es scheint, sagt dies: Was sie auch sagen!
Ich weiß nicht, ob man es wie ich empfindet,

Mir sagt es eine Million von Worten.

Belise. Es schließt mehr Dinge in sich, als es ausspricht.

Philaminta (zu Trissotin). Verstanden Sie wohl seine ganze
                                                                        Kraft,
Als dies: Was sie auch sagen, Sie erschufen?
Bedachten Sie, was es uns Alles sage,
Und legten absichtlich den Geist hinein?

Trissotin. Hm — hm —

Armande. Mir spukt im Kopf das dankvergessen!
Dies dankvergeßne Fieber, das voll Haß
Die Leute angreift, die es aufgenommen!

Philaminta. Ja wirklich musterhaft sind die Quartette,
Nun lassen die Terzette Sie uns hören!

Armande. O noch einmal, Was sie auch sagen, bitte!

Philaminta. Armande. Belise. Was sie auch sagen! Was
                                                                        auch sagen!

Trissotin. Aus Deinem lieblichen Palast —

Philaminta. Armande. Belise. Aus Deinem lieblichen Palast!

Trissotin. Wo sich's voll dankvergeßner Hast —

Philaminta. Armande. Belise. Dies dankvergeßne Fieber,
                                                                das voll Hast sich —

Trissotin. Will an Dein schönes Leben wagen.

Philaminta. Dein schönes Leben!

Armande und Belise. Ach!

Trissotin. Wie! ohne Deines Rangs zu denken,
                        Zehrt tückevoll es, Dich zu kränken,
                        An deinem Blute Tag und Nacht.

Philaminta. Armande. Belise. Ach!

Trissotin. Drum, ohne Mitleid ihm zu spenden,
                        Ertränk' es flugs mit eig'nen Händen,
                        Sobald Du es in's Bad gebracht.

Philaminta. Zu schön!

Armande. Man schwelgt in Lust!

Belise. Man stirbt vor Wonne!

Philaminta. Von süßen Schauern fühlt man sich erfaßt!

Armande. Drum ohne Mitleid ihm zu spenden,

Belise. Ertränk' es flugs mit eig'nen Händen —

Philaminta. Sobald Du es in's Bad gebracht.

Mit eig'nen Händen — flugs ertränk's im Bade.

Armande. Ein jeder neue Vers zeigt neue Schönheit!

Belise. Ja, man ergeht darin sich mit Entzücken.

Philaminta. Man wandelt wie auf lauter Kostbarkeiten.

Armande. Es sind mit Rosen dicht bestreute Pfade.

Trissotin. Sie finden also das Sonett —

Philaminta. Bezaubernd!
So neu, wie schön. Kein Dichter schuf ein gleiches.

Belise (zu Henriette). Du bliebst bei dieser Vorlesung sehr
                                                  kalt,
Und Deine Miene ist befremdend, Nichte!

Henriette. Man zeigt sich, Tante, wie man eben kann;
Und nicht der Wille macht zum schönen Geist.

Trissotin (zu Henriette). Vielleicht belästigen Sie meine
                                                  Verse?

Henriette. O nein. Ich hör' nicht hin.

Philaminta. Zum Epigramm!

Trissotin. Auf eine amaranthfarbne Kutsche, welche einer
                              befreundeten Dame geschenkt worden.

Philaminta. Schon seine Titel sind gewählt und selten.

Armande. Sie deuten stets auf neue Geisteszüge.

Trissotin. Ja, theuer wurden mir der Liebe Ketten —

Philaminta. Armande. Belise. Ah!

Trissotin. Denn nur mein halb' Vermögen konnt' ich retten;
        Drum siehst Du diese Kutsche an,
        Und all' die gold'ne Zier daran,
        Darob erstaunt das ganze Land
        Und macht so meiner Laïs Ruhm bekannt —

Philaminta. Ah! Meine Laïs! Das nennt man gelehrt!

Belise. Wie reizend ist die Hülle! Werth Millionen!

Trissotin. Drum siehst du diese Kutsche an,
        Und all' die gold'ne Zier daran,
        Darob erstaunt das ganze Land,
        Und macht so meiner Laïs Ruhm bekannt,
        So nenn' nicht sie nur amaranth —
        Auch meine Renten sind am Rand.

Armande. O wie das mächtig überraschend wirkt!

Philaminta. So mit Geschmack versteht nur er zu schreiben!

Belise. So nenn' nicht sie nur amaranth,
Auch meine Renten sind am Rand!

Wie hübsch! Am Rand — die Renten — amaranth!

Philaminta (zu Trissotin). Ich weiß nicht, ob, seit ich Sie
            kennen lernte,
Ihr Geist wohl nach Verdienst von mir begriffen;
Doch muß ich Vers wie Prosa gleich bewundern.

Trissotin. O möchten S i e auch endlich Ihre Werke
Uns kennen lernen und bewundern lassen!

Philaminta. Gedichtet hab' ich Nichts, doch kann ich Ihnen
Bald von dem Plane der Akademie,
Die wir im Sinne, acht Kapitel zeigen.
Plato verweilte einzig beim Project,
Als seine Republik er abgehandelt;
Doch ich will die Idee genau entwickeln,
Die ich in Prosa auf Papier entwarf:
Denn es empört mich, welches Unrecht man
In Hinsicht auf den Geist uns zugefügt;
Und rächen will ich mein Geschlecht, das von
Den Männern ward so tief herabgewürdigt,
Die auf Erbärmlichkeiten uns beschränken,
Des Wissens Pforte uns verschließen wollen.

Armande. Beleidigend ist es, daß unser Urtheil
Auf h ö h r e Dinge nicht sich darf erstrecken,
Daß wir auf Kleider, Mäntelschnitte, Spitzen,
Und Seidenstoff nur uns verstehen sollen.

Belise. Aus dieser Knechtschaft muß man sich erheben;
Emancipiren soll sich unser Geist!

Trissotin. Es ist bekannt, wie ich die Damen ehre,
Und wenn ich Ihrer Augen Glanz bewund're,
Acht ebenso ich ihres Geistes Licht.

Philaminta. Auch sind wir Frauen gegen Sie gerecht;
Doch wollen wir gewissen Geistern zeigen,
Die dünkelvoll verächtlich auf uns blicken,
Daß Frauen wohl Gelehrsamkeit erwerben,
Und auch Versammlungen berufen können,
Die auf vollkommenen Gesetzen fußen;
Denn dort vereint man, was getrennt wo anders;
Verbindet Redekunst und Wissenschaft;
Erforscht Natur auch durch Experimente,
Und läßt an vorgeschlagnen Fragen sich

Jedwede Secte frei betheiligen.

Trissotin. Ich huldige dem Peripatetismus.

Philaminta. Die Abstraction lieb' ich im Platonismus.

Armande. Ich bin für Epikurs kraftvolle Lehren.

Belise. Ich laff' die kleinen Körper mir gefallen;
Doch scheint das Leere schwer mir zu ertragen,
Geneigter bin ich dem subtilen Stoffe.

Trissotin. Hinsichtlich des Magnets acht' ich Descartes.

Armande. O seine Wirbel!

Belise. Seiner Welten Fall!

Armande. O daß doch die Versammlung erst eröffnet,
Und durch Entdeckungen wir schon berühmt!

Trissotin. Ihr hoher Scharfsinn läßt uns viel erwarten;
Für Sie hat die Natur fast kein Geheimniß.

Philaminta. Ich habe wirklich schon etwas entdeckt,
Denn deutlich sah ich Männer in dem Monde.

Belise. Noch sah ich keine Männer, wie mich dünkt,
Doch Glockenthürme, so wie Sie ich sehe.

Armande. Erforscht durch uns wird, wie Physik, Gram=
matik,
Geschichte, Dichtkunst, Politik, Moral.

Philaminta. Moral hat Züge, die mein Herz entzücken;
Sie war ja großer Geister höchste Liebe;
Doch zieh die Stoiker ich allen vor,
Und finde Nichts so schön, wie ihren Weisen.

Armande. Bald wird man die Bestimmungen erfahren,
Die wir in Hinsicht auf die Sprache schufen;
Denn eine Anzahl Wörter, Substantiva,
Wie Verba, sind uns so verhaßt, daß wir
Sie deßhalb gegenseitig uns geliefert.
Schon vorbereitet ist ihr Todesurtheil,
Und mit Verbannung jener Wörter alle,
Wovon wir Vers und Prosa säubern wollen,
Eröffnen dann wir unsre Conferenzen.

Philaminta. Allein der Hauptplan der Akademie,
Ein Unternehmen, das mich hochbegeistert,
Ein Vorsatz voller Ruhm, dereinst wohl noch
Gepriesen von der Nachwelt schönen Geistern,
Ist die Wegstreichung aller schmutz'gen Silben,

Die in den schönsten Worten Anstoß geben,
Dies Spielzeug für die Narren aller Zeiten,
Zielscheiben für die rohen Witzesjäger,
Und Quellen des nichtswürd'gen Doppelsinns,
Der allzuoft der Frauen Scham verletzet.

Trissotin. Bewundrungswerth sind diese hohen Pläne.

Belise. Sie sollen nächstens die Statuten sehn.

Trissotin. Ich zweifle nicht, daß sie so schön wie weise.

Armande. Sie stempeln uns zu Richtern aller Werke,
Und unterwerfen Vers und Prosa uns;
Niemand hat Geist, als wir und unsre Freunde;
Wir finden Grund zum Tadel überall,
Und wir allein verstehen gut zu schreiben.

Dritte Scene.
Lepin. Die Vorigen.

Lepin (zu Trissotin). Herr, draußen ist ein Mann, der Sie
                                         will sprechen;
Er redet leise und ist schwarz gekleidet.   (Sie stehen auf.)

Trissotin. Ah! mein gelehrter Freund, der längst die Ehre
Erstrebte, Ihnen vorgestellt zu werden.

Philaminta. Ihn einzuführen haben Sie die Freiheit!
                (Trissotin geht Vadius entgegen.)

Vierte Scene.
Philaminta. Armande. Belise. Henriette.

Philaminta (zu Armande und Belise).
Nun gilt es möglichst geistreichen Empfang!
                (Zu Henriette, die sich entfernen will).
Wohin? Ich sagte Dir ja deutlich, daß
Ich Deiner hier bedarf.

Henriette. Allein wozu?

Philaminta. Geduld! In Kurzem wirst Du es erfahren.

Fünfte Scene.
Vadius. Trissotin. Die Vorigen.

Trissotin (Vadius vorstellend). Dies ist der Mann, der Sie
                                   zu kennen brennt!
Madame, mich trifft, so hoff' ich, nicht Ihr Tadel,

daß ich ihn eingeführt, denn seinen Platz
behauptet er im Kreis der schönen Geister.

Philaminta. Die Hand verbürgt das, welche ihn uns bringt.

Trissotin. Vertraut sind ihm die alten Klassiker
und Griechisch kann er, wie kein Mann in Frankreich.

Philaminta (zu Belise). O Himmel! Griechisch! Schwester!
Er kann Griechisch!

Belise (zu Armande). O Nichte! Griechisch!

Armande. Griechisch! Welches Glück!

Philaminta. Der Herr kann Griechisch! O erlauben Sie,
daß man des Griech'schen wegen Sie umarme!

(Sie umarmt ihn. Vadius umarmt auch Armande und Belise.)

Henritte (zu Vadius, der sie auch umarmen will).
Mein Herr! Ich bitte! Ich versteh' nicht Griechisch.

(Sie setzen sich.)

Phil. Voll Ehrfurcht schau' ich auf die griech'schen Bücher!

Vadius. Fast fürcht' ich, daß mein Eifer, der mich heut'
hat hergetrieben, Sie Madame, belästigt,
und daß ein wichtiges Gespräch ich störte.

Philamenta. Mein Herr, wer Griechisch weiß, kann niemals stören.

Trissotin. In Verskunst, wie in Prosa ist er Meister;
und wollt er, könnt er Ihnen Manches zeigen.

Vadius. Ein Fehler der Autoren ist's, daß sie,
im Vortrag ihrer Verse unermüdlich,
bei Tische, im Boudoir, wie im Palast,
die Unterhaltung zu beherrschen trachten;
nach meiner Ansicht ist nichts kläglicher,
wie ein Autor, der stets um Weihrauch bettelt,
er, wen er trifft, gleich festhält an den Ohren,
und ihn zum Märtyrer sich oft erkiest.
Fern war mir stets solch thörichtes Bestreben,
und einverstanden bin ich mit dem Griechen,
der seinen Weisen durch Gesetz ausdrücklich
verbot, die eig'nen Werke vorzulesen. —
Hier hab' ich ein Gedicht für Liebende,
worüber gern ich Ihre Meinung hörte.

Trissotin. Ganz unvergleichlich schön sind Ihre Verse!

Vadius. Den Ihren lächeln Venus und die Grazien.

3*

Trissotin. Sie haben feine Wendung, schöne Sprache.

Vadius. Bei Ihnen herrschen Ithos stets und Pathos.

Trissotin. Eklogen giebt's von Ihnen, die an Reiz
Virgil und Theokrit noch übertreffen.

Vadius. Wie sanft und edel Ihre Oden klingen:
Horaz bleibt hinter Ihnen weit zurück.

Trissotin. Giebt's Süßeres, wie Ihre kleinen Lieder?

Vadius. Kennt man Sonette, die den Ihren ähnlich?

Trissotin. Nichts gleicht an Anmuth Ihren Rundgesänge

Vadius. Nichts ist so geistvoll, wie Ihr Madrigal!

Trissotin. Entzückend sind Sie als Balladendichter!

Vadius. Anbetungswürdig Sie in bouts-rimés.

Trissotin. Wenn Frankreich Ihren Werth zu schätzen wüßte.

Vadius. Wär' das Jahrhundert dem Genie gerecht ...

Trissotin. In gold'ner Kutsche sähe man Sie fahren!

Vadius. Man würde Ihnen Statuen errichten!
Hm! — Ueber die Ballade möcht' ich gern
Ein Wort —

Trissotin. Ist Ihnen ein Sonett bekannt
Auf der Prinzeß Uranie Fieber?

Vadius. Ja.
Man hat es gestern erst mir vorgelesen.

Trissotin. Sie kennen den Verfasser?

Vadius. Nein. Doch weiß ich
Sehr gut, daß sein Sonett durchaus nichts taugt.

Trissotin. Indeß bewundern es doch viele Leute.

Vadius. Das hindert nicht, daß es erbärmlich ist!
Wenn Sie es kennten, sprächen Sie wie ich.

Trissotin. Ich bin nicht Ihrer Meinung, und behaup
Daß wen'gen Dichtern solch Sonett gelingt.

Vadius. Behüte Gott mich, ähnliche zu schaffen!

Trissotin. Und dennoch sag' ich laut, es giebt kein bess'
Weil — dieser Grund genügt — ich der Verfasser!

Vadius. Sie?

Trissotin. Ich!

Vadius. Dann weiß ich nicht, wie es gekommen!

Trissotin. Man hat das Unglück, Ihnen zu mißfalle

Vadius. Vielleicht war ich zerstreut, als ich es hörte
Auch wurde das Sonett wohl schlecht gelesen.

Doch jetzt genug davon; zu der Ballade!

Triſſotin. Mir ſcheint, daß die Ballade äußerſt fade.
Und überdem iſt längſt ſie aus der Mode.

Vadius. Doch lieben viele Leute die Ballade.

Triſſotin. Das iſt kein Grund, daß mir ſie doch mißfällt.

Vadius. Sie wird deshalb jedoch um gar nichts ſchlechter.

Triſſotin. Sehr große Reize hat ſie für Pedanten.

Vadius. Und dennoch will ſie Ihnen nicht gefallen.

Triſſotin. Sie leihen Andern Ihre Eigenſchaften.

(Alle ſtehen auf.)

Vadius. Sie ſchreiben frech mir ja die Ihren zu.

Triſſotin. Fort, kleiner Schulfuchs! Fort, Papierverderber!

Vadius. Fort, Pöbeldichter! Schmach des ganzen Standes!

Triſſotin. Fort, Schriftentrödler! Frecher Bücherplündrer!

Vadius. Fort, Federfuchſer!

Philaminta. Meine Herrn! Ich bitte!

Triſſotin (zu Vadius). Geh, geh, und gieb heraus was Du
geſtohlen,
Was Griechen und Lateinern Du entwendet.

Vadius. Geh, geh, auf dem Parnaſſe abzubitten,
Daß Deine Verſe den Horaz verſtümmelt.

Triſſotin. Gedenke Deines Buchs, das Niemand las!

Vadius. Du des Verlegers, durch Dich im Spitale!

Triſſotin. Mein Ruhm ſteht feſt. Du kannſt ihn nicht
erſchüttern.

Vadius. Ja! Frag' nur den Verfaſſer der Satyren!

Triſſotin. Den frag' nur ſelbſt.

Vadius. Ich habe die Befried'gung,
Daß mich er ehrenvoller hat behandelt.
Mit andern angeſehenen Autoren
Zieht er mir flüchtig einen leichten Hieb;
Doch Dich verſchont er nie in ſeinen Verſen,
Und immer biſt Du ſeiner Pfeile Ziel.

Triſſotin. Das eben zeigt, wie viel ich höher ſtehe.
Dich ſtellt in einen Rang er mit der Menge;
Ein Streich ſcheint ihm genug, Dich zu zerſchmettern,
Er ehrt Dich nicht genug, ihn zu verdoppeln.
Mich greift er feſt, als edlen Gegner an,
Der einzeln ſeine ganze Kraft erfordert;

Und daß er stets die Hiebe wiederholt,
Beweist, daß nie er seines Siegs gewiß.

    Vadius. Was ich vermag, soll meine Feder lehren!

    Trissotin. Die meine wird Dir Deinen Meister zeigen!

    Vadius. In Vers und Prosa, Griechisch und Lateinisch,
Verfolg' ich Dich!

    Trissotin. Wir messen uns bei Barbin!　　　(Vadius ab.)

Sechste Scene.
Die Vorigen ohne Vadius.

    Trissotin. O tadeln Sie, Madame, nicht meine Hitze!
Ihr Urtheil über das Sonett nur wollt' ich
Vertheidigen, das frech er angegriffen.

    Philaminta. Ich werde mich bemüh'n, Sie zu versöhnen.
Genug davon.　Tritt näher, Henriette!
Schon längst beunruhigt es meine Seele,
Daß sich durchaus kein Geist in Dir will zeigen;
Doch fand, ihn Dir zu schaffen, ich ein Mittel.

    Henriette. Da machten Sie sich recht unnütze Sorgen;
Gelehrte Dinge sind nicht mein Geschmack.
Ich liebe die Bequemlichkeit und finde
Es äußerst mühsam, geistreich sein zu müssen.
Mir spukt ein solcher Ehrgeiz nicht im Kopfe.
Ich fühl' mich wohl dabei, für dumm zu gelten,
Und spreche lieber nur Alltäglichkeiten,
Als daß um schöne Worte ich mich quäle.

    Philaminta. Mag sein; doch füllt es mich mit Schmerz
                       und Scham,
An meinem Blut die Schande zu erleben!
Ein schön Gesicht ist ein vergänglich Gut,
Zart wie der Blumen Schmelz, ein flücht'ger Schimmer,
Abhängig einzig von der Epidermis;
Doch Geistesschönheit ist von fester Dauer.
Längst sucht' ich einen Ausweg, diese Schönheit,
Die nicht die Jahre abmäh'n, Dir zu schaffen,
Den Wunsch nach Wissen in Dir zu erwecken,
Und schöne Kenntnisse Dir lieb zu machen.
So nun vereint dem Wunsch sich der Gedanke,
Mit einem Mann von Geist Dich zu verbinden,

Und dieser Mann ist hier Herr Trissotin.
Ihn sollst als künft'gen Gatten Du betrachten.

Henriette. Ich, Mutter?

Philaminta. Du. O spiele nicht die Einfalt.

Belise (zu Trissotin). Wohl! Ich verstehe! Ihre Augen fragen,
Ob sich ein Herz, das mir gehört, darf binden?
Ja denn! Ich gebe jeden Anspruch auf,
Da diese Heirath Ihre Zukunft sichert.

Triss. (zu Henriette). Wie drück' ich Ihnen mein Entzücken aus,
Mein Fräulein, dieses ehrenvolle Bündniß
Setzt mich —

Henriette. Gemach, mein Herr! Beeilen Sie sich nicht.
Noch sind wir nicht so weit.

Philaminta. Welch eine Antwort!
Du weißt doch, daß — genug! Du wirst verstehen.
(Zu Trissotin.)
Sie wird vernünftig werden. Kommen Sie!
(Ab mit Trissotin und Belise.)

Siebente Scene.

Armande. Henriette.

Armande. Wie glänzend zeigt sich Dir der Mutter Sorge,
Da sie Dir solch berühmten Gatten wählt!

Henriette. Nimm ihn doch selbst, wenn er Dir so gefällt.

Armande. Denkt seine Hand doch Dir man zu, nicht mir.

Henriette. Gern tret' ich ihn der ältern Schwester ab.

Armande. Dies Anerbieten würde mich entzücken,
Besäß ich Deine große Ehelust.

Henriette. Hätt' ich wie Du Pedanten nur im Kopfe,
So würde diese Heirath mir behagen.

Armande. Doch, wie verschieden immer unsre Neigung,
Bleibt, Schwester, heilig doch der Eltern Wille,
Und einer Mutter Macht gebeut Gehorsam.
Darum wirst Du vergeblich widerstreben.

Achte Scene.

Chrysale. Ariste. Clitander. Die Vorigen.

Chrysale (Clitander Henriette zuführend).
Nun, Tochter, unterwirf Dich meinem Willen!

Den Handschuh aus! Gieb diesem Herrn die Hand,
Und sieh fortan, ganz ohne Widerrede,
In ihm den Mann, dem Du zur Frau bestimmt bist.

    Armande. Ei Schwester, das wird Dir gewiß nicht schwer.

    Henriette. Bleibt, Schwester, heilig doch der Eltern Wille,
Und eines Vaters Macht gebeut Gehorsam.

    Armande. Doch hat die Mutter Theil auch am Gehorsam.

    Chrysale. Was soll das heißen?

    Armande. Wie ich fürchte, stimmt
Die Mutter nicht mit Ihnen überein;
Ein andrer Gatte ist's —

    Chrysale. Schweig, Plaudertasche,
Philosophir' Dich satt mit Deiner Mutter,
Und misch Dich nicht in meine Handlungen;
Verkünd' ihr meine Meinung. Geh' und sag' ihr,
Ich riethe, mir den Kopf nicht warm zu machen.
Geh'! (Armande ab.)

Neunte Scene.

Die Vorigen ohne Armande.

    Ariste. Bravo! Thust Du doch wahrhaftig Wunder!

    Clitander. O welches Glück! Mein Loos ist zu beneiden!

    Chrysale (zu Clitander). Nun bieten Sie ihr hübsch die Hand
und führen
Sie, uns voraus, nach ihrem Zimmer. Ei!
Welch' süß' Gekose! (Zu Ariste.) Weich wird mir das Herz;
Erheitert seh' ich meine alten Tage,
Und denke zärtlich meiner Jugendliebe!

Vierter Aufzug.

Erste Scene.

Philaminta. Armande.

    Armande. Ja, Nichts bringt sie in's Gleichgewicht zurück;
Sie prahlt mit ihrem kindlichen Gehorsam;
Ihr Herz war so bereit, sich ihm zu geben,
Daß kaum vor mir sie der Erlaubniß harrte,

Und wen'ger schien des Vaters Wunsch zu folgen,
Als dem Befehl der Mutter Trotz zu bieten.

Philaminta. Ich will ihr zeigen, wem von Beiden sich
Zu unterwerfen die Vernunft gebietet:
Wer Oberhaupt, ob Mutter oder Vater —
Stoff oder Form — ob Körper oder Geist.

Armande. Schon Anstands halber mußte Sie man fragen;
Doch will der kleine Herr sich ohne Weitres,
Um jeden Preis zu Ihrem Eidam machen.

Philaminta. Noch ist er ziemlich weit entfernt vom Ziel.
Ich sah ihn gern, und freut' mich Eurer Neigung;
Doch sein Betragen hat mir stets mißfallen.
Er weiß zwar, daß ich schreibe, Gott sei Dank,
Doch bat er nie, ihm etwas vorzulesen.

Zweite Scene.

Clitander (tritt leise ein und hört zu). Die Vorigen.

Armande. An Ihrer Stelle würd' ich es nicht dulden,
Daß Henriette seine Gattin wird.
Man thät mir großes Unrecht, wenn man glaubte,
Ich spräche so, weil ich dabei betheiligt,
Und daß sein feig' Betragen gegen mich
Geheimen Groll in meinem Herzen weckte!
Der mächt'ge Beistand der Philosophie
Stählt ja die Seele gegen solche Schläge,
Denn sie erhebt uns über alle Schwächen;
Doch Sie also zu kränken, fordert Strafe,
Und es gebeut die Ehre, seinen Wünschen
Entgegen, und ihm abhold stets zu sein.
Auch merkt' ich nie, wenn wir uns unterhielten,
Daß er besondre Achtung Ihnen zollte.

Philaminta. Der kleine Narr!

Armande. Und wenn man hoch Sie rühmte,
Blieb stets er kalt wie Eis, statt einzustimmen.

Philaminta. Der Tölpel!

Armande. Zwanzigmal, als neues Werk,
Las Ihre Verse ich, die nie er lobte

Philaminta. Der Unverschämte!

Armande. Oftmals stritten wir,

Und wüßten Sie, wie viele Albernheiten —

Clitander (vortretend). Gemach, mein Fräulein! Ueben Sie doch Gnade,
Zum Mindesten ein wenig Redlichkeit!
Was that ich Ihnen? Wie hab ich's verschuldet,
Daß Sie die Waffen der Beredtsamkeit
So gegen mich gebrauchen, daß Sie streben,
Mich anzuschwärzen, wo ich gern gefiele?
Erklären Sie den Grund so bittern Grolls,
Damit Madame, ich wünsch' es, Richter sei!

Armande. Und wär' mein Groll so bitter wie Sie sagen,
Ich hätt' dazu nur allzutrift'gen Grund;
Und Sie verdienen ihn. — Die erste Liebe
Erwirbt so heil'ges Recht auf unsre Seele,
Daß Glück und Leben eh'r man opfern muß,
Als neuer Neigung Flamme Raum gestatten.
Wer Schwüre bricht, ist ein Verbrecher — Jeder —
Der treulos — ein moralisch Ungeheuer!

Clitander. Treulosigkeit belieben Sie zu nennen,
Wozu Ihr herber Stolz mich hat getrieben!
Wenn ich Sie kränkte, war nur dieser schuld,
Denn sein Gebot vermeint ich zu erfüllen.
Von Ihrer Schönheit war mein Herz gefesselt,
Und hat zwei Jahr' lang treu für Sie geglüht;
Bemüht durch zarte Opfer, Huldigungen,
Und ehrfurchtsvolles Werben Sie zu rühren.
Doch war umsonst mein liebendes Bestreben,
Denn meinen Wünschen blieb Ihr Herz verschlossen.
Da bot, was Sie verschmäht, ich einer Andern —
Ist mein die Schuld nun, oder ist's die Ihre?
Ward nicht mein Herz zur Untreu' hingetrieben?
Verließ ich Sie? Verließen Sie mich nicht?

Armande. Sie nennen, Ihren Wünschen widerstreben,
Wenn man vom Niedern Sie befreien will,
Um hin zu jener Reinheit Sie zu leiten,
Die ja der Liebe höchste Schönheit ist?
Sie wußten Ihr Gefühl für mich nicht lauter,
Vom Umgang mit den Sinnen frei, zu halten,
Und schmeckten nicht, in seiner höchsten Schöne;

Des Herzensbundes engelreines Glück.
Sie lieben nur mit jener groben Liebe,
Die sinnlich niedre Triebe im Geleit',
Und um die Flamme, die man weckt, zu nähren,
Bedarf's — mit allem Zubehör — der Ehe.
Wie wunderlich! Entfernt sind schöne Seelen,
In solcher irb'schen Neigung zu entbrennen!
An ihrer Gluth hat Sinnlichkeit nicht Theil;
Die Herzen einzig will sie nur vermählen,
Und hält, als unwerth, alles Andre fern.
Ihr Feuer, wie des Himmels Licht so rein,
Läßt zarter Seufzer Hauch nur sich entfalten,
Und niedre Wünsche nimmermehr erwachen;
Kein unrein Sehnen trübt solch hohes Streben;
Man liebt nur, um zu lieben, und der Geist
Allein empfindet alle süßen Wonnen.
Man merkt nicht, daß man einen Körper hat.

    Clitander. Zum Unglück merk ich es jedoch, mein Fräulein,
Daß ich, wie eine Seele, einen Körper
Besitze, und daß sie zusammenhalten.
Weil ich nun beide nicht zu trennen weiß,
Da mir Philosophie versagt vom Himmel,
Muß drum vereint schon Geist und Körper bleiben.
Nach Ihrer Ansicht giebt's nichts Schöneres,
Wie jene, nur vom Geist empfundnen Wünsche,
Der Seelen reinen Bund, dies zarte Sehnen,
Vom Umgang mit den Sinnen abgelöst;
Doch mir ist solche Liebe zu subtil,
Da ich, wie Sie behaupten, gröbern Stoffes.
Mein ganzes Selbst will lieben; und dies Selbst
Verlangt auch unumschränkte volle Liebe;
Das zeigt nun wenig Neigung zum Kasteien,
Und, ohne Ihre Ansicht zu bestreiten,
Bemerk' ich doch, es folgt die Welt zumeist
Der meinen, denn die Ehe ist noch Mode,
Ja, gilt für ein so süßes, heil'ges Band,
Daß ich, als Ihren Gatten mich zu sehen,
Wohl wünschen durfte, ohne dadurch Grund
Zu geben, daß Sie so verletzt sich fühlten.

Armande. Wohlan, mein Herr, da Sie nicht hören, da
Der irb'sche Trieb so mächtig Sie beherrscht,
Und Sie zu alter Treu' zurückzuführen,
Der körperlichen Fesseln es bedarf,
Will, wenn die Mutter es erlaubt, mein Geist
Sich, Ihre Wünsche zu erfüllen, neigen.

Clitander. Zu spät, mein Fräulein. Eine Andre nimmt
Jetzt Ihre Stelle ein, und solche Umkehr
Hieß jenes liebliche Asyl beleid'gen,
Zu dem vor Ihrem Stolz ich mich geflüchtet.

Philaminta. Doch rechnen Sie, mein Herr, auf meine
                          Stimme,
Indem Sie auf die andre Heirath hoffen?
Und wissen Sie nicht, daß für Henriette
Schon einen andern Gatten ich erwählt?

Clitander. Bedenken Sie, Madame, doch diese Wahl,
Und setzen Sie mich nicht der Schande aus,
Zum Nebenbuhler eines Trissotin
Erniedrigt mich zu sehn! Ich bitte Sie!
Ihr Hang für schöne Geister, mir verderblich,
Könnt' keinen Gegner schlecht'rer Art mir geben.
Dank des Jahrhunderts kläglichem Geschmack,
Kam mancher jener Geister zwar zur Geltung;
Allein Herr Trissotin betrog noch Niemand,
Und Jedermann kennt seiner Schriften Werth.
Man weiß allwärts — nur hier nicht — was er gilt;
Und staunen macht's mich, daß ich in die Wolken
Sein läppisch' Zeug durch Sie erheben sehe,
Das Sie verläugnen würden, wär's Ihr Werk.

Philaminta. Wenn Sie in Hinsicht seiner anders denken,
Ist's, weil wir ihn verschied'nen Blicks betrachten.

Dritte Scene.
Trissotin. Die Vorigen.

Trissotin. Ich bringe wicht'ge Neuigkeit, Madame,
Im Schlaf sind großem Unheil wir entgangen:
Denn dicht zog eine Welt an uns vorüber,
Und flog so pfeilschnell quer durch unsre Wirbel,
Daß, traf mit unsrer Erde sie zusammen,

Dieselbe flugs wie Glas zersplittert wäre.

Philaminta. Verschieben wir auf später dies Gespräch.
Der Herr hier möchte ungereimt es finden;
Denn ihm gefällt's, Unwissenheit zu lieben,
Hingegen Geist und Wissenschaft zu hassen.

Clitander. Madame, ich bitte, mildern Sie dies Urtheil,
Ich hasse nur den Geist, die Wissenschaft,
Wenn sie sich mühn, die Menschen zu verderben.
An sich sind es sehr gute, schöne Dinge.
Und doch will ich unwissend lieber sein,
Als so gelehrt, wie — wie gewisse Leute.

Trissotin. Mir scheint's unmöglich, daß die Wissenschaft
Auf irgend etwas kann verderblich wirken.

Clitander. Doch ich behaupte, daß die Wissenschaft
Schon manchen großen Dummkopf hat geschaffen.

Trissotin. Wie widersinnig!

Clitander. Ohne mich zu rühmen,
Gar leicht könnt' ich beweisen, was ich sagte;
Und wenn die Gründe fehlen sollten, wäre
Doch manch' berühmtes Beispiel mir zur Hand.

Trissotin. Vermuthlich würde dieses nichts beweisen.

Clitander. O gar nicht weit braucht' ich mich zu versteigen.

Trissotin. Wohl möcht' ich solch' berühmtes Beispiel sehn!

Clitander. Ich seh's genau, als hätt' ich's vor der Nase.

Trissotin. Bisher glaubt' ich, Unwissenheit mach' dumm;
Nicht aber, Wissenschaft erzeuge Narren.

Clitander. Sie irrten. Ein gelehrter Dummkopf ist
Viel dümmer noch, wie ein unwissender.

Trissotin. Die allgemeine Ansicht spricht dagegen,
Denn unwissend und dumm sind synonym.

Clitander. Wenn Sie des Worts Bedeutung recht erfassen,
Sind Dummkopf und Pedant noch mehr verwandt.

Trissotin. Klar zeigt die Dummheit sich ja in dem Einen.

Clitander. Das Studium hilft beim Andern der Natur.

Trissotin. Sein hoch Verdienst behauptet stets das Wissen.

Clitander. Doch Narren macht das Wissen ungezogen.

Trissotin. Unwissenheit muß Ihnen sehr behagen,
Da für dieselbe Sie so muthig kämpfen.

Clitander. Ja sie behagt mir seit der Zeit, wo ich

Gewisse sehr gelehrte Leute kenne.

Trissotin. Doch lohnt es eh'r, sie kennen lernen, wie
Gewisse Andre, die man oft hier sieht.

Clitander. Ja, fragt man die Gelehrten, doch ganz anders
Urtheilen die gewissen Andern wohl.

Philaminta (zu Clitander). Mein Herr, mir scheint —

Clitander. Erlauben Sie, Madame;.
Der Herr ist stark genug, braucht keinen Beistand.
Der eine Gegner schon ist mir zu viel,
Und ich vertheid'ge nur mich auf dem Rückzug.

Armande. Allein die Bitterkeit in jeder Antwort,
Die —

Clitander. Noch ein Secundant? Ich steh zurück.

Philaminta. Man duldet im Gespräch wohl solche Kämpfe;
Doch müssen niemals sie persönlich werden.

Clitand. Mein Gott, das Alles kann ihn ja nicht kränken,
Denn er versteht wie sonst kein Andrer Spaß.
Schon schlimmre Stiche hat man ihm versetzt,
Doch hat sein Ruhm darüber stets gelächelt.

Trissotin. Nicht wundern darf's mich, daß der Herr die
                                                    Meinung
In diesem Streit verficht, der er ergeben;
Gut steht er mit dem Hofe — das sagt Alles.
Bekanntlich giebt der Hof nicht viel auf Geist,
Und unterstützt Unwissenheit aus Gründen,
Weshalb als Hofmann er sie auch vertheidigt.

Clitander. Sie sind erbittert auf den armen Hof;
Ein Unglück ist's für ihn, zu sehn, wie täglich,
Ihr schönen Geister, eifert gegen ihn;
Wie Ihr erbärmlichen Geschmacks ihn anklagt,
Und mit ihm hadert, fehlt's Euch an Erfolg,
Als hab', was Euch mißglückte, er verschuldet.
Bei aller Achtung drum vor Ihrem Namen,
Herr Trissotin, muß ernstlich doch ich rathen,
Daß Sie und Ihre Herrn Genossen milder
Vom Hof zu sprechen sich bequemen möchten.
Er ist im Grunde doch nicht gar so dumm,
Wie Ihr Euch in den Kopf gesetzt, Ihr Herrn;
Er hat Verstand, um Alles zu begreifen,

Und lehrt auch den Geschmack zu bilden; und
Die Welterfahrung, ohne Schmeichelei,
Gilt mehr dort als gelehrtes dunkles Wissen.
   Trissotin. Von dem Geschmacke sehen wir ja Proben!
   Clitander. Worin, mein Herr, erwies er sich denn schlecht?
   Trissotin. Worin, mein Herr? Hat nicht für Frankreichs
                    Ruhm
Ein Baldus, Rasius ehrenvoll gewirkt,
Und doch zog ihr Verdienst, das uns so klar,
Niemals auf sich des Hofes Blick und Gnade!
   Clitander. Wie sehr Sie das betrübt, und wie bescheiden
Sie sind, sich nicht den Beiden zuzuzählen!
Doch frag' ich — Ihnen nicht zu nah' zu treten —
Was thaten jene Herrn denn für den Staat,
Und was wohl nützt dem Hof, was sie geschrieben,
Um als höchst ungerecht ihn anzuklagen,
Sich zu beschweren, daß er ihr Verdienst
Nicht reich mit Gunst und Gaben überschüttet?
Ihr Wissen ist für Frankreich auch so wichtig,
Und ihre Bücher sind dem Hof so nöthig!
Dem kleinen Hirn der armen Schelme scheint's,
Daß sie im Staate gar gewicht'ge Leute,
Wenn sie gedruckt sind und in Kalb gebunden;
Daß ihre Feder schaff' der Kronen Schicksal.
Und wird ein Werk beachtet, meinen sie,
Daß gleich es Jahrgehalte regnen müsse;
Daß ihres Namens Ruhm allwärts verbreitet;
Ja, daß die Welt auf sie allein nur blickt,
Und Wunder von Gelehrsamkeit sie sind:
Weil sie, was Andre längst schon sagten, wissen;
Weil dreißig Jahre lang sie sahn und hörten;
Weil sie Zehntausend Nächte durch gewacht,
Mit Griechisch und Latein sich vollzupfropfen,
Und mit aus Büchern aufgeschnapptem Wortkram,
Den Geist mit dunkelm Wissen zu umnebeln;
Von eigner Weisheit hochgeschwellte Thoren,
Statt andrer Tugend, reich an läst'gen Reden;
So ungeschickt zu allem Nützlichen,
So leer im Hirn, so frechen Dünkels voll,

Um Geift und Wiffen in Verruf zu bringen.

Triffotin. Sie find fehr heftig. Diefe Hitze zeigt,
Wie fehr Ihr Inneres erregt ift, daß
Der Name Nebenbuhler Sie fo bitter —

Vierte Scene.
Julian. Die Vorigen.

Julian. Der Herr Gelehrte, der vorhin erfchienen,
Und deffen Diener ich zu fein mich rühme,
Erfucht Madame, hier dies Billet zu lefen.

Philaminta. Wie wichtig es auch fei, doch fchickt fich's nicht,
Daß ein Gefpräch man wagt zu unterbrechen:
Verftehen Sie, mein Freund? Ein Diener, der
Nur etwas Lebensart befitzt, muß durch
Das Hausgefinde fich einführen laffen.

Julian. Madame, ich werd' es in mein Buch notiren.

Philaminta (lieft). „Madame! Triffotin hat fich gerühmt,
er werde Ihre Tochter heirathen. Ich benachrichtige Sie,
daß feine Philofophie es nur auf Ihren Reichthum ab=
gefehen hat, und daß Sie daher gut thun würden, diefe
Heirath nicht eher zu fchließen, bis Sie das Gedicht ge=
lefen haben, welches ich unter der Feder habe. In Erwar=
tung diefes Gemäldes, durch welches ich ihn mit treuen
Farben zu fchildern beabfichtige, fende ich Ihnen den Ho=
raz, Virgil, Terenz und Catull, worin Sie am Rande
alle geftohlenen Stellen verzeichnet finden werden.''
Da fehn wir, wegen der befchloff'nen Heirath,
Von Feinden fein Verdienft frech angegriffen;
Doch treibt die Bosheit diefer Neider mich
Zu einem Schritt, der fie befchämen wird,
Und ihnen zeigt, daß grade ihr Bemühen,
Dies Band zu löfen, es nur fefter knüpft!   (Zu Julian.)
Verkünden Sie das Ihrem Herrn fogleich,
Und fagen Sie ihm, welchen Werth dem Rath ich,
Der mir ertheilt ward, zolle — wie ihm folge:
                    (Auf Triffotin zeigend.)
Noch heute wird der Herr mein Schwiegerfohn!
                (Triffotin und Julian ab.)

Fünfte Scene.

Philaminta. Armande. Clitander.

Philaminta (zu Clitander). Als Freund des Hauses seien
Sie, mein Herr.

Bei Unterzeichnung des Contracts zugegen;
Ich lade gern Sie dazu ein. Armande!
Trag' Sorge, daß zu dem Notar geschickt wird,
Und künde Deiner Schwester, was beschlossen.

Armande. Das Letzte wird nicht nöthig sein. Die Sorge,
Der Schwester diese Nachricht mitzutheilen,
Wird hier der Herr sofort wohl übernehmen,
Und sie zum Widerspruch zu reizen suchen.

Philaminta. Wir wollen seh'n, weß Macht die stärk're ist,
Und wie ich wohl zur Pflicht zurück sie führe. (Ab.)

Sechste Scene.

Armande. Clitander.

Armande. Es thut mir leid, mein Herr, daß sich die
Dinge

Nicht so gestaltet, wie Sie es gehofft.

Clitander. Ich werde eifrig mich bemüh'n, daß nicht
Dies Leid Sie allzulange quält, mein Fräulein.

Armande. Ich fürchte sehr, daß Ihr Bemüh'n vergeblich.

Clitander. Doch könnte diese Furcht vielleicht Sie täuschen.

Armande. Das wünsch' ich sehr.

Clitander. Ich zweifle nicht daran,
Und weiß, ich darf auf Ihren Beistand zählen.

Armande. Gewiß, ich werde Ihnen möglichst dienen.

Clitander. Ein solcher Dienst ist meines Danks gewiß!
(Armande ab.)

Siebente Scene.

Chrysale. Ariste. Henriette. Clitander.

Clitander (zu Chrysale). Mein Unglück ist gewiß, wenn Sie
nicht helfen,

Denn Ihre Frau Gemahlin wies mich ab;
Nur Trissotin will sie zum Schwiegersohne!

Chrysale. Was nur zum Henker fuhr ihr durch den Kopf,

Daß sie auf diesen Trissotin versessen?

Ariste. Die Ehre, daß lateinisch er kann dichten,
Macht, daß den Nebenbuhler er besiegt.

Clitander. Heut Abend schon will sie die Heirath schließen.

Chrysale. Heut Abend?

Clitander. Ja. Heut Abend.

Chrysale. Und vor Abend
Vermähle, ihr zum Trotz, ich Euch!

Clitander. Sie schickte
Schon des Contractes wegen zum Notar.

Chrysale. Und ich nehm' ihn sogleich für uns in Anspruch.

Clitander (auf Henriette zeigend).
Dem Fräulein sollte ihre Schwester künden,
Zu welchem Bund ihr Herz sich muß entschließen.

Chrysale. Und ich befehl' ausdrücklich, daß sie sich
Zur Heirath, die ich fest beschloß, bequeme.
O ich will zeigen, daß in meinem Hause
Kein andrer Herr regiert, als ich allein. —
Erwart' uns hier. Wir kommen gleich zurück.
Ihr, Schwiegersohn und Bruder, kommt mit mir.

Achte Scene.

Clitander. Henriette.

Clitander. Wie mächt'ge Hülfe man mir auch verheiße,
Vor Allem bau' ich auf Ihr Herz, mein Fräulein.

Henriette. Sie dürfen fest auf dieses Herz vertrauen.

Clitander. Mit dieser Stütze ist mein Glück gesichert.

Henriette. Sie seh'n, zu welchem Bündniß man es zwingt.

Clitander. So lang' es mir geneigt ist, fürcht' ich Nichts.

Henriette. Ich will für unsre Liebe Alles wagen;
Doch, wenn ich Ihnen nicht gehören darf,
So giebt es eine Zuflucht für die Seele,
Die mich vor anderm Ehebündniß schützt.

Clitander. Vor solch ein Zeugniß Ihrer Zärtlichkeit,
Mög' der gerechte Himmel mich behüten!

Fünfter Aufzug.

Erste Scene.

Henriette. Trissotin.

Henriette. Die Heirath, welche meiner Mutter Plan,
Ist Ursach', daß ich Sie zu sprechen wünschte;
Und die Verwirrung hier im Hause treibt mich,
Ein ernstes Wort an Sie, mein Herr, zu richten.
Ich weiß, Sie glauben, daß mit meiner Hand
Sie eine reiche Mitgift auch empfangen;
Doch hat ja Geld, das Alltagsmenschen reizt,
Für Philosophen wenig Wichtigkeit,
Und die Verachtung eitlen Gutes darf
Sich doch nicht nur in Ihren Worten zeigen.

Trissotin. Auch ist es das ja nicht, was mich entzückt;
Ihr strahlend Auge, Ihrer Schönheit Glanz,
Die Anmuth Ihres Wesens, sind die Güter,
Die meine Liebe, meine Wünsche weckten,
In diese Schätze nur bin ich verliebt.

Henriette. So edle Neigung ohne Selbstsucht fordert
Den wärmsten Dank, verwirrt mich fast, mein Herr,
Und es betrübt mich, sie nicht zu erwidern.
Ich achte Sie, so hoch man achten kann,
Doch ist es mir unmöglich, Sie zu lieben.
Ein Herz, Sie wissen, kann nicht Zwei'n gehören,
Und meines hat Clitander sich bemächtigt.
Wohl fühl' ich, daß er weniger Verdienste
Wie Sie besitzt, und daß ich schlecht gewählt,
Da Sie so würdig sind mir zu gefallen;
Ich habe Unrecht — doch kann nichts dafür,
Und Alles, was Vernunft vermag, ist, daß ich
Mir selber böse bin, so blind zu sein.

Trissotin. Mit Ihrer Hand, die man mir zusagt, werd' ich
Dies Herz auch, das Clitander's jetzt, gewinnen;
Und mach' dann wohl durch tausend zarte Sorgen,
Die Kunst, geliebt zu werden, mir zu eigen.

Henriette. Nein! Treu bleibt dieses Herz der ersten Liebe,
Und läßt von Ihrem Werben sich nicht rühren,

Darum erklär' ich jetzt mich Ihnen offen,
Und mein Geständniß darf Sie nicht verletzen:
Der Liebe Gluth, die Herzen jäh entflammt,
Ist, wie bekannt, nicht auf Verdienst gegründet,
Die Laune herrscht dabei, und selten weiß man,
Wenn Jemand uns gefällt, warum es ist.
Könnt man nach Wahl, aus Klugheit sich verlieben,
Würd' ich mein Herz mit Freuden Ihnen weih'n,
Doch folgt die Liebe anderen Gesetzen.
Drum lassen Sie, ich bitte, mich verblendet,
Und nehmen zur Gewalt nicht Ihre Zuflucht,
Die zum Gehorsam mich zu zwingen strebt.
Ein Ehrenmann will dem Befehl der Eltern
Niemals verdanken, was nicht frei gegeben;
Man soll nicht, was man liebt, sich opfern lassen,
Nein, freiem Willen nur ein Herz verdanken.
Drum treiben Sie die Mutter nicht so weit,
Daß ihre Macht sie über mich gebrauche.
O übertragen Sie die Liebe, welche
Ihr Herz mir weiht, auf eine würd'ge Andre.

    Trissotin. Was kann dies Herz Sie zu befried'gen thun?
Gebieten Sie, daß es den Wunsch vollziehe!
Sie nicht zu lieben, ist ihm ja unmöglich,
Wenn Sie so schön und liebenswürdig sind,
Und meinen Blick durch Ihre Reize blenden!

    Henr. Ei, lassen Sie, mein Herr, die schwülst'gen Reden:
In Ihren Versen schildern Sie so schön
Die Irès, Phillis, Amaranten alle,
Und weihen ihnen so verliebte Schwüre —

    Triss. Da spricht mein Geist allein, doch nicht mein Herz,
In jene bin ich nur verliebt als Dichter,
In Wirklichkeit lieb' ich nur Henriette.

    Henriette. Mein Herr, ich bitte!

    Trissotin. Wenn Sie das beleidigt,
Hör' ich, Sie zu beleid'gen, noch nicht auf.
Das Ihrem Blick bisher verborg'ne Feuer
Wird ewig, unverändert, für Sie brennen;
Nichts kann es dämpfen, daß es hoch emporflammt!
Drum, wenn Sie, Holde, meine Gluth verdammen,

Weiß' ich der Mutter Beistand nicht zurück,
Die, meinen Wunsch zu krönen, sich herbeiläßt.
Und wenn ich nur dies süße Glück erstrebe,
Wenn ich Sie nur besitze — gleichviel wie!

Henriette. Doch ist es oft gewagter als man denkt,
Wenn durch Gewalt ein Herz man will erringen;
Denn, wer ein Mädchen gegen dessen Willen
Gefreit, ist, frei herausgesagt, gewärtig,
Daß sie, sich für die Tyrannei zu rächen,
Zu Mitteln greift, die dem Gemahl gefährlich.

Trissotin. Mich können solche Reden nicht erschrecken;
Ein Weiser ist auf Alles ja gefaßt!
Durch die Vernunft geheilt von Alltagsschwächen,
Blickt er auf solche Sorgen stolz herab,
Und hütet sich vor jedes Kummers Schatten,
Um Alles, was von ihm nicht kommt und abhängt.

Henriette. Wahrhaftig, Sie entzücken mich, mein Herr!
Ich glaubte nicht, daß die Philosophie
So schön sei, und die Menschen so belehre,
Daß standhaft sie dergleichen Schläge tragen.
Die hohe Seelenstärke, die Sie zeigen,
Verdient, daß man erhab'nen Stoff ihr biete,
Ja, sie ist werth, Jemand zu finden, der
Sich liebend müht, sie recht an's Licht zu bringen.
Und da ich leider mich nicht fähig halte,
Die Glorie solchen Ruhmes zu erhöhen,
Will einer Andern ich es überlassen,
Und schwör' das Glück ab, Ihre Frau zu sein.

Triss. (im Abgehen). Wir werden seh'n, wie sich die Sache macht.
Bereits hat den Notar man kommen lassen. (Ab.)

Zweite Scene.

Chrysale. Ariste. Clitander. Martine. Henriette.

Chrysale. Gut, Töchterchen, daß ich Dich treffe. Komm!
Beeil' Dich, Deine Schuldigkeit zu thun,
Und unterwirf Dich Deines Vaters Willen.
Ich lehr' jetzt Deiner Mutter Lebensart,
Und bring' drum, ihr zum Trotz, wie sie auch schreie,
Martine hier zurück in Haus und Dienst.

Henriette. Man kann nur loben, was Sie da beschlossen.
O bleiben Sie in dieser Stimmung, Vater!
Beharren Sie bei Ihrem Vorsatz; lassen
Sie nicht von Ihrer Güte sich verführen!
Ach, werden Sie nicht wankend im Entschluß,
Und hüten sich, daß nicht die Mutter siege!
    Chrysale. Wie? Hältst Du mich für einen Einfaltspinsel?
    Henriette. Behüte Gott!
    Chrysale. Bin ich etwa ein Narr?
    Henriette. Wer sagt das?
    Chrysale. Glaubt man eig'nen Willens mich,
Wie er vernünft'gen Männern ziemt, unfähig?
    Henriette. Nein, Vater.
    Chrysale. Bin ich in den Jahren nicht,
Und hab' Verstand genug, um Herr zu sein.
    Henriette. Gewiß!
    Chrysale. Bin ich so schwach denn, daß ich mich
Von meiner Frau lass' an der Nase führen?
    Henriette. O nicht doch, Vater!
    Chrysale. Wie? Was soll das heißen?
Ich find' es komisch, so mit mir zu sprechen!
    Henriette. Es war nicht meine Absicht Sie zu kränken.
    Chrysale. Mein Wille soll im Hause Alles gelten.
    Henriette. Ganz recht, mein Vater.
    Chrysale. Niemand außer mir
Soll hier befehlen dürfen.
    Henriette. Das ist recht!
    Chrysale. Ich bin das Oberhaupt von der Familie.
    Henriette. Ja wohl!
    Chrysale. Verfügen darf ich über Dich.
    Henriette. Ach ja!
    Chrysale. Denn Gott gab über Dich mir Macht.
    Henriette. Wer sagt das Gegentheil?
    Chrysale. Und Du sollst sehn,
Daß Du bei eines Gatten Wahl dem Vater
Gehorchen mußt, und nicht der Mutter.
    Henriette. Ach!
Sie schmeicheln dadurch meinen liebsten Wünschen.
Gebieten Sie! Ich folge Ihnen gern.

Chrysale. Wir werden sehn, ob' meine Frau sich mir —
Clitander. Dort kommt sie in Begleitung des Notar.
Chrysale. Steht mir nun Alle bei!
Martine. Nur unbesorgt!
Ich spreche Ihnen Muth ein, thut es Noth.

Dritte Scene.

Philaminta. Belise. Armande. Trssiotin. Der Notar. Die Vorigen.

Philaminta (zum Notar). Sie können also Nichts am Style
ändern,
Noch den Contract in schönre Sprache kleiden?

Notar. Madame, ganz gut ist unser Styl; ich wäre
Ein Narr, wollt' ich ein Wörtchen daran ändern.

Belise. O welche Barbarei inmitten Frankreichs!
Mein Herr, der Wissenschaft zu Liebe, setzen,
Anstatt in Lires und Franks und Thaler, Sie
Die Mitgift doch in Minen und Talenten,
Datiren mit Calende auch und Idus.

Notar. Ging ich auf Ihr Verlangen ein, Madame,
So lachten die Collegen mich ja aus.

Philaminta. Umsonst beklagt man solche Barbarei!
Nun denn, mein Herr, da ist der Tisch zum Schreiben.
(Martine gewahrend.)
Wie! Diese Dirne wagt's noch zu erscheinen?
Wer führte sie hierher zurück ins Haus?

Chrysale. Gelegentlich werb' ich Dir das erklären;
Jetzt sind ganz andre Dinge zu besprechen.

Notar. Wir schreiten zum Contract. Wo ist die Braut?
Philaminta. Die Jüngste ist's, die ich vermähle.
Notar. Gut.
Chrysale. Ja. Diese ist's. Sie nennt sich Henriette.
Notar. Wohl. Und der Bräutigam?
Philaminta (auf Trissotin deutend). Der Gatte, den ich
Ihr gebe, ist der Herr.

Chrysale (auf Clitander deutend). Und der, den ich
Zum Gatten ihr bestimmt, ist hier der Herr.

Notar. Zwei Gatten! Das ist gegen Sitt' und Brauch!
Philaminta. Zum Schwiegersohn will ich Herrn Trissotin.
Chrysale. Zum Schwiegersohne will ich Herrn Clitander.

Notar. Verständigen Sie sich, und dann erklären
Sie deutlich, wer der Bräutigam soll sein.

Philaminta. Was ich bestimmt, befolgen Sie, mein Herr.

Chrysale. Mein Herr, was ich beschlossen, muß geschehen.

Notar. Wem denn von Beiden soll ich hier gehorchen?

Philaminta (zu Chrysale).
Wie! Gegen meinen Willen streitest Du?

Chrysale. Ich will nicht, daß man meine Tochter nur
Um des Vermögens willen soll begehren.

Phil. Man denkt auch hier wohl recht an Ihr Vermögen!
Das sind für einen Weisen wicht'ge Sorgen!

Chrysale. Clitander wird ihr Gatte; dabei bleibt es.

Philaminta (auf Trissotin deutend).
Doch ich will diesen hier zu ihrem Gatten,
Und meine Wahl nur gilt. So ist's beschlossen.

Chrys. Oho! Du drückst Dich sehr bestimmt aus, find' ich!

Martine. Der Frau gebührt's nicht, Etwas vorzuschreiben;
Durchwegs gehört dem Mann die Oberhand.

Chrysale. Ganz recht.

Martine. Und wär' mein Abschied mir noch sicherer:
Die Henne soll nicht vor dem Hahne krähen.

Chrysale. Sehr gut!

Martine. Man hält den Ehemann zum Narren,
Sobald die Frau im Haus die Hosen trägt.

Chrysale. So ist's.

Martine. Hätt' ich 'nen Mann, so säh' ich's gern,
Wenn er zum einz'gen Herrn im Haus sich machte;
Denn wär's ein Strohmatz, könnt' ich ihn nicht lieben;
Und wollt' ich aus Caprice mit ihm streiten
Und wär', zu vorlaut, fänd' ich's in der Ordnung,
Daß er den Mund mit Ohrfeigen mir stopfte.

Chrysale. Vortrefflich!

Martine. Sehr vernünfig ist der Herr,
Wählt er 'nen richt'gen Mann für seine Tochter.

Chrysale. Ja, ja!

Martine. Warum Clitander ihr verweigern,
Der jung und hübsch ist? Warum den Gelehrten,
Den ewiglangen Redenden ihr geben?
Sie braucht ja einen Mann, nicht einen Lehrer,

Und will nichts Griech'sches noch Latein'sches; also
Hat sie Herrn Trissotin durchaus nicht nöthig.

Chrysale. Ganz richtig.

Philaminta. Laßt zu unserm Spaß sie schwatzen!

Martine. Die Herrn Gelehrten sind nur für den Lernstuhl,
Und, wie ich hundertmal gesagt, zum Eh'mann
Möcht' niemals ich 'nen geist'gen Mann nicht haben.
Der Geist ist in der Wirthschaft gar nichts werth,
Und Bücher reimen sich nicht mit der Ehe.
Drum, frei' ich 'mal, will ich nur Einen, der
Kein andres Buch als mich gebraucht, und weder
A weiß noch B, und, wenn Madam erlaubt,
Für Niemand Doctor spielt, als für sein Weib.

Philam. Ist sie zu Ende? Hab' den würd'gen Dollmetsch
Ich nun genug gehört?

Chrisale. Doch sprach sie wahr.

Philaminta. Den Streit ganz kurz zu schlichten, fordre ich,
Daß flugs mein Wille hier vollzogen werde.
(Auf Trissotin deutend).
Der Herr und Henriette sind ein Paar.
Ich sag' es laut. Ich will's. Erwidre Nichts!
Und wenn Dein Wort Clitander Du verpfändet,
So gieb die ältre Tochter ihm zur Frau.

Chrysale. Ei ja! Da wäre eine Auskunft möglich.
Wir wollen sehn. (Zu Henriette und Clitander.) Genehmigt Ihr
den Vorschlag.

Henriette. Ach Vater!

Clitander. O mein Herr!

Belise. Man könnte ihm
Noch einen andern bessern Vorschlag machen.
Doch gilt's dann eine Gattung Liebe gründen,
Die rein sein muß, wie das Gestirn des Tages;
Man nimmt die denkende Substanz wohl auf,
Allein die niedrere Substanz verbannt man.

Vierte Scene.
Ariste. Die Vorigen.

Ariste. Durch eine schlimme Botschaft muß ich leider
Die fröhliche Verhandlung unterbrechen!

Die beiden Briefe bringen Neuigkeiten,
Die Euretwegen schmerzlich mich erschreckt.　(Zu Philaminta.)
Hier dieser ist von Ihrem Procurator. (Zu Chrysale.)
Und der hier kam für Dich mir aus Lyon.

Philam. Welch Unglück, würdig uns zu stören, schreibt man?
Ariste. In diesem Briefe werden Sie es lesen.

Philaminta (liest). „Madame! Ich habe Ihren Bruder
ersucht Ihnen diesen Brief zu übergeben, welcher Ihnen
sagen wird, was Ihnen mitzutheilen ich nicht gewagt.
Die große Nachlässigkeit in Betreff Ihrer Angelegenheiten
ist schuld, daß der Schreiber Ihres Advocaten mich nicht
benachrichtigt hat, und Sie Ihren Proceß, welchen Sie
hätten gewinnen müssen, völlig verloren haben.“
Chrysale. Verloren Dein Proceß?
Philaminta. Wie! So erschüttert?
Mein Herz wird nicht von solchem Schlag gebeugt.
So zeig' auch Du doch eine starke Seele,
Und trotz' wie ich den Pfeilen des Geschicks. (Liest.)
„Ihr Mangel an Sorgfalt kostet Ihnen Vierzig Tausend
Thaler, und diese Summe nebst den Kosten zu bezahlen
sind Sie durch das Gericht verurtheilt.“
Verurtheilt! Dieses Wort verletzt! Man braucht es
Nur für Verbrecher.
Ariste. Ja, es ist empörend.
Sie sind mit Grund entrüstet! hätte man
Doch sagen müssen: Sie sind vom Gericht
Gebeten, diese Vierzig Tausend Thaler,
Nebst allen Kosten sofort zu bezahlen.

Philaminta. Seh'n wir den andern Brief!

Chrysale. „Mein Herr! Die Freundschaft, welche mich
mit Ihrem Herrn Bruder verbindet, läßt mich an Allem,
was Sie betrifft, den größten Antheil nehmen. Ich weiß,
daß Sie Ihr Vermögen den Händen d'Argentes und
Dumons anvertraut haben, und benachrichtige Sie, daß
Beide an dem nämlichen Tage Bankerott gemacht!“
O Gott! Auf Einmal Alles denn verloren!

Philam. Welch feig Entsetzen! Pfui! Was ist's denn weiter?
Es giebt kein Unglück für den wahren Weisen;
Und büßt er Alles ein — er bleibt sich selbst!

Beenden wir die Sache. Gräm' dich nicht. (Auf Trissotin deutend.)
Was er besitzt, genügt für uns und ihn.

Trissotin. Nicht doch, Madame; nein, treiben Sie die Sache
Nicht weiter. Seh' ich doch, daß Jeder hier
Der Heirath widerstrebt; ich zwinge Niemand.

Philaminta. Kommt diese Ueberlegung doch sehr plötzlich;
Sie folgt fast unserm Unstern auf dem Fuß.

Trissotin. So großer Widerstand ermüdet endlich;
Ich gebe lieber jeden Anspruch auf,
Und will kein Herz, das sich nicht selbst mir giebt.

Philaminta. Ich sehe jetzt, und nicht zu Ihrem Ruhme,
Was ich zu glauben mich bisher gesträubt.

Trissotin. O sehn Sie meinetwegen, was Sie wollen;
Sehr wenig kümmert's mich, wie Sie es nehmen,
Doch bin ich nicht der Mann, der länger noch
So schimpfliche Zurückweisung kann dulden;
Verdien' ich größ're Achtung doch und Rücksicht,
Und küß die Hände, die man mir versagt! (Ab.)

Fünfte Scene.
Die Vorigen ohne Trissotin.

Philaminta. Wie klar enthüllt sich seine feile Seele,
Wie wenig zeigt er sich als Philosoph!

Clit. Zwar rühm' ich mich nicht, das zu sein, doch kett' ich
Für ewig mich an Ihr Geschick, Madame,
Und wag' mit meinem Selbst nun anzubieten,
Was mir das Glück an ird'schen Gütern gab.

Philam. Mein Herr, ich bin entzückt von Ihrer Großmuth,
Und will mit Freuden Ihre Wünsche krönen;
Ja, Henriette soll die Ihre sein!

Henriette. Nein, Mutter, anders hab' ich mich besonnen,
Gestatten Sie, daß jetzt ich widerstrebe.

Clitander. Sie könnten meinem Glück sich widersetzen,
Nun Jedermann sich meiner Liebe neigt?

Henriette. Ich weiß, Clitander, klein ist Ihr Vermögen,
Und habe stets zum Gatten Sie gewünscht,
Weil ich, der Neigung meines Herzens folgend,
Zugleich Ihr Schicksal zu verbessern hoffte.
Doch lieb' ich Sie zu sehr, um durch solch' Bündniß

In unfer Mißgeſchick Sie zu verflechten,
Da uns das Glück den Rücken hat gewandt.

Clitander. Mit Ihnen ſcheint ein jedes Loos mir lieblich,
Und ohne Sie ein jedes Loos verhaßt!

Henriette. So ſpricht im Rauſch der Leidenſchaft die Liebe;
Doch ſchwerer Rücktritt ſchützt vor ſchwererm Leide.
Nichts lockert mehr der Neigung zarte Bande,
Wie Sorgen um des Daſeins Unterhalt;
Und oft klagt ſpäter man ſich gegenſeitig
Des Kummers an, der ſolchen Flammen folgt.

Ariſte. Beſtimmt kein andrer Grund als dieſer Dich,
Die Heirath mit Clitander aufzugeben?

Henr. Nein. Freudig fliegt mein Herz ihm ſonſt entgegen,
Aus Liebe nur entſag' ich ſeiner Hand.

Ariſte. So folg' getroſt dem Zuge Deines Herzens,
Denn falſche Nachricht hab' ich Euch gebracht.
Es war nur eine Kriegsliſt, welche ich
Erſann, um Euch zu nützen, und zugleich
Die Schweſter zu enttäuſchen, ihr zu zeigen,
Wie ſchön ihr Philoſoph beſteh' die Probe.

Chryſale. Der Himmel ſei gelobt!

Philaminta. O welche Freude
Bereitet mir des feigen Flüchtlings Wuth!
Zur Strafe ſeines Geizes ſoll er ſehen,
Mit welchem Glanz das Hochzeitſeſt wir feiern!

Chryſale (zu Clitander). Ich wußt' es wohl, daß ſie die
                              Ihre würde!

Armande (zu Philaminta). So bringen Sie mich Jener
                              Wunſch zum Opfer?

Philaminta. Ich opf're Dich ja nicht, und Deine Stütze,
Philoſophie, wird dich zufried'nen Blick's,
Gekrönt ſeh'n laſſen ihre treue Liebe.

Beliſe. Er hüte ſich! Sein Herz iſt dennoch mein;
Gar oft vermählt man aus Verzweiflung ſich,
Um ſpäter es Zeitlebens zu bereuen!

Chryſale (zum Notar). Wohlan, mein Herr, Sie ſchreiben
                              auf der Stelle
Nun den Contract, ſo wie ich es beſtimmt!

                    Ende.

Liebeszwist.

Lustspiel in fünf Aufzügen

von

Molière

übersetzt von

Malwine Gräfin Maltzan.

Leipzig,
Druck und Verlag von Philipp Reclam jun.

Perſonen.

Ernſt, Lucilien's Liebhaber.
Albert, Vater Lucilien's und Aſcan's.
Gros-René, Ernſt's Diener.
Valer, Polidor's Sohn,
Lucilie, Alberts Tochter.
Marinette, Luciliens Zoſe.
Polidor, Valer's Vater.
Froſine, Aſcan's Vertraute.
Aſcan, Alberts Tochter, als Mann ve
Maſcarill, Valer's Diener.
Metaphraſt, ein Gelehrter.
La Rapière, ein Raufbol-

Nur Mascarill kann der Verräther sein;
Er wird es freilich nicht gestehn. Ich werde
Mich wol verstellen, und durch List den Zorn
Verbergen müssen.

Siebenter Auftritt.
Valer. Mascarill.

Valer. Höre Mascarill,
Mein Vater, den ich eben sprach, weiß Alles.

Mascarill. So! Alles?

Valer. Ja.

Mascarill. Zum Henker, wie erfuhr er's?

Valer. Ich weiß nicht recht, auf wen ich denken soll;
Doch krönte die Entdeckung ein Erfolg,
Der mich entzücken muß. Er sagte mir
Auch nicht ein böses Wort; ja er beschönigt
Selbst meinen Fehler, wie auch meine Liebe.
Drum wüßt' ich gar zu gern, wer so versöhnlich
Ihn stimmte, ja, ich kann Dir gar nicht sagen
Wie äußerst froh ich wär', es zu erfahren.

Mascarill. Was aber sagtet Ihr, wenn ich's gewesen,
Der Euch zu diesem Glück verholfen hat?

Valer. Ja, ja! Das möchtest Du mich glauben machen.

Mascarill. Ich bin's, von dem der alte Herr es weiß,
Und der die günst'ge Wirkung Euch erzielte!

Valer. Du also? Ohne Spaß?

Mascarill. Der Teufel hol' mich,
Wenn's Spaß ist, und nicht so, wie ich gesagt.

Valer (den Degen ziehend). Mich hol' er, wenn Du auf der
Stelle nicht
Den Lohn empfängst, den Du so wohl verdientest.

Mascarill. O Herr! Was heißt das? Welche Ueberraschung!

Valer. Das also ist die mir gelobte Treue?
Hätt' ich mich nicht verstellt, gestandest Du
Den Streich nicht, den Du, wie ich ahnte, spieltest.
Verräther, dessen Zunge so geschäftig
Des Vaters Galle gegen mich erregt,
Der gänzlich mich zu Grunde richtet, sterben
Mußt Du sogleich!

3*

Mascarill. Gemach, mein Herr! Ich bin
Zum Sterben ja nicht vorbereitet. Wartet,
Ich bitt' Euch, den Erfolg der Sache ab!
Mich trieben wicht'ge Gründe diese Heirath,
Die Ihr doch länger kaum verbergen konntet,
Zu offenbaren. Ja, es war ein Staatsstreich,
Deß Ausgang Eure Wuth beschämen wird.
Was ärgert Euch denn so, da Eure Wünsche
Durch meine Sorge ja befriedigt sind,
Und Ihr von jedem Zwange nun befreit?

Valer. Doch wenn nun diese Reden Prahlereien?

Mascarill. Alsbann ist's ja noch Zeit mich umzubringen,
Doch denk' ich, daß mein Plänchen wol gelingt.
Gott steht den Seinen bei, und in der Folge
Bedankt Ihr Euch wol noch für meine That.

Valer. Allein Lucilie —

Mascarill. Still! Ihr Vater kommt.

Achter Auftritt.

Albert. Valer. Mascarill.

Albert (die ersten fünf Verse ohne Valer zu sehen).
Je mehr ich mich vom ersten Schreck erhole,
Je kränkender erscheint mir, was er sprach,
Und was in neue Sorgen mich versetzte;
Denn mir versicherte Lucilie ernstlich,
Daß Alles Fabel, und ich muß ihr glauben. —
Ah! Ihr seid's, schöner Herr, der freches Spiel
Mit meiner Ehre treibt, und Lügen schmiedet?

Mascarill. Herr Albert, stimmt doch einen sanftern Ton an,
Und seid auf Euren Schwiegersohn nicht böse.

Albert. Wie! Schwiegersohn? Du Schuft, man sieht's
                                        Dir an,
Daß Du die Hand im Spiel gehabt, und wol
Dies Meisterstückchen gar erfunden hast.

Mascarill. Ich sehe keinen Grund, so wild zu sein!

Albert. Sag', findest Du es schön, so meine Tochter
Zu kränken, und die Ihren zu beschimpfen?

Mascarill. Er ist bereit zu thun, was Ihr begehrt.

Albert. Was kann ich Andres wollen, als die Wahrheit?

Hegt er Gefühle für Lucilie, kount' er
Ja sittig und in Ehren um sie werben,
Und mußte, wie es Pflicht und Anstand fordern,
Des Vaters Gunst und Macht zu Hülfe rufen;
Jedoch zu feiger List nicht Zuflucht nehmen,
Die gegen Scham und Sitte frech verstößt.

Mascarill. Lucilie wär' mit meinem Herrn nicht heimlich
Vermählt?

Albert. Nein, Schelm, und wird es niemals sein.

Mascarill. Gemach! Doch zeigt sich's, daß es schon geschehen,
Wollt den geheimen Bund alsdann Ihr segnen?

Albert. Und, zeigt es sich, daß es doch nicht so ist,
Willst Du, daß Arm und Bein man Dir zerschlage?

Valer. Mein Herr, sehr leicht ist der Beweis zu führen,
Daß er die Wahrheit spricht.

Albert. Ah! Auch der Andre!
Des Dieners würdig ist der Herr! Ihr Lügner!

Mascarill. Mein Ehrenwort, daß ich die Wahrheit spreche.

Valer. Was sollten wir bezwecken, Euch zu täuschen?

Albert (bei Seite). O sie verstehn sich, und sind Spießgesellen!

Mascarill. Es gilt die Probe; streiten wir nicht weiter;
Ruft nur Lucilie, und befragt sie ernst.

Albert. Doch wenn sie fortfährt, Lügen Euch zu strafen?

Mascarill. Das wird sie nicht; ich steh' dafür, mein Herr!
Versprecht nur Zustimmung für ihre Wünsche,
Und, wollt ich doch die herbste Strafe leiden,
Wenn nicht sofort ihr Mund Euch frei bekennt,
Daß sie ihn liebt, und seine Gattin ist.

Albert. Wir wollen sehen. (Er klopft an seine Thür.)

Mascarill (zu Valer). Es wird sich Alles machen!

Albert. Lucilie! Auf ein Wort!

Valer (zu Mascarill). Ich fürchte —

Mascarill. Nicht doch!

Neunter Auftritt.

Lucilie. Albert. Valer. Mascarill.

Mascarill. Ich bitt' Euch, schweigt, Herr Albert! — Endlich, Fräulein
Steht Ihr am Ziele aller Eurer Wünsche.

Der edle Vater kennt nun Eure Liebe,
Gönnt den Gemahl Euch, billigt Eure Wahl
Sobald Ihr, jeder eitlen Furcht entsagend,
Dem, was wir sagten, kurz und bündig beistimmt.

Lucilie. Was meint denn dieser freche Mensch damit?

Mascarill. Gut, gut! Da hab' ich meinen Ehrentitel.

Lucilie. Sagt doch, mein Herr, weshalb erfandet Ihr
Zur Kurzweil solche wunderliche Mährchen?

Valer. Vergebung, Holde, eines Dieners Mund
Entdeckte, unbewußt mir, unsre Ehe.

Lucilie. Wie! Unsre Ehe?

Valer. Ja, Geliebte, Alles
Ist jetzt bekannt, und die Verstellung unnütz.

Lucilie. Ich sollt Euch lieben, Eure Gattin sein?

Valer. Wol fühl ich, daß dies Glück, das Tausende
Mir neiden, ich viel wen'ger Eurer Liebe,
Als Eurer großen Seelengüte danke;
Auch daß zum Zorn Ihr Grund habt, weiß ich wol,
Weil dies Geheimniß Ihr bewahren wolltet,
Und hab' drum meine Leidenschaft gezügelt,
Daß Euer ernst Gebot sie nicht verletze,
Doch —

Mascarill. Ich verrieth es! Welches große Unglück!

Lucilie. Erlebte je man ähnlichen Betrug?
In meiner Gegenwart wagt Ihr die Lüge,
Und glaubt, durch diese List mich zu gewinnen?
Ein würd'ger Freier, dessen Liebesglut
Die Ehre mir, anstatt des Herzens, raubt,
Damit, durch diese Mär bewegt, mein Vater
Die Heirath zuläßt, die mich schänden würde.
Doch spräch zu Gunsten Eurer Leidenschaft
Mein Vater, das Geschick, mein eig'nes Herz,
Ich würde, im gerechten Zorn, den Vater,
Mein Herz und das Geschick bekämpfen, ja
Den Tod eh'r wählen, eh' ich den erhörte,
Der durch solch Mittel mich erringen will!
Geht! Wenn Geschlecht und Sitte mir erlaubten,
Der Wuth, die in mir kocht, Ausdruck zu geben,
Würd' ich Euch lehren, so mich zu behandeln!

Valer (zu Mascarill). Es ist vorbei! Nie werd' ich sie versöhnen!

Masc. Laßt mich nur sprechen! Ei, ich bitt' Euch, Fräulein,
Wozu noch länger das Komödienspiel?
Was wollt Ihr nur? Welch' wunderlicher Groll
Läßt gegen Euer eignes Herz Euch eifern?
Wär' Euer Vater ein bärbeiß'ger Wüthrich,
Ließ ich's noch gelten; doch er nimmt Vernunft an,
Und ein Geständniß nur bedarf's, um Alles,
So sagt' er eben, von ihm zu erlangen.
Daß Ihr Euch schämt, so offen zu bekennen,
Wozu die Liebe Euch verleitet, glaub' ich;
Doch, wenn Ihr gleich ein wenig weit es triebt,
Die Ehe macht ja Alles wieder gut;
Und, was man Eurer Leidenschaft auch vorwirft,
So schlimm ist's immer doch nicht, wie ein Mord.
Man weiß, das Fleisch ist oftmals schwach, und Mädchen
Sind, wie bekannt, nicht Kieselstein, noch Holz.
Ihr seid die Erste nicht, die in dem Fall ist,
Und werdet sicher nicht die Letzte sein.

Lucilie. Wie! Laßt Ihr solche freche Reden zu,
Und sagt kein Wort, mich vor dem Schimpf zu schützen?

Albert. Was kann ich sagen? Ueber dies Ereigniß
Bin ich ganz außer mir!

Mascarill. Ich schwör' Euch, Fräulein,
Ihr thätet besser, Alles zu bekennen.

Lucilie. Was denn bekennen?

Mascarill. Was? Spaßhafte Frage!
Was zwischen Euch und meinem Herrn geschehn.

Lucilie. Und was, Du unverschämtes Ungeheuer,
Ist zwischen ihm und mir geschehn?

Mascarill. Davon
Müßt Ihr ein wenig mehr als ich doch wissen;
War jene Nacht zu wichtig und zu süß
Für Euch doch, um sie gänzlich zu vergessen.

Lucilie. Das, Vater, duld' ich nicht! — Du frecher Knecht!
(Sie giebt ihm eine Ohrfeige.)

Zehnter Auftritt.
Albert. Valer. Mascarill.

Mascarill. Das war ein Backenstreich, wenn ich nicht irre.

Albert. Für das, was Deiner Wange ihre Hand
Verabreicht, kann ich sie, Du Schuft, nur loben.

Mascarill. Und dennoch soll mich gleich der Teufel holen,
Wenn ich nicht nur gesagt, was wirklich wahr ist!

Albert. Und dennoch schneide man ein Ohr mir ab,
Wenn Deine Frechheit fernerhin ich dulde.

Mascarill. Wollt Ihr zwei Zeugen, mich zu unterstützen?

Albert. Willst Du zwei meiner Diener, Dich zu walken?

Mascarill. Ihr Zeugniß soll das meine glaubhaft machen!

Albert. Ihr Arm soll meinen gut bei Dir ersetzen!

Mascarill. Lucilie spricht aus Scham so, sag' ich Euch.

Albert. Du giebst mir Rechenschaft, das sag' ich Dir.

Mascarill. Kennt Ihr Ormin, den würdigen Notar?

Albert. Kennst Du Grimpant, den Henker unsrer Stadt?

Mascarill. Und den einst so berühmten Schneider Simon?

Albert. Und den am Markte aufgestellten Galgen?

Mascarill. Sie werden diese Heirath Euch bestät'gen.

Albert. Sie werden Dein Geschick vollenden helfen.

Mascarill. Sie sind es, die als Ehezeugen dienten.

Albert. Sie sind's, die mich in Kurzem an Dir rächen.

Mascarill. Und diese Augen sahn das Bündniß schließen.

Albert. Und diese Augen sehn Dich sicher baumeln.

Mascarill. Und einen schwarzen Schleier trug Lucilie.

Albert. Und Deine Stirn zeigt unverhüllt die Lüge.

Mascarill. O eigensinn'ger Greis!

Albert. Verdammter Schurke!
Fort! Dank es meinem Alter, daß ich Dich
Nicht auf der Stelle für den Schimpf bestrafe,
Den Du mir anthust. Aber warte nur!

Eilfter Auftritt.
Valer. Mascarill.

Valer. Nun denn, das ist der herrliche Erfolg —

Mascarill. Recht gut versteh' ich, was Ihr damit meint.
Es kehrt sich Alles gegen mich; ich sehe

Rings Prügel mich bedrohn und Galgen winken!
Um Ruh' vor all' dem Wirrwarr zu erlangen,
Werd' ich mich gleich von einem Felsen stürzen,
Wenn, in der Herzensqual, die ich erdulde,
Ich einen fand, der hoch genug mir scheint.
Lebt wohl, mein Herr!

Valer. Nein, nein, entfliehe nicht;
Stirb, wenn Du sterben willst, vor meinen Augen.

Mascarill. Ich kann nicht sterben, wenn mir Jemand zusieht;
Verzögert würde nur dadurch mein Tod.

Valer. Komm' mit, Verräther! Folge mir! Mein Grimm
Soll bald Dir zeigen, ob Du Grund zum Scherz hast.

Mascarill (allein). Unsel'ger Mascarill! Zu wie viel Leiden
Siehst Du für Andrer Sünden Dich verdammt!

Vierter Aufzug.

Erster Auftritt.
Ascan. Frosine.

Frosine. Die Sache steht nun übel.

Ascan. Ach Frosine,
Das Schicksal fordert meinen Untergang!
Da es so weit gekommen, wird man sicher
Nun die Entdeckung immer weiter treiben;
Bestürzt durch diese Nachricht werden jetzt
Lucilie und Valer natürlich streben,
Das wunderliche Dunkel zu erhellen,
Und dadurch meinem Plan Verderben bringen!
Denn ob nun Albert den Betrug kennt, oder
Getäuscht ist, wie die Uebrigen, er kann,
Wenn mein Geschick sich aufklärt, und die Erbschaft,
Die sein Vermögen mehrte, Andern zufällt,
Mich nicht mehr um sich dulden, und, ihm unnütz,
Wird er mir seine Zuneigung entziehn,
Ja, meinem Schicksal ganz mich überlassen;
Und wenn, trotz des Betrugs mir mein Geliebter
Noch Liebe wahrte, kann er wol als Gattin

Ein Mädchen, arm und niedrig, anerkennen?

Frofine. Ihr sprecht da, find ich, ganz vernünftig;—hättet
Ihr alles Das doch früher hübsch bedacht.
Was konnte nur bisher Euch so verblenden?
Bedarf's der Hexerei doch nicht, um schon
Im ersten Augenblick voraus zu sehen,
Was heut' erst Eurem Geiste klar geworden!
Die ganze Handlung war danach, und seit
Ich sie erfahren, ahnt ich wol den Ausgang.

Afcan. Was soll ich thun? Ich bin in großer Angst.
Denkt Euch an meine Stelle — rathet mir!

Frofine. Wär's doch an Euch, da Ihr den Platz mir räumt,
Hübsch Rath in diesem Unglück zu ertheilen,
Da jetzt ich Ihr bin, und Ihr ich ja seid.
So rathet denn Frofine! Welches Mittel
Kann hier wol Hülfe bringen? Sagt, ich bitt' Euch.

Afcan. Ach treibt nicht Euren Spott mit meinem Kummer!
Zu scherzen, da Ihr meinen Zustand seht,
Zeigt wenig Mitgefühl für meine Leiden.

Frofine. Gewiß, Afcan, ich fühle Eure Pein,
Und möchte Euch so gern davon erlösen;
Doch, wie vermag ich es? Wo zeigt sich Aussicht,
Die Sache Euch zu Gunsten noch zu lenken?

Acan. Ist keine Hülfe möglich — muß ich sterben.

Frofine. O dazu bleibt noch immer Zeit! Der Tod ist
Ein Mittel, das man stets ja finden kann,
Doch deß man möglichst spät sich muß bedienen.

Acan. Nein, nein Frofine, wenn nicht Euer Rath
Mich über diesen Abgrund leitet, muß ich
Der finstersten Verzweiflung anheim fallen.

Frofine. Wißt Ihr, was ich versuchen will? Ich gehe
Zur — doch da kommt Eraft; er wird uns stören.
Wir wollen gehn, und unterwegs das Weitere
Besprechen.

Zweiter Auftritt.
Eraft. Gros-René.

Eraft. Wie! Noch einmal abgewiesen?

Gros-René. Noch kein Gesandter ward so abgefertigt.

Kaum sprach ich's aus, daß Einen Augenblick
Ihr sie zu sprechen wünschtet, als sie heftig,
Mich unterbrechend rief: Geh, geh, ich kümmere
Um ihn mich mehr nicht als um Dich. Verkünd' ihm,
Er sei fortan mir völlig fremd. Drauf wandte
Sie mir den Rücken, und ging ihres Wegs.
Auch Marinette zog ein spöttisch Mäulchen,
Rief laut: Hinweg mit Dir, Du Lotterbube!
Und ließ mich stehn wie sie. Wir Beide theilen
Ein Loos und Keiner hat Etwas zum Voraus.

    Erast. Die Undankbare! Wie! So stolz die Rückkehr
Des schmerzempörten Herzens aufzunehmen!
War seine erste Wallung nicht verzeihlich,
Da es sich ja verrathen glauben mußte?
Und sollte meine heiße Liebe ruhig
Des Nebenbuhlers Glück und Sieg mit ansehn?
Hätt' nicht an meiner Stelle jeder Andre
Von solcher Frechheit sich bethören lassen?
War es zu spät, den Argwohn aufzugeben?
Hab' ich doch keinen Schwur von ihr verlangt,
Und während Alle Zweifel noch befängt,
Weiht ihr mein Herz auf's Neue Lieb' und Achtung,
Ja, sucht sie zu entschuld'gen; und das ihre
Erkennt daraus nicht meine große Liebe!
Nein, ohne meinen Glauben aufzurichten,
Mich des Rivalen wegen zu beruh'gen,
Giebt eifersücht'ger Angst die Undankbare
Mich preis, verwirft mir Botschaft, Brief und Wort!
Ach, schwach ist eine Liebe, die so leicht
Durch kleine Kränkung sich ertödten läßt;
Die Hast, mit Strenge sich zu waffnen, zeigt
Zu deutlich nur, wie mir ihr Herz gesinnt ist,
Und welcher Werth der Laune beizulegen,
Die scheinbar einst durch Liebe mir geschmeichelt.
Auf immer sag' ich mich von jenem Herzen,
Das niemals wol ich ganz besessen, los;
Und, da man mit so schonungsloser Kälte
Mich aufgiebt, will sofort ich Gleiches thun.

    Gros-René. Auch ich. Wir wollen grollend diese Liebe

Zu unſern andern alten Sünden zählen!
Man muß dem leichten Völkchen Anſtand lehren,
Und zeigen, daß man Muth beſitzt. Derjen'ge,
Den ſie verachten, trägt allein die Schuld.
Die Weiber wären ſicher nicht ſo vorlaut,
Wenn unſern Werth wir klüglich geltend machten.
Daß ſie ſo ſtolz ſind, iſt nur unſer Fehler.
Man ſoll mich hängen, würfen ſie ſich nicht
Uns ſchneller an den Hals, wie wir es wünſchen,
Wenn nicht die Männer heut zu Tage ſie
Durch ihre leid'ge Höflichkeit verwöhnten.

Eraſt. Mich kränkt vor Allem die Verachtung, welche
Sie zeigt, und um die ihre zu vergelten,
Will einer neuen Liebe ich mich weih'n.

Gros-René. Ich aber will von Weibern nichts mehr wiſſen;
Ich geb' ſie alle auf, und glaube wirklich,
Ihr thätet klug, es eben ſo zu machen.
Denn ſeht, mein lieber Herr, man nennt das Weib
Ein Thier, das äußerſt ſchwierig zu enträthſeln,
Und das zum Böſen von Natur ſich neigt;
Wie nun das Thier nur Thier iſt, und im Leben,
Währt's hunderttauſend Jahr auch, Thier doch bleibt,
Iſt, ohne Widerſpruch, das Weib nur Weib,
Und wird, ſo lang die Welt ſteht, Weib auch bleiben.
Drum äußert ein gewiſſer Grieche, daß
Des Weibes Kopf den Flugſand übertrifft.
Denn, laßt Euch dieſen Schluß gefallen, wie
Der Kopf als Haupt des Körpers gilt, iſt ſchlechter
Wie's Thier, der Körper ohne Haupt; wenn nun
Das Haupt nicht mit dem Kopf in vollem Einklang,
So daß nicht Alles ganz genau geregelt,
Entſtehn Verlegenheiten mancher Art;
Das Thieriſche will Oberhand gewinnen,
Das Seeliſche zu unterdrücken, und
Eins ſtrebt nach links; nach rechts-das andre; dieſes
Will Weich indeſſen Jenes Hart begehrt,
Und endlich geht es blindlings immer vorwärts;
Das zeigt, wie man's hienieden auslegt, daß
Des Weibes Kopf, ſo wie die Wetterfahne,

Von jedem Windzug sich bewegen läßt.
Darum vergleicht Freund Aristoteles
Das Weib dem Meer; weshalb es heißt, man finde
Nichts auf der Welt beständig wie die Welle.
Auch, zum Vergleich (denn macht doch der Vergleich
Uns jeder Sache Grund am leicht'sten klar,
Und wir Gelehrten ziehen den Vergleich
Dem Gleichniß vor) nun also, zum Vergleich,
Beliebts Euch, Herr; wie, wenn Gewitter aufzieh'n,
Das Meer sich wild empört, die Stürme wüthen,
Daß Welle tobend sich an Welle bricht,
Und, trotz des Steuermannes, bald das Schiff
Tief niederstürzt, bald auf der Woge Spitze
Sich schaukelt, sieht man, wenn ein Weib der Laune
Nachgiebt, den Sturm als Wirbelwind gestaltet,
Sich durch gewisse — Reden geltend machen,
Und ein — gewisser Windstoß, welcher durch
Gewisse Wellen von — gewisser Form,
Wie eine Sandbank — wann — nun, kurz und gut,
Die Weiber taugen all' den Teufel nicht!

Erast. Das nenn ich sprechen!
Gros-René. Ja, Gottlob, so ziemlich!
Doch Herr, da kommen sie. Nun haltet Euch
Recht tapfer, bitt' ich!
Erast. O sei außer Sorge!
Gros-René. Wenn nur ihr Aug' Euch nicht von Neuem fesselt!

Dritter Auftritt.

Lucilie. Marinette. Erast. Gros-René.

Marinette. Da ist er noch. Ergebt Euch nicht, ich bitt' Euch!
Lucilie. Halt' solcher Schwäche mich doch nicht für fähig.
Marinette. Er nähert sich.
Erast. Nein, Fräulein, fürchtet nicht,
Daß ich von meiner Liebe Euch noch spreche,
Das ist vorbei. Ich will ja jetzt genesen,
Und weiß zu wohl, Ihr habt mich nie geliebt.
Für solch gering Vergehn so streng zu zürnen,
Beweist mir klar, wie wenig ich Euch galt.
Und zeigen will ich Euch, wie edle Seelen

Die Zeichen der Verachtung tief empfinden.
Ich läugne nicht, daß einst in Eurem Blick
Wie sonst in keinem ich den Himmel fand,
Und so entzückt die süßen Ketten trug,
Daß ich mit keinem Scepter sie vertauscht!
Ja, grenzenlos war meine Liebe; lebte
Ich doch in Euch nur, und, ich will's gestehn,
Daß ich, obgleich so tief beleidigt, dennoch
Mit Mühe meine Leidenschaft besiegt.
Ach, meine Seele wird noch lange bluten,
Bis Heilung sie von dieser Wunde fand,
Und frei vom Joche, das mein höchstes Gut,
Werd' ich fortan auf Erden Nichts mehr lieben.
Doch immerhin! Und, weil ja Euer Haß
Ein Herz verstößt, das Liebe Euch zurückführt,
Sei es zum letzten Male, daß ich Euch
Durch Wort und Gegenwart belästigt habe.

Lucilie. Ihr hättet zarterweise wol, mein Herr,
Mir auch dies Letztemal ersparen können.

Erast. Wolan, mein Fräulein, habt denn Euren Willen,
Für ewig sei der Bund gebrochen. Ja,
Mein Leben will ich gleich verlieren, wenn
Es mich gelüstet, noch mit Euch zu sprechen.

Lucilie. Das wird mir lieb sein.

Erast. Fürchtet nicht, es sei
Ein falscher Schwur; und wär' ich auch zu schwach,
Um Euer Bildniß völlig zu verbannen,
Sollt Ihr doch nie, Euch zum Triumphe, nie
Mich wiederkehren sehn.

Lucilie. Auch wär's umsonst.

Erast. Mit tausend Wunden würd' ich selbst die Brust mir
Durchbohren, könnt' ich je mich so vergessen,
Und Euch nach der Behandlung wiedersehn.

Lucilie. Gut. Schweigen wir davon.

Erast. Ja, schweigen wir.
Und überflüss'ge Reden abzuschneiden,
Sowie zu zeigen, daß ich Euren Fesseln
Für immer, Undankbare, mich entziehe,
Will Nichts ich wahren, was an jene Zeit,

Erster Aufzug.

Erster Auftritt.

Eraft. Gros-René.

Eraft. Soll ich's gestehn? Ein heimlich Bangen stört
Die Ruhe meiner Seele. Ja, nicht läugnen
Will ich, daß, wie Du meine Liebe tröstest,
Sie dennoch fürchtet, daß man sie verräth,
Und Du zu Gunsten eines Nebenbuhlers
Mich täuschest — oder selbst betrogen bist.

Gros-René. Mich solcher Arglist zu verdächt'gen, heißt ja —
Frau Liebe mög' es mir nicht übel nehmen —
Sich gegen meine Rechtlichkeit versünd'gen,
Und schlecht auf Physiognomie verstehn.
Mit solcher Miene galt wol, Dank dem Himmel,
Noch Niemand als Betrüger oder Schelm!
Ich will den Ruhm doch nicht zu Schanden machen,
Und bin ein Mann, aufrichtig von Gemüth.
Daß man mich täuscht, ist freilich möglich, aber —
Der Zweifel ist erlaubt — ich glaub' es nicht.
Auch seh' ich Nichts — ich bin doch auch kein Dummkopf —
Was Euch zu solchen Grillen Anlaß gäbe.
Lucilie zeigt Euch, dünkt mich, große Liebe,
Empfängt und spricht Euch ja zu jeder Zeit,
Und der von Euch gefürchtete Valer
Ist, scheint es, nur gezwungen noch gelitten.

Eraft. Man speist Verliebte oft mit Hoffnung ab.
Und immer nicht ist der am freundlichsten
Empfang'ne, der Geliebteste. Verschleiert
Zur Schau getragne Zärtlichkeit der Frauen
Deckt häufig eine andre stille Liebe. —
Seit Kurzem scheint Valer mir viel zu ruhig,
Um ein verschmähter Liebender zu sein;
Und daß die Gunstbeweise, die Du rühmst,
So heiter oder kalt vielmehr ihn lassen,
Vergällt mir ihre Süßigkeit, ja, weckt mir

Mehr Kummer als Du wol begreifen kannſt,
Macht zweifelhaft mein Glück, und raubt den Glauben
Mir an Lucilien's Worte. Daß mein Loos
Recht ſüß mir ſcheine, müßt er Eiferſucht
Darüber zeigen; ſeine Pein nur würde
In ſichre Ruhe meine Seele wiegen.
Hältſt Du's für möglich, daß, wie er, zufrieden,
Man wol den Nebenbuhler kann geliebt ſehn?
Und glaubſt Du's nicht, ſo ſag' mir, ich beſchwör' Dich,
Was ich von dieſem Umſtand denken ſoll?

Gros-René. Vielleicht veränderte ſich ſeine Neigung,
Weil er geſehn, daß er vergeblich ſeufzt.

Eraſt. Wenn ein verſchmähtes Herz vergeſſen will,
Vermeidet es den theuren Gegenſtand,
Und bricht ſo raſch und leicht nicht ſeine Feſſeln,
Um unbewegt und heiter zu erſcheinen.
Nie läßt uns die verhängnißvolle Nähe
Der einſt Geliebten kalt und, weckt ihr Anblick
Nicht Bitterkeit, wird allzubald auf's Neue
Die Liebe ſich in unſerm Buſen regen.
Ja, ſelbſt wenn man die Flamme längſt erſtickt,
Quält Eiferſucht noch immer unſre Seele,
Und ſchmerzlos ſieht man nie ein Herz, das uns
Zurückſtieß, im Beſitze eines Andern.

Gros-René. Da von Philoſophie ich Nichts verſtehe,
Glaub' einfach dem ich, was mein Auge ſieht;
Und bin mir ſelbſt ſo feindlich nicht geſinnt,
Mit eitlen Sorgen nutzlos mich zu quälen.
Weshalb ſich plagen Gründe aufzuſuchen,
Elend zu ſein? Mit Grübeln ſich zu pein'gen?
Ich geb' mit Hirngeſpinſten mich nicht ab.
Erſt komm' der Feſttag, ehe wir ihn feiern!
Der Kummer iſt ein unbequemes Ding;
Bis Grund dazu ſich zeigt, vermeid' ich ihn,
Und, ſelbſt wenn hundertfach ſich Anlaß fände,
Mit Abſicht würd' ich Nichts davon bemerken. —
Ich theile in der Liebe Euer Schickſal,
Und Euer Loos wird auch das meine ſein;
Die Herrin kann Euch nicht betrügen, ohne

Daß auch für mich die Zofe Gleiches thut.
Doch hüt' ich mich vor ähnlichen Gedanken.
Gern glaub' ich's, wenn man sagt: Ich liebe Dich!
Und frage nicht, um glücklich mich zu fühlen,
Ob Mascarill deshalb das Haar sich rauft;
Läßt Marinette sich von Jodelet
Geduldig küssen, schmeicheln, und es lacht
Der Nebenbuhler wie ein Narr darüber,
Warum sollt' ich, gleich ihm, nicht drüber lachen?
Es wird sich zeigen, wer am letzten lacht.
  Erast. Das ist so Deine Ansicht.
  Gros-René. Seht, da geht sie!

Zweiter Auftritt.

Erast. Marinette. Gros-René.

  Gros-René. Pst! Marinette!
  Marinette. O, was treibst Du?
  Gros-René. Frag' nur!
Wir haben eben über Dich verhandelt.
  Marinette. Ah! Seid Ihr auch da, Herr? Seit einer Stunde
Lauf' Euretwegen ich mich außer Athem.
  Erast. Wie?
  Marinette. Euch zu suchen rannt ich mich halbtodt,
Und kann versichern —
  Erast. Was?
  Marinette. Ihr seid zu Haus nicht,
Noch in der Kirche, auf der Promenade.
  Gros-René. Das muß beschworen werden.
  Erast. Sag' mir doch,
Wer Dich geschickt hat, mich zu suchen?
  Marinette. Jemand,
Der Euch wahrhaftig gar nicht ungern sieht;
Kurz, meine Herrin.
  Erast. Liebste Marinette,
Meint es ihr Herz denn wirklich wie Du sagst?
Verbirg mir nicht ein trauriges Geheimniß,
Darf ich doch Dir deshalb nicht böse sein.
Im Namen Gottes, sag' mir, ob Dein Fräulein
Durch falsche Zärtlichkeit mich nicht betrügt?

Marinette. Wie kommt Ihr auf den närriſchen Gedanken?
Zeigt ſie Euch denn nicht deutlich ihr Gefühl?
Welch' eine Bürgſchaft noch will Eure Liebe?
Was fordert ſie?

Gros-René. Sein Herz wird eh'r nicht ruhig,
Bis ſich Valer zum Mindeſten erhängt.

Marinette. Wie denn?

Gros-René. Er iſt ſo furchtbar eiferſüchtig.

Marinette. Und auf Valer? Ein ſchöner Einfall! Wirklich!
Wie konnt' er nur in Eurem Hirn entſtehn?
Ich hielt bisher Euch immer für vernünftig;
Allein ich ſehe, daß ich mich getäuſcht.
Iſt auch Dein Kopf an gleichem Uebel krank?

Gros-René. Ich eiferſüchtig? Gott ſoll mich behüten,
So dumm zu ſein, den Kummer mir zu ſchaffen;
Denn nicht nur, daß Du Treue mir gelobt,
Ich halt' auch viel zu hoch mich, um zu glauben,
Daß Dir ein Andrer neben mir gefällt.
Wo fändeſt in der Welt Du Meinesgleichen?

Marinette. Da haſt Du recht! Die Anſicht iſt geſcheidt!
Von Eiferſucht ſei nimmermehr die Rede;
Bezweckt ſie doch nur, daß man häßlich wird,
Und ſo des Nebenbuhlers Abſicht fördert.
Lenkt Ihr doch ſelbſt das Auge der Geliebten
Auf die Verdienſte, deren Glanz Euch kränkt,
Und Manchen weiß ich, der ſein ſchönſtes Glück
Des Nebenbuhlers Eiferſucht verdankt.
Kurz, Argwohn nähren, macht, daß in der Liebe
Man eine ſchlechte Rolle ſpielt, und endlich
Sich ganz umſonſt hat lächerlich gemacht.
Das merk' ſich, nebenbei, doch Herr Eraſt!

Eraſt. Nichts mehr davon. Was haſt Du mir zu ſagen?

Marinette. Verdientet Ihr doch, daß man Euch, zur Strafe,
Auf das Geheimniß erſt noch warten ließ,
Um deſſentwillen ich Euch ſuchen mußte.
Doch nehmt die Zeilen und hört auf zu zweifeln.
Leſt immer laut, Niemand behorcht Euch hier.

Eraſt (lieſt). „Ihr ſagt, daß Eure Zärtlichkeit
Bereit ſei Alles zu vollbringen;

Des Glückes Kranz gewänne sie noch heut,
Könnt' sie des Vaters Ja erringen.
Die Rechte fragt — ich will's Euch zugestehn —
Vor denen sich mein Herz muß beugen;
Man wird mich gern gehorchen sehn,
Sollt sich der Ausspruch Euch zu Gunsten neigen."
O welches Glück! Und Du, die mir's verkündet,
Als eine Gottheit fast erscheinst Du mir!

Gros-René. Ich sagt' es ja! Ihr wolltet mir nicht glauben,
Wenn ich Etwas vermuthe, irr' ich nie.

Erast (liest noch einmal).

„Die Rechte fragt — ich will's Euch zugestehn —
Vor denen sich mein Herz muß beugen;
Man wird mich gern gehorchen sehn,
Sollt sich der Ausspruch Euch zu Gunsten neigen."

Marinette. Wenn ich ihr Eure Schwäche wollt' berichten,
Nähm' sie gewiß zurück, was sie geschrieben.

Erast. Verschweig' ihr, bitte, diese flücht'ge Furcht,
Die meine Seele nuklar sehen ließ;
Doch sagst Du ihr davon, so füg hinzu,
Ich wolle durch den Tod den Irrthum büßen;
Wenn sie mir zürnt, zu ihren Füßen gern
Mein Leben ihrem Groll zum Opfer bringen.

Marinette. Es ist nicht an der Zeit, von Tod zu sprechen.

Erast. Ich danke Dir so viel, daß es mich drängt
Der reizenden und lieben Botin Mühe,
Recht bald und auf die beste Art zu lohnen.

Marinette. Ach, wißt Ihr, wo vorhin ich außerdem
Euch suchte?

Erast. Nun?

Marinette. Ei dort, ganz nah' dem Markte,
Ihr wißt wol.

Erast. Wo denn?

Marinette. Ach, in jenem Laden,
Wo im vergangnen Monat Eure Großmuth
Mir einen Ring versprach.

Erast. Ah! ich verstehe!

Gros-René. Die Schelmin!

Erast. Es ist wahr, zu lange schon

Hab' ich gezögert, Dir mein Wort zu halten,
Jedoch —

 Marinette. Ich sagt' es nicht, um Euch zu drängen.
 Gros-René. Behüte!
 Eraſt (giebt ihr seinen Ring). Sieh, gefällt Dir dieser hier,
So nimm für den ihn, welchen ich Dir schulde.
 Marinette. Ihr scherzt! Ich würd' mich schämen ihn zu
            nehmen.
 Gros-René. Nimm nur, Verschämte, warte nicht auf mehr.
Ablehnen, was man giebt, geziemt nur Narren.
 Marinette. Es wär' denn zur Erinnerung an Euch.
 Eraſt. Wann darf ich wol dem holden Engel danken?
 Marinette. Müht Euch vor Allem um des Vaters Gunſt.
 Eraſt. Doch weist er mich zurück, muß ich —
 Marinette. Ei nun,
Kommt Zeit, kommt Rath. Man wagt für Euch ja Alles;
Sie muß auf jeden Fall die Eure werden.
Thut was Ihr könt, wir thun das Unsrige.
 Eraſt. Leb' wohl. Noch heute sehn wir den Erfolg.
         (Eraſt liest nochmals leise den Brief.)
 Marinette (zu Gros-René).
Und wir? Wie steht es denn mit unſrer Liebe?
Du sprichst kein Wort davon.
 Gros-René. Bei Unsersgleichen
Macht eine Liebesheirath sich ja schnell.
Ich will Dich; willst Du mich?
 Marinette. O mit Vergnügen.
 Gros-René. Schlag ein und damit gut.
 Marinette. Leb' wohl, mein Schatz!
 Gros-René. Leb' wohl, mein Stern!
 Marinette. Leb' wohl mein Feuerstrahl!
 Gros-René. Leb' wohl, Komet! O Seelen-Regenbogen!
           (Marinette ab.)
Gottlob, die Sache geht ja ganz vortrefflich;
Albert ist nicht der Mann, Euch abzuweisen.
 Eraſt. Dort kommt Valer.
 Gros-René. Der Aermste dauert mich,
Da ich ja weiß, wie's steht.

Dritter Auftritt.

Valer. Eraſt. Gros=René.

Eraſt. Nnn, Herr Valer?

Valer. Nun, Herr Eraſt?

Eraſt. Wie ſteht's mit Eurer Liebe?

Valer. Wie ſteht's mit Eurer Flamme?

Eraſt. Täglich wächſt ſie —

Valer. Auch meine Liebe.

Eraſt. Für Lucilie?

Valer. Freilich!

Eraſt. Ich muß geſtehn, Ihr ſeid ein Muſter
Von ſeltner Treue.

Valer. Und Ihr für die Nachwelt
Ein ſeltnes Beiſpiel von Beharrlichkeit.

Eraſt. Was mich betrifft, ich bin für ſolche Liebe,
Der Blicke ſchon genügen, nicht gemacht.
Und fühle nicht ſo zahm und zart, zu dulden,
Daß man fortwährend übel mich behandelt.
Kurz, lieb ich heiß, will heiß ich auch geliebt ſein.

Valer. Natürlich; ich bin ganz derſelben Meinung;
Dem ſchönſten Weſen, das mich hochentzückt,
Würd' ich nicht huld'gen, wär' ich nicht geliebt.

Eraſt. Jedoch Lucilie —

Valer. O Luciliens Seele
Gewährt, was meine Liebe kann begehren.

Eraſt. Ihr ſeid wol ſehr genügſam?

Valer. Nicht ſo ſehr,
Als Ihr vermuthet.

Eraſt. Ohne Eitelkeit,
Glaub' ich doch hoch in ihrer Gunſt zu ſtehen.

Valer. Auch ich behaupte darin meinen Platz.

Eraſt. Ich rath' Euch, täuſcht Euch nicht zu ſehr.

Valer. Ich rath' Euch,
Laßt Eure Zuverſicht Euch nicht verblenden.

Eraſt. Wagt' ich's, könnt' ich Euch leicht beweiſen, daß
Ihr Herz — doch nein, es würde Euch betrüben.

Valer. Wagt' ich's, könnt' ein Geheimniß ich entdecken —
Doch kränkt es Euch wol — lieber will ich ſchweigen.

Eraſt. Ihr zwingt mich wirklich, daß ich Euren Dünkel,
Thu ich's gleich ungern, niederbeugen muß;
Leſt!

Valer (nachdem er geleſen). Süße Worte.

Eraſt. Kennt Ihr wol die Hand?

Valer. Es iſt Luciliens.

Eraſt. Nun, und Eure Hoffnung —?

Valer (geht lachend ab). Lebt wohl, mein Herr Eraſt!

Gros-René. Er iſt wol närriſch,
Der gute Herr! Was aber iſt dabei zu lachen?

Eraſt. Höchſt ſonderbar, und, unter uns, ich weiß nicht.
Welch wunderlich Geheimniß hier ſich birgt!

Gros-René. Sein Diener kommt.

Eraſt. Er iſt's! Durch Liſt erzwing' ich,
Daß von der Liebe ſeines Herrn er plaudert!

Vierter Auftritt.

Eraſt. Maſcarill. Gros-René.

Maſcarill (für ſich).
Nein, keinen üblern Stand giebt's, wie den Dienſt
Bei einem jungen und verliebten Herrn!

Gros-René. Ei, guten Tag!

Maſcarill. Schön Dank.

Gros-René. Freund Maſcarill!
Was thut Er? Kommt Er wieder? Geht Er? Bleibt Er?

Maſcarill. Ich komm' nicht wieder, weil ich nirgends war,
Auch geh' ich nicht, weil man ja hier mich aufhält,
Und bleibe nicht, weil dieſen Augenblick
Ich weiter will.

Eraſt. Gemach doch, Maſcarill!
Wie grob Ihr ſeid!

Maſcarill. Ah! Euer Diener, Herr!

Eraſt. Ihr eilt zu ſehr! Weshalb? Erſchreck' ich Euch?

Maſcarill. Dazu iſt Eure Höflichkeit nicht fähig.

Eraſt. Zur Eiferſucht iſt jetzt kein Grund mehr; laßt uns
Drum Freunde ſein! Da meine Liebe ich
Beſiegt, bleibt Euren Plänen freier Spielraum.

Maſcarill. Gott geb' es!

Eraſt. Gros-René weiß was mich feſſelt.

Gros-René. Wohl. Und ich überlaſſ' Dir Marinette.

Maſcarill. Laß gut ſein! Dieſe Nebenbuhlerſchaft
Wird uns auf's Aeußerſte nicht grade treiben.
Doch ſind denn Euer Gnaden wirklich nicht mehr
Verliebt? Wie? Oder war es nur ein Scherz?

Eraſt. Da Deines Herrn Erfolg mir ja bekannt iſt,
Wär' ich ein Thor, der Schönen Gunſt zu ſuchen,
Die heimlich ſeine Liebe ja beglückt.

Maſcarill. Das iſt mir lieb zu hören; nicht nur, weil ich
Bei unſern Plänen Euch gefürchtet, nein,
Weil's klug auch iſt, daß ſelbſt das Spiel Ihr aufgebt
Und einen Platz laßt, wo man nur zum Schein
Euch ſchönthat. Da ich wußte, was geſchah,
Hab' ich Euch jener falſchen Hoffnung wegen,
Die man erweckte, tauſend Mal bedauert;
Beleibigt Den man doch, den man betrügt!
Allein, zum Henker, wie habt Ihr's erfahren?
Der Austauſch der Gelübde hatte doch
In jener Nacht nur, außer mir, zwei Zeugen,
Und ſehr geheim hielt man bisher die Bande,
Die unſrer Liebesleutchen Glut geheiligt.

Eraſt. Was ſagt Ihr?

Maſcarill. Daß es mich verwirrt, und, Herr,
Mir unbegreiflich iſt, wer Euch verrathen,
Daß, während alle Welt gleich Euch getäuſcht ward,
Die heft'ge Leidenſchaft der Liebenden
Sie zu geheimer Ehe hat getrieben.

Eraſt. Das lügt Ihr!

Maſcarill. O ſehr gern, mein gnäd'ger Herr!

Eraſt. Ihr ſeid ein Schelm!

Maſcarill. So iſt's.

Eraſt. Und dieſe Frechheit
Verdiente auf der Stelle hundert Hiebe.

Maſcarill. Wie's Euch beliebt.

Eraſt. Ach, Gros-René!

Gros-René. Mein Herr?

Eraſt. Ich läug'ne, was ich dennoch heimlich fürchte!
Du fliehſt? —

Maſcarill. O nein.

Erast. Lucilie wär' die Gattin —

Mascarill. Mein Herr, ich scherzte.

Erast. Ah! Du scherztest, Schurke!

Mascarill. Nein, nein, ich scherzte nicht.

Erast. Wahr ist es?

Mascarill. Nein doch!
Das sag' ich nicht.

Erast. Was sagst Du denn?

Mascarill. Ach Nichts,
Aus Furcht, daß unrecht, was ich sage.

Erast. Schwöre,
Ob Wahrheit oder Lügen Du gesprochen.

Mascarill. Was Euch beliebt. Ich bin nicht hier, um Euch
Zu widersprechen.

Erast (zieht den Degen). Wirst Du reden? Sieh,
Der soll mir helfen Deine Zunge lösen.

Mascarill. Damit sie wieder neuen Unsinn schwatze.
Ach, lieber gebt mir, ist es Euch gefällig,
Schnell ein paar tücht'ge Hiebe, und erlaubt,
Daß ich alsdann mich auf die Beine mache.

Erast. Du stirbst, wenn nicht Dein Mund die reine Wahrheit
Sofort bekennt.

Mascarill. Ach ja, ich will sie sagen,
Doch wird Euch das, mein Herr, vielleicht verdrießen.

Erast. So sprich. Bedenke aber, was Du thust.
Vor meiner Wuth soll Nichts Dich schützen, wenn
Du nur ein einzig Wort, das unwahr, sprichst.

Mascarill. Gut denn. Zerbrecht mir Arm und Bein, ja,
macht es
Noch schlimmer, schlagt mich todt, wenn ich bei Allem,
Was ich gesagt, nur eine Sylbe log.

Erast. So ist die Heirath wahr?

Mascarill. Es war ein Schnitzer,
Den meine Zunge, wie ich merke, machte.
Allein es steht so, wie ich Euch gesagt,
Und nach fünf nächtlichen Besuchen, während
Das Spiel zu decken, Ihr gedient, ward endlich
Vorgestern der geheime Bund geschlossen;
Seitdem nun läßt Lucilie ihre Liebe

Für meinen Herrn noch wen'ger blicken, ja,
Verlangt durchaus, daß, was er immer sehn,
Wie günstig Euch sie auch sich möge zeigen,
In Allem er die Absicht nur erkenne,
Die das Geheimniß klüglich wahren will.
Wenn Ihr, trotz meines Schwurs, noch zweifeln solltet,
Begleite Gros-René mich einmal Nachts;
Und Wache stehend, will ich ihm beweisen,
Daß wir im Dunkeln Zutritt zu ihr haben.
  Erast. Aus meinen Augen, Schuft!
  Mascarill. O herzlich gern!
Das ist's ja, was ich wünsche.

Fünfter Auftrit.
Erast. Gros-René.

  Erast. Nun?
  Gros-René. Nun Herr?
Es geht uns Beiden übel, wenn das Wahrheit.
  Erast. Ach, allzuwahr nur sprach wol dieser Schelm!
Denn glaubhaft scheint mir Alles, was er sagte;
Zeigt doch des Briefes Wirkung auf Valer
Ihr Einverständniß, und daß ihrer Liebe
Zum Nutzen diese List ersonnen ward.

Sechster Auftritt.
Erast. Marinette. Gros-René.

  Marinette. Ich meld' Euch, daß mein Fräulein Euch gestattet,
Im Garten sie heut Abend noch zu sehn.
  Erast. Zweizüngige verrätherische Seele,
Wagst Du's, mit mir zu sprechen? Fort, du Schlange!
Sag' deiner Herrin, daß mit ihren Briefen
Sie mich verschone! So verfahr' damit ich!
      (Er zerreißt den Brief und geht ab.)
  Marinette. Sag' mir doch, Gros-René, was ficht ihn an?
  Gros-René. Du wagst's, mit mir zu sprechen, schändlich
                                  Weibsbild!
Du falsches Krokodil, deß treulos Herz,
Weit schlimmer wie Satrap und Menschenfresser!
Geh! Bring die Antwort Deiner lieben Herrin,

Und sag ihr, daß, trotz ihres Schmeichelns, wir,
Mein Herr und ich, uns nicht bethören lassen,
Und daß mit Dir sie mög' zum Teufel gehn!
    Marinette (allein).
Träumst oder wachst Du, arme Marinette?
Von welchem Dämon sind sie denn besessen?
Was! Unsre Güte also aufzunehmen!
O, wie man sich zu Hause wundern wird!

Zweiter Aufzug.

Erster Auftritt.
Ascan. Frosine.

Frosine. Ich bin, Gottlob, ein sehr verschwieg'nes Mädchen.
Ascan. Doch eignet sich der Ort für solch Gespräch?
Wir müssen trachten, daß uns Niemand stört,
Und man uns irgendwo nicht kann belauschen.
Frosine. Weit wen'ger sicher wären wir zu Haus;
Man übersieht ja hier die ganze Gegend,
Und kann sich völlig ungestört besprechen.
Ascan. Ach, nur mit Mühe brech' ich dieses Schweigen!
Frosine. So ist wol dies Geheimniß äußerst wichtig?
Ascan. So sehr, daß Euch selbst ungern ich's entdecke,
Und, wenn ich länger noch es bergen könnte,
Erführt Ihr's nicht.
Frosine. O das beleidigt mich.
Mir nicht vertrauen, die doch, wie Ihr wißt,
So schweigsam ist, wenn Euer Wohl es fordert,
Die mit Euch aufgewachsen, stets geheim hielt,
Was von so großer Wichtigkeit für Euch,
Die weiß —
Ascan. Ja, kennt Ihr den geheimen Grund doch,
Weshalb man mein Geschlecht und meine Herkunft
Verhüllt; und wißt, daß ich in der Familie,
Wo ich erwuchs, nur bin, um ihr die Erbschaft
Zu wahren, welche durch den Tod Ascan's
Verloren wär', spielt' ich nicht dessen Rolle.

Drum darf mein Mund vertrauend Euch mein Herz
Eröffnen; doch, Frosine, löst den Zweifel
Mir erst, der stets auf's Neue mich beschleicht.
Kennt Albert wirklich das Geheimniß nicht,
Das mein Geschlecht zu bergen nöthig machte,
Und ihn zum Vater mir gegeben hat?

 Frosine. Mir gab der Punkt, den Ihr beleuchtet wünscht,
Schon oft zu denken, doch blieb der Intrigue
Zusammenhang mir ein verschloffnes Buch,
Und meine Mutter auch erklärt' mir's niemals.
Als jener Sohn gestorben, der schon, eh' er
Das Licht der Welt erblickt, mit großem Reichthum
Durch eines Oheims Testament bedacht,
Hielt seine Mutter diesen Tod geheim,
Weil sie des fernen Gatten schonen wollte,
Den Schmerz und Groll auf's Aeußerste getrieben,
Hätt' er die Erbschaft, seines Hauses Stolz,
In andre Hände übergehen sehen.
Als nun, um dies Ereigniß zu verbergen,
Ein andres Kind sie unterschieben ließ,
Und man von uns Euch nahm, wo Ihr in Pflege,
(Vertraut war Eure Mutter mit der List
Den Knaben, ihren Pflegling, zu ersetzen)
Erkauften reichliche Geschenke Schweigen.
Von uns erfuhr Albert nicht dies Geständniß,
Und seine Frau, die zwölf Jahr es bewahrt,
Nahm es, da sie ein jäher Tod ereilte,
Bevor sie es entdeckt, mit sich in's Grab.
Doch seh' ich, daß mit der, die Euch das Leben
Gegeben, er verkehrt, und hörte, daß
Er heimlich sie auch unterstützt, was, mein' ich,
Wol keinesfalls so ganz umsonst geschieht.
Von einer Heirath spricht man anderseits,
Was er jedoch für leer Geschwätz erklärte.
Ich weiß nun nicht, ob den Betrug vielleicht
Er kennt, doch ohne die Verkleidung. — Aber
Das führt zu weit. Laßt jetzt uns das Geheimniß
Besprechen, welches Euch betrifft, ich bitte!

 Ascan. So wisset, Amor läßt sich nicht betrügen;

Vor ihm konnt mein Geschlecht ich nicht verbergen,
Und trotz der Kleidung, die ich trage, fand
Sein Pfeil dies arme schwache Mädchenherz,
Ich liebe.

Frosine. Wie? Ihr liebt?

Ascan. Gemach Frosine,
Erstaunt nicht allzusehr; noch ist's nicht Zeit;
Mein volles Herz hat Andres Euch zu künden,
Das mehr Erstaunen noch Euch wecken wird.

Frosine. Und was?

Ascan. Valer ist's, den ich liebe.

Frosine. Herrlich!
Ihn liebt Ihr, dem Ihr durch die Rolle, welche
Ihr spielt, die große Erbschaft habt entrissen,
An den der ganze Reichthum ja zurückfällt,
Sobald man ahnt, daß ihr ein Mädchen seid.
Das freilich giebt mehr Grund noch zum Erstaunen.

Ascan. Auf größre Ueberraschung seid gefaßt:
Ich bin sein Weib.

Frsione. Mein Gott! Sein Weib?

Ascan. Sein Weib.

Frosine. Ja, das setzt Allem noch die Krone auf,
Mir schwindelt.

Ascan. Aber das ist noch nicht Alles.

Frosine. Noch nicht?

Ascan. Ich bin sein Weib, doch ahnt er's nicht;
Noch weiß er überhaupt von meinem Schicksal.

Frosine. Nur zu! Ich sage Nichts mehr; mein Be
Steht still. Das geht ja Schlag auf Schlag! Kein
Versteh' ich von dem ganzen Räthselkram.

Ascan. Ich will es Euch erklären; hört mich an.
Valer, den meiner Schwester Reiz gefesselt,
Schien mir höchst würdig, daß man ihn erhöre;
Und nicht verschmäht konnt' ich ihn sehen, ohne
Daß Mitleid sich im Busen mir geregt.
Ich sprach für ihn, und tadelte Lucilie,
Daß sie so hart sei, tadelte so lange,
Bis mich, es half kein Widerstand, Gefühle
Beschlichen, die zu nähren sie verweigert.

Sprach er zu ihr, erbebte meine Seele;
Die Seufzer ihr geweiht, gewannen mich
Und seine Wünsche, die sie kalt verworfen,
Eroberten mit Siegermacht mein Herz.
Frosine, so ergab ich, allzuschwach, mich
Der Liebeswerbung, die, ach, mir nicht galt,
Und von dem abgeprallten Pfeil verwundet,
Zahlt ich für fremde Schuld mit hohem Zins.
Und endlich trieb die Liebe mich, sie ihm,
Doch nicht in meinem Namen, zu gestehen.
Einst fand der liebenswürd'ge Liebende
In dunkler Nacht Lucilie — wie er meinte —
Geneigt, ihn anzuhören, und geschickt
Erhielt ich unerkannt ihn in der Täuschung.
So konnt ich, seinem süßen Wahne schmeichelnd,
Ihm unter diesem Schleier frei bekennen,
Daß ich ihn liebe, doch da andre Pläne
Mein Vater hegt, müßt' ich Verstellung üben,
Und nur die Nacht dürf' einzige Vertraute
Der Flamme sein, die heimlich uns vereint.
Drum wollten wir, Entdeckung zu verhüten,
Am Tage uns allein zu sehn, vermeiden;
Er würde scheinbar, stets so kalt mich finden,
Wie, eh' wir uns verständigt, und kein Zeichen,
Kein Wort, noch Brief von seiner Seite oder
Der meinen, solle jemals uns verrathen.
Zuletzt nun spann' ich — wie, gehört nicht her —
Den Faden der Intrigue so geschickt,
Daß ich den kühnen Plan zu Ende führte,
Der den Geliebten mir zum Gatten gab
  Frosine. Ei, welch' Talent entfaltet Euer Geist!
Wer ahnte das in diesem sanften Wesen!
Allein Ihr wart, so dünkt mich, etwas vorschnell;
Denn, ist die Sache Anfangs auch geglückt,
Bedachtet Ihr wol, wie sie enden soll,
Und daß ja bald man Alles muß erfahren?
  Ascan. Die Liebe läßt sich nicht bedachtsam zügeln,
Sie strebt nur einzig nach der Wünsche Ziel,
Und kann das heißersehnte sie erringen,

Gilt ihr, was draus entstehe, völlig gleich.
Doch mußt'ich heute, Euren Rath zu hören,
Mich Euch entdecken, — doch da kommt mein Gatte!

Zweiter Auftritt.

Valer. Ascan. Frostine.

Valer. Wenn meine Gegenwart Euch stören sollte,
Da Wichtiges Ihr zu berathen scheint,
Zieh' ich mich schnell zurück.

Ascan. Nein bleibt, Ihr durftet
Am ersten unsre Unterhaltung stören.

Valer. Ich?

Acan. Ihr.

Valer. Weshalb?

Acan. Ich sagte eben, daß,
Wär' ich ein Mädchen, mir Valer gefährlich
Könnt' werden; ja, und wenn für mich er glühte,
Ihn zu beglücken ich nicht zögern würde.

Valer. Versicherungen dieser Art sind wohlfeil,
Läßt, daß sie ernst gemeint, sich nicht beweisen.
Wahrt Euch, daß nicht der Zufall mich versucht,
Die Wahrheit Eurer Worte zu erproben.

Ascan. O immerhin! Besäß' ich Euer Herz,
Würd' ich mit Freuden Eure Wünsche krönen.

Valer. Und wenn bei einer Wahl ich Eures Beistand
Bedürfte, meines Lebens Glück zu fördern?

Ascan. Da würd' ich freilich Hülfe Euch versagen.

Valer. Nun, dies Geständniß ist nicht schmeichelhaft.

Ascan. Wie! Könntet Ihr wol das Versprechen forder
Wär' ich ein Mädchen, welches heiß Euch liebt,
Zu Gunsten einer Andern Euch zu dienen?
Dazu besäß ich weder Lust noch Kraft.

Valer. Doch da Ihr ja kein Mädchen seid?

Ascan. Ich sprach,
Was ich vorhin gesagt, als Mädchen, und
Ihr müßt es auch so nehmen.

Valer. Also darf man
Von Eurer Güte Nichts erwarten, wenn
Der Himmel nicht ein Wunder erst vollbringt;

Kurz, wenn Ihr nicht zum Mädchen werdet, giebt es
Nichts, was mir Euer Herz zu Gunsten lenkt?

  Ascan. Ich fühle zarter als man wol vermuthet;
Der kleinste Zweifel, handelt sich's um Liebe,
Verletzt mich. Deshalb, ich bin offen, kann
Ich nicht versprechen, Euch zu dienen, wenn Ihr
Valer, nicht mir auch die Versichrung gebt,
Daß Ihr für mich dasselbe fühlt; daß Euch
Die gleiche warme Freundschaft auch beseelet,
Und, wär' ich Mädchen, keine stärkre Flamme
Die jemals kränken würde, die ich nähre.

  Valer. Nie sah ich solche eifersücht'ge Scrupel;
Doch ist auch neu mir dies Gefühl, so schmeichelt
Es mir, und gern versprech' ich, was es fordert.

  Ascan. Und henchelt nicht?

  Valer. Ich henchle nicht.

  Ascan. Wolan,
So steh' in Wohl und Weh' ich Euch zur Seite!

  Valer. Bald werd' ich sehn, ob sich dies Wort bewährt.
Wenn ein Geheimniß ich Euch offenbare.

  Ascan. Und ich will Etwas Euch entdecken, das
Mir zeigen soll, wie Euer Herz gesinnt.

  Valer. Auf welche Weise könnte das geschehen?

  Ascan. So wißt, ich liebe, aber muß es bergen;
Doch steht's in Eurer Macht den Gegenstand,
Für den ich glühe, bald mir zu gewinnen.

  Valer. Erklärt Euch; glaubt, gewiß ist Euer Glück,
Wofern von mir es abhängt, Freund Ascan.

  Acan. O Ihr verheißt da mehr, als Ihr vermuthet.

  Valer. Nein, nein; Ihr dürft den Gegenstand nur nennen.

  Ascan. Noch ist's nicht Zeit; doch ist es Jemand, der
Euch nahe steht.

  Valer. Ihr setzt mich in Erstaunen!
Wär's meine Schwester —

  Ascan. Fragt nicht; ich erkläre
Mich doch nicht.

  Valer. Und weshalb nicht?

  Ascan. Mein Geheimniß
Erfahrt Ihr erst, wenn ich das Eure kenne.

Valer. Mir muß zu sprechen, Jemand erst erlauben.

Ascan. Bemüht Euch drum; und, wenn wir uns erklären,
Wird, wer sein Wort am Besten hält, sich zeigen.

Valer. Lebt wohl; ich freue mich darauf.

Ascan. Auch ich. (Valer ab.)

Frosine. Er hofft, daß Ihr als Bruder treu ihm beisteht,

Dritter Auftritt.
Lucilie. Ascan. Frosine. Marinette.

Lucilie (die drei ersten Verse zu Marinette).

Es ist vorbei; ja, so kann ich mich rächen;
Und sollte diese Handlung ihn betrüben,
So ist erfüllt, was heiß mein Herz ersehnt. —
Ihr seht mich plötzlich umgewandelt, Bruder;
Aus freiem Willen bin ich jetzt entschlossen
Valer zu lieben, den ich stolz verschmäht.

Ascan. Was sagt Ihr, Schwester? So veränderlich?
Ein solcher Wankelmuth ist mir befremdend.

Lucilie. Weit mehr noch muß der Eure ja mich wundern!
Ihr nahmt so warm Euch sonst Valer's doch an,
Warft seinetwegen blinde Grausamkeit
Und Ungerechtigkeit und Stolz mir vor;
Und jetzt, da ich bereit bin, ihn zu lieben,
Sprecht Ihr dagegen, und seid unzufrieden.

Ascan. Weil, statt an ihn, ich jetzt an Euch nur denke;
Ich weiß, sein Herz ist anderswo gefesselt:
Und wär's für Eure Schönheit doch beschämend,
Wenn er auf Euren Ruf nicht wiederkehrte.

Lucilie. Ist es nur Das, so bin ich außer Sorge;
Zu gut versteh' ich, was sein Herz bewegt;
Denn offen liegt es ja vor meinen Blicken.
Drum kündet dreist ihm meine Sinnesändrung.
Doch wollt Ihr's nicht, so soll mein eigner Mund
Ihm sagen, daß mich seine Liebe rührte;
Wie, Bruder! Weshalb seid Ihr so bestürzt?

Ascan. Ach Schwester, wenn mein Wort Euch etwas gilt,
Wenn eines Bruders Bitte Euch bewegt,
So gebt den Vorsatz auf und raubt Valer
Dem jungen Herzen nicht, das nah mir steht

Und — auf mein Wort — verdient, geschont zu werden.
Die Aermste liebt ihn glühend; — ich allein
Bin der Vertraute ihrer Leidenschaft,
Und seh' ihr Herz so voller Zärtlichkeit,
Daß selbst den härt'sten Sinn sie muß erweichen.
Ja, wüßtet Ihr, mit welchem herben Schlage
Der Vorsatz, den Ihr nährt, ihr Herz bedroht,
Ihr würdet Euch erbarmen; bringt der Schmerz
Doch sicher Ihr den Tod, sobald ihr, Schwester,
Den Heißgeliebten ihr entführen könntet.
Ist nicht Erast willkommen Euch als Freier,
Und gegenseit'ge Liebe —

Lucilie. Still, mein Bruder;
Ich weiß nicht, wessen Wohl so nah Euch geht,
Doch endet jetzt, ich bitt' Euch, dies Gespräch;
Und überlaßt mich kurze Zeit mir selbst.

Ascan. Grausame Schwester! Geht, vollführt den Plan,
Um ewiger Verzweiflung mich zu weihen!

Vierter Auftritt.

Lucilie. Marinette.

Marinette. Recht plötzlich, Fräulein, habt Ihr Euch ent=
schlossen.

Lucilie. Ein Herz, das man beschimpfte, überlegt nicht!
Nur Rache sucht es und ergreift begierig,
Was solche Kränkung zu bestrafen dient.
Der Bösewicht! So frech sich zu betragen!

Marinette. Ihr seht auch mich darüber ganz entrüstet,
Und, wie ich diesen Vorfall auch betrachte,
Er geht doch über meinen Horizont.
Nie zeigte über eine gute Nachricht
Ein Herz so offen seine hohe Freude;
War er von Eurem Brief doch so entzückt,
Daß er zur Gottheit ja mich fast erhoben;
Doch nie auch ward, wie bei der zweiten Botschaft,
Ein Mädchen schändlicher wie ich gekränkt.
Der Himmel weiß, was in der kurzen Frist
Geschehn, so seltsam Alles zu verändern.

Lucilie. Nichts kann geschehn sein, was sein Herz verletzte,

Weil Nichts vor meinem Haß ihn schützen soll.
Wie! Suchst Du, außer seiner eig'nen Schlechtheit,
Für dies Betragen noch geheimen Grund?
Ist, nach dem Briefe, dessen ich mich schäme,
Nicht seine Unart wirklich unverzeihlich?

    Marinette. Wahrhaftig, ich begreife, daß Ihr Recht habt;
Verrath nur führte diesen Zwist herbei.
Ist man verliebt, so giebt den Galgenstricken,
Die Wunderdinge schwatzen, man Gehör;
Wie süß sie schmachten, uns in's Garn zu locken!
Vor ihrem Schmeicheln schwindet unsre Strenge —
Schwach wie wir sind, ergeben wir uns leicht; —
Pfui, pfui, wie dumm! Zum Henker mit dem Mannsvolk!

    Lucilie. Wolan! Er möge immer spotten, prahlen,
Nicht lange soll des Sieges er sich freun;
Ich will ihm zeigen, daß in edlen Herzen
Verscherzter Liebe schnell Verachtung folgt.

    Marinette. In solchem Falle ist's ein wahres Glück
Zu wissen, daß man Nichts sich hat vergeben;
O Marinette ist gescheidt, und als man
Einst Abends kühn ward, hat sie Nichts gewährt.
So manche Andre hätte in der Hoffnung
Auf matrimonium sich bethören lassen:
Doch nescio vos.

    Lucilie. Was Du für Unsinn schwatzest!
Du wählst die Zeit für solche Witze schlecht.
Im tiefsten Herzen fühl' ich mich verwundet;
Und, wenn ein Ungefähr den Ungetreuen —
Doch Thorheit ist's, auf so Etwas zu hoffen! —
(Dem Himmel macht mein Kummer zu viel Freude,
Als daß er die mir gönnte, mich zu rächen.)
Wenn, sag' ich, mir ein günstiges Geschick
Ihn je zurückführt — er zu meinen Füßen
Der heut'gen Handlung flucht, sein Leben mir
Zum Opfer darbent — doch verbiete ich ernstlich,
Für ihn zu sprechen! Nein, Du sollst bemüht sein,
Mir seine ganze Schuld zurückzurufen.
Und wenn mein Herz zu solcher Schwachheit sich
Herabließ, Mitleid für ihn zu empfinden,

Soll Deine Treue und Ergebenheit
Mit ernstem Eifer streng bemüht sein, immer
Auf's Neue meines Zornes Glut zu schüren.

    Marinette. Seid außer Sorge; das geschieht gewiß.
Ich bin so wüthend mindestens wie Ihr;
Und bleibe lieber all' mein Lebtag Mädchen,
Eh' meinen dicken Bösewicht ich nähme,
Wenn er —

Fünfter Auftritt.
Albert. Lucilie. Marinette.

    Albert. Lucilie, geh' nach Haus, und schicke
Mir den Erzieher, den ich sprechen muß,
Zu hören, was Ascan, der ja sein Zögling,
Seit Kurzem wol so ernst und traurig macht,

Sechster Auftritt.
Albert (allein).

In welche Hölle voller Angst und Sorgen
Doch eine unbedachte That uns stürzt!
Aus Habsucht ließ ein Kind ich unterschieben,
Und dulde seitdem bittre Todesqual.
Ahnt' ich, was draus entstünde, hätte niemals
Nach dem unsel'gen Erbe ich gestrebt;
Bald beb' ich, daß Entdeckung des Betruges
Mit Schmach und Elend meinem Hause droht,
Bald fürcht' ich für den Sohn, den zu erhalten
Ich trachte, hundert Widerwärtigkeiten.
Entfernt mich ein Geschäft vom Hause, scheu' ich
Bei meiner Rückkehr stets die Frage: „Ach!
Ihr wißt nicht? Hörtet Ihr es? Euer Sohn
Ist krank am Fieber — brach den Arm — das Bein."
Kurz, jeden Augenblick, und wo ich weile,
Quält hundertfacher Gram mein armes Hirn!

Siebenter Auftritt.
Albert. Metaphrast.

    Metaphrast. Mandatum tuum curo diligenter.
    Albert. Magister, hört —

Metaphraſt. Von A magis ter kommt
Magiſter; drei Mal größer heißt es.

Albert. Wenn ich
Das wußte, ſterb' ich gleich. Doch laßt es gut ſein.
Magiſter, hört —

Metaphraſt. Fahrt fort.

Albert. Ich fahr' auch fort;
Doch fahrt nicht fort, mich ſtets zu unterbrechen.
Nun denn, zum dritten Mal: Magiſter, hört,
Mein Sohn betrübt mich; wißt Ihr doch, mit Liebe
Und Sorgfalt war ich ſtets um ihn bemüht.

Metaphraſt. Ja, filio non potest praeferi
Nisi filius.

Albert. Im Geſpräche, dünkt mich,
Magiſter, iſt Latein nicht grade nöthig.
Ich glaub' Euch groß darin und höchſt gelehrt;
Ich halt' an die mich, die es mir verſichert.
Jedoch bei Dem, was wir zu ſprechen haben,
Braucht Ihr nicht Euer Wiſſen auszukramen,
Als Pädagoge nicht latein'ſche Brocken
Um Euch zu ſtreun, als ſprächt Ihr vom Katheder.
Mein Vater ließ, obſchon ein kluger Kopf,
Mich nichts Latein'ſches als Gebete lernen,
Die, ſprech' ich gleich ſie fünfzig Jahr' ſchon täglich,
Ich beſſer wie Chineſiſch nicht verſtehe;
Laßt Eure Hochgelahrtheit drum bei Seite,
Und ſprecht mit mir ſo, daß ich's hübſch begreife.

Metaphraſt. Es ſei.

Albert. Mir ſcheint's, mein Sohn iſt Feind der Ehe
Und, wie ſein Herz ich zu ergründen ſtrebe,
Er zeigt ſich jedem Bündniß abgeneigt.

Metaphraſt. Vielleicht denkt er wie Marcus Tullius' Bruder,
Von dem mit Atticus derſelbe ſpricht,
Und, wie die Griechen ſagen Atanaton —

Albert. Mein Gott! Ihr unermüdlicher Magiſter,
Laßt Griechen, Albaneſen und Slavonier
Nebſt all' den andern Leuten aus dem Spiel!
Mit ihnen hat mein Sohn doch Nichts zu ſchaffen.

Metaphraſt. Nun, Euer Sohn —

Albert. Ich weiß nicht, ob sein Herz
Geheime Flammen nährt, doch, irr' ich nicht,
So quält ihn stiller Gram. Ich sah ihn gestern,
Doch merkt' er's nicht, in einem Waldeswinkel,
Wohin sich sonst so leicht kein Fuß verirrt.

Metaphrast. An einem fernen Ort im Walde, meint Ihr,
Einsam gelegen — latine, secessus;
Virgil ja sagt: Est in secessu — locus —

Albert. Wie konnte denn Virgil so etwas sagen;
Ich weiß gewiß, daß an dem stillen Orte
Wir Beide nur, sonst keine Seele war.

Metaphrast. Als Zeuge deff' nicht, was Ihr gestern saht,
Nannt' ich Virgil; nein, als berühmten Autor,
Der, was Ihr sagt, in schön're Worte kleidet.

Albert. Ich aber sag' Euch, daß ich schön'rer Worte
So wenig, wie Autoren oder Zeugen
Bedarf, und dies mein Zeugniß mir genügt.

Metaphrast. Doch wähl' man Worte, wie berühmte Dichter
Sie gern gebrauchen: Tu vivendo bonos,
Heißt es: scribendo sequare peritos.

Albert. Mensch oder Teufel! Hörst Du jetzt mich an?

Metaphrast. Das lehrt uns Quintilianus.

Albert. Hol' der Henker
Den Schwätzer!

Metaphrast. Und bemerkt gelehrter Weise
Höchst treffend Etwas, das Ihr zu erfahren
Entzückt sein werdet.

Albert. Daß Du Dich zum Teufel
Mögst scheren, Kerl! O wie die Hand mir juckt,
Dem Maule tüchtig Eines zu versetzen!

Metaphrast. Was, werther Herr, entflammt so Euren Zorn?
Was wollt Ihr?

Albert. Daß man zuhört, wenn ich spreche!
Ich sagt es zwanzig Mal schon!

Metaphrast. O natürlich!
Ist es nur Das; Ihr sollt befriedigt werden.
Ich schweige.

Albert. Daran thut Ihr klug.

Metaphrast. Ich bin

Bereit zu hören.

    Albert. Gut.

    Metaphrast. Sag' ich ein Wort noch,
Will gleich ich sterben.

    Albert. Dazu helf Euch Gott!

    Metaphrast. Ihr sollt nicht über mein Geschwätz mehr klagen.

    Albert. Vortrefflich.

    Metaphrast. Sprecht nur immer!

    Albert. Ja, das will ich.

    Metaphrast. Und fürchtet nicht, daß ich Euch unterbreche.

    Albert. Genug.

    Metaphrast. Ich bin so stumm wie sonst kein Andrer.

    Albert. Ich glaub' es.

    Metaphrast. Ich versprach Euch, Nichts zu sagen.

    Albert. Ganz recht.

    Metaphrast. Von jetzt an bin ich stumm.

    Albert. Sehr wohl.

    Metaphrast. So sprecht doch. Muth! Ich geb' Euch ja Gehör.
Ihr sollt nicht sagen, ich wüß' nicht zu schweigen.
Ich öffne ferner nicht einmal den Mund.

    Albert (bei Seite). Halunke!

    Metaphrast. Aber, bitte, endet schnell.
Schon lange hört ich zu; es ist gerecht,
Daß ich nun spreche.

    Albert. Aber Du Barbar —

    Metaphrast. Mein Gott! Verlangt Ihr, daß ich ewig höre?
So theilen wir im Reden uns; sonst geh' ich.

    Albert. O die Geduld —

    Metaphrast. Wie! Wollt Ihr mehr noch sagen?
Ist's nicht genug? Per Jovem! Ich bin wirr!

    Albert. Noch sagt ich Nichts —

    Metaphrast. Nichts! Gott! Wie viele Worte!
Ist dieser Redestrom denn nicht zu hemmen?

    Albert. Ich hätte Lust —

    Metaphrast. Von Neuem! O die Marter!
Laßt mich ein wenig sprechen! Ich beschwör' Euch!
Ein Narr, der Nichts sagt, unterscheidet sich
Vom Weisen nicht, der schweigt.

    Albert. Doch sollst Du schweigen!

Achter Auftritt.

Metaphraſt (allein).

Wie iſt des Philoſophen Ausſpruch doch
So richtig: Sprich, damit man dich erkenne!
Denn iſt die Macht der Rede mir geraubt,
Mag auch das Menſchenthum man gleich mir nehmen,
Und immerhin zum Thier mein Ich verwandeln.
Das macht mir wieder Kopfſchmerz auf acht Tage.
O, wie ich dieſe ew'gen Schwätzer haſſe!
Was! Hörte man nicht mehr auf die Gelehrten,
Und ſollte ſtets ihr Mund geſchloſſen ſein,
Müßt' ſich der Dinge Ordnung ja verkehren!
So, daß die Hühner nun die Füchſe freſſen,
Daß kleine Kinder Greiſen Lehren geben,
Daß Lämmlein Wölfe zu verfolgen eilen,
Ein Narr Geſetze giebt; daß Frauen kämpfen;
Daß die Verbrecher ihre Richter richten,
Und Schüler ihren Lehrern Hiebe geben;
Daß Kranke den Geſunden Mittel reichen,
Der ſcheue Haſe —

Neunter Auftritt.

Albert. Metaphraſt.

Albert (läutet dem Metaphraſt mit einer Maulthierſchelle dicht vor den
Ohren und jagt ihn in die Flucht).

Metaphraſt (flüchtend). O Erbarmen! Hülfe!

Dritter Aufzug.

Erſter Auftritt.

Maſcarill (allein).

Läßt doch der Himmel manches Wagniß glücken;
Man zieht ſo gut man kann, ſich aus dem Spiel.
Da unvorſichtig allzuviel ich ſchwatzte,
Wußt' ich mir beſſer nicht zu helfen, als
Daß ich ſofort das Aeußerſte verſuchte,

Und unserm alten Herrn den Streich verrieth.
Vor seinem Sohn, dem Hitzkopf, ist mir bange,
Denn, sagt der Andre ihm, was ich enthüllt,
Beim Teufel! mag mein Rücken wol sich hüten.
Drum, ehe Jemand seine Wuth entflammt,
Könnt sich vielleicht das Ding noch günstig wenden,
Wenn beide Väter sich verständigten.
Erproben wir's! Ich will von unserm Alten
Gleich die Bestellung an den Andern machen.

(Er klopft an Alberts Thür.)

Zweiter Auftritt.

Albert. Mascarill.

Albert. Wer klopft da?

Mascarill. Gut Freund.

Albert. O! Du Mascarill?
Was führt Dich her?

Mascarill. Euch guten Tag zu sagen,
Herr, kam ich.

Albert. Wirklich! Gabst Du Dir die Mühe?
Nun, herzlich guten Tag! (Ab.)

Mascarill. Sehr schnelle Antwort!
Welch grober Mann! (Er pocht.)

Albert. Schon wieder?

Mascarill. Herr, Ihr hörtet
Mich nicht.

Albert. Botst Du nicht guten Tag?

Mascarill. Ja wol.

Albert. Auch ich sag': guten Tag!
(Will gehn; Mascarill hält ihn zurück.)

Mascarill. Doch läßt auch noch
Herr Polidor durch mich Euch bestens grüßen.

Albert. Ah! Das ist etwas Anders! So, Dein Herr
Schickt seinen Gruß mir?

Mascarill. Ja.

Albert. Ich laß ihm danken.
Ach, sag', daß ich ihm viel Vergnügen wünsche. (Ab.)

Mascarill. Der Mann scheint Feind jedweder Höflichkeit.
(Er pocht).

Noch hab' ich, Herr, die Botschaft nicht vollendet,
Er läßt um Etwas Euch recht dringend bitten.

    Albert. Nun gut; ich dien' ihm gern, wenn er es wünscht.

    Mascarill (ihn zurückhaltend.)

Erlaubt mir gütigst nur Zwei Worte noch:
Er wünscht, Euch einen Augenblick zu sprechen,
Und kommt gleich her. Es handelt sich um Wicht'ges.

    Albert. Ei, was denn kann es sein, das mich zu sprechen
Ihn nöthigt?

    Mascarill. Es ist ein Geheimniß, welches
So eben er entdeckt, und das, sowol
Für Euch, wie ihn, von äußerster Bedeutung.
Das ist mein Auftrag.

Dritter Auftritt.

Albert (allein).

                  Himmel! O ich zittre!
Wir standen wenig sonst ja im Verkehr.
Ein Ungewitter drohet meinen Plänen,
Denn dies Geheimniß ist wol das bewußte.
Gewinnsucht hat unredlich mich gemacht,
Ein ew'ger Flecken ruht auf meinem Leben.
Entdeckt ist der Betrug! Ach, niemals läßt doch
Die Wahrheit auf die Dauer sich verbergen!
Viel besser wär's für mich und meinen Ruf,
Wenn ich der Regung nachgab, die mich mehr
Als zwanzig Mal getrieben, dies Vermögen,
Das ihm gebührt, an Polidor zu geben,
Uns gütlich zu vergleichen, und dadurch
Das Aufsehn, welches drohet, zu vermeiden.
Doch ach! Es ist vorbei! Zu spät, zu spät!
Dies Geld, das in mein Haus durch-List gelangte,
Verläßt es sicherlich nicht, ohne daß es
Den besten Theil auch meines Gutes mitnimmt!

Vierter Auftritt.

Albert. Polidor.

    Polidor (die vier ersten Verse ohne Albert zu sehen).
Geheim vermählt! Und Niemand wußte drum!

Wenn sich die Sache nur zum Guten wendet.
Ich weiß nicht, wie das enden soll; mich ängstigt
Des Vaters Reichthum und gerechter Zorn.
Da ist er ja.

Albert. O Himmel! Polidor!

Polidor. Ihn anzureden beb' ich.

Albert. Ich bin starr.

Polidor. Wie nur beginn ich?

Albert. Was nur soll ich sagen?

Polidor. Er ist bewegt.

Albert. Wie er die Farbe wechselt.

Polidor. Zu deutlich lese ich in Euren Mienen,
Herr Albert, daß Ihr wißt, weshalb ich hier bin.

Albert. Ach ja!

Polidor. Ihr seid mit Recht erstaunt. Auch ich
Trau' meinen Ohren kaum, da ich es hörte.

Albert. Ich muß deshalb vor Scham und Schmerz erröthen.

Polidor. Ich finde diese Handlung äußerst strafbar,
Und will den Schuld'gen nicht vertheidigen.

Albert. Schenkt Gott dem reu'gen Sünder doch Erbarmen!

Polidor. Das ist es, was Ihr wohl bedenken müßt.

Albert. Man ist ja Christ.

Polidor. Gewiß, beherzigt das!

Albert. Herr Polidor! Um Gotteswillen, Gnade!

Polidor. Von Euch muß ich ja Gnade mir erbitten!

Albert. Zu Euren Füßen seht mich darum flehn!

Polidor. Nein, mir geziemt's, daß so vor Euch ich liege.

Albert. Schenkt meinem großen Unglück Euer Mitleid.

Polidor. Ich bin der Bittende, nur ich allein.

Albert. Mein Herz ist tiefgerührt von Eurer Güte!

Polidor. O Eure Demuth macht mich ganz verwirrt.

Albert. Noch einmal! O verzeiht!

Polidor. Verzeiht nur Ihr!

Albert. Wie schmerzt mich diese unglücksel'ge Handlung!

Polidor. Und ich bin dadurch äußerst tief bewegt.

Albert. Ich wag' es, um Verheimlichung zu bitten.

Polidor. Ach, das ist ja mein größter Wunsch, Herr Albert!

Albert. Schont meiner Ehre!

Polidor. Ja, das ist mein Vorsatz.

Albert. Von dem Vermögen nehmt, was Ihr begehrt.

Polidor. Ich will davon nur, was Ihr selbst bestimmt.
Seid völlig Herr, und gebt was Euch beliebt;
Ich bin zu glücklich, seid Ihr ganz zufrieden.

Albert. Welch' himmlisches Gemüth! Wie sanft und gütig!

Polidor. Wie sanft Ihr selbst, trotz Eures Unglücks seid.

Albert. Mög' Euch das Glück mit Gaben überschütten.

Polidor. Gott schütze Euch!

Albert. Umarmen wir uns, Bruder!

Polidor. Mit Freuden. O wie glücklich macht es mich,
Daß Alles nun im Guten beigelegt.

Albert. Dem Himmel Dank!

Polidor. Ich kann Euch nicht verbergen,
Daß ich ein wenig Euren Zorn gefürchtet;
Denn, reich an Gut und Freunden, wie Ihr seid,
Ist das Vergehn Luciliens, das mein Sohn —

Albert. Vergehn? Luciliens? Was bedeutet das?

Polidor. Recht. Lassen wir die überflüss'gen Reden.
Mein Sohn ist sicherlich am meisten Schuld;
Ja, wenn es Euch zum Trost gereichen kann,
Gesteh' ich gern, daß er der einz'ge Schuld'ge;
Daß Eure Tochter viel zu tugendhaft,
Um einen Schritt, so gegen Zucht und Sitte,
Zu wagen, wär' sie nicht dazu verleitet,
Hätt' ein Verräther nicht ihr schuldlos Herz
Verführt, so daß sie Euer Hoffen täuschte.
Doch da nun das Geschehne nicht zu ändern,
Und wir nach Wunsch ganz fr'edlich uns verständigt,
Gedenken wir nicht mehr daran; es mache
Ein glänzend Hochzeitfest schnell Alles gut.

Albert (bei Seite). Gott, welches Mißverständniß! Was ver-
nahm ich?
Welch' neue große Sorge folgt der alten!
Was soll ich, ganz verwirrt vor Schrecken, sagen?
Daß nicht ein Wort zur Unzeit mich verräth?

Polidor. Sagt, was Euch so bedenklich macht?

Albert. O Nichts.
Doch laßt uns, bitt ich, dies Gespräch verschieben,
Ein plötzlich Leiden zwingt mich, Ruh' zu suchen.

3

Fünfter Auftritt.

Polidor (allein).

Ich lese, was ihn quält, in seiner Seele;
Und, wie er klüglich sich auch ruhig zeigt,
Daß doch sein Groll noch keineswegs besänftigt.
Des Schimpfs gedenkend, hat er sich entfernt,
Um seinen Kummer zu verbergen. Fühl' ich
Doch seine Schmach mit ihm, und tief bewegt
Sein Gram mein Herz. Er muß sich erst erholen,
Nur heft'ger wird der Schmerz, den man zurückbrängt.
Da kommt mein Wildfang, der an Allem Schuld.

Sechster Auftritt.

Polidor. Valér.

Polidor. So, schönes Herrchen, solche Streiche macht Ihr,
Des Vaters alte Tage zu verbittern!
Ihr richtet täglich Wunderdinge an,
Die anzuhören mich die Ohren schmerzen.

Valér. Was thu' ich täglich denn, das strafbar wäre?
Wodurch verdien' ich meines Vaters Zorn?

Polidor. Nicht wahr, ich bin ein böser alter Griesgram,
Solch' einen frommen, stillen Sohn zu schelten!
Er lebt ja wie ein Heil'ger; stets zu Hause,
Vom Morgen bis zum Abend im Gebet!
Wer sagt, daß, feindlich den Naturgesetzen,
Die Nacht zum Tag er macht, ist ein Verleumder;
Daß gegen Vater und Familie er
Ganz rücksichtslos verfährt, ist Nichts wie Lüge;
Und daß er kürzlich gar mit Alberts Tochter
Leichtfertig, ohne Scheu, was draus entstehe,
Ein Liebesbündniß heimlich einging, ist
Verwechslung nur; das arme Lämmchen weiß
Nicht, was ich damit sagen will! Behüte!
O Schlingel, den mir Gott zur Strafe schenkte,
Folgst stets Du Deinem Leichtsinn? Werd' ich nie
Vor meinem Tode Dich vernünftig sehen?

Valér (allein; nachdenkend).

Woher kommt dieser Schlag? Wie auch ich sinne,

Die ich vergessen will, mich ferner mahne.
Nehmt Euer Bild hier; treu zeigt es die Reize,
Die hundertfach Euch schmücken, doch zugleich
Auch hundert Fehler heuchlerisch verbergen.
Ich geb' Euch dieses Blendwerk jetzt zurück.

Gros-René. Gut!

Lucilie. Eurem Beispiel folgend, geb' ich Euch
Den Diamant, den einst ich annahm, wieder.

Marinette. Vortrefflich!

Erast. Auch dies Armband ist noch Euer.

Lucilie. Und Euer der Achat, gefaßt als Petschaft.

Erast (liest). „Ihr weiht, Erast, mir Flammentriebe,
„Und forscht, was Euch mein Herz dagegen giebt;
„Wenn auch Erast ich so nicht liebe,
„Erfreut's mich doch, daß heiß Erast mich liebt.‟
Ihr schenktet mir dadurch so süße Hoffnung!
Verdient doch diese Falschheit, diesen Lohn. (Er zerreißt den Brief.)

Lucilie (liest). „Ich weiß es nicht, welch' Loos mir Liebe spendet,
„Wie lang noch währt der Sehnsucht Leid;
„Doch weiß ich, bis mein Dasein endet,
„Ist, Schönste, Euch dies Herz geweiht.‟
Dadurch verhießet Ihr mir ew'ge Liebe,
Doch Hand, wie Brief, belogen grausam mich. (Sie zerreißt den Brief.)

Gros-René. Nur zu!

Erast. Auch diesen treffe gleiches Loos.

Marinette (zu Lucilie). Nur tapfer!

Lucilie. Schade, wenn ich einen schonte!

Gros-René (zu Erast). Behaltet nicht den letzten!

Marinette (zu Lucilie). Führt's zu Ende!

Lucilie. Das ist der Rest.

Erast. Gottlob, das sind sie alle.
Ich will zu Grunde gehn, halt' ich nicht Wort.

Lucilie. Brech' ich das meine, strafe mich der Himmel!

Erast. Lebt wohl!

Lucilie. Lebt wohl.

Marinette (zu Lucilie). Es geht ja ganz nach Wunsch.

Gros-René (zu Erast). Ihr triumphirt!

Marinette (zu Lucilie). Verlaßt ihn auf der Stelle.

Gros-René (zu Erast). Nach dieser Heldenthat zieht Euch zurück.

Marinette (zu Lucilie). Worauf nur wartet Ihr?

Gros-René (zu Eraſt). Was wollt Ihr noch?

Eraſt. Lucilie, ach, ein Herz, dem meinen gleich,
Verdiente, daß man ihm Bedauern zollte.

Lucilie. Eraſt, Eraſt, ein Herz, dem Euren gleich,
Läßt durch ein andres ſich gar leicht erſetzen.

Eraſt. Nein, ſucht Ihr überall auch! Nirgends findet
Ihr eins, das Euch ſo leidenſchaftlich liebt;
Ich ſage das nicht etwa, Euch zu rühren;
Hätt' ich doch Unrecht, wünſcht ich das noch jetzt.
Ihr mußtet meine Liebe nicht zu würd'gen,
Und wolltet mit mir brechen. Laßt es gut ſein.
Doch Niemand nach mir — was man Euch auch ſchwöre,
Wird ſolche heiße Zärtlichkeit Euch weihn.

Lucilie. Behandelt man Diejen'ge, die man liebt,
Doch anders, und verdammt ſie nicht ſo leicht.

Eraſt. Wol kann bei ſolchem Anlaß, wenn man liebt,
In Eiferſucht die Seele ſchnell entbrennen;
Doch liebt man wahrhaft, giebt man den Geliebten
So froh und leicht nicht auf, wie Ihr es thatet.

Lucilie. Die wahre Eiferſucht iſt achtungsvoller.

Eraſt. Man ſieht verliebten Groll mit milderm Blick.

Lucilie. Eraſt, nicht ächt war Eure Liebesflamme.

Eraſt. Nein, nein, Ihr habt mich nie geliebt, Lucilie.

Lucilie. Das hat Euch, mein ich, wenig wol gekümmert,
Vielleicht wär's beſſer für mein Lebensglück,
Wenn ich — doch wozu überflüſſ'ge Worte;
Ich ſage nicht, was ich darüber denke.

Eraſt. Warum nicht?

Lucilie. Weil wir doch auf immer brechen,
Und es daher nicht an der Zeit mehr iſt.

Eraſt. Wir brechen?

Lucilie. Wol. Iſt es nicht ſchon geſchehen?

Eraſt. Ihr ſeht das, ſcheint's, mit großem Wohlgefallen?

Lucilie. Wie Ihr.

Eraſt. Wie ich?

Lucilie. Ja. Iſt's doch Schwäche, läßt man
Den Leuten ſehn, daß ihr Verluſt uns ſchmerzt.

Eraſt. Doch habt Ihr es, Hartherz'ge, ſo gewollt.

Lucilie. Ich? Nicht doch! Hattet Ihr's doch so beschlossen.

Erast. Ich? Euch nur wollt' ich eine Freude machen.

Lucilie. Nein, Euch nur wolltet Ihr zufrieden stellen.

Erast. Doch wenn mein Herz sich gern gefangen gäbe,
Und, ob verletzt, doch um Verzeihung flehte?

Lucilie. Nein, nein! Ich bin zu schwach, und fürchte sehr,
Daß Eure Bitte ich zu früh gewährte.

Erast. Ach! Nicht zu früh ja könnt Ihr sie erhören,
Wie ich zu früh nicht kann Verzeihung suchen!
Gewährt sie, Fräulein! Solche schöne Liebe
Verdiente bis zur Ewigkeit zu dauern!
Verzeiht! Ich bitte! Wollt Ihr, sanft und gütig,
Mir Gnade schenken?

Lucilie. Führet mich nach Hause.

Vierter Auftritt.

Marinette. Gros-René.

Marinette. O diese feige Seele!

Gros-René. Welche Schwachheit!

Marinette. Ich muß für sie erröthen!

Gros-René. Ich bin wüthend,
Denk' nicht etwa, daß ich auch mich ergebe.

Marinette. Du, bilde Dir nicht ein, mich auch zu narren.

Gros-René. Geh' mir, das rath' ich Dir, hübsch aus dem Wege.

Marin. Du hältst mich wol für Jemand anders? Hast Du's
Mit meiner Herrin hier doch nicht zu thun!
Als ob das Affenmaul uns reizen könnte!
Seh' Einer nur die Fratze! Ich verliebt
In solch' ein Froschgesicht! Ich, nach Dir schmachten!
Ein Mädchen meiner Art!

Gros-René. Ah! Kommst Du so?
Da, ohne Weit'res nimm hier Dein Geschenk,
Die Hutcocarde mit dem dünnen Bändchen,
Nicht werth der Ehre, meinen Kopf zu schmücken.

Marinette. Und, Dir zu zeigen, daß ich Dich verachte,
Nimm Deine fünfzig Stück Pariser Nadeln,
Die Du so prahlerisch mir gestern schenktest.

Gros-René. Da, nimm Dein Messer auch. Ein rares
Prachtstück!

Du gabst dafür sechs Sous, wenn ich nicht irre.

    Marinette. Da, Deine Scheere mit der Messingkette.

    Gros-René. Vorgestern gabst Du mir ein Stückchen Käse,
Beinah' vergaß ich's. Da! Könnt' auch die Suppe
Ich wiedergeben, die ich bei Dir aß.

    Marinette. Ich habe Deine Briefe jetzt nicht bei mir;
Doch bis zum letzten werd' ich sie verbrennen.

    Gros-René. Sei sicher, daß ich Deine nicht bewahre!

    Marinette. Komm' nie mir wieder vor die Augen, sag' ich.

    Gros-René. Damit wir uns nicht etwa gar versöhnen,
Laß uns den Strohhalm brechen. Unter Leuten
Von Ehre gilt das als Vertrag, Beschluß.
Liebäugle nicht! Ich will ja wüthend sein.

    Marinette. Glotz mich nicht an! Ich bin zu sehr erbost

    Gros-René. Brich! Dadurch beugt man vor, zu widerrufen
Brich! Gänschen! Wie? Du lachst?

    Marinette. Du machst mich lachen.

    Gros-René. Verdammtes Lachen! Ist dadurch doch plötzlich
Mein Zorn gedämpft! Was meinst Du? Brechen wir?
Wie? Oder nicht?

    Marinette. Bedenk's!

    Gros-René. Nein Du!

    Marinette. Du erst.

    Gros-René. Willst Du im Ernst, daß ich Dich nicht mehr
                  liebe?

    Marinette. Thu', was Du willst.

    Gros-René. Was willst Du, daß ich thue?
Sag'!

    Marinette. Nichts sag' ich.

    Gros-René. Ich auch nicht.

    Marinette. Ich nun gar nicht.

    Gros-René. Ei, spielen wir nicht länger noch Komödie!
Dir sei verziehn! Schlag' ein!

    Marinette. Ich schenk' Dir Gnade!

    Gros-René. Wie hübsch Du bist! Nie war ich so verliebt

    Marinette. Wie liebt doch Marinette Gros-Renéchen!

Fünfter Aufzug.

Erster Auftritt.

Mascarill (allein).

„Sobald in Dunkel sich die Stadt gehüllt,
„Will zu Lucilie still ich mich begeben;
„Besorge uns für dieses Unternehmen
„Die Blendlaternen und die nöth'gen Waffen.“
Da er die Worte sprach, meint' ich zu hören:
Geh', hol' mir einen Strick, Dich aufzuhängen!
Nun, mein Gebieter, denn im Anfang war
Ich zu erstaunt von dem Befehl, als daß
Zur Antwort Muße ich sogleich gefunden;
Doch sprechen will ich jetzt und Euch beschämen.
Vertheidigt Euch, wir wollen uns verständ'gen.
Ihr sagt, daß Ihr in dieser Nacht Lucilie
Besuchen wollt? „Ja Mascarill.“ Wozu?
„Weil es mich treibt, der Liebsten mich zu nahen.“
Da treibt es Euch zu einem Narrenstreich,
Nicht werth, die Haut deshalb zu Markt zu tragen.
„Doch weißt Du, welcher Grund dazu mich drängt;
„Lucilie zürnt.“ Für sie nur desto schlimmer!
„Die Liebe fordert, daß ich sie versöhne.“
Die dumme Liebe weiß nicht, was sie spricht;
Beschützt sie uns denn vor des Nebenbuhlers,
Des Vaters oder grimm'gen Bruders Zorn?
„Meinst Du, daß uns Gefahr von diesen drohe?“
Ja, und besonders von dem Nebenbuhler.
„Mein Trost ist, Mascarill, daß gut bewaffnet
„Wir gehn, und, tritt uns Jemand in den Weg,
„So kämpfen wir.“ Wahrhaftig? Herr, das grade
Verlangt durchaus nicht Euer treuer Diener.
Ich kämpfen! Gott! Bin ich etwa ein Roland?
Wie? Oder ein Ferragus? O da kennt
Ihr mich nur schlecht. Bedenkt mein liebes Ich,
Daß zwei Zoll elend Eisen in den Leib
Hinreichen, Lebende in's Grab zu fördern,

4°

Fühl' ich von Grimm und Aerger mich erfaßt.
„Doch wärst Du ja vom Kopf zum Fuß gerüstet."
Noch schlimmer! Wird die Flucht dadurch doch schwerer,
Auch ist kein Panzer ja so fest gefügt,
Daß nicht ein Spitzchen irgendwo hindurch glitscht.
„So wird man Dich für einen Feigling halten."
Sei's! Stört das meinen Appetit doch nicht.
Bei Tische mögt Ihr mich für Viere zählen,
Doch, schlägt man sich, so rechnet mich für Niemand.
Kurz, beut die andre Welt Euch große Reize,
Mir scheint doch dieser Erde Lust zu süß,
Als daß nach Tod und Wunden ich mich sehnte;
Drum mögt Ihr hübsch allein den Narren spielen.

Zweiter Auftritt.

Valer. Mascarill.

Valer. Niemals erschien ein Tag mir so langweilig.
Die Sonne muß am Himmel fest wol stehen
Und bis im Westen dort ihr Glanz verglüht,
Hat noch solch' lange Bahn sie vor sich, daß
Mich fast bedünkt, sie könn' sie nie vollenden,
Und ihre Trägheit müss' mich rasend machen!

Mascarill. Weshalb durchaus im Dunkeln sich belust'gen,
Und Widerwärtigkeiten suchen wollen?
Lucilie weist Euch sicher ernst zurück.

Valer. Hör' auf mit Deinen überflüss'gen Reden.
Und drohte mir auch Schreckniß jeder Art,
Ihr Zorn betrübt und quält so sehr mich, daß
Ich ihn besänft'gen oder sterben muß.
Das ist beschlossen.

Mascarill. Schön ist dieses Feuer;
Doch, Herr, das Ueble ist, daß man sich heimlich
Einschleichen muß.

Valer. Nun gut.

Mascarill. Doch könnt's Euch schaden.

Valer. Und wie?

Mascarill. Ein böser Husten quält mich, der
Recht leicht doch zur Entdeckung führen könnte. (Er hustet.)
Er kommt von Zeit zu Zeit, wie Ihr ja höret.

Valer. Das geht vorüber. Nimm Lakritzensaft.

Mascarill. Ich glaube nicht, daß es vorübergeht.
Wie glücklich wär' ich, könnt' ich Euch begleiten;
Doch würd' es tief mich schmerzen, trüg' ich Schuld,
Daß meinem lieben Herrn Etwas geschähe.

Dritter Auftritt.

Valer. La Rapière. Mascarill.

La Rapière. Aus guter Quelle Herr, erfuhr ich eben,
Daß gegen Euch Eraft sehr aufgebracht,
Und daß auch Albert droht, der Tochter wegen
Den Mascarill recht tüchtig durchzuprügeln.

Mascarill. Mich? Geht denn mich die Sache Etwas an?
Was that ich, deshalb Prügel zu verdienen?
Soll ich etwa die Tugend aller Mädchen
Der Stadt bewachen? Kann ich hindern, daß
Versuchung sie beschleicht, und bin ich schuldig,
Wenn sich's in ihren Herzchen liebend regt?

Valer. Sie sind wol nicht so böse, wie es scheint;
Und wenn Eraft auch Leidenschaft entflammt,
Soll ihm der Handel doch so leicht nicht werden!

La Rapière. Bedürft ihr meines Arms, er steht zu Diensten.
Ihr wißt, ich bin ein guter Kamerad.

Valer. Den besten Dank, mein Herr von La Rapière.

La Rapière. Zwei meiner Freunde auch hab' ich bereit,
Auf welche Ihr Euch dreist verlassen könntet,
Sobald es gilt, daß man vom Leder zieht.

Mascarill. Herr, nehmt sie an!

Valer. Mein Herr, Ihr seid zu gütig.

La Rapière. Der kleine Gille auch wäre gleich zur Hand,
Wenn ihn das Schicksal uns nicht hätt' entrissen.
O Herr! Wie schade! Welch' ein Mann im Dienst!
Ihr kennt den Streich, den die Justiz ihm spielte;
Er starb wie Cäsar, und kein Laut entfuhr ihm,
Als seine Knochen Henkershand zerbrach.

Valer. Ein solcher Mann, mein Herr von La Rapière,
Verdient gewiß Bedauern; doch ich dank' Euch
Für das Geleit.

La Rapière. Nun gut. Doch wiederhol' ich's,

Er sucht Euch, und hat Uebles wol im Sinn.

Valer. Damit Ihr seht, wie ich ihn fürchte, will ich,
Wenn er mich aufsucht, selbst ihm, was er fordert,
Anbieten, und sogleich die ganze Stadt
Durchwandeln, nur von ihm allein begleitet.

Vierter Auftritt.

Valer. Mascarill.

Mascar. Herr! Welche Kühnheit! Wollt Ihr Gott versuchen!
Ach! Wißt Ihr doch, wie Beide uns bedrohn!
Wie ja von allen Seiten —

Valer. Wonach siehst Du?

Mascarill. Mir ist's, als witt're ich von dorther Prügel.
O folgt doch meinem Rathe, laßt uns nicht
Hier auf der Straße bleiben! Kommt nach Haus,
Uns einzuschließen.

Valer. Wie! Du wagst es, Schuft,
Solch einen Schurkenstreich mir vorzuschlagen?
Uns einzuschließen? Schweig', und folge mir!

Mascarill. Ach, lieber Herr, es ist so süß zu leben,
Man stirbt nur Einmal und auf lange Zeit!

Valer. Durch Hiebe werd' ich Dich zum Schweigen bringen!
Dort naht Ascan. Komm' fort. Wir wollen sehen,
Auf wessen Seite er sich schlagen wird.
Laß uns zu Hause Vorbereitung treffen,
Daß, wenn wir kämpfen müssen —

Mascarill. Dazu spür' ich
Nicht Lust. — Verdammt die Liebe, und die Mädchen,
Die davon naschen, und dann Nonnen spielen.

Fünfter Auftritt.

Ascan. Frosine.

Ascan. Frosine! Wär' es möglich! Träum' ich nicht?
Erzähl' mir Alles Punkt für Punkt! Ich bitte!

Frosine. Laßt gut sein! Ihr erfahrt es ganz genau.
Hört man dergleichen Dinge doch gewöhnlich
Nur allzuoft auf's Neue stets. Genug,
Wenn jetzt Ihr wißt, daß jenes Testament
Die Erbschaft einem Knaben nur bestimmte,

Und, als statt dessen Albert's Gattin Euch
Geboren, gab er einem Plan zufolge,
Der Blumenhändlerin Ignazia Söhnchen
Für seines aus, und diese brachte Euch
Zu meiner Mutter, als ihr Kind, in Pflege.
Doch als zehn Monde drauf das Knäbchen starb,
Indessen Albert fern war, trieb die Furcht
Vor ihrem Gatten, so wie Mutterliebe,
Nun Albert's Frau zu einer neuen List.
Ihr eig'nes Kind bracht' nämlich sie in's Haus,
So daß Ihr hinkamt, wo Ihr hingehörtet.
Und statt des falschen Sohnes Tod erfuhr
Albert den seiner Tochter. Also klärte
Sich Euer Schicksal auf, das streng' bis heut'
Sie, die für Eure Mutter galt, verborgen;
Vielleicht aus andrer Ursach wie sie angiebt,
Die ihren Vortheil mehr, wie Euren, wahrte.
So diente der Besuch, von dem ich wenig
Gehofft, Euch mehr, als ich erwartete.
Ignazia giebt Euch frei, und Eure Lage
Gebot uns, das Geheimniß zu enthüllen.
Wir unterrichteten drum Euren Vater,
Ein Schreiben seiner Frau bestätigt Alles.
Und unsern Zweck nun vollends zu erreichen,
Versuchten wir's, und hold war uns das Glück,
Zu Gunsten Albert's Polidor zu stimmen,
Und Beider Interessen zu verschmelzen.
Behutsam, daß so große Neuigkeit
Ihn nicht betäube, klärten das Geheimniß
Wir auf, und führten, Schritt vor Schritt, geschickt
Versöhnung und Vergleich herbei, so daß er,
Gleich Eurem Vater, Neigung zeigt, das Bündniß
Zu segnen, welches Euer Glück bedingt.

    Ascan. Frosine! O Du öffnest mir den Himmel!
Welch Glück verdank' ich Deiner treuen Sorge!

    Frosine. Der alte Herr ist in der besten Laune,
Und wünscht, daß noch kein Wort sein Sohn erfährt.

Sechster Auftritt.

Polidor. Ascan. Frosine.

Polidor. Kommt meine Tochter! Dieser Name ziemt Euch!
Erfuhr ich eben das Geheimniß doch.
Dies Wagstück, welches Ihr so kühn vollführtet,
Zeigt solchen Geist und solche Feinheit, daß
Ich gern verzeihe; glücklich ist mein Sohn,
Daß I h r es seid, der er sein Loos verbunden.
Ihr geltet, sag' ich, eine ganze Welt!
Da sind sie! Machen wir uns einen Scherz:
Geht! laßt die Euren hier sogleich erscheinen.

Ascan. Als erste Pflicht will ich Gehorsam üben.

Siebenter Auftritt.

Polidor. Valer. Mascarill.

Masc. (zu Valer.) Oft prophezeit der Himmel nahend Unheil.
Ich sah im Traum heut Nacht zerstreute Perlen,
Herr, und zerbrochne Eier; ach mir bangt!

Valer. Du Hasenherz!

Polidor. Valer, ein Kampf bedroht Dich,
In welchem Dir Dein ganzer Muth vonnöthen.
Ein mächt'ger Gegner tritt Dir gegenüber.

Mascarill. Und Niemand will sich rühren, Herr, um Leute
Zurückzuhalten, die sich morden wollen?
Ich möcht es gern; drum klagt mich mindestens
Nicht an, wenn Euch ein Zufall Eures Sohnes
Berauben sollte.

Polidor. Nein, ich selbst ja treibe
Ihn an, zu thun, was hier die Pflicht erheischt.

Mascarill. O Rabenvater!

Valer. Dieser Ausspruch, Vater,
Beweist ein tapfres Herz; ich ehr' Euch drum.
Ich kränkte Euch, und strafbar ist es, daß
Ich ohne Eure Zustimmung gehandelt;
Allein, wie schwer mein Unrecht Euch erzürnt,
Die Stimme der Natur ist dennoch mächtig,
Und Euer Ehrgefühl hat Recht, zu hindern
Daß ich dem Zorn Erast's mich feig entziehe.

Polidor. Wol machte man vor seiner Wuth mir bange;
Doch hat seitdem die Sache sich verändert.
Ein stärkrer Feind bereitet sich zum Angriff,
Vor welchem Flucht unmöglich.
      Mascarill. Und kein Ausweg?
      Valer. Ich fliehen? Gott behüte! Und wer ist es?
      Polidor. Ascan.
      Valer. Ascan?
      Polidor. Ja, gleich erscheint er hier.
      Valer. Er, der sich mir als treuer Freund geweiht?
      Polidor. Ja, ja; er hat es auf Dich abgesehen,
Und will, daß auf dem Feld, wohin die Ehre
Euch ruft, im Zweikampf sich der Streit erled'ge.
      Mascarill. Ein Ehrenmann; er weiß, daß edle Herzen
Nicht a n d r e Leute in Gefahr verflechten.
      Polidor. Sie zeihen der Verleumbung Dich, für welche
Genugthuung zu fordern, wol gerecht;
So daß mit Albert ich ganz einverstanden,
Du müssest Rechenschaft Ascan gewähren;
Und zwar vor Aller Augen, ohne Aufschub,
Und in der Form, wie solch ein Fall erheischt.
      Valer. Mein Vater, und Lucilien's hartes Herz —
      Polidor. Eraft wird ihr Gemahl; auch sie verdammt Dich,
Und wünscht, um zu beweisen, daß Du Lügen
Gesprochen, Du sollst Hochzeitzeuge sein.
      Valer. Die Frechheit macht mich toll! So hat Vernunft,
Gewissen, Treue, Ehre sie verloren!

Achter Auftritt.

Albert. Polidor. Lucilie. Eraft. Valer. Mascarill.

      Albert. Die Kämpfer? Nun? Den unsern bringt man gleich.
Habt Ihr den Muth des Euren angestachelt?
      Valer. Ja, ja; ich bin bereit, da man mich zwingt.
Und wenn ich schwankte, war es nur aus Rücksicht,
Nicht aber, weil des Gegners Arm ich fürchte.
Doch drängt man mich — und jede Rücksicht schwindet.
Zum Aeußersten bin ich fortan entschlossen,
Und für so schändlichen Verrath der Treue,
Soll offenbar sich meine Liebe rächen.

(Zu Lucilie.)

An Euch nicht macht noch diese Liebe Anspruch,
Ihr Feuer hat des Zornes Glut verzehrt;
Und wenn der Welt ich Eure Schmach verkündet,
Kränkt Euer strafbar Bündniß mich nicht mehr.
Nichtswürdig ist, Lucilie, was Ihr thut,
Kaum kann ich meiner Augen Zeugniß glauben,
Als Feindin jedes Schamgefühls erscheint Ihr,
Und tödten müßt Euch diese Schändlichkeit.

Lucilie. Mich würden diese Reden schmerzen, hätte
Ich bei der Hand nicht, was mich rächen soll.
Dort kommt Ascan; er wird Euch wol bewegen,
Daß flugs Ihr diese Sprache ändert, und
Zwar ohne Mühe.

Neunter Auftritt.

**Albert. Polidor. Ascan. Lucilie. Erast. Valer. Frosine. Marinette.
Gros-René. Mascarill.**

Valer. Das gelingt ihm niemals;
Und drohten, außer seinen, zwanzig Arme!
Er dauert mich, daß er die schuld'ge Schwester
Vertheidigt, doch, da er mich angreift, will
Ich ihn befried'gen, und auch Euch, mein Tapfrer!

Erast. Das Alles war mir ehmals freilich wichtig,
Doch da Ascan die Sache auf sich nimmt,
Misch' ich in Nichts mich, und laß ihn gewähren.

Valer. Das ist gescheidt; die Vorsicht schadet nie.
Allein —

Erast. Er bringt Euch sicher zur Vernunft.

Valer. Er?

Polidor. Täusch' Dich nicht in ihm. Welch seltner Knabe
Ascan ist, ahnst Du nicht.

Albert. Er ahnt es nicht,
Allein er könnte leicht es ja erfahren.

Valer. So mög' er es im Augenblick beweisen!

Marinette. Vor Aller Augen?

Gros-René. Das geht doch nicht an!

Valer. Verhöhnt man mich? Ich schlag' dem ersten Spötter
Das Hirn ein. Sehn wir, wie das wirken wird.

Ascan. Nein, nein, ich bin so schlecht nicht, wie sie sagen;
Und in der Sache, wo mir Jeder werth,
Wird meine Schwachheit sich Euch grade zeigen.
Erkennen sollt Ihr, daß des Himmels Macht
Kein Herz mir gab, um Euch zu widerstehen,
Und daß er Euch den leichten Sieg beschied,
Luciliens Bruder völlig zu vernichten.
Ja, statt mich meines Armes Kraft zu rühmen,
Empfängt Ascan durch Euch den Todesstreich:
Doch stirbt er gern, sobald er dieses Sterbens
Bedarf, um Euch Befried'gung zu gewähren,
Indem, in Aller Gegenwart, zur Gattin
Er die Euch giebt, die Euch nur kann gehören.

Valer. Nein, um die ganze Welt, nach dem Verrathe
Und dieser Frechheit —

Ascan. Ach! Laßt mich versichern,
Valer, daß dieses Herz, das fest an Euch gekettet,
Von keiner Schuld belastet gegen Euch;
Stets rein war seine Liebe, fest und treu,
Ich rufe Euren Vater hier zum Zeugen.

Polidor. Ja, ja, mein Sohn, der Scherz sei jetzt zu Ende;
Zeit ist es, aus dem Irrthum Dich zu ziehn.
Sie, welcher Du durch Wort und Schwur verbunden,
Verbirgt sich unter dieser Kleidung Dir.
Um großen Reichthums halber, galt als Knabe
Seit frühster Jugend sie vor aller Welt;
Und kürzlich trieb zu einer neuen Rolle
Die Liebe sie, wodurch sie nah uns steht.
Sieh uns nicht so verwundert an, ich spreche
In diesem Augenblick in vollem Ernst.
Mit Einem Worte, sie war's, welche Nachts,
Anstatt Lucilie Deinen Schwur empfangen,
Und durch die Handlung, Allen unerklärlich,
So viel Verwirrung angerichtet hat.
Doch da Ascan nun Dorothea weicht,
Muß Eurer Liebe jede Täuschung schwinden,
Und höhre Weihe dieses Bündniß heil'gen.

Albert. Das ist der wunderliche Zweikampf, welcher
Ein uns geschehnes Unrecht sühnen soll,

Und den Gesetze nicht verbieten können.

Polidor. Ein solch Ereigniß muß Dich wol verwirren;
Doch wär's umsonst, wenn Du noch schwanken wolltest.

Valer. Nein, nein, ich will mich nicht vertheidigen,
Und hab' ich Grund auch, überrascht zu sein,
Ist süß die Ueberraschung doch, und Glück,
Bewundrung, Liebe füllen meine Seele.
Ist's möglich, diese Augen —

Albert. Diese Kleidung,
Valer, verbietet süße Redensarten;
Laßt erst in anderes Gewand sie kleiden,
Und hört indeß den Vorfall ganz genau.

Valer. Verzeiht Lucilie, wenn ein Mißverständniß —

Lucilie. Verzeihung dieser Kränkung ist mir leicht.

Albert. Ei, spart die Höflichkeiten bis zu Hause;
Wir alle können uns daran erfreuen.

Eraſt. Bedenkt Ihr doch bei diesen Reden nicht,
Daß Grund zum Blutvergießen noch vorhanden.
Wir Beide sehn gekrönt zwar unsre Liebe;
Doch Mascarill und Gros-René — wer ist es
Von Beiden, der nun Marinette heimführt?
Im blut'gen Kampf nur kann sich das entscheiden.

Mascarill. Nein, nein, mein Blut befindet sich im Körper
Ganz wohl. Er nehm' sie immerhin zur Frau.
Wie ich das liebe Marinettchen kenne,
Wehrt ja die Ehe nicht der Galant'rie.

Marinette. So meinst Du, daß ich zum Galan Dich wählte?
Zum Ehmann ging's, den nimmt man, wie er ist;
Man sucht damit ja keinen Staat zu machen;
Doch der Galan muß zum Beneiden sein!

Gros-René. Hör', sind wir durch die Ehe Eins geworden,
So mußt Du, merk' Dir's, taub sein für die Laffen.

Mascarill. Heirathest Du für Dich allein, Gevatter?

Gros-René. Versteht sich, und ich will ein ehrbar Weib;
Sonst setzt es Lärm.

Mascarill. Ach Gott, Du machst es sicher
Wie alle Andern, und besänftigst Dich.
Wer vor der Ehe zänkisch ist und krittlich,
Wird oft ein ganz geduld'ger Ehemann.

Marinette. Geh', Männchen, fürchte Nichts für meine Treue;
Die Schmeicheleien fruchten Nichts bei mir,
Und Alles sag' ich Dir.

Mascarill. O schöner Vorsatz!
Der Eh'mann als Vertrauter!

Marinette. Schweig', Du Narr!

Albert. Zum dritten Male denn! Nun fort nach Hause,
Um im Familienkreis uns auszusprechen.

Ende.

Goethe's sämmtliche Werke
in 45 Bänden.
Geheftet 3 Thlr. 22½ Sgr. — In 10 eleganten Leinenbänden 6 Thlr.

Körner's sämmtliche Werke.
Geheftet 10 Sgr. — In elegantem Leinenband 15 Sgr.

Lessing's poetische und dramatische Werke.
Geheftet 10 Sgr. — Elegant gebunden 15 Sgr.

Milton's poetische Werke.
Deutsch von Adolf Böttger.
Geheftet 15 Sgr. — In elegantem rothem Leinenband 22½ Sgr.

Schiller's sämmtliche Werke.
Geheftet 1 Thlr. — In 3 Halbleinenbänden 1½ Thlr. — In 4 eleganten Ganzleinenbänden 1 Thlr. 24 Sgr. — In 4 eleganten Halbfranzbänden 2 Thlr.

Shakspere's sämmtliche dramatische Werke.
12 Bände mit 12 Stahlstichen.
Deutsch v. Ad. Böttger, Th. Mügge, Th. Oelckers, K. Simrock u. A.
Geheftet 1½ Thlr. — In elegantem Leinwandband 2 Thlr.

Miniaturausgaben
in eleganten und soliden Einbänden.

Archenholtz, Geschichte des sieben=jährigen Krieges. . . 12 Sgr.

Chamisso, Peter Schlemihl. 6 Sgr.

Gellert, Fabeln und Erzählungen . . . . . 8 Sgr.

Goethe, Gedichte. Goldschn. 12 Sgr.

—, Faust. 2 Theile in 1 Band. 8 Sgr.

—, — Mit Goldschnitt. 10 Sgr.

—, Hermann u. Dorothea. 6 Sgr.

—, Dramatische Meisterwerke. (Götz von Berlichingen. Egmont. Iphigenie auf Tauris. Torquato Tasso.) . . . . . . 10 Sgr.

—, Werthers Leiden. . . 6 Sgr.

Hauff, Phantasien im Bremer Rathskeller. . . . . . . 6 Sgr.

Hauff, Lichtenstein. . . . 10 Sgr.

Hebel, Allemann. Gedichte. 6 Sgr.

—, Schatzkästlein. . . . 8 Sgr.

Herder, Der Cid. . . . . 6 Sgr.

Hoffmann, Kater Murr. 12 Sgr.

Jean Paul, Flegeljahre. 12 Sgr.

Lessing, Dramatische Meisterwerke. (Nathan der Weise. Emilia Galotti. Minna von Barnhelm.) . 8 Sgr.

Matthisson, Gedichte. . . 6 Sgr.

Schiller, Gedichte. Halblwbbd. 6 Sgr.

—, — M. Goldschn. 10 Sgr.

—, Tell. . . . . . 6 Sgr.

—, Wallenstein. . . . . 8 Sgr.

Voß, Luise. . . . . . . 6 Sgr.

Wieland, Oberon. . . . . 8 Sgr.

Die Schule der Ehemänner.

Lustspiel in drei Aufzügen

von

Molière.

Uebersetzt von

Emilie Schröder.

Leipzig,

Druck und Verlag von Philipp Reclam jun.

Den Bühnen gegenüber als Manuſcript gedruckt.

Der mir den ganzen Kopf bedeckt und schützt,
Ein starkes Wamms, hübsch lang und fest geschlossen,
Das mir, gut zu verdau'n, den Magen wärmt;
Ein Beinkleid, das mir auf den Hüften paßt,
Und Schuhe, die nicht meine Füße spannen;
So war's bei unsern Vätern weiser Brauch
Und wem's nicht Recht, der mag die Augen schließen.

Zweiter Auftritt.

Leonore. Isabelle. Lisette. Ariste und Sganarelle, (vorn auf der Bühne leise mit einander sprechend, ohne bemerkt zu werden.)

Leonore (zu Isabelle).
Ich nehm's auf mich, wenn man Euch schelten sollte.

Lisette (zu Isabelle).
Im Zimmer stets, nie einen Menschen seh'n?

Isabelle. S'ist seine Art so.

Leonore. Ich beklag' Euch, Schwester.

Lisette (zu Leonore). Gut, daß sein Bruder andrer Denkart ist,
Mein Fräulein. Günstig war Euch das Geschick,
Als es Euch den Vernünft'gern finden ließ.

Isabelle. Es ist ein Wunder noch, daß er mich heute
Nicht einschloß oder mitnahm.

Lisette. Meiner Treu,
Ich schickt' zum Teufel ihn mit seiner Krause,
Und —

Sganarelle (von Lisette gestoßen).
Wo denn hin, wenn Ihr's nicht übel nehmt?

Leonore. Wir wissen's nicht, ich trieb die Schwestern an,
Mit mir das schöne Wetter zu genießen.
Doch —

Sganarelle (zu Leonore). Ihr könnt gehn, wohin es Euch gefällt.
(Auf Lisette deutend.)
Lauft immer zu, Ihr seid ja Euer Zwei.
(Zu Isabelle.)
Euch aber, Euch verbiet' ich's auszugehn.

Ariste. Ei, Bruder, laßt sie gehn, sich zu beluft'gen.

Sganarelle. Ich stehe ganz Euch zu Befehl.

Ariste. Die Jugend —

Sganarelle. Ist dumm und dann und wann ist's auch das Alter.

Ariſte. Glaubt Ihr ſie ſchlecht bewahrt bei Leonoren?

Sganarelle. Durchaus nicht; doch bei mir iſt ſie's noch beſſer.

Ariſte. Doch —

Sganarelle. Was ſie thut, ſei mir anheim geſtellt,
Denn ich muß wiſſen, was ihr dienlich iſt.

Ariſte. Weiß ich's für ihre Schweſter denn nicht auch?

Sganarelle. Mein Gott, mach's Jeder doch, wie's ihm gefällt.
Sie ſtehn allein, und unſer Freund, ihr Vater,
Empfahl ſie uns in ſeiner letzten Stunde.
Und als er ſie uns beiden überließ,
Gab er ſeit ihrer Kindheit ſchon uns Vollmacht
Als Vater oder Gatte zu verfügen,
Ob wir zur Frau ſie nähmen oder nicht.
Ihr habt die Sorge jene zu erzieh'n,
Ich aber werde mich um dieſe kümmern;
Ihr könnt die Eure, wie Ihr wollt, regieren,
Laßt mich nach meinem Sinn die Andre leiten.

Ariſte. Mir ſcheint —

Sganarelle. Mir ſcheint, ich ſpreche frei heraus,
Wie's über ſolchen Gegenſtand ſich ziemt.
Ihr duldet, daß die Enre ſchön ſich macht,
Sehr gut; daß ſie Lakei und Zofe hat,
Auch gut; daß ſie umherläuft und nichts thut,
Den Hof ſich machen läßt, ſo viel ſie will,
Mir iſt es recht; jedoch die meine ſoll
Nach meiner Laune leben, nicht nach ihrer.
Sie ſoll ein Kleid von ſchlichter Wolle tragen,
An Feiertagen nur in Seide geh'n,
Zu Hauſe bleiben, wie es ſich gehört
Und in der Wirthſchaft ſich zu ſchaffen machen;
In müß'gen Stunden meine Wäſche nähen,
Zum Zeitvertreib mir auch wol Strümpfe ſtricken,
Nicht auf die Reden unſ'rer Stutzer hören
Und nie das Haus verlaſſen ohne Aufſicht.
Das Fleiſch iſt ſchwach, ich kenne all' das Treiben.
Ich will, wenn's ſein kann, keine Hörner tragen;
Und da ihr Glück ſie mir zur Frau beſtimmt,
So will ich ſelber für ſie bürgen können.

Iſabelle. Ihr hättet keinen Grund, glaub' ich —

Sganarelle. Schweigt still!
Ich will Euch ausgehn lehren ohne mich.

Leonore. Mein Herr —

Sganarelle. Mein Fräulein, keine Redensarten,
Euch sag' ich Nichts, denn Ihr seid gar zu klug.

Leonore. Seht Isabellen Ihr nicht gern mit mir?

Sganarelle. Ja, Ihr verderbt sie mir, soll klar ich sprechen.
Eure Besuche hier mißfallen mir
Und dankbar bin ich Euch, stellt' Ihr sie ein.

Leonore. Darf ich Euch auch, wie mir's um's Herz ist, sagen?
Ich weiß es nicht, wie sie Dies alles ansieht,
Doch wie auf mich wirkt Euer Mißtrau'n, weiß ich,
Und sind wir auch von Einem Blut erzeugt,
Wir sind nicht Schwestern, könnte sie Euch lieben
Nach dem, wie sie Euch täglich handeln sieht.

Lisette. Ja, in der That, Dies alles ist abscheulich.
Sind wir in der Türkei, daß man uns einsperrt?
Wie Sclaven, sagt man, hält man dort die Frauen,
Und darum ist dies Volk von Gott verflucht.
Sehr schlimm steht es, mein Herr, um unsre Ehre,
Wenn's nöthig ist, sie immer zu bewachen.
Glaubt Ihr, nach alledem, daß diese Vorsicht
Uns je an unserm Willen hindern könne?
Daß nicht der klügste Mann zum Dummkopf würde,
Wenn wir uns Etwas in den Kopf gesetzt?
All' diese Vorsicht ist ein Hirngespinnst.
Das Beste ist, mein Treu', uns zu vertraun.
Uns binden wollen, heißt Gefahr beschwören,
Denn uns're Ehre will sich selbst bewachen.
Es heißt, den Wunsch zu sünd'gen in uns wecken,
Sorgt man sich gar zu sehr, uns dran zu hindern.
Und säh' ich mich durch einen Mann in Zwang,
Ich hätte Lust, ihm Grund zur Furcht zu geben.

Sganarelle (zu Ariste).
Da habt Ihr, schöner Meister, die Erziehung!
Und Ihr ertragt dies, ohne warm zu werden?

Ariste. Man kann nur lachen über ihre Reden.
Doch was sie sagen will, ist nicht ganz unrecht.
Auch ihr Geschlecht will gern ein wenig Freiheit.

Man hält es schwer im Zaum durch zu viel Strenge,
Und nicht durch Mißtrau'n, nicht durch Schloß noch Gitter
Kann man der Frau'n und Mädchen Tugend wahren.
Die Ehre muß in ihrer Pflicht sie halten,
Und nicht die Strenge, die wir ihnen zeigen.
Es ist ein eig'nes Ding, das sag' ich Euch,
Wenn eine Frau sich nur durch Zwang läßt leiten.
Nicht jeden ihrer Schritte kann man hüten,
Drum suche man ihr Herz sich zu gewinnen.
Was mich betrifft, ich hielte meine Ehre
Nicht sicher aufbewahrt bei einer Frau,
Der zu den Wünschen, die ihr kommen könnten,
Nichts fehlt', als die Gelegenheit zum Fall.
    Sganarelle. Geschwätz!
    Ariste. Mag sein; doch bleib' ich fest dabei,
Man muß die Jugend spielend unterrichten,
Mit großer Sanftmuth ihre Fehler rügen,
Und ihr die Tugend nicht zum Schreckbild machen.
Bei Leonoren folgt' ich diesem Grundsatz.
Nie macht' ich kleine Unart zum Verbrechen,
Stets willigt' ich in ihre Wünsche ein
Und hab' es, Dank dem Himmel, nie bereut.
Ich litt, daß sie Gesellschaft bei sich sah,
An Bällen und Komödien sich erfreute,
Denn diese Dinge halt' ich für geeignet,
Den Geist der jungen Leute auszubilden.
Das Leben selbst lehrt besser als ein Buch,
Wie man sich zu bewegen hat darin.
Sie giebt gern aus für Kleider, Band und Spitzen;
Was thut's? Sehr gern erfüll' ich ihre Wünsche,
Denn das sind Freuden, die man gern bei uns,
Da man Vermögen hat, der Jugend macht.
Der Vater hat sie mir zur Frau bestimmt.
Doch hab' ich nicht die Absicht, sie zu zwingen.
Da wir an Jahren nicht zusammen passen,
So laß ich volle Freiheit ihrer Wahl.
Und wenn vier tausend Thaler sicher Rente,
Ein Herz voll treuer Lieb' und Sorgsamkeit,
Den Unterschied der Jahre zwischen uns

Ausgleichen können ihrer Meinung nach,
So nimmt sie mich; wenn nicht, so wählt sie anders.
Mir ist es recht, wenn sie nur glücklich ist.
Ich seh sie lieber einen Andern frei'n,
Als daß sie wider Willen mir gehört.

Sganarelle. Ei, wie so sanft und honigsüß er spricht.

Ariste. Es ist so meine Art und, Dank dem Himmel,
Ich würde nie so strengem Grundsatz folgen,
Der Kinder läßt der Eltern Tage zählen.

Sganarelle. Doch was man früh der Jugend nachgegeben,
Nimmt sich hernach so leicht nicht mehr zurück.
Und schlecht wird sie sich Eurem Willen fügen
Wenn ihre Lebensart sie ändern soll.

Ariste. Aendern, warum?

Sganarelle. Warum?

Ariste. Ja.

Sganarelle. Wißt Ihr's nicht?

Ariste. Sieht man was Ehrverletzendes darin?

Sganarelle. Sie soll als Eure Frau dieselbe Freiheit
Behaupten, die sie sich als Mädchen nimmt?

Ariste. Warum nicht?

Sganarelle. So gefällig wollt Ihr sein,
Schönpflästerchen und Schleifen ihr zu lassen?

Ariste. Kein Zweifel.

Sganarelle. Ihr erlauben, kopfverdreht,
Von Ball auf Ball und Assemblee zu laufen?

Ariste. Ja.

Sganarelle. Feine Herrchen wollt Ihr bei Euch seh'n?

Ariste. Was ist's?

Sganarelle. Die tändeln und Geschenke machen?

Ariste. Ganz recht.

Sganarelle. Galant sind gegen Eure Frau?

Ariste. Sehr schön.

Sganarelle. Und die Besuche dieser Stutzer
Vermögt Ihr ruh'gen Blickes anzuseh'n?

Ariste. Versteht sich.

Sganarelle. Geht, Ihr seid ein alter Narr.
(Zu Isabelle.)
Hinein, nicht mehr zu hören diese Lehren.

Dritter Auftritt.

Ariſte. Sganarelle. Leonore. Liſette.

Ariſte. Ich will der Treue meiner Frau vertraun,
Und ſtets ſo leben wie bisher ich lebte.

Sganarelle. Wie ſoll's mich freu'n, wenn er zum Hahnrei wird!

Ariſte. Ich weiß nicht, was mein Stern mir noch beſtimmt.
Doch weiß ich das: Verfehlt Ihr Euer Schickſal,
So darf man ſicher Euch die Schuld nicht geben,
Denn Ihr thut Alles, nicht ihm zu entgeh'n.

Sganarelle. Lacht nur, Herr Spötter, lacht! gar luſtig iſt
Ein Spaßmacher, der nah an ſechzig zählt!

Leonore. Vor dem Geſchick, das Ihr meint, bürg' ich ihm,
Wenn uns der Ehebund noch je vereint.
Er kann drauf bau'n. Doch wißt, daß meine Seele
Für gar Nichts ſtände, wär' ich Eure Frau.

Liſette. Wir ſind gewiſſenhaft, wenn man uns traut,
Doch Leuten Eures Schlags iſt das zu hoch.

Sganarelle. Verwünſchte, ungezog'ne Schwätzerin.

Ariſte. Ihr habt Euch ſelbſt die Grobheit zugezogen.
Lebt wohl und ändert Euren Sinn. Bedenkt:
Ein ſchlimmer Ausweg iſt's, die Frau einſperr'n.
Ich bin Eu'r Diener.

Sganarelle. Ich der Eure nicht.

Vierter Auftritt.

Sganarelle (allein).

O, wie hier Alle zu einander paſſen!
Ein ſchönes Völkchen! Ein verrückter Greis,
Der altersſchwach den Weiberhelden ſpielt —
Ein höchſt kokettes Mädchen, das gebietet —
Sehr freche Diener. Nein, die Weisheit ſelbſt
Erreicht' hier Nichts, verlöre Kopf und Sinn,
Wenn ſie ein ſolches Haus verbeſſern wollte.
In Iſabellen würde dieſer Umgang
Den guten Keim, den wir geſät, erſticken.
Um das zu hindern, ſoll ſie bald zurück
Zu unſerm Kohl und unſern Puterhähnen.

Fünfter Auftritt.
Valer. Sganarelle. Ergaste.

Valer (im Hintergrunde des Theaters).
Da sieh, Ergaste, den mir verhaßten Argus,
Den strengen Vormund meiner Heißgeliebten.

Sganarelle (ohne die Andern zu bemerken).
Ist die Verderbniß uns'rer heut'gen Sitten
Nicht doch Etwas, das in Erstaunen setzt?

Valer. Ich mache mich jetzt gleich an ihn heran
Und such' Bekanntschaft mit ihm anzuknüpfen.

Sganarelle (für sich).
Anstatt man herrschen sieht die Sittenstrenge,
Aus der die alte Ehrlichkeit bestand,
Ist jetzt die Jugend Freigeist durch und durch,
Nimmt nicht — (Valer grüßt Sganarelle von ferne.)

Valer. Er sieht nicht einmal, daß man grüßt.

Ergaste. Er sieht vielleicht auf dieser Seite schlecht.
Drum gehn wir auf die and're.

Sganarelle (für sich). Fort von hier.
Das Leben in der Stadt bringt Nichts hervor
Als —

Valer (indem er sich langsam nähert).
Jetzt versuche ich ihm beizukommen.

Sganarelle (aufhorchend). Hat Jemand hier gesprochen? (Für sich.)
Auf dem Lande
Seh'n meine Augen all' die Thorheit nicht.

Ergaste (zu Valer). Fangt mit ihm an.

Sganarelle (horcht wieder auf).
Was ist? Mich täuscht mein Ohr. (Für sich.)
Die Zeit vertreiben sich die Mädchen hier —
(Er bemerkt Valer, der ihn grüßt.)
Bin ich gemeint?

Ergaste (zu Valer). Nur näher.

Sganarelle (ohne auf Valer zu achten). Kein Stutzer
kommt dort — Zum Teufel!
(Er wendet sich um und sieht Ergaste, der ihn von der andern Seite grüßt.)
Welches Hutabzieh'n!

Valer. Mein Herr, stört's Euch vielleicht, daß ich mich nähe?

Sganarelle. Kann sein.

Valer. Jedoch die Ehre, Euch zu kennen,
Ist ein so großes, ungeheures Glück,
Daß es mich sehr verlangte, Euch zu grüßen.

Sganarelle. Sehr schön.

Valer. Euch ohne Umschweif zu versichern,
Daß ich mich ganz zu Euren Diensten stelle.

Sganarelle. Ich glaub's.

Valer. Ich bin so glücklich, Nachbar Euch
Zu sein, und danke dem Geschick dafür.

Sganarelle. Sehr wohlgethan.

Valer. Wißt Ihr die Neuigkeiten,
Die man bei Hof erzählt und glaublich hält?

Sganarelle. Geht mich Nichts an.

Valer. Sehr wahr; jedoch zuweilen
Hat man es gern, das Neue zu erfahren.
Ihr werdet doch, mein Herr, die Pracht mit ansehn,
Die man bereitet zur Geburt des Dauphins?

Sganarelle. Wenn mir's gefällt.

Valer. Gestehn wir, daß Paris
Uns Freuden bietet, die man nirgends hat.
In der Provinz ist es dagegen einsam.
Wie bringt Ihr denn die Zeit hin?

Sganarelle. Mit Geschäften.

Valer. Der Geist will Ruhe; er ermüdet leicht,
Giebt man zu sehr sich den Geschäften hin.
Was thut Ihr Abends, eh' Ihr schlafen geht?

Sganarelle. Was mir gefällt.

Valer. Kein Zweifel, sehr verständlich,
Der weise Sinn der guten Antwort ist:
Nur immer Das zu thun, was uns gefällt.
Wenn ich Euch nicht zu sehr beschäftigt glaubte,
Brächt' ich den Abend öfters bei Euch zu.

Sganarelle. Eu'r Diener.

Sechster Auftritt.
Valer. Ergaste.

Valer. Wie gefällt Dir dieser Narr?

Ergaste. Er ist kurz angebunden; ist ein Brummbär.

Valer. Ich wüthe!

Ergaste. Und warum?

Valer. Warum? Ich wüthe,
Sie in der Macht zu sehen eines Wilden,
Solch' eines Tugenddrachen, dessen Strenge
Nicht die geringste Freiheit ihr erlaubt.

Ergaste. Das ist ja wie gemacht für Euch, denn darauf
Kann Eure Liebe große Hoffnung gründen.
Faßt wieder Muth und lernt, daß eine Frau,
Die man bewacht, schon halb gewonnen ist,
Und daß der Männer oder Väter Mißmuth
Dem Liebhaber noch stets geholfen hat.
Liebängeln ist nicht grade mein Talent,
Und zähl' ich mich zu den Galanten nicht.
Doch dient' ich zwanzig solchen Liebesrittern,
Die oft es ihre größte Freude nannten,
Von diesen Männern einem zu begegnen,
Die nie nach Hause kommen ohne Streit.
Solch' einem Wütherich, der ohne Grund
Die Frau in Allem controliren will,
Und der auf die Gewalt als Eh'mann stolz,
Im Angesicht des Liebhabers sie schilt.
Das müsse man benutzen, sagen sie.
Der Zorn der Dame über solche Schmach,
Und das Bedauern des verliebten Zengen
Sind wie gemacht, zum Ziele bald zu kommen,
Mit einem Wort: Die Strenge dieses Vormunds
Ist eine Aussicht für Euch auf Erfolg.

Valer. Doch seit vier Monden, die ich heiß sie liebe,
Fand sich kein Augenblick, es ihr zu sagen.

Ergaste. Ihr seid gar nicht erfind'risch in der Liebe,
Hätt ich —

Valer. Was hättest Du denn machen können,
Da dieser Unhold nie allein sie läßt,
Im Hause weder Magd noch Diener hält,
Die ich vielleicht durch glänzende Geschenke
Für meine Liebe mir gewinnen könnte?

Ergaste. Sie weiß also noch nicht, daß Ihr sie liebt?

Valer. Das ist ein Punkt, der mir noch unklar ist.

Wohin sie dieser Wilde auch geführt,
Stets sah sie mich wie ihren Schatten folgen,
Und jeden Tag versuchten meine Blicke
Ihr zu gestehen meine Liebesglut.
Mein Auge sprach; wer aber kann mir sagen,
Ob seine Sprache auch verstanden ward?

Ergaste. Wol ist zuweilen diese Sprache dunkel,
Wenn weder Schrift noch Stimme sie erklären.

Valer. Was aber thun, um diese Qual zu enden?
Wie wissen, ob die Holde mich verstand?
Sag' mir!

Ergaste. Das Mittel wird sich finden lassen.
Geh'n wir hinein, um mehr zu überlegen.

Zweiter Aufzug.

Erster Auftritt.

Isabelle. Sganarelle.

Sganarelle. Schon gut! Nach dem, was mir Dein Mund
                                                berichtet,
Ist mir das Haus und die Person bekannt.

Isabelle (bei Seite). O Himmel, schütze mich und steh' mir bei,
Daß heut gelingt die List unschuld'ger Liebe.

Sganarelle. Sagt' man Dir nicht, er nenne sich Valer?

Isabelle. Ja.

Sganarelle. Ruhig, geh' hinein, laß mich nur machen;
Ich will sogleich mit diesem Gecken reden.

Isabelle. Wol hab' ich einen kühnen Plan als Mädchen;
Jedoch die Strenge, die man an mir übt,
Wird bei den Rechtgesinnten mich entschuld'gen.

Zweiter Auftritt.

Sganarelle (allein).

Nur nicht gesäumt, hier wohnt er. (Er klopft an Valers Thür.)
                                                Niemand da?

Ich überlege. Holla! Hört denn Niemand?
Nach Dem, was ich jetzt weiß, erstaun' ich nicht,
Daß er vorhin sich einzuschmeicheln suchte.
Doch seine tolle Hoffnung will ich bald —

Dritter Auftritt.

Valer. Sganarelle. Ergaste.

Sganarelle (zu Ergaste, der ungestüm herausgetreten ist).
Verwünschtes Vieh, das sich, damit ich falle,
Wie eine Hopfenstange vor mir aufpflanzt.

Valer. Ich muß bedauern —

Sganarelle. Ah, Euch such' ich grade.

Valer. Wie, mich, mein Herr?

Sganarelle. Euch. Heißt Ihr nicht Valer?

Valer. Ja.

Sganarelle. Euch zu sprechen komm' ich, wenn's Euch recht.

Valer. Kann ich Euch irgend wie gefällig sein?

Sganarelle. Nein. Ich jedoch will einen Dienst Euch leisten,
Und das ist's, was mich zu Euch hergeführt.

Valer. Zu mir, mein Herr?

Sganarelle. Zu Euch. Was ist zu staunen?

Valer. Wol hab' ich Grund dazu, ich bin entzückt —
Die Ehre —

Sganarelle. Lassen wir die Ehre, bitte.

Valer. Wollt Ihr nicht eintreten?

Sganarelle. Das ist nicht nöthig.

Valer. Mein Herr, ich bitte.

Sganarelle. Nein, ich bleibe hier.

Valer. So lang Ihr hier bleibt, kann ich Euch nicht hören.

Sganarelle. Ich weiche keinen Schritt.

Valer. Man muß sich fügen.
Geschwind, weil es der Herr nicht anders will,
Bringt einen Sessel her.

Sganarelle. Ich spreche stehend.

Valer. Wie kann ich dulden —

Sganarelle. Widerwärt'ger Zwang!

Valer. Es hieße gegen alle Sitte fehlen.

Sganarelle. Das heißt es auch, wenn man darauf besteht,
Den, der uns sprechen will, nicht anzuhören.

2

Valer. So füg' ich mich.

Sganarelle. Ihr könnt' nichts Beff'res thun.

(Sie machen viele Complimente, sich zu bedecken.)

Die Complimente sind durchaus nicht nöthig.
Wollt' Ihr mich hören?

Valer. Sicher, herzlich gern.

Sganarelle. So sagt mir, ob Ihr wißt, daß ich der Vormund
Von einem jungen hübschen Mädchen bin,
Die bei mir wohnt, und Isabelle heißt?

Valer. Ja.

Sganarelle. Wenn Ihr's wißt, so habt Ihr's nicht durch mich.
Doch wißt Ihr auch, da ich sie reizend finde,
Daß ich nicht blos als Vormund zu ihr stehe,
Daß ihr die Ehre wird, mein Weib zu werden?

Valer. Nein.

Sganarelle. Wißt es jetzt, und daß es schicklich ist,
Ihr laßt mit Eurer Liebe sie in Ruhe.

Valer. Wer? ich, mein Herr?

Sganarelle. Ja, Ihr. Fort mit dem Läugnen.

Valer. Wer sagt Euch, daß mein Herz für sie erglüht?

Sganarelle. Jemand, dem man wol Glauben schenken kann.

Valer. Doch wer?

Sganarelle. Sie selbst.

Valer. Sie?

Sganarelle. Sie. Ist's nicht genug?
Als wohlerzog'nes Mädchen, das mich liebt
Von Kindheit an, erzählte sie mir Alles.
Noch mehr, sie trug mir auf, Euch frei zu sagen,
Sie habe, seit Ihr Schritt auf Schritt ihr folgt,
Im höchsten Grad erzürnt durch die Verfolgung,
Die Sprache Eurer Augen wohl verstanden,
Und was Ihr heimlich wünscht, sei ihr bekannt.
Daß es sich unnütz Mühe geben hieße,
Ihr ferner eine Liebe kund zu geben,
Die mit der Freundschaft, die sie mir bewahrt,
Sich nicht verträgt.

Valer. Sie selbst beauftragt Euch —

Sganarelle. Euch frei heraus zu sagen, wie sie denkt.
Sie hätt' es Euch schon früher wissen lassen,

Als sie die Glut entdeckt', die Euch verzehrt,
Wenn sie in ihrer Aufregung gewußt,
An wen sie diesen Auftrag richten könne.
Doch endlich sah sie sich dazu gezwungen,
In ihrem Schmerz sich an mich selbst zu wenden,
Euch anzuzeigen, wie ich schon gesagt,
Daß Keiner ihrem Herzen nahen dürfe,
Daß Ihr genug gesprochen habt mit Blicken
Und, wäret Ihr nur etwas bei Verstande,
Ihr Euch um And're kümmern solltet. Lebt wohl.
Auf Wiedersehn. Ihr wißt nun den Bescheid.

    Valer (leise). Ergaste, was sagst Du zu dem Abenteuer?

    Sganarelle (leise bei Seite). Das hat ihn überrascht!

    Ergaste (leise zu Valer). Wie ich vermuthe,
Ist es für Euch durchaus so übel nicht.
Dahinter scheint ein feiner Plan zu stecken,
Denn der Bescheid geht nicht von Jemand aus,
Der die entfachte Glut gern löschen möchte.

    Sganarelle (bei Seite.) Er hat es weg!

    Valer (leise zu Ergaste.) Du glaubst, es sei ein Plan —

    Ergaste (leise).
Ja — Doch er sieht uns, fort, ihm aus den Augen!

Vierter Auftritt.

Sganarelle (allein).

Verwirrung malte sich in seinen Zügen!
Auf diese Botschaft war er nicht gefaßt.
Schnell Isabelle her; an ihr sieht man
Die Früchte, welche die Erziehung trägt.
Ihr Herz ist von der Tugend so erfüllt,
Daß eines Mannes Blicke sie schon kränken.

Fünfter Auftritt.

Isabelle. Sganarelle.

    Isabelle (indem sie eintritt, für sich).
Ich fürchte, daß der Freund in seiner Glut
Nicht ganz verstand, was ich ihm sagen wollte.
Ich will darum, in Fesseln wie ich bin,
Noch Einen senden, der ihm klarer spricht,

2*

Sganarelle. Da bin ich wieder.

Isabelle. Nun?

Sganarelle. Dein Wort hat gut
Gewirkt; Dein Mann weiß nun, woran er ist.
Er wollte läugnen, daß sein Herz verwundet,
Doch als ich ihm von Dir die Botschaft brachte,
Ward er zuerst verwirrt und schwieg darauf.
Ich denke wol, daß wir ihn los sein werden.

Isabelle. Was sagt Ihr da? das Gegentheil fürcht' ich,
Er wird Euch noch sehr viel zu schaffen machen.

Sganarelle. Und was hast Du für Grund zu dieser Furcht?

Isabelle. Ihr waret kaum zum Haus hinaus, als ich,
Um Luft zu schöpfen, an das Fenster trat.
Da sah ich einen jungen Mann sich nah'n,
Der, abgeschickt von diesem Unverschämten,
Sogleich mir einen guten Morgen bot,
Und diese Dose grad' in's Zimmer warf,
Mit einem Brief, gefaltet wie ein Hühnchen.
Gern hätt' ich Alles ihm zurückgeworfen,
Doch war er meinen Blicken schon entschwunden.
Zerspringen möchte mir das Herz vor Aerger.

Sganarelle. Nun seht einmal die List und Schelmerei!

Isabelle. Ich halte es für Pflicht, so schnell wie möglich
Ihm Brief und Dose wieder zuzustellen.
Doch würd' ich Jemand dazu nöthig haben —
Denn Euch —

Sganarelle. Im Gegentheil, mein süßes Kind,
Daraus erkenn' ich Deine Lieb' und Treue,
Mit Freuden übernehm' ich dieses Amt,
Denn einen Dienst erweist Du mir dadurch.

Isabelle. Nehmt denn.

Sganarelle. Laß seh'n, was er Dir schreiben konnte.

Isabelle. O Himmel! Oeffnet nicht den Brief.

Sganarelle. Warum?

Isabelle. Er soll wol glauben, ich hätt' es gethan?
Ein ehrbar Mädchen muß sich immer hüten,
Die Briefe, die ein Mann ihr schickt, zu lesen.
Die Neugier, die man dabei blicken läßt
Beweise, daß man einverstanden sei.

Drum find' ich's paſſend, daß er ungeöffnet
Sogleich den Brief zurück erhalten müſſe.
Damit er heute um ſo mehr erfahre,
Daß dieſes Herz ihn nur verachten kann,
Daß ſeine Liebe ohne Hoffnung ſei
Und künftig nicht zu neuer Thorheit ſchreite.

Sganarelle. Jawol, ſie hat ganz Recht, wenn ſie ſo ſpricht.
Du biſt ein tugendhaftes, kluges Mädchen.
Ich ſeh', daß meine Lehren bei Dir fruchten,
Du zeigſt Dich würdig, meine Frau zu werden.

Iſabelle. Jedoch genirt Euch nicht, thut was Ihr wollt,
Ihr habt den Brief in Händen, öffnet ihn.

Sganarelle. Bewahre! Deine Gründe reichen hin.
Ich gehe, Deinen Auftrag auszurichten.
Nur ein paar Schritte ſind's und ein paar Worte,
Und wieder hier bin ich und Du haſt Ruhe.

Sechſter Auftritt.

Sganarelle (allein.)

Das Herz fließt mir vor lauter Freude über,
Beim Anblick dieſes wohlerzog'nen Mädchens!
Sie iſt ein wahrer Schatz in meinem Hauſe.
In einem Blick ſchon ein Verbrechen ſehen,
Ein Liebesbriefchen wie als Schimpf betrachten
Und es durch mich dem Herrchen wiederſchicken. —
Betracht' ich mir dies Alles, möcht' ich wiſſen,
Ob ihre Schweſter es wol auch ſo machte.
Fürwahr, die Mädchen ſind, wie man ſie zieht.
Holla! (Er klopft an Valer's Thür.)

Siebenter Auftritt.

Sganarelle. Ergaſte.

Ergaſte. Was giebt's?

Sganarelle. Da nehmt, ſagt Eurem Herrn,
Er ſolle ferner ſich nicht unterſteh'n,
In goldnen Doſen Briefe uns zu ſchicken,
Denn Iſabelle ſei empört darüber.
Ihr ſeht, man hat ihn nicht einmal geöffnet.

Erfahren wird er jetzt, woran er ist,
Und ob er auf Erfolg noch hoffen darf.

Achter Auftritt.

Valer. Ergaste.

Valer. Was gab Dir dieser Isegrimm so eben?

Ergaste. Dies Briefchen, Herr, mit dieser Dose hier.
Man meinte, Isabelle hab's von Euch,
Und sei ganz außer sich vor Zorn darüber.
Sie schickt es ungeöffnet Euch zurück.
Lest schnell, damit wir sehn, ob ich mich irrte.

Valer (liest). „Dieser Brief wird Euch ohne Zweifel in
Erstaunen setzen; denn man kann den Entschluß, Euch zu
schreiben, und die Art, wie er an Euch gelangt, sehr gewagt
von mir finden; aber ich sehe mich in einer Lage, die kein
Maß kennt. Der gerechte Widerwille vor einer Heirath, die
mir in sechs Tagen droht, läßt mich Alles wagen, und in
dem Entschluß, mich davon zu befreien, auf welchem Wege
es auch sei, glaubte ich Euch eher erwählen zu müssen,
als die Verzweiflung. Glaubt jedoch nicht, daß Ihr dies
meinem bösen Geschick verdankt, denn die Gefühle, die ich
für Euch hege, sind nicht durch den Zwang hervorgerufen,
in dem ich mich befinde; er hat nur mein Geständniß
derselben beschleunigt und läßt mich über die Förmlichkeiten
hinweggehen, die der Anstand unserm Geschlecht auferlegt.
Von Euch allein hängt es ab, ob ich Euch bald angehöre,
und warte ich nur, daß Ihr mir die Absichten Eurer Liebe
anzeigt, um Euch den Entschluß wissen zu lassen, den ich
gefaßt habe. Doch vor Allem bedenkt, daß die Zeit
drängt, und daß für zwei Herzen, die sich lieben, ein
halbes Wort genügt, sich zu verstehen."

Ergaste. Was meint Ihr, Herr, die Form ist gar nicht übel?
So jung noch und versteht sich so darauf!
Wer hätte diese List ihr zugetraut?

Valer. Ach darin find' ich sie anbetungswürdig.
Denn dieser Zug von Freundschaft und von Geist,
Verdoppelt meine Liebe noch für sie,
Fügt dem Gefühl, das ihre Schönheit einflößt —

Ergaste. Der Angeführte kommt; denkt, was Ihr sagt.

Neunter Auftritt.

Sganarelle. Valer. Ergaste.

Sganarelle (für sich). O vielmal sei gesegnet dies Edict,
Das untersagt den Luxus in der Kleidung!
Die Qual der Ehemänner wird sich mindern,
Denn ihrer Frauen Wünsche sind gezügelt.
Wie danke ich für dies Verbot dem König!
Und für der Ehemänner Ruhe wünsch' ich,
Er möchte auch die Kokett'rie verbieten,
So wie die Spitzen und die Stickerei.
Ich habe das Edict sogleich gekauft,
Damit es Isabelle laut mir lese,
Und das soll, wenn sie sonst Nichts mehr zu thun hat,
Die Abendunterhaltung für uns sein.   (Er bemerkt Valer.)
Nun, blondes Herrchen, werdet Ihr noch einmal
In goldnen Dosen Liebesbriefe schicken?
Ihr dachtet, ein kokettes Ding zu finden,
Das die Intrigue liebt und Schmeichelei'n?
Ihr seht, wie man Geschenke von Euch aufnimmt.
Es heißt Eu'r Pulver auf die Spatzen schießen.
Mich liebt sie, Eure Liebe ärgert sie,
Drum macht Euch fort und zielt wo anders hin.
    Valer. Ja, Euer Werth, den Jeder anerkennt,
Ist mir ein Hinderniß, das seh' ich ein,
Und Thorheit wär's von mir, noch ferner mich
Um Isabellens Liebe zu bewerben.
    Sganarelle. Ja, Thorheit wär's.
    Valer. Auch hätte nie mein Herz
Sich so durch ihre Schönheit fesseln lassen,
Hätt' ich gewußt, daß dieses arme Herz
In Euch den Nebenbuhler finden würde.
    Sganarelle. Das glaub' ich.
    Valer. Jede Hoffnung ist dahin;
Ich weiche Euch, mein Herr, und murre nicht.
    Sganarelle. Da thut Ihr wohl.
    Valer. So fordert es das Recht,
Denn Eure Tugend strahlt in solchem Glanz,
Daß ich ein Unrecht würde thun, mit Zorn

Auf Isabellens Zärtlichkeit zu blicken.

Sganarelle. Versteht sich.

Valer. Ja, ich räume Euch den Platz.
Doch bitt ich Euch, (es ist die einz'ge Gunst,
Um die ein armer Liebender Euch fleht,
Dem Ihr allein heut all' die Qual verursacht)
Versichert Isabellen, ich beschwör' Euch,
Daß, wenn ich seit drei Monden für sie glühte,
Mein Lieben rein war, nie auf Etwas dachte,
Das ihre Ehre hätte kränken können.

Sganarelle. Jawol.

Valer. Daß, wäre mir die Wahl gelassen,
Ich Nichts so sehr als ihre Hand erstrebte.
Wenn das Geschick in Euch, der sie gewann,
Mir nicht ein Hinderniß entgegenstellte.

Sganarelle. Sehr gut.

Valer. Daß, was auch komme, nie ihr Bild
Aus dem Gedächtniß mir entschwinden könne.
Daß, welches Schicksal mir auch sei bestimmt,
Mein Herz auf ewig ihr gehören wird,
Und daß die Achtung nur vor Euerm Werth
Mich zwingt, von der Bewerbung abzustehen.

Sganarelle. Das heißt vernünftig sprechen. Alles Die
Bericht' ich ihr sogleich, sie wird nicht zürnen.
Doch wenn Ihr mir wollt glauben, rath' ich Euch,
Die Leidenschaft Euch aus dem Sinn zu schlagen.
Lebt wohl.

Ergaste (zu Valer). Der dumme Narr!

Zehnter Auftritt.

Sganarelle (allein).

　　　　　　　　　　Er thut mir leid,
Der Aermste, der so freundschaftlich gesinnt.
Doch warum setzte er sich's in den Kopf
Den Platz zu nehmen, den schon ich erobert?
　　　　　　　　(Sganarelle klopft an seine Thüre.)

Eilfter Auftritt.

Sganarelle. Isabelle.

Sganarelle. Wol nie war ein Verliebter so verwirrt,
Dem man sein Liebesbriefchen wiederschickt.
Er giebt die Hoffnung auf und räumt das Feld.
Doch bat er, ja beschwor mich, Dir zu sagen:
„Seit er Dich liebt, hab' er auf Nichts gedacht,
„Das Deine Ehre hätte kränken können,
„Und wäre ihm die Wahl gelassen worden,
„Er Nichts so sehr als Deine Hand erstrebte,
„Wenn das Geschick in mir, der dich gewann,
„Ihm nicht ein Hinderniß entgegen stellte,
„Daß, was auch kommen möge, nie Dein Bild
„Aus dem Gedächtniß ihm entschwinden könne,
„Daß, welches Schicksal ihm auch sei bestimmt,
„Sein Herz auf ewig Dir gehören werde,
„Und daß die Achtung nur vor meinem Werth
„Ihn zwingt, von der Bewerbung abzustehn.‟
So sprach er, Wort für Wort. Ich tadl' ihn nicht;
Vielmehr beklag' ich ihn, daß er Dich liebt.

Isabelle (für sich). Ja, seine Liebe hat mich nicht getäuscht,
Die Unschuld las ich stets in seinen Blicken.

Sganarelle. Was sagst D ?

Isabelle. Daß mir's hart ist, einen Menschen,
Den ich so tödtlich hasse, noch beklagt
Von Euch zu hören. Liebtet Ihr mich wirklich,
Ihr wär't gleich mir empört durch seine Werbung.

Sganarelle. Jedoch er wußte Nichts von Deiner Neigung,
Und da er's recht und ehrlich mit Dir meinte,
Verdient er nicht —

Isabelle. Sagt mir, ist's recht und ehrlich,
Wenn man drauf sinnt, die Leute zu entführen?
Ist das ein Ehrenmann, der Pläne macht,
Mich zu der Heirath mit Gewalt zu zwingen?
Vermöchte ich das Leben zu ertragen,
Nachdem man solche Schmach mir angethan?

Sganarelle. Wie?

Isabelle. Ja, ich hörte, der Verräther wolle

Mich durch Entführung zu der Seinen machen;
Und, kenn' ich die geheimen Künste nicht,
Durch die er weiß, daß Ihr die Absicht habt,
In ein'gen Tagen mir die Hand zu reichen,
Da Ihr erst gestern selber mir dies sagtet.
Er will, sagt man, den Tag nicht erst erwarten,
Der mein Geschick soll an das Eure binden.

    Sganarelle. Seht, welch ein Bösewicht!

    Isabelle. O nein, verzeiht;
Er ist ein Ehrenmann, der's recht und ehrlich —

    Sganarelle. Der schlecht es meint, denn das ist außerm Spaß.

    Isabelle. Geht, Eure Nachsicht unterstützt die Tollheit.
Wenn Ihr ihn tüchtig ausgescholten hättet,
So scheut' er Eure Wuth und meinen Groll.
Denn erst seit dem zurückgeschickten Brief
Hegt er den Plan, der mich in Wuth versetzt;
Und wie ich höre, glaubt er immer noch,
Ich sei im Herzen ihm nicht abgeneigt,
Daß ich, was man auch davon denken möge,
Den Ehbund fürchtend, gern befreit mich sähe.

    Sganarelle. Der Narr.

    Isabelle. Vor Euch weiß er sich zu verstellen,
Und seine Absicht ist, Euch hinzuhalten,
Indem er Euch mit schönen Worten täuscht.
Ich muß gestehen, ich bin übel dran;
Bei aller Sorge ehrenhaft zu leben
Und des Verführers Wünsche abzuweisen,
Dem Ueberfall mich ausgesetzt zu sehn,
Mit dem der Niederträcht'ge mich bedroht.

    Sganarelle. Geh', fürchte Nichts.

    Isabelle. Nein, das erklär' ich Euch,
Wenn Ihr noch länger zulaßt solche Frechheit,
Nicht bald ein Mittel habt, mich zu befrei'n
Von der Verfolgung eines so Verweg'nen,
So geb' ich Alles auf; ich will die Schmach,
Die er mir anthut, länger nicht erbulden.

    Sganarelle. Betrübe Dich nicht so, mein liebes Weibchen,
Ich geh' sogleich und lese ihm den Text.

    Isabelle. Sagt ihm nur gleich, sein Läugnen sei vergebens,

Aus sich'rer Quelle wüßt' ich seinen Plan;
Und was er nun auch unternehmen würde,
Er mich durch Nichts mehr überraschen könne.
Er soll die Zeit mit Seufzen nicht verlieren,
Da er doch meine Neigung für Euch kenne,
Und mög' er sich's nicht zwei Mal sagen lassen,
Wenn er nicht großes Unheil stiften wolle.

   Sganarelle. Ich will schon sprechen.

   Isabelle. Doch in einem Ton,
Der ihm beweist, daß ich es ernstlich meine.

   Sganarelle. Verlaß' dich drauf, ich werde Nichts vergessen.

   Isabelle. Mit Ungeduld erwart' ich Euch zurück.
Drum bitt' ich, macht so schnell Ihr könnt es ab,
Ich gräme mich, sobald ich Euch nicht sehe.

   Sganarelle. Sei ruhig, Püppchen, gleich bin ich zurück.

Zwölfter Auftritt.

Sganarelle (allein.)

Giebt's wol ein klüg'res, bess'res Mädchen noch?
Wie glücklich bin ich! Wie erfreut es mich,
Ein Weib so ganz nach meinem Sinn zu finden!
So sollten alle Frau'n erzogen sein,
Und nicht wie die Koketten, die man kennt,
Die sich betragen, daß in ganz Paris
Mit Fingern man auf ihre Männer zeigt.

(Er klopft an Balers Thür.)

He, mein galanter Ritter, kommt!

Dreizehnter Auftritt.

Baler. Sganarelle. Ergaste.

   Baler. Mein Herr,
Was führt Euch wieder zu mir?

   Sganarelle. Eure Narrheit.

   Baler. Wie?

   Sganarelle. Was ich meine, wißt Ihr nur zu gut.
Ich hielt Euch, offen sei's gesagt, für klüger.
Mit schönen Worten sucht Ihr mich zu täuschen,
Und im Geheimen wagt Ihr noch zu hoffen.
Seht Ihr, ich wollte schonend mit Euch umgehn,

Jedoch Ihr zwingt mich, endlich loszubrechen.
Sagt, schämt Ihr Euch denn nicht, ein Mann wie Ihr,
In Eurem Kopfe solchen Plan zu haben?
Ein ehrenhaftes Mädchen zu entführen,
Ein Bündniß stören, das sie glücklich macht?

Vater. Von wem habt Ihr die Neuigkeit, mein Herr?

Sganarelle. Verstellen wir uns nicht, von Isabellen,
Die Euch durch mich zum letzten Mal thut kund,
Daß Ihr genugsam wißt, wen sie gewählt,
Daß sie beleidigt sei durch solchen Plan,
Viel lieber stürbe, als die Schmach erdulden,
Und daß Ihr großes Unheil stiften würdet,
Wenn Ihr der Sache nicht ein Ende machtet.

Vater. Wenn sie Euch wirklich sagte, was ich höre,
Dann freilich hab' ich keine Hoffnung mehr.
Durch dieses Wort ist Alles abgeschlossen,
Und ihrem Urtheilsspruch muß ich mich fügen.

Sganarelle. Wenn wirklich? Also zweifelt Ihr und glaubt
Dies Alles sei erfunden, was ich sagte?
Wollt Ihr, daß sie Euch selbst ihr Herz enthülle?
Ich bin's zufrieden, folgt mir nur sogleich;
Ihr werdet seh'n, ob ich zu viel gesagt,
Und ob ihr Herz noch schwanke zwischen uns.

(Er klopft an seine Thür.)

Vierzehnter Auftritt.
Isabelle. Sganarelle. Valer. Ergaste.

Isabelle. Was giebts? Ihr führt ihn her! Was habt Ihr vor?
Seid Ihr mit ihm im Bunde gegen mich?
Wollt Ihr, von seinem seltnen Werth entzückt,
Mich zwingen, ihn zu lieben, ihn zu dulden?

Sganarelle. Nein, dazu bist Du mir zu lieb. Jedoch
Er hält mein Wort für aus der Luft gegriffen,
Denkt sich, ich spräche nur aus Klugheit so,
Daß Du mich lieben und ihn hassen solltest.
Drum wollt' ich, daß Du selber, ohne Umschweif,
Ihn aus dem Irrthum rissest, den er nährt.

Isabelle. Wie, gab mein Herz nicht offen sich Euch kund,
Und könnt Ihr zweifeln noch an meinen Wünschen?

Valer. Ja, was der Herr von Euch bestellte, Fräulein,
at einen Geist wol überraschen können.
ch zweifelte, und dieser Urtheilsspruch,
er über meine Liebe jetzt entscheidet,
eht mir so nah, daß Ihr nicht zürnen müßt,
enn ich zum zweiten Mal ihn hören möchte.
Isabelle. Nicht überraschen kann Euch solcher Ausspruch;
r zeigt' Euch die Gesinnung, die ich hege,
nd die hinreichend mir begründet scheint,
m ihre volle Wahrheit zu bekennen.
o hört mich denn und zweifelt länger nicht.
as Schicksal führt mir hier zwei Werber zu,
ie mir das Herz bewegen, doch ein sehr
Verschiedenes Gefühl in mir erwecken.
Aus freier Wahl, wie es die Ehr' erheischt,
Gehört dem Einen meine Lieb' und Achtung;
Dem Andern kann ich seine Zärtlichkeit
Mit Zorn und Widerwillen nur vergelten.
Die Gegenwart des Einen ist mir lieb,
Erfüllt die Seele mir mit Freudigkeit;
Der And're aber flößt durch seinen Anblick
Nur Zorn und Abscheu meinem Herzen ein;
Des Einen Frau zu werden ist mein Wunsch,
Und stürb' ich lieber, als den Andern frei'n.
Doch jetzt hab' ich genug mein Herz gezeigt,
Und schon zu lange trug ich diese Qual.
Drum möge mein Geliebter sich beeilen,
Daß dem Verhaßten jede Hoffnung schwinde,
Und daß ein glücklich Bündniß mich befreie
Von einer Qual, die schlimmer als der Tod.
Sganarelle. Ja, Liebchen, Deine Hoffnung wird erfüllt.
Isabelle. Das einz'ge Mittel ist's, mich zu beruh'gen.
Sganarelle. Bald sollst Du's sein.
Isabelle. Wol ziemt es keinem Mädchen
So frei herauszusagen ihre Wünsche.
Sganarelle. Thut nichts.
Isabelle. Doch in der Lage, wo ich bin,
Muß solche Freiheit mir gestattet sein,
Und ohn' Erröthen kann ich's Dem gestehn,

Den ich als meinen Gatten schon betrachte.

Sganarelle. Jawol, mein Herzchen, Püppchen meiner Seele!

Isabelle. So zeige er mir seine Liebe denn!

Sganarelle. Da, küsse mir die Hand.

Isabelle. Und ohne Säumen
Schließ' er den Bund, den ich so heiß ersehne,
Und nehme hier gleich meinen Schwur, daß nie
Ein And'rer mich besitzen wird als er.

(Sie thut, als wolle sie Sganarelle umarmen, und reicht ihre Hand zum Kuß dem Valer.)

Sganarelle. Ei, ei, mein Schnäbelchen, mein Herzenskind,
Ich will Dich nicht mehr lange schmachten lassen. *(Zu Valer).*
Nun da, Ihr seht's, ich geb' es ihr nicht ein,
Nach mir allein sehnt ihre Seele sich.

Valer. Wolan, Ihr spracht Euch deutlich aus, mein Fräulein,
Ich weiß nunmehr, was Ihr von mir verlangt,
Und werde Euch sehr bald von Dem befrei'n,
Der Euch mit solcher Heftigkeit bedrängt.

Isabelle. Ihr könnt mir keine größ're Wohlthat thun,
Denn schwer ist dieser Anblick zu ertragen,
Ich hasse ihn, mein Abscheu ist so groß —

Sganarelle. Na, na!

Isabelle. Beleidigt's Euch, wenn ich so spreche?
Thu' ich —

Sganarelle. Mein Gott, nein, nein, das mein' ich nicht.
Sein Zustand aber dauert mich wahrhaftig,
Denn allzuoffen zeigst Du Deinen Haß.

Isabelle. Ich zeig' ihn nicht genug bei solchem Anlaß.

Valer. Ja, ich versprech' es Euch, daß in drei Tagen
Ihr nicht mehr den Verhaßten sehen sollt.

Isabelle. So recht. Lebt wohl.

Sganarelle *(zu Valer).* Eu'r Unglück thut mir leid,
Jedoch —

Valer. Nein, keine Klage sollt Ihr hören.
Das Fräulein schätzt uns, wie wir es verdienen,
Und ihre Wünsche such' ich zu erfüllen.
Lebt wohl.

Sganarelle. Der arme Innge thut mir leid!
Kommt her, umarmt mich, denkt, daß sie es sei. *(Er umarmt Valer.)*

Funfzehnter Auftritt.
Isabelle. Sganarelle.

Sganarelle. Er ist schlimm dran.

Isabelle. Ei, geht, er ist es nicht.

Sganarelle. Doch Deine Liebe rührt mich auf das tiefste.
Ich will sie auch belohnen, süßes Püppchen.
Acht Tage sind für Dich zu lang, Du wirst
Schon morgen meine Frau, ganz in der Stille —

Isabelle. Wie, morgen schon!

Sganarelle. Aus Scham spielst Du die Spröde,
Doch weiß ich wol, wie sehr dies Wort Dich freut,
Und daß Du wünscht, es wäre schon so weit.

Isabelle. Doch —

Sganarelle. Laß uns Alles dazu vorbereiten.

Isabelle. O Himmel, zeige einen Ausweg mir!

Dritter Aufzug.

Erster Auftritt.
Isabelle (allein).

Ja, nicht der Tod scheint mir so fürchterlich,
Als diese Ehe, die ich schließen soll,
Und was ich thu', dem Joche zu entflieh'n,
Das muß nicht allzustreng beurtheilt werden.
Schon wird es Nacht. Ich will mich ohne Furcht
Der Treue des Geliebten anvertrau'n.

Zweiter Auftritt.
Isabelle. Sganarelle.

Sganarelle (in das Haus hineinsprechend).
Ich kehre gleich zurück; man soll auf morgen —

Isabelle. O Himmel!

Sganarelle. Du, mein Herz? wohin so spät?
Du wolltest auf Dein Zimmer Dich begeben,
Als ich Dich ließ, weil Du ermüdet selbst;

Du bateſt mich ſogar, bei meiner Rückkehr
Dich bis zum Morgen dort in Ruh zu laſſen.

    Iſabelle. Sehr wahr; doch —

    Sganarelle. Nun?

    Iſabelle. Ihr ſeht, ich bin verwirrt,
Und weiß nicht, wie ich mich entſchuld'gen ſoll.

    Sganarelle. Was iſt's denn?

    Iſabelle. Ein Geheimniß zum Erſtaunen.
Die Schweſter iſt's, die auszugehn mich zwingt,
Und die, zu einem Zweck, den ich ſehr table,
Mich um mein Zimmer bat, wo ich ſie einſchloß.

    Sganarelle. Wie?

    Iſabelle. Sollte man es glauben? Den liebt ſie,
Dem wir das Haus verwieſen.

    Sganarelle. Ihn?

    Iſabelle. Zum Sterben.
Mit einer Leidenſchaft, die ohne Gleichen;
Ihr könnt urtheilen über ihre Stärke,
Da ſie allein, zu dieſer Stunde kam,
Mir ihren Liebeskummer zu entdecken,
Und frei herauszuſagen, daß ſie ſterbe,
Wenn ihrer Seele Wunſch ſich nicht erfüllt,
Daß länger als ein Jahr ſchon ihre Herzen
In einem heimlichen Verkehr geſtanden,
Und daß ſie ſchon im Anfang ihrer Liebe
Die Ehe gegenſeitig ſich verſprochen.

    Sganarelle. Wie ſchlecht!

    Iſabelle. Da ſie von der Verzweiflung hörte,
In die ich Den geſtürzt, den ſie erſehnt,
So mög' ich ihr erlauben, ſich durch Liebe
Den Ungetreuen wieder zu gewinnen.
Sie will in meinem Namen in der Straße,
Nach der mein Fenſter liegt, mit ihm noch ſprechen;
Mit einer Stimme, die der meinen gleicht,
Will ſie ihm ihre heiße Liebe ſchildern,
Und ſo die Neigung, die er mir jetzt weiht,
Auf ſeine Weiſe auf ſich ſelber lenken.

    Sganarelle. Das billigſt Du?

    Iſabelle. Ich bin empört darüber.

Was, Schwester, sagte ich, seid Ihr von Sinnen?
Erröthet Ihr denn nicht, an solche Menschen
Das Herz zu hängen, die sich täglich ändern?
Euch zu vergessen so und einen Mann
Zu täuschen, den der Himmel Euch bestimmt?

Sganarelle. O der verdient es schon; mich sollt' es freun.

Isabelle. In meinem Zorn griff ich nach hundert Gründen,
Ihr solche Handlungsweise vorzuhalten,
Und dem, was sie verlangte, zu entgehn.
Doch ließ sie eine solche Sehnsucht blicken,
Vergoß so viele Thränen, seufzte so,
Schwur, in Verzweiflung stürzt' ich ihre Seele,
Wenn ich, was sie mich bat, ihr weigerte,
Daß ich ihr nachgab, ohne es zu wollen.
Doch, nicht allein zu sein bei der Intrigue,
In die mich schwesterliche Liebe zog,
Wollt' ich Lucrezien mir zum Schlafen holen,
Die Ihr mir stets als tugendhaft gerühmt.
Nun überrascht Ihr mich durch Eure Rückkehr.

Sganarelle. Nein, nein, ich will nichts Heimliches bei mir.
Um meinen Bruder ließ ich's gerne zu,
Doch könnte Jemand sie von außen sehn,
Und die ich ehre, meine Frau zu werden,
Soll nicht blos sittsam sein und gutgeartet
Es darf selbst der Verdacht nicht auf ihr lasten.
Gleich soll die Unverschämte aus dem Hause.

Isabelle. Ach nein, Ihr würdet sie zu tief beschämen,
Sie könnte sich mit allem Recht beklagen,
Daß ihr Geheimniß ich so schlecht bewahrt,
Weil ihrer Meinung nach ich fort sein müßte.
Laßt mich sie wenigstens hinausgeleiten.

Sganarelle. Es sei.

Isabelle. Doch bitt' ich, Ihr verbergt Euch erst,
Und laßt sie, ohn' ihr was zu sagen, gehn.

Sganarelle. Ja, Dir zu Liebe will ich an mich halten,
So wie sie aber aus dem Hause ist,
Begeb' ich mich sogleich zu meinem Bruder,
Und bring' ihm diese schöne Neuigkeit.

Isabelle. Doch ich beschwör' Euch, mich ihm nicht zu nennen;

3

Gut Nacht; denn gleich geh' ich jetzt in mein Zimmer.

Sganarelle (allein).

Bis morgen, Herz. Ich brenne, meinen Bruder
Zu sehn und ihm sein Schicksal zu erzählen.
Das hat er nun von seinen schönen Reden;
Mir wären zwanzig Thaler nicht so lieb.

Isabelle (im Hause).

Ja, Euer Mißgeschick geht mir sehr nahe;
Doch was Ihr wollt, ist mir unmöglich, Schwester,
Denn meine Ehre läuft Gefahr dabei,
Lebt wohl. Geht nun, eh' es noch später wird.

Sganarelle. Da kommt sie, die mir wie ein Fluch erscheint;
Daß sie nicht wiederkehre, schließ' ich gleich
Die Thür.

Isabelle. O Himmel, laß die List gelingen!

Sganarelle. Wo mag sie hingehn? Folgen wir ein wenig.

Isabelle (bei Seite).

Die Nacht begünst'ge mich in der Verwirrung.

Sganarelle. Zu dem Galan! Was will sie unternehmen?

Dritter Auftritt.

Valer. Isabelle. Sganarelle.

Valer (ungestüm heraustretend).

Ja, ich versuche diese Nacht sie noch
Zu sprechen, und — Wer da?

Isabelle (zu Valer). Macht keinen Lärm,
Valer; ich bin schon hier, bin Isabelle.

Sganarelle. Das lügst Du, Hündin! Das Gesetz der Ehre,
Dem Du nicht folgst, kennt sie nur allzu gut,
Den Namen nimmst Du an und ihre Stimme.

Isabelle (zu Valer). Jedoch bevor ein heilig Ehebündniß —

Valer. Es ist das einz'ge Ziel, das ich erstrebe,
Und hier gelob' ich Euch durch einen Schwur,
Daß ich schon morgen meine Hand Euch reiche.

Sganarelle (bei Seite). Du täuschst Dich, armer Thor!

Valer. Folgt mir getrost.
Ich biete Euerm Argus dreist die Stirn,
Und eh' er meiner Liebe Euch entreißt,
Durchbohr' ich ihm das Herz mit tausend Stichen.

Vierter Auftritt.

Sganarelle (allein).

Sei unbesorgt, ich habe keine Lust
Dir die verliebte Dirne zu entreißen.
Ich bin auf Dich gewiß nicht eifersüchtig,
Ich seh' es gern, daß Du ihr Gatte wirst.
Ja, überraschen wir ihn gleich mit ihr;
Ich bin's dem Angedenken ihres Vaters
Und dem Intreſſe für die Schwester schuldig,
Daß ihre Ehre nicht verloren gehe.
Holla! (Er klopft an die Thür eines Commiſſärs.)

Fünfter Auftritt.

Sganarelle. Ein Commiſſär. Ein Notar. Ein Diener (mit einer Fackel.)

Der Commiſſär. Was giebt's?

Sganarelle. Grüß Gott, Herr Commiſſär.
Wir brauchen Euch in Eurem Amtskleid hier,
Ich bitte, folgt mir mit dem Fackelträger.

Der Commiſſär. Wir gehen aus —

Sganarelle. Sehr eilig ist die Sache,

Der Commiſſär. Was ist's?

Sganarelle. Zu überraschen hier im Haus
Zwei Leute, die den Ehbund schließen müſſen.
Ein Mädchen, die mit uns verwandt, und die
Ein Herr Valer hat in sein Haus gelockt.
Sie stammt von edlen, tugendhaften Eltern,
Jedoch —

Der Commiſſär. Wenn's darum ist, so trifft sich's gut,
Da ein Notar hier bei uns' ist.

Sganarelle. Der Herr?

Der Notar. Ich bin Notar.

Der Commiſſär. Dabei ein Mann von Ehre.

Sganarelle. Nun, das versteht sich. Geht in diese Thür,
Und gebt wohl Acht, daß Niemand uns entkomme.
Man wird Euch reichlich Eure Mühe lohnen.
Vor Allem aber, laßt Euch nicht bestechen.

Der Commiſſär. Wie, glaubt Ihr denn, ein Diener des
Gerichts —

3*

Sganarelle. Ich wollte gegen Euer Amt Nichts sagen.
Schnell hol' ich meinen Bruder jetzt herbei,
Laßt nur die Fackel mir ein wenig leuchten,
Er wird sich daran freu'n, der weise Mann.
Holla! (Er klopft an die Thür des Ariste.)

Sechster Auftritt.

Ariste. Sganarelle.

Ariste. Wer klopft? Aha! Was wollt Ihr, Bruder?

Sganarelle. Kommt, schöner Leiter, alter Weiberknecht!
Macht Euch auf schöne Dinge nur gefaßt.

Ariste. Wie so?

Sganarelle. Ich bring' Euch schöne Neuigkeiten.

Ariste. Nun?

Sganarelle. Wo ist Eure Leonore, sagt?

Ariste. Warum die Frage? Auf dem Ball glaub' ich,
Bei ihrer Freundin.

Sganarelle. Glaubt Ihr? Folgt mir nur,
Und seht, auf welchem Ball die Dirne ist.

Ariste. Was redet Ihr?

Sganarelle. Sie ist gut angelernt.
Es ist nicht gut, mit Strenge stets zu tadeln;
Das Herz gewinnt man nur durch große Sanftmuth
Und nicht durch Mißtraun, nicht durch Schloß noch Gitter
Kann man der Frau'n und Mädchen Tugend wahren.
Man hält sie schwer im Zaum durch zu viel Strenge,
Auch ihr Geschlecht will gern ein wenig Freiheit.
Nun ja, sie nimmt so viel sich, wie sie kann,
Und ihre Tugend ist nicht allzustrenge.

Ariste. Was haben diese Reden zu bedeuten?

Sganarelle. Ja, kluger Bruder, das geschieht Euch recht,
Und zwanzig Stück Pistolen geb' ich drum,
Daß Ihr die Früchte Eurer Weisheit seht.
Die Wirkung unsrer Lehren ist: Die Eine
Flieht den Galan, die Andre läuft ihm nach.

Ariste. Wenn Ihr dies Räthsel mir nicht lösen wollt —

Sganarelle. Das Räthsel ist, daß sie zu Ball ist bei
Valer, daß ich bei Nacht sie sah ihm folgen,

Und daß sie jetzt in seinen Armen ruht.

Ariste. Wer?

Sganarelle. Leonore.

Ariste. Lassen wir den Scherz!

Sganarelle. Den Scherz? Er ist mit seinem Scherz vortrefflich.
Der arme Thor! Ich wiederhol' es, Euch,
Valer hat Eure Leonore bei sich.
Sie hatten schon die Treue sich versprochen,
Eh' er in Isabellen sich verliebt.

Ariste. Was Ihr da sagt, scheint mir so unbegreiflich —

Sganarelle. Er glaubt nicht eher, bis er selbst es sieht.
Ich rase! Meiner Treu', das Alter dient
Zu Nichts, wenn's hier fehlt. (Er zeigt auf seine Stirn.)

Ariste. Was! Ihr wolltet, Bruder —

Sganarelle. Mein Himmel, ich will Nichts. Folgt mir doch nur,
Und Eure Klugheit soll genug bekommen.
Ihr werdet sehn, ob ich die Wahrheit sprach,
Ob sie seit einem Jahr nicht schon Verlobte.

Ariste. Sie hätte so mich hintergehen können,
Ihr Wort zu geben, ohne mir's zu sagen,
Mir, der ihr jeden Wunsch so gern erfüllte?
Und der ihr hundert Mal betheuerte,
In ihrer Neigung niemals sie zu stören?

Sganarelle. Ihr werdet ja mit eignen Augen seh'n,
Ich ließ Notar und Commissär schon kommen.
Uns muß dran liegen, daß das Eheband
Sogleich die ihr verlorne Ehre rette.
Denn so schwach, denk' ich, werdet Ihr nicht sein,
Nach solcher Schmach sie noch zur Frau zu nehmen.
Wenn Ihr nicht etwa so vernünftig seid,
Euch zu erheben über allen Spott.

Ariste. Nein, niemals werde ich die Schwäche haben,
Mich um ein Herz, das mich verschmäht, zu mühen;
Jedoch ich kann nicht glauben, daß —

Sganarelle. Geschwätz!
Geh'n wir, denn dieser Streit nähm' nie ein Ende.

Siebenter Auftritt.

Sganarelle. Ariste. Ein Commissär. Ein Notar.

Der Commissär. Hier, meine Herrn, bedarf's nicht der Gewalt,
Und wenn Ihr nichts als eine Heirath wünscht,
So könnt Ihr jetzt hierüber ruhig sein.
Sie haben Beide keinen andern Wunsch.
Und schon hat schriftlich sich Valer verpflichtet,
Als seine Frau sie bei sich zu behalten.

Ariste. Das Mädchen aber?

Der Commissär. Schloß sich ein, will nicht
Heraus, als bis Ihr eingewilligt habt.

Achter Auftritt.

Valer. Ein Commissär. Ein Notar. Sganarelle. Ariste.

Valer (am Fenster seines Hauses).
Nein, meine Herrn, und Niemand darf herein,
Bis Ihr mir Euren Willen kund gethan.
Ihr kennt mich, meine Pflicht hab' ich gethan,
Indem ich jene Unterschrift Euch gab.
Seid Ihr mit diesem Bunde einverstanden,
So gebt mir gleichfalls schriftlich Euer Wort.
Wenn nicht, müßt Ihr mir erst das Leben nehmen,
Bevor Ihr die Geliebte mir entreißt.

Sganarelle. Wir werden Euch gewiß nicht von ihr trennen.
(Leise für sich.)
Er hält sie immer noch für Isabelle;
Benutzen wir den Irrthum.

Ariste (zu Valer). Aber ist's
Auch Leonore?

Sganarelle (zu Ariste). Schweigt.

Ariste. Allein —

Sganarelle. Nur still!

Ariste. Ich möchte wissen —

Sganarelle. Schweigen sollt Ihr, sag' ich.

Valer. Doch was auch komme, Isabell' und ich,
Wir haben Beide Treue uns gelobt.
Und wenn Ihr Alles überlegt, könnt Ihr
Die Wahl, die sie getroffen, nicht verdammen.

Ariſte (zu Sganarelle). Er ſagt ja nicht —

Sganarelle. Ihr ſollt's erfahren, ſchweigt!　(Zu Valer.)
Wir will'gen Beide ein, daß die, die man
Bei Euch jetzt finden wird, die Eure werde.

　Der Commiſſär. So ſteht's auch hier, und nur der Name fehlt,
Weil wir ſie nicht geſehn.　Jetzt unterſchreibt.
Das Fräulein bringt dann Alles bald in Ordnung.

　Valer. Ich will'ge ein.

　Sganarelle. Und ich bin es zufrieden.　(Bei Seite.)
Wie will ich lachen.　(Laut.) Unterſchreibt denn, Bruder.
Ihr habt das Vorrecht.

　Ariſte. Dies Geheimnißvolle —

　Sganarelle. Zum Teufel! Unterſchreibt doch, dummer Eſel!

　Ariſte. Von Iſabellen redet er und Ihr
Von Leonoren.

　Sganarelle. Wenn ſie's aber iſt,
Seid Ihr alsdann nicht einverſtanden, Bruder,
Daß man den Bund ſie ruhig ſchließen läßt?

　Ariſte. Kein Zweifel.

　Sganarelle. Unterſchreibt denn; ich thu's auch.

　Ariſte. Sei's.　Ich verſteh' es nicht.

　Sganarelle. Bald wird's Euch klar.

　Der Commiſſär. Gleich ſind wir wieder hier.

　Sganarelle. So; jetzt erzähl'
Ich die Intrigue Euch.

　　(Sie ziehen ſich in den Hintergrund der Bühne zurück.)

Neunter Auftritt.

Leonore. Sganarelle. Ariſte. Liſette.

　Leonore. O welche Marter!
Wie läſtig ſind mir alle dieſe Gecken!
Ich ſtahl mich ihretwegen fort vom Ball.

　Liſette. Und Jeder ſuchte doch Euch zu gefallen.

　Leonore. Ich aber fand ſie nie ſo unerträglich,
Und zöge ich die ſchlicht'ſte Unterhaltung
All dieſen leeren Redensarten vor.
Unwiderſtehlich, meinen ſie, ſei die
Perücke, und ihr Wort die laut're Weisheit,
Wenn ſie mit ihren plumpen, loſen Witzen,

Euch über eines Greises Liebe spotten;
Mir ist die Neigung eines solchen lieber,
Als aller Eifer dieser jungen Laffen.
Doch seh' ich dort nicht —

Sganarelle (zu Ariste). Ja, so ist die Sache. (Er bemerkt Leonore.)
Ah, sie erscheint und auch die Dienerin.

Ariste. Ich habe Grund zu klagen, Leonore.
Ihr wißt, ob ich Euch jemals zwingen wollte,
Und ob ich Euch nicht hundert Mal betheuert,
Ich ließe volle Freiheit Euren Wünschen,
Und doch verschenkt Ihr heimlich, ohne mir
Ein Wort zu sagen, Herz und Hand zugleich?
Nicht mein Benehmen gegen Euch beren' ich,
Doch Eure Handlungsweise geht mir nahe.
Denn meine Freundschaft, die ich Euch bewiesen,
Hat nicht verdient, daß Ihr Euch so betragt.

Leonore. Noch faß ich nicht den Sinn von Euern Worten
Doch glaubt, daß ich noch immer bin wie sonst,
Daß Nichts für Euch kann meine Achtung mindern,
Daß jede andre Freundschaft mir wie ein
Verbrechen schien' und daß, wenn Ihr mich liebt,
Ein heilig Band uns morgen schon vereine.

Ariste. Wie wollt Ihr nun begründen, Bruder —
Sganarelle. Was!
Ihr kämet jetzt nicht aus dem Haus Valers?
Ihr hättet ihm nicht Euer Leid geklagt?
Und liebt ihn nicht schon länger als ein Jahr?

Leonore. Wer hat mich denn so bei Euch abgemalt
Und müht sich, solche Lügen zu erdenken?

Zehnter Auftritt.

Isabelle. Valer. Leonore. Ariste. Sganarelle. Ein Commissä
Ein Notar. Lisette. Ergäste.

Isabelle. Ihr müßt großmüthig mir verzeihen, Schwester
Wenn Euer Name ward von mir mißbraucht.
Die augenblickliche Verlegenheit
Hat mich zu dieser argen List verleitet.
Ihr sprecht mein Urtheil aus durch Euer Vorbild.
Doch ungleich handelte an uns das Schicksal.

(Zu Sganarelle.)

Bei Euch, mein Herr, will ich mich nicht entſchuld'gen;
Ich dien' Euch mehr zum Nutzen als zum Schaden;
Der Himmel hat uns für einander nicht
Beſtimmt; unwürdig war ich Eurer Liebe,
Und wählt' ich lieber einen Andern, als
Ein Herz nicht zu verdienen wie das Eure.

Valer (zu Sganarelle.) Ich aber ſetze meinen Ruhm darein,
Aus Eurer Hand, mein Herr, ſie zu empfangen.

Ariſte. Ja Bruder, in den ſauern Apfel müßt
Ihr beißen. Ihr allein tragt alle Schuld.
Hört man, daß Ihr der Angeführte ſeid,
Wird Niemand Euer traurig Loos beklagen.

Liſette. Mein Treu, ich gönn' ihm herzlich die Geſchichte,
Er hat nun ſeinen wohlverdienten Lohn.

Leonore. Ich weiß nicht, ob man dieſen Schritt darf loben;
Das aber weiß ich, ich kann ihn nicht tadeln.

Ergaſte. Sein Schickſal wollte ihn zum Hahnrei machen;
Er kann ſich freuen, daß er ihm entging.

Sganarelle (wieder zu ſich kommend aus ſeiner Betäubung, in die er
gefallen war).

Ich komme gar nicht zu mir vor Erſtaunen!
Denn dieſe Liſt geht über den Verſtand,
Und Satan ſelber, glaube ich, iſt nicht
So abgefeimt, als eine ſolche Bübin.
Für ſie hätt' ich die Hand geſtreckt in's Feuer.
Verwünſcht, wer jetzt noch einem Weibe traut!
Sogar die Beſte ſteckt voll lauter Bosheit.
Erzeugt ward dies Geſchlecht uns zur Verdammniß.
Ich kehre ihm auf immer jetzt den Rücken,
Und wünſch' ich meinetwegen es zum Teufel.

Ergaſte. Sehr gut.

Ariſte. Gehn wir zu mir! Kommt, Herr Valer;
Wir wollen morgen ſeinen Zorn beſchwicht'gen.

Liſette (zum Parterre). Ihr aber, wenn Ihr ſolche Brummbär'n kennt,
So ſchickt ſie in die Schule doch bei uns.

Ende.

Ausgabe
lateinischer und griechischer Autoren
herausgegeben von
Georg Aenotheus Koch.

Lateinische Classiker.		
Cornelius Nepos	2½	Sgr.
Phaedri Fabulae	2½	,,
Caesar de bello gallico	5	,,
Caesar de bello civili	5	,,
Eutropius	2½	,,
Curtius	5	,,
Virgilii Aeneis	7½	,,
Sallustius	2½	,,
Ovidii Metamorphoses	7½	,,
Ciceronis orat. pro sulla, pro lege Manilia, pro Archia poeta	2½	,,
Ciceronis orat. in Catilinam et orat. pro Murena	2½	,,

Ciceronis orat. pro Milone, pro Marcello, pro Ligario . . . . . 2½ &

Ciceronis orat. pro Deiotaro, pro Sex. Roscio, pro Plancio . 2½

Ciceronis Cato maior de Senectute et Laelius de Amicitia . 2½

Horatii Opera 7½

Griechische Classiker.

Homeri Odyssea 2 Bände	10
Homeri Ilias 2 Bände	10
Xenophontis Anabasis	5

Jede Buchhandlung giebt auf 6 Exemplare 1 Freiexemplar.

Guide de la conversation.
Englisch-französisch-deutsches Hülfsbuch.
Ein unentbehrlicher Begleiter für Reisende
und nothwendiges Handbuch zur leichten u. gründlichen Erlern
der Conversation in diesen drei Sprachen.
Achte verbesserte Auflage.
Cart. Preis 15 Sgr.

Geschichte der französischen Revolution
1789—1814
von **F. A. Mignet.**
Deutsch von **Dr. Friedrich Köhler.**
Mit 16 Illustrationen von J. G. Flegel in Leipzig.
Ladenpreis geheftet 16 Sgr. Elegant in Leinen mit Goldtitel gebunden 20 (

W. Shakspere's
Hamlet, Prince of Denmark.
Mit
nebenstehender deutscher Uebersetzung
von Dr. **Friedrich Köhler.**

Der Geizige.

Lustspiel in fünf Aufzügen

von

Molière.

Uebersetzt von

Auguste Cornelius.

Leipzig,

Druck und Verlag von Philipp Reclam jun.

Perſonen.

Harpagon, Cleants und Eliſens Vater, Anbeter Marianens.

Cleant, Harpagons Sohn, Liebhaber Marianens.

Eliſe, Harpagons Tochter, Liebhaberin Valers.

Valer, Anſelmus Sohn und Liebhaber Eliſens.

Mariane, Liebhaberin Cleants, und geliebt von Harpagon.

Anſelmus, Valers und Marianens Vater

Froſine, eine Gelegenheitsmacherin.

Simon, ein Mäkler.

Jakob, Koch und Kutſcher Harpagons.

La Fleche, Cleants Diener.

Frau Claudius, Dienerin Harpagons.

Brindavoine, } Harpagons Lakaien.
La Merluche, }

Ein Commiſſar und ſein Schreiber.

Die Handlung iſt in Paris, im Hauſe Harpagons.

Erster Aufzug.

Erster Auftritt.
Baler. Elise.

Baler. Ei, ei, reizende Elise, Ihr werdet melancholisch, nachdem Ihr mich durch die Versicherung Eurer Treue beglückt habt? Ach, mitten in meiner Freude höre ich Euch seufzen? Bedauert Ihr, mich glücklich gemacht zu haben? Und bereut Ihr das Versprechen, das meine Leidenschaft Euch vielleicht entrissen hat?

Elise. Nein, Baler, was ich für Euch thue, werde ich nie bereuen. Ich fühle mich wie von einer sanften Gewalt getrieben, und habe nicht einmal die Kraft, zu wünschen, daß Alles anders wäre. Doch ich gestehe Euch, mir bangt vor der Zukunft, und ich fürchte, ich liebe Euch mehr als ich sollte.

Baler. Ei was habt Ihr von Eurer Huld für mich zu fürchten, Elise?

Elise. Ach, alles Mögliche! Den Zorn des Vaters, die Vorwürfe der Familie, das Urtheil der Welt; mehr aber als Alles, Baler, die Wandelbarkeit Eures Herzens, die schreckliche Kälte, mit der Euer Geschlecht meist die glühend= sten Beweise einer unschuldigen Liebe vergilt.

Baler. Ach, thut mir nicht das Unrecht an, mich nach Andern zu beurtheilen! Denkt von mir was Ihr wollt, Elise, nur nicht, daß ich je meine Pflicht gegen Euch ver= gessen könnte. Ich liebe Euch dazu viel zu sehr, und meine Liebe für Euch wird nur mit dem Leben enden.

Elise. Ach, Baler, so spricht Jeder! Die Männer sind in ihren Reden einer wie der andere; nur in ihren Hand= lungen zeigt sich der Unterschied.

Baler. Wenn wir nur aus unsern Handlungen zu erken= nen sind, so wartet doch wenigstens mit Eurem Urtheil über mein Herz, bis sie gegen mich gezeugt, und sucht nicht nach Verbrechen bei mir in ungerechten Befürchtungen einer schlimmen Ahnung. Nein, tödtet mich nicht durch die Dolchstiche eines kränkenden Verdachtes; gebt mir Zeit, Euch durch tausend und aber tausend Beweise von der Aufrichtigkeit meiner Liebe zu überzeugen.

Elise. Ach, wie leicht läßt man sich von Jemand über= reden, den man liebt! Ja, Valer, ich halte Euer Herz für unfähig, mich zu täuschen; ich glaube, Ihr liebt mich wahrhaft, und werdet mir treu bleiben; ich will nicht länger zweifeln und meinen Kummer nur den Befürchtungen vor dem Tadel zuschreiben, der mich treffen könnte.

Valer. Doch warum hegt Ihr diese Befürchtung?

Elise. Ich würde nichts fürchten, wenn alle Welt Euch mit meinen Augen sähe, denn ich sehe Euch so, daß sich Alles rechtfertigen läßt, was ich thue. Mein Herz hat zu seiner Vertheidigung Euer Verdienst, gestützt auf eine Dank= barkeit, zu der der Himmel selbst mich gegen Euch ver= pflichtet. Ich vergegenwärtige mir stündlich die Gefahr, die uns zum ersten Mal einander gegenüber stellte; den Heldenmuth, der Euch Euer Leben aufs Spiel setzen ließ, um das meinige der Wuth der Wellen zu entreißen; die zärtliche Sorgfalt, die Ihr mir bewieset, nachdem Ihr mich aus dem Wasser gezogen hattet, die beständige Hul= bigung Eurer glühenden Liebe, die weder Zeit noch Hin= bernisse erschütterten und die, hier zu bleiben, Euch Eltern und Heimat verlassen läßt. Ja, Ihr geht so weit, um mich zu sehen, Knechtesdienste im Hause meines Vaters zu verrichten. Dies alles macht natürlich einen ungeheueren Eindruck auf mich, und rechtfertigt in meinen Augen voll= kommen das Versprechen, das ich Euch gab; doch dies reicht vielleicht nicht hin, es bei Andern zu rechtfertigen, und ich bin nicht sicher, ob man meine Gesinnungen theilt.

Valer. Von Allem, was Ihr eben angeführt, ist es nur meine Liebe, von der ich mir bei Euch Etwas verspreche; und was Eure sonstigen Zweifel betrifft, so ist Euer Vater nur allzu beflissen, Euch vor der Welt zu rechtfertigen; sein übertriebener Geiz, die Strenge, mit der er seine Kinder behandelt, könnten noch ganz andere Dinge entschuldigen. Verzeiht, reizende Elise, daß ich vor Euch so rede. Ihr wißt, wenn man auf dies Capitel kommt, läßt sich nichts Gutes sagen. Doch wenn ich, wie ich hoffe, meine Eltern wieder finde, so wird es uns nicht schwer fallen, sie für uns zu gewinnen. Ich erwarte mit Ungeduld Nachrichten von ihnen, und werde mich selber auf den Weg darnach machen, wenn sie noch länger ausbleiben.

Elise. Ach nein, verlaßt mich nicht, Valer, denkt nur darauf, Euch bei meinem Vater in Gunst zu setzen.

Valer. Ihr wißt, wie angelegen ich mir's sein lasse, und durch welch geschickte Nachgiebigkeit ich es endlich durchzusetzen wußte, in seinen Dienst zu kommen; wie ich die Maske gleicher Neigungen und Gesinnungen vornehme, um ihm zu gefallen, und welche Rolle ich täglich bei ihm spiele, seine Zuneigung zu erobern. Schon habe ich bewundernswürdige Fortschritte darin gemacht, denn ich merke, daß es, um sich bei Menschen beliebt zu machen, kein besseres Mittel gibt, als sich vor ihren Augen mit ihren Neigungen zu schmücken, in ihre Grundsätze einzugehen, ihre Fehler zu beschönigen, und Allem, was sie thun, Beifall zu zollen. Man braucht nicht zu fürchten, hierin des Guten zu viel zu thun; die Art auf die man sie anführt, mag noch so augenscheinlich sein, die Klügsten sind gerade der Schmeichelei gegenüber die Allerverblendetsten; und es giebt nichts so Abgeschmacktes, nichts so Lächerliches, das sie nicht hinunterschlucken, wenn es mit Lobeserhebungen gehörig gewürzt ist. Die Aufrichtigkeit verträgt sich freilich schlecht mit dieser Handlungsweise, wenn man jedoch die Leute braucht, muß man sich auch nach ihnen richten; und da sie nur so zu gewinnen sind, so ist es nicht die Schuld Derer, die schmeicheln, sondern Derjenigen, die geschmeichelt sein wollen.

Elise. Aber warum sucht Ihr nicht auch den Beistand meines Bruders zu gewinnen, im Fall die Dienerin sich einfallen ließe, unser Geheimniß zu verrathen?

Valer. Man kann nicht zweien Herren dienen; Vater und Sohn sind so entgegengesetzter Denkart, daß es schwer ist, sich Beider Vertrauen zu erwerben. Ihr aber könntet wol auf Euren Bruder einwirken, und die Freundschaft, die zwischen Euch Beiden ist, benutzen, um ihn in unser Interesse zu ziehen. Da kommt er. Ich entferne mich. Der

Augenblick iſt günſtig. Entdeckt ihm von unſerer Ange=
legenheit ſo viel Euch rathſam erſcheint.

Eliſe. Ich weiß nicht, ob ich die Kraft haben werde, ihm
dies Geſtändniß zu machen.

Zweiter Auftritt.

Cleant. Eliſe.

Cleant. Ich bin ſehr erfreut, Dich allein zu finden,
Schweſter; ich brenne vor Verlangen, Dir ein Geheimniß
mitzutheilen.

Eliſe. Du findeſt mich bereit Dich anzuhören, Bruder.
Was haſt Du mir zu ſagen?

Cleant. Viel, Schweſter; in ein Wort zuſammen gefaßt:
ich liebe.

Eliſe. Du liebſt?

Cleant. Ja, ich liebe. Doch ehe ich weiter gehe, ich weiß,
daß ich von einem Vater abhänge, und daß der Name
Sohn mich ſeinem Willen unterwirft, daß wir uns nicht
verſprechen dürfen ohne die Einwilligung Derer, denen wir
das Leben verdanken; daß der Himmel ſie als Gebieter über
unſere Wünſche eingeſetzt hat, und daß es uns zukommt,
nur nach ihrem Gutachten darüber zu verfügen, da ſie,
von keiner thörichten Leidenſchaft beherrſcht, viel weniger der
Täuſchung ausgeſetzt ſind als wir, und viel beſſer ſehen
was uns frommt; daß man hierin mehr ihrer Einſicht und
Klugheit als der Verblendung unſerer Leidenſchaft vertrauen
muß, und daß die Heftigkeit der Jugend uns öfters gefähr=
lichen Abgründen zudrängt. Ich ſage Dir Dies alles,
Schweſter, damit Du Dir nicht die Mühe zu geben brauchſt
es mir zu ſagen, denn meine Liebe will nichts hören, und
ich erſuche Dich, mir keinerlei Vorſtellungen zu machen.

Eliſe. Haſt Du Dich ſchon verlobt, mein Bruder?

Cleant. Noch nicht; aber ich bin dazu entſchloſſen, und
beſchwöre Dich noch einmal, nicht zu verſuchen mich durch
Gründe davon abzubringen.

Eliſe. Bin ich denn ein ſo wunderliches Weſen, Bruder?

Cleant. Nein, Schweſter; aber Du liebſt nicht; Du weißt
nichts von der ſüßen Gewalt, die eine zärtliche Neigung

über unsere Herzen ausübt, und ich fürchte Deine Ver-
ständigkeit.

Elise. Ach, Bruder, sprechen wir nicht von meiner Ver-
ständigkeit! Wen ließe sie nicht wenigstens ein Mal im Leben
im Stich? Wenn ich Dir mein Herz öffnete, würde ich in
Deinen Augen vielleicht viel unverständiger sein als Du.

Cleant. Ach, wollte der Himmel, daß Dein Herz wie das
meinige —

Elise. Durchsprechen wir zuerst Deine Angelegenheit.
Sage mir, wer sie ist, die Du liebst?

Cleant. Ein junges Mädchen, das erst seit Kurzem in
dieser Gegend wohnt, und wie dazu geschaffen scheint, Jeden,
der sie sieht, Liebe einzuflößen. Nie hat die Natur etwas
Holderes geschaffen, Schwester; vom ersten Augenblick an,
wo ich sie sah, war ich bezaubert. Sie heißt Mariane und
lebt unter Aufsicht einer guten Frau von Mutter, die fast
immer krank ist, und an der das liebe Mädchen mit unbe-
schreiblicher Zärtlichkeit hängt. Sie pflegt, beklagt und
tröstet sie in der herzgewinnendsten Weise. Alles was sie
thut, ist voll Anmuth, und jede ihrer Bewegungen hat
einen besonderen Reiz, die himmlische Sanftmuth, die
unwiderstehliche Herzensgüte, die anbetungswürdige Unschuld — Ach, Schwester, wenn Du sie nur sehen könntest!

Elise. Ich sehe sie schon aus Deiner Beschreibung, Bruder;
und um sie zu würdigen, genügt es, daß Du sie liebst.

Cleant. Ich habe unter der Hand erfahren, daß sie nicht
wohlhabend sind, und trotz ihrer Eingezogenheit ihre ge-
ringen Bedürfnisse nur mit Mühe von dem was sie haben
bestreiten. Denke Dir, Schwester, welche Freude es sein muß,
ein geliebtes Wesen zu unterstützen; dem bescheidenen Bedarf einer tugendhaften Familie etwas zu Hilfe zu kommen,
und stelle Dir vor, wie unglücklich es mich machen muß,
mich durch den Geiz des Vaters außer Stande zu sehen,
diese Freude zu genießen, und der Geliebten irgend einen
Beweis meiner Liebe zu geben.

Elise. Ja, Bruder, ich begreife, welchen Kummer Dir dies
machen muß.

Cleant. Ach, Schwester, er ist größer, als sich denken läßt.
Denn kann man wol etwas Grausameres sehen, als die

ſtrenge Sparſamkeit, zu der wir verurtheilt ſind, die un-
begreifliche Dürftigkeit, in der man uns ſchmachten läßt?
Ei, was hilft es uns Vermögen zu haben, wenn wir es
erſt zu einer Zeit erhalten, wo die ſchönſten Jahre dahin
ſind, um es zu genießen, und wenn ich jetzt, um mich zu
unterhalten, überall Schulden machen muß, wenn wir Beide
gezwungen ſind, täglich die Kaufleute in Anſpruch zu nehmen, um nur anſtändige Kleider tragen zu können? Genug, Schweſter, Du mußt mir helfen, dem Vater über meine
Neigung auf den Zahn zu fühlen; wenn ich ihn taub
dafür fände, ſo habe ich beſchloſſen von hier fort zu
gehen, und mit dem Weib meiner Wahl anderswo das
Glück zu genießen, das uns der Himmel gütig gewähren
mag. Ich ſuche deshalb überall Geld aufzunehmen; und
wenn Du in gleicher Lage wie ich biſt, und der Vater
ſich unſern Wünſchen widerſetzt, ſo wollen wir uns Beide
durch die Flucht von dieſer Tyrannei befreien, in der uns
ſein unerträglicher Geiz ſo lange hält.

Eliſe. Wol iſt es wahr, daß er uns täglich immer mehr
Urſache giebt, den Tod unſrer Mutter zu beklagen, und
daß —

Cleant. Ich höre ſeine Stimme; laß uns ein wenig
bei Seite gehen, um unſer Geſpräch fortzuführen; dann
wollen wir mit vereinten Kräften ſeinen harten Sinn be-
ſtürmen.

Dritter Auftritt.

Harpagon. La Fleche.

Harpagon. Hinaus, auf der Stelle, ohne Widerrede! Mir
aus den Augen, Du Erz-Spitzbube, Du Galgenſtrick Du!

La Fleche (bei Seite). Hat man je ſo etwas Boshaftes
geſehen als dieſen verwünſchten Alten? Ich glaube wahrhaftig, er hat den Teufel im Leibe.

Harpagon. Du brummſt noch?

La Fleche. Warum jagt Ihr mich fort?

Harpagon. Kommt es Dir zu, Schlingel, mich nach den
Gründen zu fragen? Marſch fort, ſonſt ſchlage ich Dich
todt!

La Fleche. Was that ich Euch?

Harpagon. So viel, daß ich Dich los sein will.

La Fleche. Herr, Euer Sohn hat mir befohlen, ihn zu erwarten.

Harpagon. Geh, erwarte ihn auf der Straße; steh' nicht hier in meinem Hause aufgepflanzt wie eine Schildwache, Alles zu beobachten, was vorgeht, um es auszunutzen. Ich will nicht unaufhörlich einen Spion um mich haben, einen Verräther, der mit seinen verfluchten Augen Alles bewacht, was ich thue, Alles verschlingt, was ich besitze, und der in allen Winkeln herumspäht, ob es wol was zu mausen giebt.

La Fleche. Wie zum Teufel soll man es machen, Euch zu bestehlen? Ihr seid auch der Mann dazu, Ihr, der Alles verschließt und Tag und Nacht Wache steht?

Harpagon. Ich will verschließen, was mir beliebt, und Wache stehn, wie mir's gefällt. Bist Du nicht auch so einer von Denen, die mich umschnüffeln und auf Alles achten, was man thut? (Leise bei Seite.) Ich zittere, daß er etwas von meinem Geld gemerkt hat! (Laut.) Wärst Du nicht im Stande auszusprengen, ich hätte hier Geld versteckt?

La Fleche. Ei, Ihr habt Geld versteckt?

Harpagon. Nein, Spitzbube, das sage ich nicht. (Leise.) Es ist zum toll werden! (Laut.) Ich meinte nur, daß Du boshaft genug wärst, den Leuten so was aufzubinden.

La Fleche. Ei, was geht es uns an, ob Ihr Geld habt oder nicht? Unsereins hat ja doch nichts davon.

Harpagon (hebt die Hand auf, um La Fleche eine Ohrfeige zu geben). Was, Du raisonnirst noch? Ich will Dir diese Reden gleich hinter die Ohren schreiben! Hinaus mit Dir!

La Fleche. Gut, ich gehe.

Harpagon. Halt! Nimmst Du auch nichts mit?

La Fleche. Was sollte ich mitnehmen?

Harpagon. Hier komm her, zeige Deine Hände.

La Fleche. Hier sind sie.

Harpagon. Die andern!

La Fleche. Die andern?

Harpagon. Ja.

La Fleche. Hier sind sie.

Harpagon (auf die Hosen La Fleche's zeigend). Hast Du da nichts hineingesteckt?

La Fleche. Seht doch nach.

Harpagon (ihn befühlend). Diese weiten Hosen sind wahre Diebeshöhlen, und ich wünschte nur, sie hätten schon Einen an den Galgen gebracht.

La Fleche (bei Seite). So ein Kerl müßte doch seine Furcht mal bezahlt kriegen! Wie gern möchte ich ihn bestehlen!

Harpagon. He?

La Fleche. Was?

Harpagon. Was sprichst Du da von bestehlen?

La Fleche. Ich sage, Ihr solltet gut visitiren, ob ich Euch nicht bestohlen habe.

Harpagon. Das will ich. (Er durchwühlt die Taschen La Fleche's.)

La Fleche (bei Seite). Der Teufel hole den Geiz und die Geizhälse!

Harpagon. Wie? Was sagst Du da?

La Fleche. Was ich sage?

Harpagon. Ja; was sagst Du von Geiz und Geizhälsen?

La Fleche. Ich sage, der Teufel solle den Geiz und die Geizhälse holen!

Harpagon. Wen meinst Du damit?

La Fleche. Die Geizhälse.

Harpagon. Wer sind diese Geizhälse?

La Fleche. Die Knicker und Filze.

Harpagon. Aber wen verstehst Du darunter?

La Fleche. Was kümmert Euch das?

Harpagon. Ich kümmere mich um was ich mich kümmern muß.

La Fleche. Glaubt Ihr vielleicht, ich meine Euch?

Harpagon. Ich glaube was ich glaube; aber ich will wissen, zu wem Du Das alles sagst.

La Fleche. Zu wem — zu meiner Mütze.

Harpagon. Daß ich nur nicht gleich etwas zu Deinem Mützchen sage.

La Fleche. Wollt Ihr mir wehren, die Geizhälse zu verwünschen?

Harpagon. Nein; aber ich will Dir wehren, unverschämte Redensarten zu führen. Schweig still!

La Fleche. Ich nenne Niemand.

Harpagon. Ich prügle Dich, sprichst Du noch!

La Fleche. Wer sich getroffen fühlt, der zupfe sich an der Nase.

Harpagon. Wirst Du schweigen?

La Fleche. Ich muß wol!

Harpagon. Ah, ah!

La Fleche (zeigt dem Harpagon eine Tasche seines Wammses). Seht, da ist noch eine Tasche; seid Ihr nun zufrieden?

Harpagon. Geschwind, gieb's heraus, ohne daß ich Dich visitire.

La Fleche. Was?

Harpagon. Was Du mir genommen hast.

La Fleche. Ich habe Euch gar nichts genommen.

Harpagon. Gewiß?

La Fleche. Gewiß.

Harpagon. Fort, geh zum Teufel!

La Fleche (bei Seite). Da sehe ich mich ja schön verabschiedet!

Harpagon. Du hast es ja zu verantworten!

Vierter Auftritt.

Harpagon (allein).

Dieser Galgenstrick von Diener ist mir überall im Wege; ich kann den hinkenden Hund hier nicht leiden. Es ist wahrhaftig keine kleine Mühe, so viel Geld bei sich zu verwahren. Glücklich Der, der es sicher untergebracht und nur so viel zurückbehalten hat, als er für seine Ausgaben braucht! Man ist nicht wenig verlegen, in einem ganzen Hause einen sicheren Versteck zu entdecken; denn ich für mein Theil halte nichts von den Geldkisten, und werde mich ihnen nie vertrauen. Sie sind gerade der Köder für die Diebe; an die machen sie sich immer zuerst.

Fünfter Auftritt.

Harpagon. Elise und Cleant sprechen miteinander und bleiben im Hintergrund der Bühne.

Harpagon (sich allein glaubend). Und doch weiß ich nicht, ob ich klug gethan habe, die zehntausend Thaler, die ich gestern wieder bekam, in meinem Garten zu vergraben. Zehntausend Thaler in Gold bei sich zu haben ist eine Summe — (Bei Seite, Elise und Cleant bemerkend.) O Himmel! ich habe mich selbst verrathen! Der Eifer hat mich fortgeriffen, ich glaube, ich habe laut mit mir selbst gesprochen. (Zu Cleant und Elise.) Was giebt's?

Cleant. Nichts, Vater.

Harpagon. Seid Ihr schon lange hier?

Elise. Eben sind wir gekommen.

Harpagon. Habt Ihr gehört —

Cleant. Was, Vater?

Harpagon. Hier —.

Elise. Was?

Harpagon. Was ich soeben sagte?

Cleant. Nein.

Harpagon. Gewiß, gewiß!

Elise. Verzeiht, nein!

Harpagon. Ich merke es Euch an, daß Ihr einige Worte aufgefangen habt. Ich überlegte mit mir selbst, wie schwer es heutzutage ist, Geld aufzutreiben, und pries Denjenigen glücklich, der zehntausend Thaler im Hause liegen hätte.

Cleant. Wir wagten nicht Euch anzureden, aus Furcht Euch zu stören.

Harpagon. Ich wollte Euch das nur sagen, damit Ihr die Sache nicht falsch versteht und Euch etwa einbildet, ich hätte zehntausend Thaler.

Cleant. Wir kümmern uns um Eure Angelegenheit nicht.

Harpagon. Wolle Gott, ich hätte sie, zehntausend Thaler!

Cleant. Ich glaube nicht —

Harpagon. Das ließe ich mir gefallen!

Elise. Das sind Sachen, die —

Harpagon. Die könnte ich gut gebrauchen!

Cleant. Ich denke, daß —

Harpagon. Da wäre ich aus aller Verlegenheit!

Elise. Ihr seid —

Harpagon. Ich brauchte dann nicht über schlechte Zeiten zu klagen!

Cleant. Mein Gott, Vater, Ihr habt gewiß keine Ursache zu klagen; man weiß, daß Ihr Vermögen genug habt.

Harpagon. Was, ich hätte Vermögen genug? Wer das sagt, hat gelogen. Nichts ist unwahrer. Schurken sind es, die solche Gerüchte aussprengen.

Elise. Ereifert Euch deshalb nicht!

Harpagon. Es ist merkwürdig, daß meine eigenen Kinder zu Verräthern an mir werden!

Cleant. Heißt das Euch verrathen, wenn man sagt, daß Ihr Vermögen habt?

Harpagon. Ja! Solche Reden und die Ausgaben, die Du machst, werden meine Gurgel nächstens ans Messer liefern, weil man denkt, ich sitze im Golde.

Cleant. Was mache ich denn für Ausgaben?

Harpagon. Was für Ausgaben? Ist es nicht eine Schande, daß Du in diesem kostbaren Anzug in der Stadt herum-läufst? Gestern schalt ich Deine Schwester; Du aber bist noch schlimmer. Das schreit zum Himmel! Wenn man Dich von Kopf bis zu Fuß nimmt, kriegte man eine ganze Aussteuer heraus. Ich habe es Dir schon so oft gesagt, mein Sohn, alle Deine Manieren mißfallen mir; Du willst den Marquis herausbeißen; um so gekleidet einher zu gehen, mußt Du mich geradezu bestehlen.

Cleant. Ei, wie so Euch bestehlen?

Harpagon. Was weiß ich? Wo nimmst Du sonst das Geld für diesen Staat her?

Cleant. Ich, Vater? Ich spiele; und da ich glücklich spiele, verwende ich den Gewinn auf meinen Anzug.

Harpagon. Daran thust Du sehr Unrecht. Wenn Du Glück im Spiel hast, solltest Du daraus Nutzen ziehen und das gewonnene Geld auf Zinsen legen, damit Du mal etwas hast. Ich möchte wol wissen, abgesehn von allem Andern, wozu alle diese Bänder nutzen, mit denen Du von Kopf bis zu Fuß gespickt bist, und ob ein halbes Dutzend Nesteln nicht genügten, um eine Pluderhose zu befestigen. Ist es wol nothwendig, Geld auf Perücken zu verwenden, wenn man eigenes Haar tragen kann, das nichts kostet? Ich wette, Du verschwendest wenigstens zwanzig Pistolen für Perücken und Bänder; und zwanzig Pistolen tragen jährlich achtzehn Livres sechs Sous acht Deniers, wenn man sie nur zu einem Denier für zwölf ausleiht.

Cleant. Ihr habt Recht.

Harpagon. Lassen wir das jetzt; reden wir von etwas Anderem. (Er bemerkt, daß Cleant und Elise sich Zeichen geben.) He!

(Leise, bei Seite.) Ich glaube, sie geben sich zu verstehen, mir meine Börse zu stehlen. (Laut.) Was haben diese Zeichen zu bedeuten?

Elise. Der Bruder und ich verhandeln eben, wer von uns zuerst sprechen soll, denn wir haben Euch Beide etwas zu sagen.

Harpagon. Und ich habe Euch Beiden auch etwas zu sagen.

Cleant. Wir möchten vom Heirathen mit Euch sprechen, Vater.

Harpagon. Auch ich will mit Euch vom Heirathen sprechen.

Elise. Ach, Vater!

Harpagon. Was schreist Du? Macht Dir das Wort oder die Sache Angst?

Cleant. Eine Heirath in Eurem Sinne kann uns wol Angst machen; wir fürchten, daß unsere Gefühle nicht über= einstimmen mit Eurer Wahl.

Harpagon. Geduld, Geduld, beunruhigt Euch nicht. Ich weiß, was Euch Beiden frommt; Ihr werdet keine Ursache haben, Euch über meine Pläne zu beklagen, und um gleich die Sache am rechten Ende anzufassen, (zu Cleant) sage mir, kennst Du ein junges Mädchen, Namens Mariane, die nicht weit von hier wohnt?

Cleant. Ja, Vater.

Harpagon (zu Elise). Auch Du?

Elise. Ich habe von ihr sprechen hören.

Harpagon. Wie findest Du das Mädchen, mein Sohn?

Cleant. Ein reizendes Mädchen.

Harpagon. Ihre Physiognomie?

Cleant. Voll Unschuld und Geist.

Harpagon. Ihr Wesen und Benehmen?

Cleant. Bewunderungswürdig!

Harpagon. Meinst Du nicht, daß ein solches Mädchen ver= dient, daß man sie berücksichtigt?

Cleant. Jawol, Vater.

Harpagon. Daß es eine wünschenswerthe Partie wäre?

Cleant. Sehr wünschenswerth.

Harpagon. Daß sie eine gute Hausfrau abgeben würde?

Clean. Kein Zweifel.

Harpagon. Daß ein Mann glücklich mit ihr sein könnte?

Cleant. Sicherlich!

Harpagon. Ich habe nur die Befürchtung, daß sie nicht so viel Vermögen hat, als man wol beanspruchen könnte.

Cleant. Ach, Vater, wenn es sich darum handelt, ein braves Mädchen zu heirathen, muß man auf Vermögen nicht sehen.

Harpagon. Erlaube, erlaube! Freilich kann man, wenn ich das gewünschte Vermögen nicht vorfindet, das auf ndere Weise ersetzen.

Cleant. Versteht sich!

Harpagon. Nun, es ist mir lieb, daß Du ebenso gesonnen ist wie ich, denn ihr sittsames Wesen und ihre Sanftmuth haben ihr mein Herz gewonnen, und ich bin entschlossen, sie zu heirathen, wenn sie auch nur etwas Vermögen hat.

Cleant. Was?

Harpagon. Wie?

Cleant. Ihr seid entschlossen, sagt Ihr —

Harpagon. Mariane zu heirathen.

Cleant. Wer? Ihr, Ihr?

Harpagon. Ja, ich, ich, ich! Was soll das heißen?

Cleant. Mich faßt plötzlich ein Schwindel — ich muß hinaus!

Harpagon. Das hat nichts zu bedeuten. Geh schnell in die Küche, und trinke ein Glas voll frisches Wasser.

Sechster Auftritt.

Harpagon. Elise.

Harpagon. Da haben wir unsere zarten Herrchen, die nicht mehr Kraft haben als die Hühner. Das also ist die, meine Tochter, die ich für mich bestimmt habe. Was Deinen Bruder betrifft, so habe ich ihm eine gewisse Wittwe zugedacht, von der man mir diesen Morgen gesprochen hat; und Dich will ich mit dem Herrn Anselmus verheirathen.

Elise. Mit Herrn Anselmus?

Harpagon. Ja, ein gesetzter, kluger und verständiger Mann, der erst fünfzig Jahre alt ist, und sehr reich sein soll.

Elise (macht einen Knix). Mit Erlaubniß, Vater, ich will mich nicht verheirathen.

Harpagon (Elise nachmachend). Mit Erlaubniß, Töchterchen Schätzchen, ich will, daß Du Dich verheirathest.

Elise (macht wieder einen Knix). Verzeihung, lieber Vater.

Harpagon (Elise nachmachend). Verzeihung, liebe Tochter.

Elise. Ich bin die ganz gehorsame Dienerin des Herr Anselmus; (macht wieder einen Knix) aber, mit Erlaubniß heirathen werde ich ihn nicht.

Harpagon. Ich bin Dein ganz gehorsamer Diener; aber mit Erlaubniß, heirathen wirst Du ihn noch heute Abend

Elise. Noch heute Abend?

Harpagon. Noch heute Abend.

Elise (macht wieder einen Knix). Das wird nicht geschehen mein Vater.

Harpagon (Elise nachmachend). Das wird wol geschehen, mein Tochter.

Elise. Nein!

Harpagon. Ja!

Elise. Nein, sage ich Euch!

Harpagon. Ja, sage ich Dir!

Elise. Ihr werdet das nicht von mir verlangen.

Harpagon. Ich werde das wol von Dir verlangen.

Elise. Ich bringe mich eher um, ehe ich einen solchen Man heirathe!

Harpagon. Du wirst Dich nicht umbringen, Du wirst i heirathen. Aber sehe mir Einer diese Frechheit! Hat m je erlebt, daß eine Tochter so mit ihrem Vater sprach?

Elise. Hat man je erlebt, daß ein Vater so seine Tocht verheirathet?

Harpagon. Es ist dies eine ganz vorzügliche Partie; u ich wette, Jeder wird meine Wahl billigen.

Elise. Und ich wette, daß kein vernünftiger Mensch sie bi ligen wird.

Harpagon (Valer kommen sehend). Da kommt Valer. Woll wir ihn zum Schiedsrichter zwischen uns Beiden machen

Elise. Es ist mir recht.

Harpagon. Wirst Du Dich seinem Ausspruch unterwerfen

Elise. Ja, ich will thun was er sagt.

Harpagon. Abgemacht!

Siebenter Auftritt.

Valer. Harpagon. Elise.

Harpagon. Hierher, Valer! Wir haben Dich als Schieds=
richter ausersehen; Du sollst uns sagen, wer Recht hat,
meine Tochter oder ich.

Valer. Ihr, gnädiger Herr, ohne Widerspruch.

Harpagon. Weißt Du schon, wovon die Rede ist?

Valer. Nein. Ihr könnt aber nicht Unrecht haben, denn
Ihr seid die Klugheit selber.

Harpagon. Ich will sie heute Abend mit einem eben so
reichen als klugen Mann verheirathen, und die Bübin
sagt mir gerade ins Gesicht, sie denke nicht dran, ihn zu
nehmen. Was sagst Du dazu?

Valer. Was ich dazu sage?

Harpagon. Ja.

Valer. Ei, ei!

Harpagon. Was?

Valer. Ich sage, daß ich im Grunde Eurer Meinung
bin, und Ihr ganz im Rechte seid. Aber auch sie hat nicht
ganz Unrecht, und —

Harpagon. Was? der Herr Anselmus ist eine höchst
schätzenswerthe Partie; er ist ein Edelmann, ein wirk=
licher Edelmann, ist ruhig, gesetzt, klug und sehr reich,
und hat kein Kind mehr aus seiner ersten Ehe. Kann sie
es besser treffen?

Valer. Das ist wahr. Aber sie könnte einwenden, daß
die Sache ein wenig übereilt ist; wenn man ihr wenigstens
Zeit gönnte, um zu sehen, ob ihre Neigung sich vertrüge
mit —

Harpagon. Nichts da! So eine Gelegenheit muß man
beim Schopf fassen. Mir ist hier ein Vortheil geboten,
der sich so leicht nicht wieder findet; er verpflichtet sich, sie
ohne Mitgift zu nehmen.

Valer. Ohne Mitgift?

Harpagon. Ja.

Valer. Ja, dann sage ich nichts mehr. Das ist ein ent=
scheidender Grund; man muß sich darein ergeben.

Harpagon. Für mich ist das eine ungeheure Ersparniß.

Valer. Freilich, das läßt sich nicht läugnen. Eure Toch=
ter kann Euch allerdings entgegnen, daß die Heirath eine
wichtigere Sache ist, als man glaubt, wovon das Glück
ihres ganzen Lebens abhängt, und daß ein Bündniß, das
bis zum Tode dauern soll, nur mit der größten Vorsicht
geschlossen werden muß.

Harpagon. Ohne Mitgift!

Valer. Ihr habt Recht; das entscheidet Alles. Dennoch
könnte Euch Jemand einwenden, daß in solchen Fällen auch
die Zuneigung eines Mädchens ins Gewicht falle; daß die
Ungleichheit des Alters, der Charaktere und Gefühle, in
einer Ehe oft Grund zu den ärgerlichsten Auftritten giebt.

Harpagon. Ohne Mitgift!

Valer. Ja, wie gesagt, dagegen ist nichts einzuwenden.
Wer zum Teufel kann das läugnen? Es giebt jedoch auch
Väter, denen mehr an der Zufriedenheit ihrer Töchter liegt
als an dem Gelde, das sie geben könnten; die sie nicht
dem Interesse aufopfern würden, und denen es vor allen
Dingen darauf ankommt, in einer Ehe die Eintracht zu
Stande zu bringen, die für immer die Ehre, Ruhe und
Fröhlichkeit in ihr erhält, und die —

Harpagon. Ohne Mitgift!

Valer. Es ist wahr, das schließt Jedem den Mund.
Ohne Mitgift! Wer könnte solchem Grunde widerstehen?

Harpagon (bei Seite, nach der Gartenseite sehend). Oho! Was
war das? Mir ist, als hörte ich einen Hund bellen. Will
man sich an mein Geld machen? (Zu Valer.) Bleibe hier;
ich komme gleich zurück.

Achter Auftritt.

Valer. Elise.

Elise. Seid Ihr von Sinnen, Valer, daß Ihr so zu ihm
sprecht?

Valer. Es ist ja nur, um ihn nicht zu erbittern, und
auf die Weise besser zum Ziel zu kommen. Ihm in seinen
Ansichten widersprechen, hieße Alles verderben; es giebt

gewiſſe Köpfe, denen nur durch Nachgiebigkeit beizukommen
iſt; ſtörriſche Naturen, die keinen Widerſpruch ertragen
können, die vor der Wahrheit zurückſchrecken, die ſich ſträu=
ben, den graden Weg der Vernunft zu gehen, und die man
nur durch Drehen und Wenden dahin bringt, wo man ſie
haben will. Thut, als ob Ihr auf Alles eingingt, und
Ihr werdet beſſer Euer Ziel erreichen.

Eliſe. Doch dieſe Heirath, Valer!

Valer. Man muß auf Mittel ſinnen, ſie zu hintertreiben.

Eliſe. Aber was erſinnen, wenn ſie ſchon dieſen Abend
geſchloſſen werden ſoll?

Valer. Verlangt Aufſchub; ſtellt Euch krank.

Eliſe. Man wird aber die Verſtellung entdecken, wenn
man Aerzte kommen läßt.

Valer. Ihr ſpaßt wol nur? Verſtehen ſie etwas da=
von? Geht mir doch mit den Aerzten! Ihr könnt bei
ihnen jede beliebige Krankheit haben; ſie werden Euch ſchon
Gründe vorbringen, um Euch zu beweiſen, woher ſie kommt.

Neunter Auftritt.

Harpagon. Eliſe. Valer.

Harpagon (bei Seite, im Hintergrund der Bühne). Gott ſei Dank,
es war nichts!

Valer (ohne Harpagon zu ſehen). Als letztes Mittel kann uns
ja auch die Flucht noch gegen Alles ſchützen, und wenn
Eure Liebe, ſchöne Eliſe, die Feſtigkeit beſitzt — (Sieht Har=
pagon.) Ja, eine Tochter muß ihrem Vater gehorchen. Es
muß ihr ganz gleichgiltig ſein, wie der Ehemann ausſieht;
wenn es heißt „ohne Mitgift", da gilt kein Beſinnen, da
muß ſie zugreifen.

Harpagon. Gut; das nenn' ich recht geſprochen!

Valer. Verzeiht mir, gnädiger Herr, wenn ich ein wenig
hitzig bin und mir die Freiheit nehme ſo mit ihr zu
ſprechen.

Harpagon. Rede Du nur, rede! das macht mir Freude;
Du ſollſt von jetzt an unbedingte Gewalt über ſie haben.
(Zu Eliſe.) Ja, laufe nur davon; ich trete ihm meine väter=
liche Gewalt über Dich ab, und verlange, daß Du ihm
gehorchſt.

Valer (zu Elise). Werdet Ihr jetzt meinen Vorstellungen Gehör geben?

Zehnter Auftritt.
Harpagon. Valer.

Valer. Ich will ihr folgen, gnädiger Herr, und meine Ermahnungen fortsetzen.

Harpagon. Ja; Du wirst mich dadurch verbinden. Gewiß —

Valer. Bei ihr muß man die Zügel etwas straff halten.

Harpagon. Freilich; man muß —

Valer. Seid unbesorgt; ich werde mit ihr fertig!

Harpagon. Mach' nur, mach'. Ich mache einen kleinen Gang in die Stadt, und kehre gleich zurück.

Valer (spricht im Abgehen zu Elise nach der Seite hin, wo sie abgegangen ist). Ja, das Geld ist mehr zu schätzen als Alles in der Welt, und Ihr könnt dem Himmel nicht genug danken, daß er Euch einen so rechtschaffenen Mann von Vater gab. Er weiß, was zum Leben gehört. Wenn Einer bereit ist, ein Mädchen ohne Mitgift zu nehmen, darf man nicht rechts noch links sehen, da heißt es zugreifen; denn ohne Mitgift ersetzt Jugend, Schönheit, Geburt, Ehre, Klugheit und Rechtschaffenheit.

Harpagon. Ach, Du braver Junge! Spricht er nicht wie ein Orakel? Glücklich, wer einen solchen Diener haben kann!

Zweiter Aufzug.

Erster Auftritt.
Cleant. La Fleche.

Cleant. Ei, Du Schlingel! Wo hast Du Dich denn herumgetrieben? Hatte ich Dir nicht befohlen —

La Fleche. Jawol, gnädiger Herr, ich hatte mich auch pflichtschuldigst hier eingefunden; aber Euer Herr Vater, der der ungnädigste der Menschen ist, hat mich wider mei=

nen Willen hinausgejagt, und hätte mich beinahe geprügelt.

Cleant. Wie steht unsere Angelegenheit? Die Sachen sind dringeuder als je; seit ich Dich sah, habe ich entdeckt, daß mein Vater mein Nebenbuhler ist.

La Fleche. Was? Euer Vater ist verliebt?

Cleant. Ja; und ich hatte die allergrößte Mühe, ihm die Bestürzung zu verbergen, in die mich diese Nachricht versetzte.

La Fleche. Er befaßt sich mit Liebe? Was Teufel fällt ihm ein? Ist er verrückt? Ist die Liebe für Leute seines Schlages da?

Cleant. Zur Strafe für meine Sünden mußte ihm noch diese Leidenschaft in den Kopf kommen!

La Fleche. Aus welchem Grund macht Ihr ihm ein Geheimniß aus Eurer Liebe?

Cleant. Um weniger Verdacht bei ihm zu erregen, und im Nothfall leichteres Spiel zu haben, diese Heirath zu verhindern: — Was bringst Du mir für eine Antwort?

La Fleche. Meiner Treu, Herr, die Borger sind stets übel dran, und wer in die Hände der Wucherer geräth wie Ihr, muß sich auf die sonderbarsten Zumuthungen gefaßt machen.

Cleant. Aus dem Geschäft wird also nichts?

La Fleche. Verzeiht. Simon, der Mäkler, an den man uns empfohlen hat, ein unternehmender und thätiger Mann, schwört, er habe Alles aufgeboten für Euch, und das blos, weil Eure Physiognomie sein ganzes Herz erobert habe.

Cleant. Er wird mir also fünfzehntausend Livres verschaffen?

La Fleche. Ja; jedoch unter gewissen Bedingungen, die Ihr Euch gefallen lassen müßt, wenn das Geschäft zu Stande kommen soll.

Cleant. Hast Du Den gesprochen, der das Geld hergeben soll?

La Fleche. Ach, das geht so leicht nicht. Der trägt noch mehr Sorge, sich zu verbergen als Ihr, und viel größere Geheimnisse sind dahinter, als Ihr denkt. Sein Name soll nicht genannt werden; man will sich heute in einem gemietheten Zimmer mit Euch besprechen, um aus Eurem eigenen Munde Eure Familien= und Vermögens=Verhält=

niſſe zu erfahren, und ich zweiſle nicht, daß der bloße
Name Eures Vaters die Sache zu Stande bringt.

Cleant. Und beſonders da meine Mutter todt iſt, deren
Vermögen man mir nicht nehmen kann.

La Fleche. Hier ſind einige Klauſeln, die er ſelber unſer
Mäkler dictirt hat, und die Euch mitgetheilt werden ſollen
bevor er das Geſchäft mit Euch abſchließt.

„Vorausgeſetzt, daß der Darleiher ſich von der noth
wendigen Sicherheit überzeuge, und der Borger mündig un
aus einer Familie ſtammt, deren Vermögen beträchtlich
ſolide, geſichert, und ſelbſtverſtändlich proceß= und ſchulden
frei iſt, ſoll eine rechtsgiltige Obligation durch einen Nota
angefertigt werden, der ein ſicherer Mann ſein muß, un
den der Darleiher ſelbſt dazu ausſuchen wird, weil ih
am meiſten daran liegen muß, daß das Document in ge
höriger Form abgefaßt werde.“

Cleant. Dagegen läßt ſich nichts einwenden.

La Fleche. „Der Darleiher will, um keinerlei Gewiſſens
ſcrupel zu haben, ſein Geld zu einem Denier für achtzeh
ausleihen.“

Cleant. Achtzehn ein Denier? Der iſt wirklich anſtändig!
Da kann man ſich nicht beklagen.

La Fleche. Das iſt wahr.

„Da jedoch beſagter Darleiher die in Frage ſtehende
Summe nicht ſelbſt hat, und ſich genöthigt ſieht, um ſich
dem Borger gefällig zu zeigen, ſie von einem Andern zu
leihen zu zwanzig Procent Zinſen, ſo wird beſagter erſter
Borger ſich dazu verſtehen müſſen, dieſen Zins zu bezahlen,
und zwar ohne Schaden des Anderen, alldieweil beſagter
Darleiher nur, um ſich ihm gefällig zu beweiſen, zu dieſem
Darlehn ſich verpflichtet.“

Cleant. Was Teufel, der Kerl iſt ja noch ſchlimmer wie
ein Jude! Das iſt ja mehr' als fünfundzwanzig Procent.

La Fleche. Sehr richtig; das habe ich auch geſagt. Ihr
müßt's Euch überlegen.

Cleant. Was iſt da zu überlegen? Ich brauche Geld,
und muß unter jeder Bedingung welches haben.

La Fleche. Das habe ich auch geantwortet.

Cleant. Iſt ſonſt noch Etwas?

La Fleche. Nur noch eine kleine Klausel.

„Da von den verlangten fünfzehntausend Franks der Darleiher nur zwölftausend Franks in baarem Gelde beschaffen kann, so muß der Borger für die übrigen tausend Thaler die Mobilien, Schmucksachen und Kleinodien annehmen, deren Verzeichniß hier beiliegt, und die der besagte Darleiher auf Treu und Glauben, zu den möglichst niedrigen Preisen angegeben hat."

Cleant. Was soll das heißen?

La Fleche. Hört das Verzeichniß!

„Erstens eine Bettstelle mit vier Füßen und Vorhängen mit ungarischem Stich auf olivenfarbigem Tuch sehr sauber gearbeitet, nebst eben solcher Bettdecke, und sechs Stühlen; Alles wohl erhalten, und mit blau und roth schillerndem Taft gefüttert.

Dann ein Betthimmel von gutem rosa Serge d'Aumale mit seidenen Fransen."

Cleant. Was soll ich denn damit?

La Fleche. Hört nur weiter!

„Dann ein gestickter Vorhang, die Liebe Gombauds und Macée's darstellend.

Dann ein großer Tisch von Nußbaumholz mit zwölf gedrehten Füßen, der an beiden Enden ausgezogen werden kann und unten mit sechs Fußbrettern versehen ist."

Cleant. Zum Henker, was soll ich mit dem Plunder?

La Fleche. Geduld!

„Dann drei mit Perlmutter ausgelegte Musketen mit den dazu gehörigen Gabeln.

Dann ein Ofen von Ziegelsteinen mit zwei Retorten und drei Recipienten, für Liebhaber des Destillirens sehr geeignet."

Cleant. Das ist zum rasend werden!

La Fleche. Wartet nur!

„Dann eine Bologneser Laute mit allen Saiten, bis auf einige.

Dann ein Trou = Madamespiel und ein Damenbrett nebst einem Gänsespiel, das von den Griechen auf uns übergegangen ist, sehr geeignet zum Zeitvertreib, wenn man sonst nichts zu thun hat.

Dann eine Eidechſenhaut, viertehalb Fuß lang und mit Heu ausgeſtopft; eine angenehme Curioſität, die ſich im Zimmer hängend ganz beſonders ſchön ausnimmt.

Alles hier Angeführte iſt unter Brüdern mehr als vier= tauſend fünfhundert Livres werth, ſoll aber aus beſon= derer Rückſicht von dem Darleiher zu dem Werth von tauſend Thalern herabgeſetzt werden.‟

Cleant. Ei, ſo wollte ich doch, daß die Peſt dieſen Schurken, dieſen Blutſauger mit ſammt ſeinen Rückſichten verſchlinge! Hat man je von ſolchem Wucher gehört? Iſt er nicht zu= frieden mit den furchtbaren Zinſen, die er fordert, will er mich auch noch zwingen, einen Haufen alter Tröbelwaaren, die er Gott weiß wo aufgetrieben, für breitauſend Livres anzunehmen? Ich bekomme nicht zweihundert Thaler dafür, und dennoch muß ich mich wol entſchließen auf ſeine Be= bingungen einzugehen; ſetzt mir der Erz = Spitzbube nicht das Meſſer an die Kehle?

La Fleche. Nichts für ungut, gnädiger Herr, aber ich ſehe Euch auf derſelben Heerſtraße angelangt, auf welcher Panurge ſeinem Ruin entgegen ging, indem er Geld voraus nahm, theuer kaufte, wolfeil verkaufte, und ſeine Einkünfte im Voraus verzehrte.

Cleant. Was ſoll ich aber thun? Dahin kommen junge Leute durch den verfluchten Geiz ihrer Väter; und barnach verwundert man ſich, wenn die Söhne ihren Tod wünſchen!

La Fleche. Man muß zugeben, daß der ſchmutzige Geiz des Eurigen ſelbſt den ruhigſten Menſchen aufbringen kann. Ich müßte lügen, wenn ich ſagen wollte, daß ich dem Gal= gen zugethan wäre; und bei meinen Kameraden, die ſich mit allerlei Händelchen befaſſen, weiß ich mich immer mit guter Art aus dem Spiele zu ziehen, und hüte mich vor allen Kunſtſtückchen, die Galgenfutter aus uns machen können; aber das kann ich Euch ſagen, ſeine Handlungs= weiſe könnte mich in Verſuchung führen ihn zu beſtehlen, und ich würde mir dabei noch etwas auf meine Handlung zu Gute thun.

Cleant. Gieb mir das Verzeichniß, daß ich es nochmals durchſehe.

Zweiter Auftritt.

Harpagon. Simon. Cleant und La Fleche, im Hintergrund der Bühne.

Simon. Ja, mein Herr; es ist ein junger Mann, der Geld braucht; er ist bedrängt und wird sich in alle Eure Bedingungen fügen.

Harpagon. Seid Ihr aber auch überzeugt, Simon, daß keinerlei Gefahr dabei ist? Kennt Ihr den Namen, das Vermögen und die Familie des Betreffenden?

Simon. Nein. Genaue Auskunft kann ich Euch darüber nicht geben; ich bin nur zufällig mit ihm bekannt geworden; aber Ihr könnt von ihm selber über Alles aufgeklärt werden, und sein Diener versicherte mir, daß Ihr ganz zufrieden sein werdet, wenn Ihr ihn kennen lernt. Alles was ich Euch sagen kann ist, daß seine Familie sehr reich ist, daß seine Mutter schon todt ist, und daß, wenn Ihr's verlangt, er dafür einstehen wird, daß auch sein Vater hinüber ist, noch ehe acht Monate vergangen sind.

Harpagon. Das ist schon Etwas. Die christliche Liebe, Simon, macht es uns zur Pflicht, unsern Nebenmenschen gefällig zu sein, wenn wir es können.

Simon. Das versteht sich.

La Fleche (leise zu Cleant, Simon bemerkend). Was ist das? Das ist ja unser Simon, der mit Eurem Vater spricht!

Cleant (leise zu La Fleche). Weiß er denn, wer ich bin? Du hast mich doch nicht verrathen?

Simon (zu Cleant und La Fleche). Ei, ei, Ihr habt es ja sehr eilig! Wer hat Euch denn gesagt, daß es hier sei? (Zu Harpagon.) Ich war es wenigstens nicht, gnädiger Herr, der ihnen Euern Namen und Euer Haus verrathen hat; aber das ist nach meiner Meinung auch kein Unglück; es sind verschwiegene Leute, und Ihr könnt Euch hier mit einander verständigen.

Harpagon. Wie!

Simon (auf Cleant deutend). Dies ist der Herr, der von Euch die fünfzehntausend Livres borgen will, wovon ich Euch schon gesprochen habe.

Harpagon. Was, Du bist's, Galgenstrick! Zu so schändlichen Zufluchtsmitteln greifst Du?

Cleant. Wie, Ihr seid es, Vater, der sich zu so schmach=
vollen Wuchergeschäften hergiebt? (Simon entflieht, La Flèche
verbirgt sich.)

Dritter Auftritt.
Harpagon. Cleant.

Harpagon. Du willst Dich also durch so verdammens=
werthe Anleihen zu Grunde richten?

Cleant. Ihr wollt Euch also durch so verbrecherische
Wucher=Geschäfte bereichern?

Harpagon. Wagst Du nach alle dem mir noch unter
die Augen zu treten?

Cleant. Wagt Ihr nach alle dem Euch noch vor der
Welt sehen zu laffen?

Harpagon. Sage mir, schämst Du Dich nicht, in solche Aus=
schweifungen zu gerathen, Dich in so ungeheuere Ausgaben
zu stürzen und das mit sauerem Schweiß zusammenge=
brachte Vermögen Deiner Eltern so schändlich zu vergeuden?

Cleant. Erröthet Ihr nicht, Euren Stand durch so
schmutzige Wuchergeschäfte zu entehren? Ruf und guten
Namen der unersättlichen Begierde, Geld zusammen zu
scharren, zum Opfer zu bringen; Euch zu bereichern durch
Interessen, die selbst die nichtswürdigsten Prellereien der
berüchtigsten Wucherer noch überbieten?

Harpagon. Fort, aus meinen Augen, Schurke! aus mei=
nen Augen, fort!

Cleant. Wer ist mehr Schurke in Euren Augen, Der,
welcher Geld kauft, das er braucht, oder Der, welcher Geld
stiehlt, das er nicht braucht?

Harpagon. Aus meinen Augen, sag' ich, mache mir den
Kopf nicht warm! (Allein.) Ich bin nicht ärgerlich über
diese Geschichte; dies soll mir ein Wink sein, auf alle seine
Handlungen mehr als je ein wachsames Auge zu haben.

Vierter Auftritt.
Frosine. Harpagon.

Frosine. Gnädiger Herr —

Harpagon. Einen Augenblick, ich bin gleich wieder hier. (Bei
Seite.) Ich muß doch erst einmal zu meinem Gelde gehen.

Fünfter Auftritt.
La Fleche. Frosine.

La Fleche (ohne Frosine zu sehen). Das ist wirklich eine lustige Begebenheit! Er muß irgendwo einen Trödelkram haben, denn hier ist nichts zu sehen von Allem was auf seinem Verzeichniß steht.

Frosine. Ei, Du bist's, mein lieber La Fleche? Wie kommst Du hierher?

La Fleche. Ah, Du bist's, Frosine? Was thust Du hier?

Frosine. Was ich überall thue; mich mit Geschäften befassen, den Leuten mich dienstbar zeigen, und mein bischen Talent soviel als möglich benutzen. Du weißt, daß man auf dieser Welt zu leben wissen muß, und daß der Himmel Leuten wie ich keine anderen Renten gegeben hat, als die Cabale und Geschicklichkeit.

La Fleche. Hast Du mit dem Herrn des Hauses hier irgend ein Geschäft?

Frosine. Ja. Ich mache für ihn ein Geschäftchen ab, wofür ich einen guten Lohn hoffe.

La Fleche. Von ihm? Ja, meiner Treu, Du müßtest es fein anstellen, wenn Du dem etwas ablocken wolltest; und ich sage Dir, von dem ist nichts loszukriegen.

Frosine. Es giebt gewisse Dienstleistungen, die sehr weich stimmen.

La Fleche. Gehorsamer Diener! Du kennst den Herrn Harpagon noch nicht. Herr Harpagon ist der unmenschlichste, zäheste, härteste Mensch von der Welt. Es giebt keinen Dienst, der seine Dankbarkeit so weit brächte, die Hand aufzuthun. Er ist die Schmeichelei, die Achtung, das Wohlwollen selber, sobald es nur auf Worte ankommt; aber in Geldsachen hört bei ihm die Gemüthlichkeit auf. Es giebt nichts Trockneres als seine Liebkosungen, und vor dem Worte Geben hat er einen solchen Abscheu, daß er nie sagt, ich gebe Euch Gehör, sondern ich leihe Euch Gehör.

Frosine. Laß das nur meine Sorge sein! Ich verstehe mich auf die Kunst, die Leute auszuziehen, mir ihre Zu-

neigung zu erobern, ihre Herzen zu erweichen, und sie bei
ihrer schwachen Seite zu fassen.

La Fleche. Hilft hier zu nichts! Unser Mann ist eine
Festung, die von der Geldseite nicht einzunehmen ist. Er
ist hierin ein Barbar, aber von einer Barbarei, daß er alle
Welt zur Verzweiflung bringt; umkommen könnte man, ihn
rührt es nicht. Mit einem Wort, er liebt das Geld mehr
als guten Ruf, Ehre und Tugend; er bekommt Krämpfe,
wenn er Jemand sieht, der etwas von ihm haben will;
das heißt die Stelle treffen, wo er sterblich ist, ihm das
Herz aus dem Leibe reißen, und — doch da kommt er
wieder; ich mache mich fort.

Sechster Auftritt.

Harpagon. Frosine.

Harpagon (bei Seite). Alles in Ordnung. (Laut.) Nun, was
giebt's, Frosine?

Frosine. Ach Du mein Gott, ist das ein prächtiges Aussehen! Ihr strotzt ja von Gesundheit!

Harpagon. Wer, ich?

Frosine. Nie sah ich Euch so blühend, so munter!

Harpagon. Im Ernst?

Frosine. Freilich! Ihr habt in Eurem Leben nicht so
jung ausgesehen, denn ich kenne Leute von fünfundzwanzig
Jahren, die älter aussehen als Ihr.

Harpagon. Und doch habe ich meine Sechzig auf dem
Rücken, Frosine.

Frosine. Nun, sechzig Jahre, ist das was? Das ist ja
das beste Mannesalter.

Harpagon. Das ist wahr; doch hätte ich nichts dagegen,
wenn ich zwanzig Jahre jünger wäre.

Frosine. Spaß! Ihr habt das nicht nöthig, denn Ihr
seid darauf angelegt, hundert Jahre alt zu werden.

Harpagon. Meinst Du?

Frosine. Freilich. Ihr habt alle Merkmale dafür. Halte
einmal. O, hier die Falte zwischen Euren Augen deutet
auf langes Leben!

Harpagon. Verstehst Du Dich darauf?

Frosine. Gewiß. Zeigt mir einmal Eure Hand. Mein Gott, welch eine Lebenslinie!

Harpagon. Wieso?

Frosine. Seht Ihr nicht, wie weit diese Linie hier geht?

Harpagon. Nun, was hat das zu bedeuten?

Frosine. Meiner Treu, ich sagte hundert Jahre; aber Ihr werdet's bis auf hundertzwanzig bringen.

Harpagon. Ist's möglich?

Frosine. Man wird Euch umbringen müssen, sage ich Euch, denn Kinder und Kindeskinder werdet Ihr begraben.

Harpagon. Um so besser! Wie steht's mit unserem Geschäft?

Frosine. Darnach zu fragen! Habe ich mich je mit etwas befaßt, das ich nicht durchgesetzt hätte? Besonders für die Heirathen habe ich ein ganz wunderbares Talent. Es giebt keine Partie in der Welt, die ich nicht in der allerkürzesten Zeit zu Staube zu bringen wüßte, und ich glaube, wenn ich mir's in den Kopf setzte, ich würde den Sultan mit der Republik Venedig verheirathen! So große Schwierigkeiten hatte nun diese Angelegenheit nicht. Da ich bei ihnen verkehre, habe ich mit Beiden ausführlich von Euch gesprochen; ich habe der Mutter die Absicht mitgetheilt, die Ihr auf Mariane gefaßt, seitdem Ihr sie am Fenster und auf der Straße gesehen hättet.

Harpagon. Was hat sie geantwortet —

Frosine. Sie nahm den Antrag mit Freuden auf; und als ich Ihr andeutete, Ihr wünschtet sehr, daß ihre Tochter heute Abend zugegen sein möchte, wenn der Ehecontract der Eurigen unterzeichnet würde, willigte sie ohne Weiteres ein, und überließ sie mir.

Harpagon. Sieh, Frosine, da ich ja doch dem Herrn Anselmus ein Abendessen geben muß, so wäre es mir sehr lieb, wenn sie daran Theil nähme.

Frosine. Ihr habt Recht. Sie wird nach Tische Eurer Tochter einen Besuch machen, von wo sie gedenkt auf den Jahrmarkt zu gehen, um dann zum Abendessen wieder zukommen.

Harpagon. Jawol, sie können Beide in meiner Kutsche fahren, die ich ihnen borgen werde.

Frosine. Das ist gerade so was für sie.

Harpagon. Aber, Frosine, haſt Du mit der Mutter auch
über das Vermögen geſprochen, das ſie ihrer Tochter mitgeben will? Haſt Du ihr geſagt, daß ſie ſich ein bischen
zuſammennehmen müſſe, und bei einer ſolchen Gelegenheit kein Opfer ſcheuen dürfe? Denn man heirathet doch
kein Mädchen ohne Mitgift.

Froſine. Was! Sie iſt ein Mädchen, das Euch zwölftauſend Livres Renten zubringt.

Harpagon. Zwölftauſend Livres Renten!

Froſine. Ja. Erſtens iſt ſie an die einfachſte Lebensweiſe
gewöhnt; ſie lebt von Salat, Milch, Käſe und Aepfeln; ſie
braucht folglich keine reich beſetzte Tafel, keine beſonderen
Gerichte, keine ewigen Leckerbiſſen und ſonſtigen Näſchereien,
die andere Frauen brauchen; und dies gering angeſchlagen,
beläuft ſich Jahr ein Jahr aus auf dreitauſend Franken
wenigſtens. Außerdem hält ſie nur auf Einfachheit und
fragt nichts nach ſchönen Kleidern, Schmuckſachen und koſt-
baren Möbeln, worauf Andere ſo verſeſſen ſind; und dieſer
Artikel verſchluckt mehr als viertauſend Livres jährlich.
Alsdann hat ſie einen unüberwindlichen Abſcheu vor dem
Spiel, was nicht gewöhnlich bei den Frauen heutzutage
iſt; denn ich kenne eine in unſerem Viertel, die im Trente-
et-Quarante zwanzigtauſend Franken dieſes Jahr verloren hat. Aber nehmen wir nur den vierten Theil davon
an. Fünftauſend Franken im Spiel jährlich und viertauſend Franken für Kleider und Schmuckſachen, ſo macht
es neuntauſend Livres; und ſetzen wir tauſend Thaler für
die Koſt an, ſo habt Ihr jährlich Eure zwölftauſend Franken wie nichts.

Harpagon. Ja, das iſt ganz gut; aber dieſe Rechnung
hat nichts Reelles.

Froſine. Verzeiht! Iſt das etwa nichts Reelles, Euch
als Ausſteuer große Mäßigkeit, als Erbtheil Liebe zur
Einfachheit, und als Zugabe einen gründlichen Haß für
das Spiel zuzubringen?

Harpagon. Das hieße mich zum Beſten haben, wenn man
mir ihre Mitgift aus den Ausgaben zuſammenſtellen
wollte, die ſie nicht machen wird. Ich werde doch keine

Quittung ausstellen über Das, was ich nicht erhalten habe; ich muß durchaus auf etwas baar Geld bringen.

Frosine. Mein Gott! Ihr werdet genug kriegen; es war die Rede von irgend einem Lande, wo sie Besitzthum haben, das Euch zufallen wird.

Harpagon. Davon müßte man sich erst überzeugen. Jedoch, Frosine, außerdem beunruhigt mich noch Etwas. Das Mädchen ist, wie Du siehst, jung, und junge Leute halten sich gewöhnlich gern zu ihres Gleichen; ich fürchte, daß ein Mann von meinem Alter ihr nicht zusagt, und daß dies Mißhelligkeiten in der Ehe hervorrufen möchte, die mir unangenehm sein würden.

Frosine. Ei, wie schlecht Ihr sie doch kennt! Das ist noch eine ihrer guten Eigenschaften, die ich Euch nicht gesagt habe. Sie mag die jungen Leute gar nicht leiden, und hat nur die Alten gern.

Harpagon. So?

Frosine. Ja. Ich wünschte, Ihr hättet sie hierüber reden hören können. Schon der Anblick eines jungen Mannes ist ihr zuwider; sie sagt, nichts erfreue sie mehr, als einen schönen Greis zu sehen mit einem prächtigen Bart. Die ältesten sind ihr die liebsten; und ich rathe Euch, macht Euch nicht jünger als Ihr seid. Sie will wenigstens einen Sechziger, und noch vor vier Monaten, als sie nahe daran war, sich zu verheirathen, brach sie plötzlich das Verhältniß ab, weil ihr Verlobter fallen ließ, er sei erst sechsundfünfzig Jahre, und weil er keine Brille brauchte, den Ehe = Contract zu unterzeichnen.

Harpagon. Nur deshalb?

Frosine. Nur deshalb. Sie meinte, ein Sechsundfünfziger genüge ihr nicht; und überdies mag sie die Nasen ohne Brillen nicht.

Harpagon. Ei, was Du sagst! Das ist mir ja etwas ganz Neues.

Frosine. Ich sage Euch, es ist unglaublich. Sie hat in ihrem Zimmer einige Kupferstiche und Gemälde; doch was meint Ihr, daß sie vorstellen? einen Adonis, Cephalus, Apollo oder Paris? O weit gefehlt! Hübsche Porträts von Saturn, dem König Priamus, dem alten Nestor, und

vom alten Vater Anchises, auf den Schultern seines
Sohnes.

Harpagon. Das ist bewunderungswürdig. Das hätte ich
nie gedacht, und ich bin froh zu hören, daß sie solche
Gesinnung hat. Freilich, wenn ich eine Frau geworden
wäre, würde ich mir auch aus den jungen Männern nichts
machen.

Frosine. Das glaube ich gern. Das ist mir eine saubere
Waare zum Verlieben diese jungen Leute! diese glatten
Milchgesichter, die kaum trocken hinter den Ohren sind!
Wer sich in so einen Gelbschnabel vernarren könnte!

Harpagon. Ganz meine Meinung; auch ich verstehe nicht
wie es Frauen giebt, die so verliebt in sie sind.

Frosine. Erzverrückt muß man sein! Die Jugend liebens-
würdig finden, heißt das gesunden Menschenverstand haben?
Sind diese Zieraffen Männer, und kann man sich an solche
Geschöpfe hängen?

Harpagon. Das ist's ja, was ich täglich sage; mit ihren
Milchgesicht, ihren drei Barthärchen, die sie in die Höh'
drehen wie einen Katzenbart, ihren Werg=Perücken, Pluderhosen und aufgeknöpften Wämmsen!

Frosine. Ja, das ist schönes Zeug, neben einem Menschen
wie Ihr! Ihr seid doch ein Mann, an dem sich das Aug'
erfreut! Ja, so muß man beschaffen und gekleidet sein
um Liebe zu erwecken.

Harpagon. Du findest mich also gut?

Frosine. Ei, zum Entzücken! Ihr seid zum Malen! Dreht
Euch doch einmal herum. Prächtig! Nun laßt mich sehen
wie Ihr geht. Das nenne ich einen Körperbau, frei und
ungezwungen, wie es sich gehört, dem man keinerlei Be-
schwerde anmerkt.

Harpagon. Ich habe, gottlob, auch keine so großen. Nur
der Husten plagt mich von Zeit zu Zeit.

Frosine. Ach, das hat nichts zu sagen; der Husten läßt
Euch gar nicht übel; denn Ihr hustet mit Grazie.

Harpagon. Sage mir doch, hat mich Mariane noch nicht
gesehen? Hat sie mich nicht bemerkt, wenn ich vorüberging?

Frosine. Nein; aber wir haben uns sehr viel von Euch
unterhalten. Ich habe ihr ein Porträt von Euch entworfen

und nicht verfehlt, ihr Eure Vorzüge im besten Lichte zu
zeigen, ihr den Vortheil zu rühmen, wenn sie einen Mann,
wie Ihr, bekäme.

Harpagon. Das hast Du gut gemacht, und ich danke Dir
dafür.

Frosine. Ich hätte eine kleine Bitte an Euch, Herr. Ich
habe einen Proceß, den ich auf dem Punkt stehe zu verlieren, weil mir eine kleine Summe Geldes fehlt; (Harpagon
wird ernsthaft.) und Euch wäre es ein Leichtes, mir zum
Gewinn des Processes zu verhelfen, wenn Ihr mir gefällig
sein wolltet. Ihr habt keine Vorstellung, wie glücklich sie
sein wird, Euch zu sehen. (Harpagons Gesicht wird wieder heiter.)
Ach, was wird Eure Krause nach dem alten Schnitt für
einen wunderbaren Eindruck auf sie machen! Aber ganz
besonders wird sie entzückt sein von Euren Beinkleidern,
die mit Nesteln an das Wamms befestigt sind; das wird sie
ganz toll nach Euch machen, denn ein Liebhaber mit Nesteln
wird so recht nach ihrem Geschmack sein.

Harpagon. Wie freue ich mich das zu hören.

Frosine. In Wahrheit, lieber Herr, der Proceß ist für
mich von großer Wichtigkeit. (Harpagon wird wieder ernst.) Ich
bin zu Grunde gerichtet, wenn ich ihn verliere, und eine
kleine Beisteuer hülfe mir aus aller Verlegenheit. Hättet
Ihr doch ihre Freude gesehen, als ich ihr von Euch sprach.
(Harpagon wird wieder heiter.) Die Freude leuchtete aus ihren
Augen, als ich von Euren Vorzügen sprach; und ich habe
sie so weit gebracht, daß sie mit ungeheuerer Ungeduld der
Schließung dieser Heirath entgegen sieht.

Harpagon. Du hast mir viel Freude gemacht, Frosine,
und ich bin Dir dafür aufs tiefste verpflichtet.

Frosine. Ich bitte Euch, gnädiger Herr, mir die kleine
Beisteuer zu geben, um die ich Euch angehe. (Harpagon
wird wieder ernst.) Das wird mir wieder aufhelfen, und ich
würde Euch ewig dankbar dafür sein.

Harpagon. Lebt wohl. Ich habe noch Briefe zu schreiben.

Frosine. Ich versichere Euch, Herr, daß Ihr mich nie
aus einer größern Noth aufrichten könnt.

Harpagon. Ich werde meine Kutsche anspannen lassen,
um Euch nach dem Jahrmarkt zu fahren.

Froſine. Ich würde Euch gewiß nicht beläſtigen, ſähe ich mich nicht durch die äußerſte Noth dazu gezwungen.

Harpagon. Und werde dafür ſorgen, daß zeitig zu Abend gegeſſen wird, damit Ihr nicht krank werdet.

Froſine. Schlagt mir mein Anliegen nicht ab. Ihr könnt Euch gar nicht denken, Herr, welche Freude —

Harpagon. Ich muß gehen. Man ruft mich. Bis nachher!

Froſine (allein). Daß Dich das Fieber packe, Du Hund von einem Geizhals, zum Teufel mit Dir! Der Filz hielt allen meinen Angriffen Stand; aber ich darf das Geſchäft darum doch noch nicht aufgeben. Wenn ich hier nichts ausrichte, ſchlage ich mich zur anderen Partei, wo mir ein guter Lohn ſicher nicht ausbleiben wird.

Dritter Aufzug.

Erſter Auftritt.

Harpagon. Cleant. Eliſe. Valer. Frau Claudius, einen Beſen in der Hand. Jakob. La Merluche. Brindavoine.

Harpagon. Holla! Kommt Alle her, damit ich Euch meine Befehle für hernach ertheile, und Jeder weiß, was er zu beſorgen hat. Kommt, Frau Claudius; mit Euch will ich den Anfang machen. Gut, Ihr habt die Waffe ſchon in der Hand. Ihr habt alſo überall rein zu machen; nehmt Euch aber ja in Acht, die Möbeln nicht zu ſehr zu reiben, um ſie nicht abzunutzen. Außerdem habt Ihr bei Tiſch auf die Flaſchen zu paſſen; denn wenn eine fort kommt oder etwas zerbrochen wird, ſo faſſe ich Euch, und ziehe es Euch vom Lohn ab.

Jakob (bei Seite). Eine ſchlaue Strafe!

Harpagon (zu Frau Claudius). Geht.

Zweiter Auftritt.

Harpagon. Cleant. Eliſe. Valer. Jakob. Brindavoine. La Merluche.

Harpagon. Ihr, Brindavoine, und Ihr, La Merluche, ſollt die Gläſer ſpülen und einſchenken; aber nur, wenn Eine

urft hat; macht es nicht wie gewiffe unverſchämte Lakeien,
ſe die Leute herausfordern und zum Trinken nöthigen,
wenn man gar nicht daran denkt. Wartet bis man Euch
ein paar Mal darum gebeten hat, und vergeßt nicht, den
Wein gehörig mit Waſſer zu vermiſchen.

Jakob (bei Seite). Ja, der bloſe Wein ſteigt zu Kopfe.

La Merluche. Sollen wir nicht unſere Kittel ausziehen,
Herr?

Harpagon. Ja, wenn Ihr die Gäſte kommen ſeht; und
hütet Euch ja, die Kleider zu verderben.

Briudavoine. Ihr wißt doch, gnädiger Herr, daß mein
Wamms auf der Vorderſeite einen großen Oelflecken von
der Lampe hat?

La Merluche. Und daß meine Hoſe hinten ganz durch=
löchert iſt, ſo daß man mit Reſpect zu melden —

Harpagon. Still! Sucht es einzurichten, daß Ihr immer
die hintere Seite der Wand zukehrt, und Euch den Leuten
nur von vorn zeigt. (Zu Brindavoine, indem er ihm zeigt wie er den
Hut vor ſein Wamms halten ſoll, um den Oelflecken zu verbergen.) Und
Ihr haltet den Hut ſtets ſo, wenn Ihr aufwartet.

Dritter Auftritt.

Harpagon. Cleant. Eliſe. Valer. Jakob.

Harpagon. Du, meine Tochter, wirſt ein wachſames Auge
haben auf die Schüſſeln, die abgetragen werden, und Acht
geben, daß nichts umkommt. Das ſchickt ſich für Mädchen.
Alsbann bereite Dich vor, meine Zukünftige hübſch zu
empfangen, die Dich beſuchen und mit Dir auf den Jahr=
markt fahren wird. Haſt Du mich verſtanden?

Eliſe. Ja, Vater.

Vierter Auftritt.

Harpagon. Cleant. Valer. Jakob.

Harpagon. Und Du, mein Junker von Sohn, dem ich
die Geſchichte von vorhin noch einmal verzeihen will, laß
Dir nicht einfallen, ihr ein ſaueres Geſicht zu ſchneiden.

Cleant. Ich, ein ſaueres Geſicht, Vater? aus welchem
Grunde?

Harpagon. Mein Gott! man weiß ja, wie es die Kinder

machen, wenn die Väter sich wieder verheirathen, und mit was für Augen sie gewöhnlich eine sogenannte Stiefmutter betrachten. Wenn Du aber wünschest, daß ich Deinen letzten nichtsnutzigen Streich vergessen soll, so rathe ich Dir, der besagten Dame ein freundliches Gesicht zu machen und sie so gut als möglich aufzunehmen.

Cleant. Aufrichtig gesagt, Vater, ich kann Euch nicht versprechen, sehr erfreut zu sein, daß sie meine Stiefmutter werden soll; ich würde lügen, wenn ich das sagte; was aber die gute Aufnahme und das freundliche Gesicht betrifft, so verspreche ich in diesem Punkt Euch zu gehorchen.

Harpagon. Nimm Dich wenigstens in Acht!

Cleant. Ich werde Euch gewiß keinen Grund zur Klage geben.

Harpagon. Daran wirst Du gut thun.

Fünfter Auftritt.

Harpagon. Valer. Jakob.

Harpagon. Hilf mir hierbei, Valer. Sieh da, Jakob, kommt her; Euch habe ich bis zuletzt aufgehoben.

Jakob. Sprecht Ihr zu Eurem Koch oder Eurem Kutscher, Herr? denn ich bin beides.

Harpagon. Mit Beiden.

Jakob. Doch mit welchem zuerst?

Harpagon. Mit dem Koch.

Jakob. So wartet gefälligst. (Jakob zieht seinen Kutscherkittel aus und erscheint als Koch gekleidet.)

Harpagon. Was, zum Henker, sind das für Umstände?

Jakob. Ihr habt nur zu befehlen.

Harpagon. Ich gebe heute ein Abendessen, Jakob.

Jakob (bei Seite). Das Wunder!

Harpagon. Sag' einmal, können wir uns auf gute Schüsseln gefaßt machen?

Jakob. Ja, wenn Ihr mir gut Geld gebt.

Harpagon. Was Teufel, immer Geld! Es scheint, als hätten sie nichts anderes zu sagen als Geld, Geld, Geld! Ach, sie führen nur dies Wort im Munde! Geld! Immer sprechen sie von Geld! Geld ist ihr Steckenpferd!

Valer. Ich habe nie eine unverschämtere Antwort gehört. Ist das etwa eine Kunst, mit vielem Geld etwas Gutes zu kochen? das ist die leichteste Sache von der Welt, jeder Dummkopf kann das; doch wer sich als geschickter Mensch zeigen will, der muß gute Schüsseln für wenig Geld herstellen können.

Jakob. Gute Schüsseln für wenig Geld?

Valer. Gewiß.

Jakob (zu Valer). Meiner Treu, Herr Haushofmeister, dies Geheimniß solltet Ihr mir beibringen, und mein Amt als Koch übernehmen; Ihr seid ja ohnehin schon das Factotum im Hause.

Harpagon. Still! — Was werden wir also brauchen?

Jakob. Hier Euer Herr Haushofmeister will Euch ja für wenig Geld etwas Gutes kochen.

Harpagon. Ei was, antworten sollst Du mir!

Jakob. Wie viel Personen werdet Ihr bei Tische sein?

Harpagon. Acht bis zehn; richten wir uns aber nur für acht ein. Wo für acht zu essen ist, werden auch zehn satt.

Valer. Das versteht sich.

Jakob. Nun, da brauchen wir vier große Schüsseln und fünf Assietten. Suppen — Entrées —

Harpagon. Zum Teufel! Das ist ja um eine ganze Stadt zu tractiren.

Jakob. Braten —

Harpagon (hält Jakob den Mund zu). Ah, Spitzbube! Du verzehrst ja mein ganzes Vermögen!

Jakob. Zwischengerichte —

Harpagon (hält ihm abermals den Mund zu). Noch was?

Valer (zu Jakob). Ihr habt wol Lust, alle Welt umzubringen? Hat der Herr etwa Leute eingeladen, damit sie sich todt essen sollen? Lest nur mal die Gesundheitsvorschriften und fragt die Aerzte, ob es etwas Schädlicheres für den Menschen giebt, als übermäßig essen.

Harpagon. Er hat Recht.

Valer. Lernt, Jakob, Ihr und Euresgleichen, daß eine zu reich mit Fleisch besetzte Tafel eine wahre Mördergrube ist; daß, um sich wahrhaft gut gegen seine Gäste zu zeigen, bei den Gastmahlen Mäßigkeit herrschen muß; und daß man nach dem Ausspruch eines Alten essen muß um zu leben, und nicht leben um zu essen.

Harpagon. Das nenne ich gut gesprochen! Komm, laß Dich dafür umarmen. Das ist die schönste Sentenz, die ich in meinem Leben gehört habe. Man muß leben um zu essen, und nicht essen um zu le — nein, so ist es nicht. Wie sagtest Du doch?

Valer. Man muß essen um zu leben, und nicht leben um zu essen.

Harpagon (zu Jakob). Ja. Hörst Du? (Zu Valer.) Wer ist der große Mann, der das gesagt hat?

Valer. Ich kann mich jetzt nicht auf seinen Namen besinnen.

Harpagon. Vergiß nicht mir diese Worte aufzuschreiben; ich will sie in goldenen Buchstaben über dem Kamin meines Speisezimmers eingraben lassen.

Valer. Es soll geschehen. Und was das Abendessen betrifft, so überlaßt es nur mir; ich werde schon Alles anordnen, wie es sich gehört.

Harpagon. So mach es denn!

Jakob. Desto besser! Dann brauche ich mich weniger zu plagen.

Harpagon (zu Valer). Wir müssen Gerichte wählen, von denen man nicht viel essen kann, die gleich sättigen; z. B. recht fett gekochte weiße Bohnen, dazu eine Topfpastete, recht mit Kastanien gefüllt. Das stopft.

Valer. Verlaßt Euch auf mich.

Harpagon. Jetzt, Jakob, muß meine Kutsche gereinigt werden.

Jakob. Wartet, das gilt dem Kutscher. (Jakob zieht den Kutscherkittel wieder an.) Ihr sagtet —

Harpagon. Daß meine Kutsche gereinigt werden muß, und die Pferde bereit zu halten sind, um auf den Jahrmarkt zu fahren.

Jakob. Die Pferde, Herr? Meiner Treu, die sind ja nicht im Stande zu laufen. Ich will nicht sagen, daß sie auf der Streu sind, die armen Thiere haben gar keine, es wäre eine Lüge; aber Ihr verurtheilt sie zu so strengen Fasten, daß sie nichts mehr sind als Schatten von Pferden.

Harpagon. Sie sind doch wol nicht krank? Sie thun ja nichts.

Jakob. Und weil sie nichts thun, Herr, sollen sie wol nichts fressen? Es wäre ihnen viel besser, den armen Thieren, viel zu arbeiten und eben so zu fressen. Es zerreißt mir das Herz, sie so abgemagert zu sehen, denn ich habe doch meine Pferde so gern, daß mir's ist, als litte ich selber, wenn ich sie leiden sehe. Ich spare mir täglich für sie etwas vom Munde ab; denn es ist gar zu hartherzig, Herr, kein Mitleid mit seinen Mitgeschöpfen zu haben.

Harpagon. Bis auf den Jahrmarkt werden sie doch wol gehen können?

Jakob. Nein, Herr, ich habe nicht den Muth sie zu fahren; ich würde mir ja ein Gewissen daraus machen, sie zu peitschen, in dem Zustande wie sie sind. Wie sollen sie eine Kutsche fortkriegen, die sich selber nicht fortkriegen können?

Valer. Herr, ich werde dem Nachbar Picard ein gutes Wort geben, daß er fährt; er muß uns ohnehin in der Küche behilflich sein.

Jakob. Gut. Mir ist's noch lieber, daß sie einem Anderen unter der Hand sterben als mir.

Valer. Jakob spielt den Weichherzigen!

Jakob. Der Herr Haushofmeister spielt den Unentbehrlichen!

Harpagon. Ruhig!

Jakob. Herr, ich kann die Schmeichler nicht ausstehen, und der ist einer. Alles, was er thut, sein fortwährendes Aufpassen auf Brod und Wein, Holz, Salz und Lichter, geht nur darauf hinaus, Euch um den Bart zu gehen und Euch zu schmeicheln. Ich möchte darüber aus der Haut fahren, und bin ärgerlich tagtäglich zu hören, was man über Euch spricht; denn am Ende mache ich mir doch etwas aus Euch, so sehr ich mich auch darüber ärgere, und nach meinen Pferden seid Ihr mir die liebste Person.

Harpagon. Wollt Ihr mir nicht sagen, Jakob, was die Leute über mich sprechen?

Jakob. Ja, Herr, wenn ich wüßte, daß Ihr nicht böse darüber würdet.

Harpagon. Nein, in keiner Weise.

Jakob. Verzeiht, ich weiß ganz sicher, daß ich Euch in Wuth brächte.

Harpagon. Durchaus nicht! Im Gegentheil, Du thust mir einen Gefallen, denn ich möchte sehr gern erfahren, wie man hinter meinem Rücken von mir spricht.

Jakob. Nun, wenn Ihr's denn so wollt, Herr, so will ich Euch aufrichtig sagen, daß man sich überall über Euch aufhält, daß man uns von allen Seiten Stichelreden über Euch zuwirft, und kein größeres Vergnügen kennt, als Euch durchzuhecheln, und immer wieder Geschichten von Eurer Knauserei aufzutischen. Der Eine sagt, Ihr ließet besondere Kalender drucken, worin Ihr die Quatember und Vigilien verdoppeln ließet, damit Ihr Eure Leute desto öfter könntet fasten lassen; ein Anderer sagt, daß Ihr immer um Neujahr herum oder zur Ziehzeit mit Euren Dienstleuten Streit anfangt, damit Ihr ihnen nichts zu geben braucht. Dieser erzählt, Ihr hättet einmal die Katze eines Eurer Nachbarn vor Gericht laden lassen, weil sie Euch die Ueber=bleibsel einer Hammelkeule aufgefressen; Jener, man hätte Euch eines Nachts dabei gekriegt, wie Ihr Euren eigenen Pferden den Hafer aus der Krippe stahlt; und daß Euer Kutscher, der vor mir hier war, Euch in der Dunkelheit eine gehörige Tracht Prügel gab, die Ihr Euch ruhig ge=fallen ließet. Kurz, soll ich's Euch sagen? Man kann sich nirgends sehen lassen, wo man nicht über Euch los=ziehen hört. Ihr seid die Fabel und der Spott von aller Welt, und man nennt Euch nie anders als den Geizhals, den Knauser, den alten Wucherer, den —

Harpagon (schlägt Jakob). Und Dich den Esel, den Schelm, den Spitzbuben, den unverschämten Schlingel!

Jakob. Nun, hatte ich es nicht errathen? Ihr wolltet mir nicht glauben. Ich habe es Euch wol gesagt, daß ich Euch ärgern würde, wenn ich Euch die Wahrheit sagte.

Harpagon. Warte, so zu sprechen!

Sechster Auftritt.

Valer. Jakob.

Valer (lachend). Das ist ein schlechter Lohn für Eure Aufrichtigkeit, Jakob.

Jakob. Alle Wetter! Ihr neugebackener Herr, der hier den Unentbehrlichen spielt, was geht das Euch an? Lacht, wenn einmal auf Eurem Rücken der Stock tanzt, über mich braucht Ihr nicht zu lachen.

Valer. Nnn, nun, Jakob, werdet nur nicht gleich ärgerlich.

Jakob (bei Seite). Er sucht einzulenken. Ich will den Tapferen spielen, und wenn er so dumm ist, sich vor mir zu fürchten, klopfe ich ihm die Jacke aus. (Laut.) Wißt Ihr auch, Herr Spötter, daß ich gar nicht lächerlich zu Sinne bin, und daß, wenn Ihr mir den Kopf warm macht, Ihr auf eine ganz andere Art lachen sollt? (Jakob geht drohend auf Valer zu und drängt ihn bis in den Hintergrund der Bühne.)

Valer. Ei, sachte, sachte!

Jakob. Was, sachte, sachte? fällt mir nicht ein!

Valer. Ums Himmelswillen!

Jakob. Ihr seid ein unverschämter Schlingel!

Valer. Herr Jakob —

Jakob. Was hier was da, Herr Jakob! Mit einem Stock werde ich Euch durchbläuen.

Valer. Was! Mit einem Stock? (Valer drängt nun seinerseits Jakob zurück.)

Jakob. Ei, ich meine es ja nicht so!

Valer. Wißt Ihr auch, mein Herr Prahlhans, daß ich Manns genug bin, Euch durchzubläuen?

Jakob. Ich zweifle nicht daran.

Valer. Daß Ihr, mit all' Eurer Suppe, nur ein Wicht von Koch seid?

Jakob. Das weiß ich wol!

Valer. Und daß Ihr mich noch gar nicht kennt?

Jakob. Verzeiht!

Valer. Ihr wollt mich durchbläuen, sagt Ihr?

Jakob. Ich sagte es ja nur im Spaß!

Valer. Mir gefallen aber solche Späße nicht. (Er prügelt Jakob.) Lernt, daß Ihr ein schlechter Spaßmacher seid.

Jakob (allein). Verwünscht sei die Aufrichtigkeit! Das ist ein schlechtes Handwerk; von jetzt an will ich mich hüten, die Wahrheit zu sagen. Von meinem Herrn muß ich mir zuletzt die Prügel gefallen lassen; aber diesem Herrn Haus= hofmeister werde ich's gedenken.

Siebenter Auftritt.

Mariane. Frosine. Jakob.

Frosine. Wißt Ihr, Jakob, ob Euer Herr zu Hause ist?

Jakob. Jawol ist er zu Hause; ich weiß es nur zu gut.

Frosine. So geht und sagt ihm, daß wir hier sind.

Achter Auftritt.

Mariane. Frosine.

Mariane. Mir ist ganz seltsam zu Muth, Frosine; wenn ich die Wahrheit sagen soll, fürchte ich diese Zusammenkunft!

Frosine. Aber warum? Was beunruhigt Euch denn?

Mariane. Ach, Ihr fragt mich noch? Könnt Ihr Euch nicht die Angst einer Person vorstellen, die im nächsten Augenblick auf die Folter gespannt werden soll?

Frosine. Ich sehe wol ein, daß, um auf eine angenehmere Weise zu sterben, Harpagon nicht der Folterer ist, den Ihr umarmen möchtet; und ich erkenne an Eurer Miene, daß der junge Blondin, von dem Ihr mir gesprochen habt, Euch wieder im Kopfe steckt.

Mariane. Ja, Frosine, ich will's nicht läugnen, und ge= stehe Euch gern, daß die achtungsvollen Besuche, die er uns abgestattet hat, einigen Eindruck auf mein Herz ge= macht haben.

Frosine. Habt Ihr denn erfahren, wer er ist?

Mariane. Nein, ich weiß nicht, wer er ist; ich weiß nur, daß er wie geschaffen dazu ist, sich beliebt zu machen; daß, wenn die Wahl mir frei stünde, ich ihn jedem Andern vorziehen würde, und daß er nicht wenig dazu beiträgt, mir den Gatten, den man mir geben will, noch schrecklicher zu machen.

Frosine. Nun ja, alle diese Blondköpfe sind nicht übel und verstehen es, sich einzuschmeicheln; aber die Meisten sind arm wie die Kirchenmäuse, und Ihr thut besser, einen alten

Mann zu nehmen, der Euch was hinterläßt. Die Sinne
finden allerdings hierbei ihre Rechnung nicht, und ein bis=
chen Widerwillen hat man schon bei einem solchen Gatten
zu überwinden; aber dies dauert ja nicht ewig, und sein
Tod, das glaubt mir, wird Euch bald zu einem liebens=
würdigeren Mann verhelfen, der Alles wieder gut macht.

Mariane. Mein Gott, Frosine, es ist aber doch etwas
gar zu Trauriges, wenn man, um glücklich zu sein, auf den
Tod von Jemand warten soll; und der Tod macht uns
oft einen Strich durch die Rechnung.

Frosine. Ihr spaßt wol nur? Ihr heirathet ihn unter
der Bedingung, daß er Euch bald zur Wittwe macht; dies
muß eine der Klauseln des Ehecontractes sein. Es wäre
zu unverschämt, wenn er nicht in drei Monaten das Zeit=
liche segnete! Doch da ist er ja in eigner Person.

Mariane. Ach, Frosine, welches Gesicht!

Neunter Auftritt.

Harpagon. Mariane. Frosine.

Harpagon (zu Mariane). Nehmt's nicht übel, Schönste, wenn
ich mit der Brille vor Euch erscheine. Ich weiß, daß Eure
Reize genugsam in die Augen fallen, durch sich selber sicht=
bar genug sind, und nicht erst der Brille bedürfen, um be=
merkt zu werden; doch man beobachtet ja auch die Sterne
mit Gläsern, und ich behaupte und verbürge mich, daß
Ihr ein Stern seid, aber was für ein Stern! der schönste
Stern im Reich der Gestirne. Frosine, sie antwortet ja
kein Wort, und zeigt, wie mir scheint, gar keine Freude,
mich zu sehen.

Frosine. Weil sie noch zu sehr überrascht ist; und dann
sind die Mädchen auch immer verschämt, gleich zu zeigen
was sie fühlen.

Harpagon (zu Frosine). Du hast Recht. (Zu Mariane.) Hier
kommt meine Tochter, Herzallerliebste, die Euch begrüßen
will.

Zehnter Auftritt.

Harpagon. Elise. Mariane. Frosine.

Mariane. Ich hätte schon längst diesen Besuch machen sollen, mein Fräulein.

Elise. Es wäre an mir gewesen, mein Fräulein, Euch zuvorzukommen.

Harpagon. Sie ist schon groß, wie Ihr seht; aber Unkraut wächst sehr schnell.

Mariane (leise zu Frosine). Ah, der widerwärtige Mensch!

Harpagon (leise zu Frosine). Was sagt meine Schöne?

Frosine. Daß sie Euch anbetungswürdig findet.

Harpagon. Ihr thut mir zu viel Ehre an, Herzallerliebste.

Mariane (bei Seite). Welch ein Vieh!

Harpagon. Ich bin Euch sehr verbunden für diese Gesinnung.

Mariane (bei Seite). Ich halte es nicht mehr aus.

Eilfter Auftritt.

Harpagon. Mariane. Elise. Cleant. Valer. Frosine. Brindavoine.

Harpagon. Hier ist auch mein Sohn, der Euch seine Aufwartung macht.

Mariane (leise zu Frosine). Ach, Frosine, welch ein Zusammentreffen! Es ist Derselbe, von dem ich Euch gesprochen habe.

Frosine (zu Mariane). Wunderbarer Zufall!

Harpagon. Ich merke, Ihr wundert Euch, daß ich so große Kinder habe; aber ich werde sie alle Beide bald los.

Cleant (zu Mariane). In der That, ich war auf dieses Zusammentreffen nicht gefaßt, mein Fräulein; und mein Vater hat mich nicht wenig überrascht, als er mir vorhin seinen Entschluß mittheilte.

Mariane. Ich kann Euch dasselbe versichern; dieses unvorhergesehene Zusammentreffen überrascht mich ebenso als Euch, und ich war nicht auf ein solches Zusammentreffen vorbereitet.

Cleant. Gewiß, mein Fräulein, mein Vater konnte keine bessere Wahl treffen, und die Ehre Euch hier zu sehen, macht mir eine außerordentliche Freude; aber bei alledem kann ich

mich mit Eurem Entschluß, meine Stiefmutter zu werden,
nicht einverstanden erklären. Die Ehrfurchtsbezeugung wird
mir, ich gesteh es, allzu schwer, und ist dies ein Titel, den
ich Euch nicht wünsche. Was ich hier sage, könnte in den
Angen von Manchem grob erscheinen; aber ich bin sicher,
daß Ihr mich nicht mißverstehen werdet. Ihr könnt Euch
denken, mein Fräulein, daß ich einen Widerwillen gegen
diese Heirath haben muß; Ihr wißt, da Ihr mich kennt,
wie sehr sie meine Interessen verletzt; ich muß Euch, mit
Erlaubniß meines Vaters, gerade heraus sagen, daß, wenn
es von mir abhinge, dieser Ehebund nicht zu Stande käme.

Harpagon. Das nenne ich eine ungezogene Begrüßung!
Ihr ein schönes Bekenntniß machen!

Mariane. Und ich habe Euch hierauf zu erwidern, daß
ich mich in gleichem Fall befinde; wenn Ihr einen Widerwillen habt, mich als Eure Stiefmutter zu sehen, so habe
ich ihn nicht weniger, Euch als meinen Stiefsohn zu sehen.
Glaubt nicht, daß ich es bin, die Euch Verdruß zu machen
trachtet. Es würde mir sehr leid thun, Euch Mißvergnügen
zu verursachen; und ich gebe Euch mein Wort, daß ich,
wenn ich mich nicht durch eine unabweisbare Nothwendigkeit gezwungen sehe, nie in diese Heirath willigen werde,
die Euch kränkt.

Harpagon. Sie hat Recht. Auf eine so einfältige Ansprache
gehört eine solche Antwort. Ich bitte Euch um Vergebung,
Schönste, wegen der Ungezogenheit meines Sohnes; er ist
ein junger Einfaltspinsel, der noch ohne Ueberlegung spricht.

Mariane. Ich gebe Euch die Versicherung, daß mich seine
Worte durchaus nicht beleidigt haben; es machte mir im
Gegentheil Freude, ihn so offen seine Gesinnung aussprechen
zu hören. Ich mag ein solches Geständniß von ihm gern,
und wenn er anders gesprochen hätte, würde ich ihn weniger
achten.

Harpagon. Ihr seid zu gütig, seine Fehler so zu entschuldigen. Mit der Zeit wird er klüger werden, und Ihr
werdet sehen, daß er seine Gesinnung ändern wird.

Cleant. Nein, Vater, das ist nie möglich, und ich beschwöre das Fräulein, dies zu glauben.

Harpagon. Seh mir einer diese Narrheit! er wird immer ärger!

Cleant. Soll ich reden, was mein Herz nicht denkt?

Harpagon. Wirst Du nun aus einem anderen Tone sprechen?

Cleant. Nun, da ich durchaus aus einem andern Ton sprechen soll, so erlaubt, mein Fräulein, daß ich mich an die Stelle meines Vaters versetze, und Euch gestehe, daß ich nie etwas Reizenderes gesehen habe, als Euch; daß nichts dem Glück gleich kommt, Euch zu gefallen; und daß Euer Gatte zu heißen ein Ruhm, eine Glückseligkeit ist, die ich der Krone der größten Fürsten der Erde vorziehen würde. Ja, mein Fräulein, das Glück Euch zu besitzen, ist in meinen Augen das schönste Loos, wonach ich einzig strebe. Es giebt nichts, was ich nicht freudig thun würde, um mir ein so kostbares Gut zu erringen, selbst die mächtigsten Hindernisse wären —

Harpagon. Sachte, sachte, mein Sohn!

Cleant. Es ist eine Artigkeit, die ich für Euch dem Fräulein sage.

Harpagon. Ei was, ich kann selber für mich reden, ich brauche Dich nicht als Vormund. — Holla! Sessel her!

Frosine. Nein, es ist besser, stehenden Fußes auf den Jahrmarkt zu gehen, um desto eher wieder hier zu sein, und mit Muße plaudern zu können.

Harpagon (zu Brindavoine). Man soll anspannen!

Zwölfter Auftritt.

Harpagon. Mariane. Elise. Cleant. Valer. Frosine.

Harpagon (zu Mariane). Ich bitte um Entschuldigung, Schönste, daß ich nicht schon daran gedacht habe, Euch einige Erfrischungen anzubieten, ehe Ihr fortgeht.

Cleant. Ich habe für Euch daran gedacht, Vater. Ich ließ in Eurem Namen einige Schalen chinesische Orangen, Apfelsinen und Eingemachtes holen.

Harpagon (leise zu Valer). Valer!

Valer (zu Harpagon). Er ist von Sinnen!

Cleant. Findet Ihr, daß der Imbiß vielleicht zu karg,

Vater? Das Fräulein wird die Güte haben, dies zu ent=
schuldigen.

Mariane. Diese Umstände waren gar nicht nothwendig!

Cleant. Saht Ihr je einen leuchtenderen Diamant, mein
Fräulein, als den, welchen mein Vater am Finger trägt?

Mariane. Ja, er hat viel Feuer.

Cleant (streift den Ring von seines Vaters Finger und giebt ihn
Marianen). Ihr müßt ihn in der Nähe sehen.

Mariane. Er ist sehr schön, und spielt in den schönsten
Farben.

Cleant (stellt sich vor Mariane, die den Ring zurück geben will). O
nein, mein Fräulein, er befindet sich in zu schönen Händen.
Mein Vater macht ihn Euch zum Geschenk.

Harpagon. Ich?

Cleant. Nichtwahr, Vater, Ihr wünscht, daß das Fräu=
lein ihn Euch zu Liebe behalte?

Harpagon (leise zu seinem Sohn). Was?

Cleant (zu Mariane). Schöne Frage! Er macht mir ein
Zeichen, daß ich Euch bitten soll, ihn anzunehmen.

Mariane. Nein, ich will nicht.

Cleant (zu Mariane). Ihr scherzt wol? Er denkt nicht
daran, ihn wieder zu nehmen.

Harpagon (bei Seite). Ich möchte aus der Haut fahren!

Mariane. Das wäre —

Cleant (Mariane stets verhindernd, den Diamant zurück zu geben).
Nein, sag' ich Euch, das hieße ihn beleidigen.

Mariane. Aber ich bitte —

Cleant. Durchaus nicht!

Harpagon (bei Seite). Verwünscht sei —

Cleant. Seht Ihr, er ist ungehalten über Eure Weigerung.

Harpagon (leise zu seinem Sohn). Ha! Spitzbube!

Cleant (zu Mariane). Seht seine Verzweiflung!

Harpagon (leise und drohend zu seinem Sohn). Du Schinder!

Cleant. Ja, Vater, es ist nicht meine Schuld. Ich thue
mein Möglichstes, sie zu bestimmen ihn zu behalten; aber
sie ist eigensinnig.

Harpagon (leise und drohend zu seinem Sohn). Galgenstrick!

Cleant. Ihr habt es zu verantworten, mein Fräulein,
daß mein Vater mir zürnt.

Harpagon (wie vorher). Bösewicht!

Cleant (zu Mariane). Ihr werdet ihn noch krank machen. Ach, bitte, mein Fräulein, weigert Euch nicht länger!

Frosine (zu Mariane). Mein Gott! Wie viel Umstände! Behaltet den Ring, wenn der Herr es will.

Mariane (zu Harpagon). Um Euch nicht zu erzürnen, behalte ich ihn jetzt, und werde ihn Euch später wiedergeben.

Dreizehnter Auftritt.

Harpagon. Mariane. Elise. Cleant. Valer. Frosine. Brindavoine.

Brindavoine. Gnädiger Herr, es ist Jemand da, der Euch sprechen will.

Harpagon. Er soll ein ander Mal wiederkommen; ich bin jetzt verhindert.

Brindavoine. Er sagt, er bringe Euch Geld.

Harpagon (zu Mariane). Entschuldigt; ich komme gleich zurück.

Vierzehnter Auftritt.

Harpagon. Mariane. Elise. Cleant. Valer. Frosine. La Merluche.

La Merluche (läuft Harpagon um). Gnädiger Herr —

Harpagon. Ah! Ich bin des Todes!

Cleant. Was giebt's, mein Vater? Habt Ihr Euch weh gethan?

Harpagon. Der Schurke war gewiß von meinen Schuldnern bestochen, mir das Genick zu brechen!

Valer (zu Harpagon). Es wird nichts zu bedeuten haben.

La Merluche. Ich bitte um Entschuldigung, gnädiger Herr; ich wollte recht eilig sein.

Harpagon. Was hast Du hier zu thun, Schinder?

La Merluche. Euch sagen, daß die Pferde keine Hufeisen haben.

Harpagon. So soll man sie schnell zum Schmied führen.

Cleant. Bis sie beschlagen sind, will ich für Euch den Wirth machen, Vater, und das Fräulein in den Garten führen, wohin ich die Erfrischungen bringen lassen werde.

Fünfzehnter Auftritt.

Harpagon. Valer.

Harpagon. Valer, habe ein wachsames Auge auf Das alles, und suche so viel Du kannst mir zu retten, um es dem Kaufmann zurück zu schicken.

Valer. Ja, ja!

Harpagon (allein). O Du ungerathener Bube von Sohn! Willst Du mich an den Bettelstab bringen?

Vierter Aufzug.

Erster Auftritt.

Cleant. Mariane. Elise. Frosine.

Cleant. Kommt Alle hier herein. Hier ist kein Lauscher, und wir können ungestört sprechen.

Elise. Ja, Fräulein, mein Bruder hat mir seine Liebe zu Euch gestanden. Ich kenne den Kummer und Verdruß, den solche Querstriche verursachen können, und versichere Euch, daß ich den wärmsten Antheil an Eurem Schicksal nehme.

Mariane. Es ist schon ein süßer Trost, die Theilnahme eines Wesens wie Ihr seid zu erwecken; und ich beschwöre Euch, mein Fräulein, mir stets Eure edelmüthige Freund= schaft zu bewahren, die mir mein Mißgeschick ertragen hilft.

Frosine. Ihr seid in der That Beide sehr zu beklagen, daß Ihr mich nicht schon früher in Euer Vertrauen gezogen habt. Ich hätte alle diese Widerwärtigkeiten abgewendet, und die Dinge nicht so weit kommen lassen.

Cleant. Was hilft's? Mein Unstern hat es so gewollt. Doch welchen Entschluß faßt Ihr, liebste Mariane?

Mariane. Ach, steht es denn in meiner Macht, einen Entschluß zu fassen? Muß ich mich in meiner Abhängigkeit nicht auf Wünsche beschränken?

Cleant. So habe ich in Eurem Herzen keine Stütze, als

4*

bloße Wünsche? Kein thatkräftiges Mitleid? Keine hilfreiche
Güte? Keine zum Handeln entschlossene Hingebung?

Mariane. Was soll ich Euch hierauf erwidern? Versetzt
Euch in meine Lage und Ihr werdet erkennen, daß mir
die Hände gebunden sind. Rathet, bestimmt selber; ich
füge mich Euch in Allem, und halte Euch für zu vernünf=
tig, um etwas von mir zu fordern, was der Anstand und
die gute Sitte verbietet.

Cleant. Ach, was macht Ihr aus mir, wenn Ihr ver=
langt, daß ich den Vorurtheilen einer strengen Ehre, den
peinlichen Anforderungen des sogenannten Anstandes Rech=
nung tragen soll?

Mariane. Was aber soll ich thun? Wenn ich auch die
unserem Geschlecht gezogenen Grenzen des Anstandes und
der guten Sitte überschreiten wollte, so habe ich doch Rück=
sicht auf meine Mutter zu nehmen. Sie hat mich mit der
liebevollsten Sorgfalt auferzogen, und ihr sollte ich Kummer
machen? Sucht Ihr mit ihr fertig zu werden; bemüht Euch
sie für Euch zu gewinnen. Ihr könnt thun und sagen
was Ihr wollt; und wenn's nur darauf ankommt, mich
zu Euren Gunsten zu erklären, so willige ich auch darein,
ihr selbst ein Geständniß meiner Liebe für Euch zu machen.

Cleant. Frosine, meine gute Frosine, willst Du uns be=
hilflich sein?

Frosine. Bedarf's da noch der Frage? Ich möchte es herz=
lich gern. Ihr wißt, ich bin von Natur sehr mitleidig.
Der Himmel hat mich weich geschaffen, und ich leiste nur
zu gern kleine Dienste, wenn ich sehe, daß die Leute sich in
allen Ehren gut sind. Doch was ist hier zu machen?

Cleant. Denke doch ein wenig nach.

Mariane. Zeige uns einen Weg!

Elise. Erfinde irgend etwas, den Knoten wieder zu
lösen, den Du geschürzt hast.

Frosine. Ja, wenn das nur so ginge! (Zu Mariane.) Mit
Eurer Mutter wollte ich schon fertig werden; sie ist ver=
nünftig und ließe sich am Ende dazu bestimmen, das
Heirathsgut, das sie dem Vater geben will, auf den Sohn
zu übertragen. (Zu Cleant.) Das Ueble dabei ist nur, daß
Euer Vater Euer Vater ist.

Cleant. Das versteht sich!

Frosine. Ich meine, er wird es nicht verschmerzen kön=
nen, wenn er einen Korb bekommt, und wird alsdann
nicht geneigt sein, seine Einwilligung zu Eurer Heirath zu
geben. Man müßte also die Sache so zu drehen suchen,
daß die Weigerung von ihm selbst käme, und er auf irgend
eine Weise einen Widerwillen gegen Eure Person faßte.

Cleant. Du hast Recht.

Frosine. Ja, daß ich Recht habe, weiß ich wol; aber der
Teufel weiß, wie man's anfangen soll. Schon gut! Wenn
wir irgend eine nicht gar zu junge Frau hätten, die ein
bischen Talent hätte wie ich, und die gut genug spielte,
um mit Hilfe eines in Eile zusammengebrachten Aufzugs
eine Dame von Stande vorzustellen, unter dem Namen
einer Marquise oder Vicomtesse, die wir aus der Unter=
Bretagne sein ließen; ich würde es dann klug genug an=
fangen, Eurem Vater einzureden, daß dies eine reiche Person
wäre, die außer ihren Häusern noch hunderttausend Thaler
baares Geld hätte; daß sie sterblich in ihn verliebt sei und
wünsche, seine Frau zu werden, um ihm sogar ihr ganzes
Vermögen im Ehecontract zu verschreiben. Das ist die Lock=
speise, ihn zu fangen. Er liebt Euch, das weiß ich, aber das
Geld liebt er noch mehr; und wenn er, von diesem Köder
geblendet, nur erst auf Euch verzichtet hätte, so wäre es
hernach einerlei, was er für Augen machte, wenn er sähe,
wie's mit unserer Marquise bestellt wäre.

Cleant. Dies Alles ist vortrefflich ausgedacht.

Frosine. Laßt mich nur machen! Mir fällt soeben eine
gute Freundin ein, die wie gemacht hierfür ist.

Cleant. Sei meiner Dankbarkeit gewiß, Frosine, wenn
Du das durchführst. Aber, reizende Mariane, laßt uns
den Anfang damit machen, Eure Mutter zu gewinnen;
daran liegt mehr als diese Heirath zu verhindern. Thut
Eurerseits, ich beschwöre Euch, was Ihr könnt. Benutzt
alle Gewalt, die Euch die Zärtlichkeit, die sie für Euch
hat, über sie giebt. Bietet ohne Rückhalt alle Beredsam=
keit auf, allen Reiz, den der Himmel in Eure Augen und
auf Eure Lippen legte, und vergeßt nichts von den süßen
Worten, den sanften Bitten und rührenden Liebkosungen,

denen man nach meiner Ueberzeugung nichts zu verweigern
im Stande ist.

Mariane. Ich will thun was ich kann, und nichts ver=
gessen.

Zweiter Auftritt.

Harpagon. Cleant. Mariane. Elise. Frosine.

Harpagon (bei Seite, ohne gesehen zu werden). Was! Mein Sohn
küßt seiner künftigen Stiefmutter die Hand, und seine
künftige Stiefmutter läßt sich das gefallen? Sollte irgend
etwas dahinter stecken?

Elise. Da ist der Vater.

Harpagon. Die Kutsche ist angespannt; Ihr könnt fahren,
wenn's beliebt.

Cleant. Da Ihr nicht mit geht, Vater, will ich ihnen
das Geleit geben.

Harpagon. Nein, bleibe hier. Sie können allein gehen;
ich habe mit Dir zu sprechen.

Dritter Auftritt.

Harpagon. Cleant.

Harpagon. Nun also, die Stiefmutter ganz bei Seite,
was hältst Du von dieser Person?

Cleant. Was ich von ihr halte?

Harpagon. Ja, von ihrem Benehmen, ihrer Haltung,
ihrer Schönheit, ihrer Bildung?

Cleant. So, so.

Harpagon. Nun was?

Cleant. Aufrichtig gestanden, sie hat meinen Erwartungen
nicht entsprochen. Ihr Benehmen ist zu frei, ihre Haltung
gar zu unbeholfen, ihre Schönheit sehr mittelmäßig, und
ihre Bildung ganz gewöhnlich. Glaubt nicht, Vater, daß
ich sie Euch verleiden will; denn Stiefmutter bleibt Stief=
mutter, ich habe die so gern wie jede andere.

Harpagon. Du sagtest ihr aber doch vorhin —

Cleant. Ich habe ihr allerdings einige Schmeicheleien in
Eurem Namen gesagt, aber das war nur Euch zu Gefallen.

Harpagon. Du bist also nicht von ihr eingenommen?

Cleant. Ich? ganz und gar nicht!

Harpagon. Das thut mir leid, denn es macht mir einen Gedanken zu nichte, der mir in den Kopf gekommen war. Ich habe mir, als ich sie vorhin hier sah, mein Alter überlegt und gedacht, daß die Leute doch am Ende ihre Glossen machen würden, wenn ich mich mit einem so jungen Mädchen verheirathete. Ich wollte also meinen Entschluß aufgeben; und, da ich um sie angehalten habe, und mein gegebenes Wort nicht wieder zurücknehmen kann, würde ich sie Dir gegeben haben, wenn Du nicht diese Abneigung gezeigt hättest.

Cleant. Mir?

Harpagon. Dir.

Cleant. Zur Frau?

Harpagon. Zur Frau.

Cleant. Hört mich an. Es ist wahr, sie sagt mir nicht sonderlich zu; allein Euch zu Gefallen, Vater, würde ich mich doch entschließen sie zu heirathen, wenn Ihr's wollt.

Harpagon. Ei, ich bin vernünftiger als Du denkst. Ich will Deiner Neigung keinen Zwang anthun.

Cleant. Verzeiht; Euch zu Liebe thäte ich mir gern diesen Zwang an.

Harpagon. Nein, nein. Eine Ehe, wo die Neigung fehlt, wird keine glückliche.

Cleant. Das ist etwas, Vater, was ja noch kommen kann; man sagt, daß die Liebe oft eine Frucht der Ehe ist.

Harpagon. Nein. Von Seiten des Mannes ist der Versuch nicht zu wagen; das könnte schlimme Folgen herbei führen, die ich nicht verantworten möchte. Hättest Du nur die geringste Neigung für sie gehabt, ja dann ließe ich mir's gefallen; dann hättest Du sie an meiner Stelle heirathen können; da dies aber nicht ist, bleibe ich meinem zuerst gefaßten Entschlusse treu und heirathe sie selber.

Cleant. Nun, Vater, da die Dinge so stehen, muß ich Euch mein Herz entdecken; muß Euch unser Geheimniß enthüllen. Die Wahrheit ist, daß ich sie liebe seitdem ich sie zum ersten Mal auf der Promenade sah; und daß mein Entschluß sogleich fest stand, sie mir von Euch zur Frau zu erbitten, und daß mich nichts zurückgehalten hat als die Erklärung Eurer Neigung und die Furcht, Euch zu mißfallen.

Harpagon. Hast Du ihr einen Besuch gemacht?

Cleant. Ja, Vater.

Harpagou. Oefter?

Cleant. Oft genug für die kurze Zeit.

Harpagon. Wurdest Du gut aufgenommen?

Cleant. Sehr gut, aber ohne zu wissen wer ich war; deshalb war vorhin Mariane so überrascht.

Harpagon. Hast Du ihr eine Liebeserklärung gemacht und ihr versprochen, sie zu heirathen?

Cleant. Jawol; und auch gegen ihre Mutter ließ ich etwas davon merken.

Harpagon. Ging sie auf Deinen Antrag ein?

Cleant. Sie zeigte sich sehr geneigt.

Harpagon. Erwidert die Tochter Deine Neigung?

Cleant. Wenn man dem Scheine trauen darf, so bin ich überzeugt, Vater, daß sie mir wohl will.

Harpagon (leise, bei Seite). Es ist mir sehr lieb, daß ich nun weiß woran ich bin; das habe ich nur gewollt. (Laut.) Wolan, mein Sohn, weißt Du was? Jetzt denke dran, Dich von Deiner Liebe los zu machen, Deine Nachstellungen bei einer Person einzustellen, die ich für mich haben will, und Dich in Kurzem mit der zu verheirathen, die ich Dir bestimme.

Cleant. So also, Vater, spielt Ihr mir mit? Nun gut, da die Dinge so weit gekommen sind, erkläre ich Euch, daß ich von Mariane nicht ablasse; daß ich alle mir zu Gebote stehenden Mittel aufbieten werde, um Euch ihren Besitz streitig zu machen; und daß, wenn Ihr auch die Zustimmung der Mutter für Euch habt, ich vielleicht andere Verbündete haben werde, die für mich die Sache ausfechten.

Harpagon. Wie, Du Galgenstrick, hast die Frechheit mir ins Gehege zu kommen?

Cleant. Umgekehrt! Ihr kommt mir in das meinige: Ich bin der erste Bewerber.

Harpagon. Bin ich nicht Dein Vater, bist Du mir nicht Respect schuldig?

Cleant. In diesen Dingen brauchen die Kinder ihren

Vätern nicht nachzustehen. So weit geht der Respect nicht.

Harpagon. Ich werde ihn Dir mit Stockschlägen beibringen!

Cleant. Eure Drohungen schrecken mich nicht.

Harpagon. Du entsagst Marianen!

Cleant. Niemals!

Harpagon. Einen Stock her, schnell!

Vierter Auftritt.

Harpagon. Cleant. Jakob.

Jakob. Ei, ei, ei, Ihr Herren, was ist hier los? Was habt Ihr mit einander vor?

Cleant. Es ist zum Lachen!

Jakob (zu Cleant). Sachte, sachte, junger Herr!

Harpagon. So frech mit mir zu sprechen!

Jakob (zu Harpagon). Ums Himmelswillen, gnädiger Herr!

Cleant. Ich lasse nicht ab!

Jakob (zu Cleant). Was, Ihr lehnt Euch gegen Euren Vater auf?

Harpagon. Laß mich, sag' ich Dir.

Jakob (zu Harpagon). Ei was, er ist doch Euer Sohn! Wenn ich's noch wäre!

Harpagon. Du sollst selbst Schiedsrichter sein in dieser Sache, Jakob, um zu zeigen, ob ich nicht Recht habe.

Jakob. Ich bin dabei. (Zu Cleant.) Tretet ein wenig bei Seite!

Harpagon. Ich liebe ein Mädchen, das ich heirathen will; und der Galgenstrick da hat die Frechheit sie auch zu lieben, und gegen meinen Willen Ansprüche zu erheben.

Jakob. Ei, er hat Unrecht.

Harpagon. Ist es nicht eine schreckliche Geschichte, daß ein Sohn gegen seinen Vater in die Schranken treten will? Muß er nicht schon aus Respect sich nicht mit meinen Neigungen befassen?

Jakob. Natürlich. Laßt mich mit ihm reden, und das gleich.

Cleant (zu Jakob, der sich ihm nähert). Nun ja, da er Dich doch zum Schiedsrichter macht, so habe ich nichts dagegen;

mir ist Jeder gleich; ich überlasse es Dir gern, Jakob,
unseren Streit zu schlichten.

Jakob. Ihr erzeigt mir viel Ehre.

Cleant. Ich bin in ein junges Mädchen verliebt, die
mich wieder liebt, und meinen Antrag freudig aufgenom=
men hat. Mein Vater läßt sich einfallen, unsre Liebe zu
stören, indem er selber um sie anhält.

Jakob. Da hat er sehr Unrecht.

Cleant. Ist es nicht eine Schande, daß er in seinem
Alter noch ans Heirathen denkt? Schickt sich's für ihn,
noch den Verliebten zu spielen? Sollte er Dergleichen nicht
jungen Leuten überlassen?

Jakob. Ihr habt Recht. Er spaßt. Laßt mich ein
Wörtchen mit ihm reden. (Zu Harpagon.) Nun, Euer Sohn
ist nicht so eigen als Ihr sagt, er nimmt ja Vernunft
an. Er sagt, er kenne den Respect, den Er Euch schuldig
sei, er habe sich nur in der ersten Hitze hinreißen lassen,
und er wolle sich Eurem Willen unterwerfen, vorausgesetzt,
daß Ihr ihn besser als bisher behandeltet, und ihm ein
Mädchen zur Frau geben wolltet, mit dem er Ursache hätte
zufrieden zu sein.

Harpagon. Ach, sagt ihm, Jakob, er dürfe darauf hin
Alles von mir hoffen, und könne, außer Marianen,
heirathen wen er Lust habe.

Jakob. Ich will's schon machen. (Zu Cleant.) Nun, junger
Herr, Euer Vater ist gar nicht so unverständig als Ihr
ihn hinstellt; er hat mir erklärt, daß ihn nur Eure Heftig=
keit so in Zorn gebracht hätte, daß ihn Euer Betragen
aufbringe, daß er aber ganz geneigt sei Euch zu erfüllen,
was Ihr wünscht, vorausgesetzt, daß Ihr es in der rich=
tigen Weise von ihm fordert, und ihm die Achtung und Unter=
werfung erweist, die ein Sohn seinem Vater schuldig ist.

Cleant. Ach, Jakob, Du kannst ihm versichern, daß, wenn
er mir Marianen giebt, er in mir den fügsamsten aller
Menschen sehen wird, und daß ich nie etwas gegen seinen
Willen thun werde.

Jakob (zu Harpagon). Das ist abgemacht; er willigt in
Alles was Ihr sagt.

Harpagon. Dann geht ja Alles ganz vortrefflich!

Jakob (zu Cleant). Es ist Alles abgemacht; er ist zufrieden gestellt durch Eure Versprechungen.

Cleant. Der Himmel sei gepriesen!

Jakob. So, meine Herrn, Ihr könnt nun weiter mit-einander reden; die Einigkeit ist jetzt wieder hergestellt; Ihr zanktet Euch vorhin, weil Ihr Euch nicht verstanden hattet.

Cleant. Mein guter Jakob, ich bleibe mein Lebelang Dein Schuldner.

Jakob. Keine Ursache, Herr.

Harpagon. Mein guter Jakob, Du hast mir einen großen Gefallen gethan, und das muß belohnt werden. (Harpagon wühlt in seiner Tasche, Jakob hält die Hand hin, aber Harpagon zieht nur sein Taschentuch heraus und sagt:) Geh nur, ich werde mich daran erinnern, ich versichere es Dir.

Jakob. Ich bin Euer gehorsamer Diener.

Fünfter Auftritt.

Harpagon. Cleant.

Cleant. Ich bitte Euch, Vater, mir die Aufwallung zu verzeihen, die ich blicken ließ.

Harpagon. Hat nichts zu sagen.

Cleant. Ich versichere Euch, daß es mir außerordentlich leid thut.

Harpagon. Und mich freut es außerordentlich, Dich so vernünftig zu sehen.

Cleant. Wie gütig seid Ihr, so schnell meinen Fehler zu vergessen!

Harpagon. Man vergißt gern die Fehler der Kinder, sobald sie zu ihrer Pflicht zurückkehren.

Cleant. Wie? Ihr wollt also meiner Thorheiten nicht mehr gedenken?

Harpagon. Du bringst mich dazu durch die Unterwürfig-keit und die Achtung, zu der Du Dich bekehrst.

Cleant. Ich verspreche Euch, Vater, daß ich bis an meines Lebens Ende die Erinnerung an Eure Güte in meinem Herzen bewahren werde.

Harpagon. Und ich verspreche Dir, daß Du alles von mir erlangen kannst.

Cleant. Ach, Vater, was sollte ich noch wünschen, da Ihr mir Mariane gegeben habt?

Harpagon. Wie?

Cleant. Ich sage, Vater, daß Ihr allzu gütig gegen mich seid, indem Ihr mir Mariane gebt.

Harpagon. Wer sagt, daß ich Dir Mariane geben will?

Cleant. Ihr, Vater.

Harpagon. Ich?

Cleant. Nun ja.

Harpagon. Wieso denn? Du hast versprochen ihr zu entsagen.

Cleant. Ich? ihr entsagen?

Harpagon. Ja.

Cleant. Ganz und gar nicht!

Harpagon. Du hättest ihr nicht entsagt?

Cleant. Im Gegentheil, ich halte mehr als je an ihr.

Harpagon. Was! Galgenstrick, geht's wieder los?

Cleant. Nichts vermag mich zu ändern.

Harpagon. Das wollen wir sehen, Schurke!

Cleant. Thut was Ihr wollt.

Harpagon. Ich verbiete Dir, mir je wieder vor die Augen zu kommen!

Cleant. Mir recht!

Harpagon. Ich sage mich von Dir los!

Cleant. Sagt Euch los!

Harpagon. Ich erkenne Dich nicht mehr als meinen Sohn an!

Cleant. Gut!

Harpagon. Ich enterbe Dich!

Cleant. Wie Ihr wollt.

Harpagon. Und gebe Dir meinen Fluch!

Cleant. Behaltet Eure Gaben!

Sechster Auftritt.
Cleant. La Fleche.

La Fleche (kommt aus dem Garten mit einer Casette). Ah, Herr, da finde ich Euch ja gerade recht! Folgt mir schnell!

Cleant. Was giebt's?

La Fleche. Folgt mir, sage ich Euch; wir sind gut dran!

Cleant. Wie?

La Fleche. Hier ist, was wir brauchen!

Cleant. Was?

La Fleche. Ich habe schon den ganzen Tag ein Auge darauf gehabt.

Cleant. Was ist es denn?

La Fleche. Der Schatz Eures Vaters, den ich erwischt habe!

Cleant. Wie ist Dir das gelungen?

La Fleche. Ihr sollt Alles erfahren. Machen wir uns fort; ich höre ihn schreien.

Siebenter Auftritt.

Harpagon (allein, schreit schon vom Garten her, und kommt ohne Hut).

Diebe! Diebe! Räuber! Mörder! Gerechtigkeit! Barm=
herziger Himmel! Ich bin verloren, ermordet, die Kehle ist
mir abgeschnitten, mein Geld ist mir gestohlen! Wer kann
es sein? Wo ist er geblieben? Wo ist er? Wo hat er
sich versteckt? Was fang' ich an, um ihn zu finden? Wohin
laufen, wohin nicht? Ist er nicht da? Ist er nicht hier?
Wer da? Halt! (Faßt sich selber beim Arm.) Mein Geld her,
Spitzbube! Ach, das bin ich! Mein Kopf ist verwirrt, ich
weiß nicht wo ich bin, wer ich bin, und was ich thue. Ach,
mein gutes Geld! Mein gutes Geld! Geliebter Freund!
man hat Dich mir geraubt; und mit Dir habe ich meine
Stütze, meinen Trost, meine Freude verloren; Alles ist
vorbei für mich, ich habe nichts mehr auf der Welt zu
schaffen. Ohne Dich kann ich nicht leben. Es ist vorbei;
ich kann nicht mehr; ich sterbe, ich bin todt, ich bin be=
graben. Will mich Niemand dadurch erwecken, daß er mir
mein gutes Geld wieder giebt, oder mir sagt, wer es
gestohlen hat? Horch! was sagt Ihr? Es ist Niemand.
Wer den Streich ausgeführt hat, muß die Stunde gut ab=
gepaßt haben; er hat gerade die Zeit gewählt, wo ich hier
mit meinem Schurken von Sohn sprach. Fort! Ich will die
Justiz holen, das ganze Haus soll auf die Folter gespannt
werden, Mägde, Bedienten, Sohn und Tochter, und ich
selber. Was da für Leute versammelt sind! Ich werfe

meinen Blick auf Keinen, der mir nicht verdächtig vorkommt,
Jeder sieht mir aus wie mein Dieb. He! Wovon ist da
die Rede? Von dem der mich bestohlen hat? Was ist das
für ein Lärm da oben? Habt Ihr meinen Dieb? Aus
Barmherzigkeit, wenn Ihr etwas von meinem Dieb wißt,
sagt mir's! Hat er sich nicht unter Euch versteckt? — Ha!
alle Welt glotzt mich an und lacht mich aus! — Gewiß
hat Jeder seinen Antheil an dem Diebstahl. Geschwind,
geschwind, Commissäre, Häscher, Vögte, Richter, Daum=
schrauben, Galgen, Henker! Ich will alle Welt hängen
lassen, und wenn ich mein Geld nicht wieder kriege, hänge
ich mich selber zuletzt!

Fünfter Aufzug.

Erster Auftritt.
Harpagon. Ein Commissar.

Der Commissar. Laßt mich nur machen; ich verstehe, gott=
lob, mein Handwerk. Es ist nicht das erste Mal, daß ich
drauf ausgehe, Diebstähle zu entdecken; ich wünschte, ich
hätte so viel Säcke voll Franken, als ich Leute habe hängen
lassen.

Harpagon. Alle Behörden müssen diese Sache in die Hand
nehmen; und wenn ich mein Geld nicht wieder kriege,
fordere ich die Gerichte vor Gericht.

Der Commissar. Man muß alle erforderlichen Nachforschun=
gen anstellen. Wie viel, sagt Ihr, befand sich in der
Cassette?

Harpagon. Volle zehntausend Thaler.

Der Commissar. Zehntausend Thaler!

Harpagon. Zehntausend Thaler!

Der Commissar. Ein beträchtlicher Diebstahl!

Harpagon. Für dieses ungeheuere Verbrechen ist keine
Strafe groß genug; und bleibt dies ungestraft, sind die
heiligsten Dinge nicht mehr sicher.

Der Commissar. Aus welchen Sorten bestand die Summe?

Harpagon. Aus lauter guten Louisd'oren und vollwich=
tigen Pistolen.

Der Commissar. Auf wen habt Ihr Verdacht?

Harpagon. Auf alle Welt; Ihr sollt die Stadt und alle
Vorstädte festnehmen.

Der Commissar. Man muß nur ja Keinen vor den
Kopf stoßen, und in aller Stille einige Beweise zu er=
haschen suchen, damit man hernach mit aller Strenge ver=
fahren kann, Euch das gestohlene Geld wieder zu schaffen.

Zweiter Auftritt.

Harpagon. Ein Commissar. Jakob.

Jakob (im Hintergrund der Bühne; spricht nach der Seite hin, von
welcher er gekommen ist). Ich komme wieder. Schlachtet ihn
mir sogleich ab; röstet ihm die Füße, werft ihn in kochen=
des Wasser, und hängt ihn an der Decke auf.

Harpagon (zu Jakob). Wen? Der mich bestohlen hat?

Jakob. Ich spreche von einem Hammel, den Euer Haus=
hofmeister mir eben schickt, und den ich Euch nach meinem
Geschmack zubereiten will.

Harpagon. Davon ist jetzt nicht die Rede; der Herr hier
wird nach ganz anderen Dingen fragen.

Der Commissar (zu Jakob). Erschreckt nur nicht. Ihr braucht
Euch vor mir nicht zu fürchten, es wird Alles in Güte
abgemacht.

Jakob. Ist der Herr auch zum Abendessen eingeladen?

Der Commissar. Ihr braucht Eurem Gebieter nichts vor=
zuenthalten, Freundchen.

Jakob. Meiner Treu, Herr, ich werde zeigen, was ich
leisten kann, ich werde Euch auf's Beste besorgen.

Harpagon. Darum handelt es sich hier nicht.

Jakob. Wenn ich Euch nicht so viel Leckereien vorsetze
als ich möchte, so ist Euer Haushofmeister Schuld, der
mir die Flügel mit der Scheere seiner Sparsamkeit be=
schnitten hat.

Harpagon. Schuft! Es handelt sich hier nicht um Abend=
essen; Du sollst mir Auskunft geben über das Geld, das
mir gestohlen ist.

Jakob. Man hat Euch Geld gestohlen?

Harpagon. Ja, Spitzbube; und ich lasse Dich hängen, wenn Du es nicht wieder herausgiebst!

Der Commissar (zu Harpagon). Du lieber Himmel, geht doch nicht so mit ihm um! Ich sehe an seiner Miene, daß er ein ehrlicher Mann ist, und daß er Euch entdecken wird, was Ihr wissen wollt, ohne sich erst einsperren zu lassen. Ja, guter Freund, wenn Ihr uns Alles gesteht, soll Euch nichts zu Leide geschehen, und Ihr werdet noch dazu eine Belohnung erhalten von Eurem Gebieter. Man hat ihm heute sein Geld gestohlen, und Ihr wißt gewiß etwas davon.

Jakob (leise bei Seite). Ei, da hätte ich ja eine ganz prächtige Gelegenheit, mich an unserem Haushofmeister zu rächen. Seitdem er hier ins Haus kam, ist er Hahn im Korbe, Unsereins hat keine Stimme mehr; auch habe ich noch den Buckel voll Schläge von vorhin auf dem Herzen.

Harpagon. Was brummst Du da?

Der Commissar (zu Harpagon). Laßt ihn doch! Er bereitet sich vor, Euch zufrieden zu stellen; ich habe es Euch ja gesagt, daß er ein ehrlicher Mann ist.

Jakob. Wenn Ihr's denn doch wissen wollt, Herr, so glaube ich, daß Euch Euer guter Haushofmeister den Streich gespielt hat.

Harpagon. Valer?

Jakob. Ja.

Harpagon. Er, den ich für so treu hielt?

Jakob. Er selbst. Ich glaube, daß er Euch bestohlen hat.

Harpagon. Warum glaubst Du das?

Jakob. Warum?

Harpagon. Ja.

Jakob. I nun, ich glaube es — weil ich's glaube.

Der Commissar. Wir brauchen aber Eure Beweise.

Harpagon. Hast Du ihn da herumstreichen sehen, wo ich mein Geld versteckt hatte?

Jakob. Ja, gewiß. Wo war denn Euer Geld?

Harpagon. Im Garten.

Jakob. Ganz recht. Ich habe ihn im Garten herumstreichen sehen. Und worin war Euer Geld?

Harpagon. In einer Cassette.

Jakob. Da haben wir's. Ich habe ihn mit einer Cassette gesehen.

Harpagon. Und wie sah die Cassette aus? Ich werde gleich sehen, ob es die meinige ist.

Jakob. Wie sie aussah?

Harpagon. Ja.

Jakob. Je nun — sie sah aus wie eine Cassette.

Der Commissar. Das versteht sich. Aber beschreibt sie uns doch ein wenig.

Jakob. Es war eine große Cassette.

Harpagon. Die mir gestohlen wurde ist klein.

Jakob. Nun ja, sie ist klein, wenn man's so nehmen will; ich nenne sie nur groß wegen ihres Inhalts.

Der Commissar. Von welcher Farbe ist sie?

Jakob. Von welcher Farbe?

Der Commissar. Ja.

Jakob. Sie ist von einer Farbe — ja — einer gewissen Farbe — Könnt Ihr mich nicht drauf bringen?

Harpagon. Eh!

Jakob. Ist sie nicht roth?

Harpagon. Nein, grau.

Jakob. Ei ja, rothgrau! das meinte ich.

Harpagon. Es ist gar kein Zweifel, sie ist es. Schreibt, mein Herr, schreibt sogleich seine Aussage auf. Himmel! Wem soll man nun noch trauen? Man soll doch auf Nichts mehr schwören; ich glaube nach dieser Erfahrung, ich wäre im Stande, mich selbst zu bestehlen.

Jakob (zu Harpagon). Da kommt er, Herr. Aber sagt ihm ja nicht, daß ich Euch dies entdeckt habe.

Dritter Auftritt.

Harpagon. Ein Commissar. Valer. Jakob.

Harpagon. Hierher, bekenne die schwärzeste Handlung, die schrecklichste Frevelthat, die je verübt worden ist.

Valer. Was meint Ihr, gnädiger Herr?

Harpagon. Wie, Schurke, Du erröthest nicht über Dein Verbrechen?

Valer. Was meint Ihr für ein Verbrechen?

5

Harpagon. Was für ein Verbrechen ich meine, Schurke? Als ob Du nicht recht gut wüßtest, was ich meine! Umsonst suchst Du es zu läugnen; es ist am Tag, ich weiß Alles. So meine Güte zu hintergehen, sich bei mir einzuschleichen, um mich zu verrathen, um mir einen solchen Streich zu spielen!

Valer. Da man Euch Alles entdeckt hat, Herr, so will ich keine Umzüge machen, und die Sache nicht läugnen.

Harpagon (bei Seite). Oho! Hätte ich richtig gerathen, ohne es zu ahnen?

Valer. Es war schon meine Absicht Euch davon zu sprechen, und wollte ich nur eine günstige Gelegenheit dazu abwarten; aber da es nun so weit gekommen ist, beschwöre ich Euch, ruhig meine Gründe anzuhören.

Harpagon. Das werden schöne Gründe sein, Du Spitzbube!

Valer. Diesen Namen habe ich nicht verdient, Herr. Ich habe Euch allerdings hintergangen; aber meine Schuld ist zuletzt doch zu vergeben.

Harpagon. Wie! Zu vergeben? Ein so hinterlistiger Raub?

Valer. Ereifert Euch doch nicht! Wenn Ihr mich ruhig angehört habt, werdet Ihr sehen, daß das Uebel nicht so schlimm ist als Ihr's macht.

Harpagon. Das Uebel nicht so schlimm als ich's mache? Was! Mein Blut, mein Herzblut. Du Galgenstrick!

Valer. Euer Blut, Herr, ist nicht in schlechte Hände gefallen. Ich bin von einer Herkunft, die ihm keine Schande macht; und es ist nichts geschehen, was ich nicht wieder gut machen könnte.

Harpagon. Das möchte ich mir auch ausbitten, und daß Du mir herausgiebst, was Du mir geraubt hast.

Valer. Eurer Ehre, Herr, soll Genüge geschehen.

Harpagon. Von Ehre ist hier nicht die Rede! Aber sage mir nur, was Dich zu dieser That bewogen hat?

Valer. Ach, das fragt Ihr noch?

Harpagon. Jawol frage ich das!

Valer. Die Liebe, die Alles entschuldigt, zu was sie uns treibt.

Harpagon. Die Liebe?

Valer. Ja.

Harpagon. Schöne Liebe, das! Liebe zu meinen Louisd'oren!

Valer. Nein, Herr, Euer Reichthum hat mich nicht verlockt, mich nicht verblendet; und ich schwöre Euch, gern auf alle Eure Güter zu verzichten, wenn Ihr mir Das laßt, was ich besitze.

Harpagon. Den Teufel auch, das lasse ich Dir nicht! Sehe mir Ei r die Frechheit, das gestohlene Gut behalten zu wollen! ne

Valer. Nennt Ihr das einen Diebstahl?

Harpagon. Ob ich das einen Diebstahl nenne? Einen solchen Schatz?

Valer. Ein Schatz, das ist wahr, und der kostbarste, den Ihr Euer eigen nennt; aber Ihr verliert ihn ja nicht, wenn Ihr ihn mir überlaßt. Auf meinen Knien bitte ich Euch um diesen reizenden Schatz, den Ihr mir freiwillig gewähren solltet.

Harpagon. Wird nichts daraus! Was soll das heißen?

Valer. Wir haben uns gegenseitig Treue gelobt und geschworen, nie von einander zu lassen.

Harpagon. Ei, das ist ja ein wundervoller Schwur und ein heiteres Gelöbniß!

Valer. Ja, wir gelobten uns auf ewig anzugehören.

Harpagon. Ich werde Euch schon auseinander bringen, das versichere ich Euch!

Valer. Nur der Tod kann uns trennen!

Harpagon. Das heißt ja ganz verteufelt nach meinem Gelde sein!

Valer. Ich habe Euch schon gesagt, Herr, daß mich nicht der Eigennutz dazu getrieben hat. Mein Herz wurde nicht durch Triebe geleitet, wie Ihr sie voraussetzt, ein edlerer Beweggrund hat mir diesen Entschluß eingegeben.

Harpagon. Er wird Euch noch beweisen, daß er nur aus christlicher Liebe mein Eigenthum haben will! Aber ich werde vorbeugen; und die Gerichte, frecher Galgenstrick, werden mir schon Recht verschaffen.

Valer. Ihr könnt verfahren wie Ihr wollt, ich werde mich darein ergeben. Nur bitte ich Euch zu glauben, daß, wenn etwas Unrechtes geschehen ist, ich allein der Schuldige bin, und Eure Tochter in keiner Weise strafbar ist.

Harpagon. Ja, das glaube ich! Es wäre ja auch merkwürdig, wenn meine Tochter dabei die Hand im Spiele
hätte. Ich will aber mein Eigenthum wieder haben, und
gleich gestehst Du, wohin Du sie entführst hast?

Valer. Ich? Ich habe sie nicht entführt; sie ist noch
in Eurem Hause.

Harpagon (bei Seite). Ach meine liebe Caffette! (Laut.) Sie
ist nicht fort aus meinem Hause?

Valer. Nein, Herr.

Harpagon. Ei, so sage mir doch mal: Hast Du sie auch
nicht berührt?

Valer. Ich, sie berühren? Ach, Ihr thut uns Beiden
Unrecht; es ist die allerreinste und ehrerbietigste Liebe, von
der ich für sie glühe.

Harpagon (bei Seite). Er glüht für meine Caffette!

Valer. Eher würde ich sterben, als mich ihr mit einem
beleidigenden Ansinnen nahen; dazu ist sie zu gut und zu
anständig.

Harpagon (bei Seite). Meine Caffette zu anständig!

Valer. Meine Wünsche beschränken sich auf ihren Anblick;
und nichts Strafbares hat je die Leidenschaft entweiht,
die ihre schönen Angen in mir entzündet haben.

Harpagon (bei Seite). Die schönen Augen meiner Caffette?
Er spricht von ihr wie ein Liebhaber von einer Geliebten.

Valer. Frau Claudius weiß den ganzen Hergang, Herr;
sie kann Euch Zeugniß ablegen.

Harpagon. Was! Meine Haushälterin ist die Mit-
schuldige?

Valer. Ja, sie war Zeugin unserer Verlobung, Herr;
und erst nachdem sie sich von der Redlichkeit meiner Liebe
überzeugt hatte, half sie mir Eure Tochter zu überreden,
sich mit mir zu versprechen.

Harpagon (bei Seite). Ei, hat ihm die Angst vor dem
Gericht den Kopf verdreht? (zu Valer.) Was faselst Du da
von meiner Tochter?

Valer. Ich sage, Herr, daß ich mir alle nur erdenkliche
Mühe geben mußte, ihre Sittsamkeit zu bewegen, daß sie
meine Liebe erhörte.

Harpagon. Wessen Sittsamkeit?

Valer. Eurer Tochter; und erst gestern hat sie sich ent=
schließen können, ein Heirathsversprechen mit mir zu unter=
zeichnen.

Harpagon. Was? Meine Tochter hat Dir ein Heiraths=
versprechen unterschrieben?

Valer. Ja, Herr, und ich ihr dergleichen.

Harpagon. O Himmel! Welch ein neues Unheil!

Jakob (zu dem Commissar). Schreibt, mein Herr, schreibt!

Harpagon. Elend auf Elend! Verzweiflung über Ver=
zweiflung! (Zu dem Commissar.) Thut was Eures Amtes ist,
mein Herr; bringt ihn mir zu Protocoll als Dieb und
Verführer.

Jakob. Als Dieb und Verführer.

Valer. Diese Namen kommen mir nicht zu; und wenn
man wissen wird, wer ich bin —

Vierter Auftritt.

Harpagon. Elise. Mariane. Valer. Frosine. Jakob. Ein Commissar.

Harpagon. Ha, ruchlose Tochter! Unwürdig eines Vaters,
wie ich bin! So befolgst Du die Lehren, die ich Dir ge=
geben habe? Vergaffst Dich in einen schändlichen Dieb, und
verlobst Dich hinter meinem Rücken mit ihm? Aber Ihr
habt Euch Beide verrechnet. (Zu Elise.) Vier feste Mauern
sollen mir für Deine Aufführung bürgen; (zu Valer) und
Du Strick, sollst mir am Galgen Deine Frechheit büßen!

Valer. Nicht Eure Leidenschaft wird diese Sache entschei=
den; man muß mich erst hören, ehe man mich verurtheilt.

Harpagon. Ich versprach mich, als ich Galgen sagte;
Du mußt lebendig gerädert werden!

Elise (kniet vor Harpagon). Ach, Vater, seid doch mensch=
licher gesinnt, treibt Eure väterliche Gewalt nicht bis zum
Aeußersten! Laßt Euch nicht von der ersten Hitze hinreißen,
und gebt der Ueberlegung Raum. Lernt den erst kennen,
von dem Ihr Euch beleidigt glaubt. Er ist ein Anderer
als er Euch scheint; es wird Euch weniger befremden, daß
ich mich ihm zu eigen gab, wenn Ihr erfahrt, daß Ihr
ohne ihn mich schon längst verloren hättet. Ja, Vater, er
ist es, der mit eigner Lebensgefahr mich aus dem Wasser

zog, bem Ihr das Leben ber Tochter zu verdanken habt,
bie —

Harpagon. Dummes Zeug! Es wäre besser für mich, er
hätte Dich ertrinken lassen, als daß er mir das gethan hat.

Elise. Vater, ich beschwöre Euch bei Eurer väterlichen
Liebe, mir —

Harpagon. Nein, nein, ich will nichts hören! die Gerech=
tigkeit soll ihren Gang gehen.

Jakob (bei Seite). Nun sollst Du mir meine Schläge büßen!

Frosine (bei Seite). Das ist ja eine seltsame Verwirrung!

Fünfter Auftritt.

**Anselmus. Harpagon. Elise. Mariane. Frosine. Valer.
Ein Commissar. Jakob.**

Anselmus. Was giebt es denn, Herr Harpagon, Ihr
seid ja ganz außer Euch!

Harpagon. Ach, Herr Anselmus, ich bin ja der aller=
unglücklichste Mensch! An den Contract, den Ihr schließen
wollt, ist vor lauter Verwirrung gar nicht zu denken!
Man bringt mich um mein Geld, man bringt mich um
meine Ehre; hier steht der Schurke, der Bösewicht, der
die heiligsten Pflichten mit Füßen tritt, der sich unter dem
Titel eines Bedienten bei mir eingeschlichen hat, um mir
mein Geld zu stehlen, und meine Tochter zu verführen.

Valer. Wer denkt denn an Euer Geld, von dem Ihr so
viel Geschwätz macht?

Harpagon. Ja, sie haben sich einander die Ehe verspro=
chen. Der Schimpf fällt auf Euch mit, Herr Anselmus.
An Euch ist es, gegen ihn aufzutreten, und auf Eure Kosten
eine gerichtliche Untersuchung gegen ihn einzuleiten, um
Euch an seiner Frechheit zu rächen.

Anselmus. Es war nie meine Absicht, eine Heirath durch
Zwang zu schließen, und Ansprüche auf ein Herz zu machen,
das schon versagt ist; aber für Eure Interessen bin ich
bereit einzutreten, als ob es die meinigen wären.

Harpagon. Der Herr hier ist ein ehrlicher Commissar,
der, wie er mir sagt, nichts versäumen wird, was sein
Amt erheischt. (Zu dem Commissar, indem er auf Valer zeigt.) Geht

ihm tüchtig zu Leibe, Herr, und geht den Dingen nur recht auf den Grund.

Valer. Ich sehe nicht ein, was für ein Verbrechen man mir aus meiner Leidenschaft für Eure Tochter machen kann, und wie man mich wegen unserer Verlobung ver= urtheilen will, wenn man erfahren wird, wer ich bin —

Harpagon. Wir lassen uns nichts aufbinden, die Welt ist heutzutage voll von solchen abligen Spitzbuben, solchen Schwindlern, die es benutzen, daß sie Niemand kennt, und sich frecherweise den ersten besten berühmten Namen beilegen.

Valer. Nein, ich habe ein viel zu gutes Herz, um mich mit fremden Federn zu schmücken; ganz Neapel kann Zeug= niß von meiner Abkunft ablegen.

Anselmus. Sachte! Nehmt Euch in Acht, daß Ihr nicht zu viel sagt. Ihr wagt dabei mehr als Ihr denkt; Ihr habt in mir einen Mann vor Euch, dem ganz Neapel be= kannt ist, und der leicht Eure Geschichte durchschauen kann.

Valer (setzt stolz seinen Hut auf). Ich brauche Niemand zu scheuen; wenn Ihr in Neapel bekannt seid, so werdet Ihr wissen, wer Don Thomas d'Alburci war.

Anselmus. Das weiß ich allerdings. Wenig Lenté haben ihn so gut gekannt wie ich.

Harpagon. Ich schere mich weder um Don Thomas noch um Don Martin. (Er sieht zwei Lichter brennen, und bläst eins aus.)

Anselmus. Bitte, laßt ihn ausreden; wir wollen doch sehen, was er sagen wird.

Valer. Weiter nichts, als daß er mein Vater ist.

Anselmus. Er?

Valer. Ja.

Anselmus. Geht, das macht Andern weiß. Ersinnt eine glaubwürdigere Fabel, und denkt nicht Euch durch diese Lüge zu retten.

Valer. Wählt Eure Worte besser. Es ist keine Lüge, ich behaupte nichts, was ich nicht beweisen kann.

Anselmus. Was, Ihr wagt Euch für den Sohn Don Thomas d'Alburci auszugeben?

Valer. Ja, das wage ich, und bin bereit, diese Wahr= heit gegen Jedermann aufrecht zu erhalten.

Anſelmus. Eine unerhörte Kühnheit! Erfahrt denn zu Eurer Beſchämung, daß es mehr als ſechzehn Jahre her ſind, daß der Mann, von dem Ihr ſprecht, mit Weib und Kindern auf dem Meere umkam, indem er ſich den grauſamen Verfolgungen entziehen wollte, welche der neapolitaniſche Aufſtand hervorrief, der viele adlige Familien damals aus der Heimat vertrieben hat.

Valer. So iſt es. Und nun erfahrt Ihr zu Eurer Beſchämung, daß ſein ſiebenjähriger Sohn mit einem Diener aus dieſem Schiffbruch durch ein ſpaniſches Fahrzeug gerettet wurde; und daß dieſer gerettete Sohn hier vor Euch ſteht. Erfahrt weiter, daß der Capitän dieſes Schiffes, gerührt von meinem Schickſal, ſich meiner annahm, mich erziehen ließ wie ſeinen eigenen Sohn und mich für den Kriegsdienſt beſtimmte, ſobald ich herangewachſen war; daß ich erſt kürzlich erfuhr, mein Vater ſei nicht todt, wie ich es geglaubt hatte; daß ich, als ich hier durchkam, um ihn aufzuſuchen, durch die Fügung des Himmels die reizende Eliſe kennen lernte; daß ſie ſehen und Sclave ihrer Reize werden eins war, und daß die Heftigkeit meiner Liebe und die Strenge ihres Vaters, mich den Entſchluß faſſen ließen, in ſeine Dienſte zu treten, und einen Andern meine Eltern auskundſchaften zu laſſen.

Anſelmus. Aber was habt Ihr für andere Zeugen als Eure Ausſagen, um uns zu beweiſen, daß Dies nicht eine Fabel ſei, der etwas Wahres zu Grunde liegt?

Valer. Den ſpaniſchen Capitän; ein Petſchaft von Rubin, das meinem Vater gehörte; ein Armband von Achat, das meine Mutter mir um den Arm gelegt; den alten Pedro, den Diener, der ſich mit mir zuſammen aus dem Schiffbruch rettete.

Mariane. Ach, ich kann die Wahrheit Eurer Worte verbürgen; Alles was Ihr ſagt, läßt mir keinen Zweifel, daß Ihr mein Bruder ſeid.

Valer. Ihr, meine Schweſter?

Mariane. Ja. Mein Herz war ergriffen von dem Augenblick an, als Ihr die Lippen öffnetet; wie wird ſich die Mutter freuen, die mir wer weiß wie oft die Geſchichte unſeres Mißgeſchicks erzählt hat. Auch uns ließ der Himmel in diesem grausigen Schiffbruch nicht umkommen; aber wir mußten unser Leben durch den Verlust unserer Freiheit erkaufen, denn es waren Corsaren, die meine Mutter und mich aus dem gescheiterten Schiffe aufnahmen. Nach zehnjähriger Sclaverei verschaffte uns ein glücklicher Zufall die Freiheit, und wir kehrten nach Neapel zurück, wo wir unsere sämmtlichen Güter verkauft fanden, ohne über den Verbleib des Vater etwas erfahren zu können. Wir machten uns nach Genua auf, wo meine Mutter die Ueberbleibsel eines zersplitterten Erbes zusammenbrachte; und da die Härte und Ungerechtigkeit ihrer Verwandten sie auch von da forttrieb, so kamen wir hierher, wo sie fast nur ein sieches Leben geführt hat.

Anselmus. O Himmel! Wie wunderbar sind Deine Fügungen! Ja, nur Du kannst solche Wunder thun! Umarmt mich, meine Kinder; theilt das Entzücken Eures Vaters!

Valer. Ihr seid unser Vater?

Mariane. Um den meine Mutter so viel geweint hat?

Anselmus. Ja, meine Tochter; ja, mein Sohn; ich bin Don Thomas d'Alburci, den der Himmel aus den Wellen rettete mit allem Geld, das er bei sich trug, und der, da er sechzehn Jahre lang Euch für todt hielt, nach vielem Hin- und Herreisen, in der Verbindung mit einem sanften, verständigen Mädchen den Trost in einem neuen Familienleben zu suchen gedachte. Die Gefahr, in der mein Leben noch fortwährend in Neapel schwebt, hat mich bewogen, die Rückkehr dorthin für immer aufzugeben; und nachdem es mir gelungen ist, meine dortigen Besitzungen verkaufen zu lassen, habe ich mich hier niedergelassen, unter dem Namen Anselmus, durch den ich mir die Widerwärtigkeiten fern halten wollte, die mir mein anderer Name verursacht hat.

Harpagon (zu Anselmus). So ist das also Euer Sohn?

Anselmus. Ja.

Harpagon. So halte ich mich an Euch, wegen der zehntausend Thaler, die er mir gestohlen hat.

Anselmus. Er soll Euch bestohlen haben?

Harpagon. Jawol.

Valer. Wer hat Euch das gesagt?

Harpagon. Jakob.

Valer (zu Jakob). Du haſt das geſagt?

Jakob. Ihr ſeht ja, daß ich gar nichts ſage.

Harpagon. Ja. Hier der Herr Commiſſar hat ſeine Ausſagen zu Protocoll genommen.

Valer. Könnt Ihr mir eine ſo niederträchtige Handlung
zntrauen?

Harpagon. Zutrauen oder nicht, ich will mein Geld wieder haben.

Sechſter Auftritt.

**Harpagon. Anſelmus. Eliſe. Mariane. Cleant. Valer. Froſine.
Ein Commiſſar. Jakob. La Fleche.**

Cleant. Macht Euch weiter keine Sorge, Vater; klagt
Niemand an. Ich kann Euch über den Verbleib Eures
Geldes die beſte Auskunft geben, und komme um Euch zu
ſagen, daß, wenn Ihr Euch entſchließen wollt, mir Mariane
zur Frau zu geben, Ihr Euer Geld wieder haben ſollt.

Harpagon. Wo iſt es?

Cleant. Seid unbeſorgt darum. Es iſt gut aufgehoben;
und da nun Alles von mir abhängt, ſo braucht Ihr Euch
nur zu entſchließen und könnt wählen, ob Ihr mir Mariane
geben, oder Eure Caſſette verlieren wollt.

Harpagon. Fehlt nichts daraus?

Cleant. Gar nichts. Erklärt Euch, ob Ihr die Heirath
zugeben wollt, in die ihre Mutter einwilligt, die ihr freie
Wahl zwiſchen uns Beiden läßt.

Mariane (zu Cleant). Aber Ihr wißt nicht, daß es mit
dieſer Einwilligung nicht abgethan iſt, daß der Himmel
(auf Valer zeigend) mir hier einen Bruder, (auf Anſelmus zeigend)
und einen Vater wieder gegeben hat, deſſen Einwilligung
Ihr erlangen müßt.

Anſelmus. Der Himmel, meine Kinder, giebt mich Euch
nicht wieder, um Eure Wünſche zu kreuzen. Ihr werdet
wol einſehen, Herr Harpagon, daß die Wahl eines jungen
Mädchens eher auf den Sohn als auf den Vater fallen
wird; willigt daher wie ich in dieſe Doppel-Ehe ein, ohne
erſt lange hin und her zu reden.

Harpagon. Ehe ich Rath annehme, muß ich meine Cassette sehen.

Cleant. Ihr werdet sie wohlerhalten sehen.

Harpagon. Ich kann meinen Kindern kein Geld mitgeben.

Anselmus. Ich habe genug für Beide; das laßt Euch nicht kümmern.

Harpagon. Und Ihr wollt Euch verpflichten, alle Kosten der beiden Heirathen zu übernehmen?

Anselmus. Ja, ich verpflichte mich dazu. Seid Ihr zufrieden?

Harpagon. Ja, wenn Ihr mir auch einen Rock zur Hochzeit machen laßt.

Anselmus. Abgemacht. Und nun wollen wir uns dieses glücklichen Tages freuen.

Ein Commissar. Holla, meine Herren, holla! Nur sachte, sachte, wenn's beliebt. Wer wird mir meine Schreibereien bezahlen?

Harpagon. Was gehen uns Eure Schreibereien an.

Der Commissar. Ja, ich will sie aber doch nicht umsonst gemacht haben.

Harpagon (auf Jakob deutend). Da ist Galgenfutter. Haltet Euch an den, wenn Ihr Bezahlung wollt.

Jakob. Du lieber Gott, wie soll man's Allen recht machen? Sagt man die Wahrheit, so kriegt man Prügel, und lügt man, so soll man gehängt werden.

Anselmus (zu Harpagon). Ihr müßt ihm dies Mal seinen Betrug verzeihen, Herr Harpagon.

Harpagon. Wollt Ihr den Commissar bezahlen?

Anselmus. Auch das. Doch jetzt schnell zu Eurer Mutter, daß sie Theil an unserer Freude nehme.

Harpagon. Und ich schnell zu meiner theuren Cassette!

Ende.

Miniaturausgaben

Archenholz, Geschichte des sie=
benjähr. Krieges . . 12 Sgr.

Blumauer, Aeneis . . . . 8 Sgr.

Börne, Skizzen 2c . . . 10 Sgr.

Bürger, Gedichte . . . . 10 Sgr.

—, Münchhausens Reisen und
Abenteuer . . . . 6 Sgr.

Burns' Lieder u. Ballad. 8 Sgr.

Chamisso, Gedichte . . 12 Sgr.

—, Peter Schlemihl. 6 Sgr.

Gaudy, Schneidergesell. 6 Sgr.

Gellert, Fabeln . . . . . 8 Sgr.

Goethe, Gedichte. Goldschn. 12 Sgr.

—, Faust. 2 Thle. in 1 Bd. 8 Sgr.

—, — Mit Goldschnitt. 10 Sgr.

—, Herman u. Dorothea. 6 Sgr.

—, Dramatische Meisterwerke.
(Götz von Berlichingen. Egmont.
Iphigenie auf Tauris. Tor-
quato Tasso.) . . . . 10 Sgr.

—, Reineke Fuchs . . . 6 Sgr.

—, Werthers Leiden. 6 Sgr.

Goldsmith, Landprediger von
Wakefield . . . . 8 Sgr.

Gottschall, Die Rose vom Kau=
kasus. . . . . 6 Sgr.

Hauff, Lichtenstein . . . 10 Sgr.

—, Mann im Monde. 8 Sgr.

—, Märchen . . . . . 10 Sgr.

—, Memoiren d. Satan 10 Sgr.

—, Phantasien im Bremer
Rathskeller . . . . . . 6 Sgr.

Hebel, Allem. Gedichte. 6 Sgr.

—, Schatzkästlein. . . . 8 Sgr.

Herder, Der Cid . . . . 6 Sgr.

Herz, René's Tochter. 6 Sgr.

Hoffmann, Kater Murr. 12 Sgr.

Hoffmann, Klein Zaches. 6 Sgr.

—, Elixire des Teufels. 10 Sgr.

Homers Werke. (Ilias. Odyssee.)
Von Voß . . . . 15 Sgr.

JeanPaul, Flegeljahre. 12 Sgr.

—, Quintus Fixlein. 8 Sgr.

—, Hesperus. 2 Bbde. 20 Sgr.

—, Dr. Katzenberger. 8 Sgr.

—, Der Komet . . . 12 Sgr.

—, Siebenkäs . . . . 12 Sgr.

Immermann, Münchhausen.
2 Leinenbände . . . . 20 Sgr.

—, Tulifäntchen . . 6 Sgr.

Kleist, E. Chr. v., Werke. 6 Sgr.

Körner, Leyer u. Schwert. 6 Sgr.

Lessing, Dram. Meisterwerke.
(Nathan d. Weise. Emilia Galotti.
Minna von Barnhelm.) 8 Sgr.

Longfellow, Gedichte . 8 Sgr.

Matthisson, Gedichte . . 6 Sgr.

Platen, Gedichte . . . . 8 Sgr.

St. Pierre, Paul u. Virginie.
6 Sgr.

Schiller, Gedichte. . . . 6 Sgr.

—, — M. Goldschn. 10 Sgr.

—, Don Carlos . . . . 6 Sgr.

—, Tell . . . . 6 Sgr.

—, Wallenstein . . . . . 8 Sgr.

Schulze, Bezaub. Rose. 6 Sgr.

Seume, Spaziergang nach Sy-
rakus . . . . 10 Sgr.

Silberstein, Trutz=Nachtigal.
6 Sgr.

Sterne, Empfindf. Reise. 6 Sgr.

Voß, Luise . . . . 6 Sgr.

Wieland, Oberon . . . . 8 Sgr.

Der Misanthrop.

Lustspiel in fünf Aufzügen

von

Molière

übersetzt von

F. L. Schröder.

Leipzig,

Druck und Verlag von Philipp Reclam jun.

Miniaturausgaben

in eleganten und soliden Ganzleinenbänden:

Archenholz, Geschichte des sie-
benjähr. Krieges.. 12 Sgr.

Blumauer, Aeneis.... 8 Sgr.

Börne, Skizzen ꝛc... 10 Sgr.

Bürger, Gedichte. ... 10 Sgr.

—, Münchhausens Reisen und
Abenteuer .... 6 Sgr.

Burns' Lieder u. Ballad. 8 Sgr.

Chamisso, Gedichte. . 12 Sgr.

—, Peter Schlemihl. 6 Sgr.

Gaudy, Schneidergesell. 6 Sgr.

Gellert, Fabeln ..... 8 Sgr.

Goethe, Gedichte. Gldschn.12 Sgr.

—, Faust. 2 Thle. in 1 Bd. 8 Sgr.

—, — Mit Goldschnitt. 10 Sgr.

—, Herman u. Dorothea. 6 Sgr.

—, Dramatische Meisterwerke.
(Götz von Berlichingen. Egmont.
Iphigenie auf Tauris. Tor-
quato Tasso.) .... 10 Sgr.

—, Reineke Fuchs... 6 Sgr.

—, Werthers Leiden. 6 Sgr.

Goldsmith, Landprediger von
Wakefield .... 8 Sgr.

Gottschall, Die Rose vom Kaukasus.......... 6 Sgr.

Hauff, Lichtenstein... 10 Sgr.

—, Mann im Monde. 8 Sgr.

—, Märchen. ..... 10 Sgr.

—, Memoiren d. Satan 10 Sgr.

—, Phantasien im Bremer
Rathskeller ...... 6 Sgr.

Hebel, Allem. Gedichte. 6 Sgr.

—, Schatzkästlein.... 8 Sgr.

Herder, Der Cid..... 6 Sgr.

Hertz, René's Tochter. 6 Sgr.

Hoffmann, Kater Murr. 12 Sgr.

Hoffmann, Klein Zaches. 6 Sgr.

—, Elixire des Teufels. 10 Sgr.

Homers Werke. (Ilias. Odyssee.)
Von Voß........ 15 Sgr.

Jean Paul, Flegeljahre. 12 Sgr.

—, Quintus Fixlein. 8 Sgr.

—, Hesperus. 2 Lbde. 20 Sgr.

—, Dr. Katzenberger. 8 Sgr.

—, Der Komet. ... 12 Sgr.

—, Siebenkäs .... 12 Sgr.

Immermann, Münchhausen.
2 Leinenbände..... 20 Sgr.

—, Tulifäntchen . 6 Sgr.

Kleist, E. Chr. v., Werke. 6 Sgr.

Körner, Leyer u. Schwert. 6 Sgr.

Lessing, Dram. Meisterwerke.
(Nathan d. Weise. Emilia Galotti.
Minna von Barnhelm.) 8 Sgr.

Longfellow, Gedichte.. 8 Sgr.

Matthisson, Gedichte.. 6 Sgr.

Platen, Gedichte .... 8 Sgr.

St. Pierre, Paul u. Virginie.
6 Sgr.

Schiller, Gedichte. ... 6 Sgr.

—, — M. Goldschn. 10 Sgr.

—, Don Carlos.... 6 Sgr.

—, Tell......... 6 Sgr.

—, Wallenstein..... 8 Sgr.

Schulze, Bezaub. Rose. 6 Sgr.

Seume, Spaziergang nach Sy-
rakus .... 10 Sgr.

Silberstein, Trutz-Nachtigal.
6 Sgr.

Sterne, Empfinds. Reise. 6 Sgr.

Voß, Luise .... 6 Sgr.

Wieland, Oberon.... 8 Sgr.

Der Misanthrop.

Lustspiel in fünf Aufzügen

von

Molière

übersetzt von

E. Schröder.

Leipzig,

Druck und Verlag von Philipp Reclam jun.

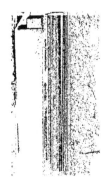

Personen.

Alceste, Liebhaber Celimenens.
Philinte, Freund Alceste's.
Oronte, Liebhaber Celimenens.
Celimene, Liebhaberin Alceste's.
Eliante, Muhme Celimenens.
Arsinoé, Freundin Celimenens.
Acaste, } Marquis.
Clitandre, }
Basque, Diener Celimenens.
Ein Bote des Marschall-Amtes.
Dubois, Diener Alceste's.

Die Handlung spielt in Paris, im Hause Celimenens.

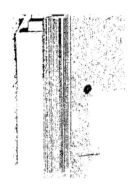

Erster Aufzug.

Erster Auftritt.

Philinte. Alceste.

Philinte. Was ist's? Was habt Ihr nur?

Alceste. Ich bitt' Euch, laßt mich.

Philinte. Noch Einmal, sagt mir, welche neue Grille —

Alceste. Laßt mich in Ruh', sag' ich, und macht Euch fort.

Philinte. Man hört doch ohne Groll die Leute an.

Alceste. Ich aber grolle, will durchaus nichts hören.

Philinte. Ich kann Euch nicht verstehn in Eurem Zorn.
Obgleich ich einer Eurer ältsten Freunde —

Alceste (schnell sich erhebend).

Ich, Euer Freund? Das schlagt Euch aus dem Sinn.
Ich habe mich bisher dazu bekannt,
Jedoch nach dem, wie Ihr Euch jetzt mir zeigt,
Erklär' ich rund, daß ich es nicht mehr bin,
Und keinen Platz in schlechten Herzen will.

Philinte. Nach Eurer Meinung bin ich also strafbar?

Alceste. O, sterben müßtet Ihr vor lauter Scham!
Ein solch Benehmen läßt sich nicht entschuld'gen,
Und jeder Ehrenmann muß sich dran ärgern.
Ich seh' Euch übermäßig Einem schmeicheln
Und ihm die größte Zärtlichkeit beweisen,
Mit Anerbieten und mit heißen Schwüren
Betheuert Ihr ihm Eure Liebesglut,
Und frag' ich Euch nachher, wer ist der Mann,
Kaum wißt Ihr mir zu sagen, wie er heißt.
Sobald er fort, verfliegt auch Eure Glut,
Und Ihr behandelt ihn wie einen Fremden.
Bei Gott! unwürdig ist es und abscheulich,
So zu verrathen seine eigne Seele;
Hätt' ich zu meinem Unglück es gethan,
Ich würde mich vor Scham sogleich erhängen.

Philinte. Ich sehe darin nichts, sich zu erhängen,
Und bitt' ich Euch, nicht übel es zu nehmen,
Daß ich mich Eurem Urtheil nicht gleich füge,
Und mich darum erhänge, wie Ihr's wünscht.

Alceste. Die Spötterei ist hier nicht angebracht!

Philinte. Jedoch im Ernste, sagt, was soll man **thun?**

Alceste. Aufrichtig soll man sein, als Ehrenmann
Kein Wort, das nicht von Herzen kommt, je sprechen.

Philinte. Wenn Einer uns umarmt mit Zärtlichkeit,
So muß man ihm mit gleicher Münze zahlen,
Antworten wie man kann auf seinen Eifer,
Und Dienst um Dienst und Schwur um Schwur vergelten.

Alceste. Nein, nein, ich dulde die Methode nicht,
Die jetzt beliebt ist bei der feinen Welt;
Denn Nichts haff' ich so sehr als die Grimassen
Von Jenen, die sich groß thun mit Versprechen,
Die gleich bereit sind mit Umarmungen,
Sehr viele Worte machen, die Nichts sagen,
Wetteifern in der Höflichkeit mit Allen,
Und Ehrenmann und Laffen gleich behandeln.
Was für Gewinn ist's, daß Euch Einer schmeichelt,
Und Freundschaft, Achtung, Treue schwört und Liebe,
Daß man ein glänzend Loblied auf Euch dichtet,
Wenn jedem Schurken widerfährt dasselbe?
Nein, nein, kein Herz, das gut geartet ist,
Will eine Achtung, die sich Jedem schenkt;
Die höchste selbst kann uns nur wenig freun,
Sobald man alle Menschen gleich behandelt.
Auf einen Vorzug gründet sich die Achtung,
Wer aber Jeden achtet, achtet Keinen.
Da Ihr hierin nun mit dem Zeitgeist geht,
Beim Himmel, nein, da seid Ihr nicht mein Mann.
Ich will sie nicht die große Höflichkeit,
Die keinen Unterschied macht im Verdienst.
Ja, Euch mit einem Worte es zu sagen,
Wer Aller Freund ist, kann nicht mein Freund sein.

Philinte. Doch lebt man in der Welt, so ist es Brauch,
Daß man auch ein'ge Rücksicht auf sie nimmt.

Alceste. Nein, sag' ich, ohne Mitleid muß man strafen

Das ehrlose Gewerbe solcher Freundschaft.
Man soll ein Mann sein, und in jeder Lage
In seinem Wort den Grund des Herzens zeigen.
Dies spreche nur allein, und was wir fühlen,
Verberge nicht sich hinter Höflichkeit.

Philinte. Doch giebt es manchen Fall, wo Offenheit
Nicht schicklich ist und lächerlich erscheint.
Und oft ist's gut, wie sehr wir uns auch sträuben,
Das zu verbergen, was das Herz erfüllt.
Wär's richtig wol und schicklich, Jedem ins
Gesicht zu sagen, was man denkt von ihm?
Mißfällt uns Jemand oder haßt man ihn,
Muß man sogleich die Sache ihm erklären?

Alceste. Ja.

Philinte. Was, Ihr wolltet der Emilie sagen,
Sie kleide sich zu jung für ihre Jahre,
Und Jeder scandalir', daß sie sich schminke?

Alceste. Gewiß.

Philinte. Dem Dorilas, daß er für uns
Sehr lästig sei und jedes Ohr ermüde,
Wenn er von seiner Ahnen Glanz erzählt?

Alceste. Jawol!

Philinte. Ihr scherzt!

Alceste. Ich scherze sicher nicht,
Und will in diesem Punkte Niemand schonen.
Bei Hof und in der Stadt, wohin ich sehe,
Ist Nichts, was meine Galle nicht erregt;
Es faßt mich Mißmuth und ein heftger Zorn,
Seh' ich die Menschen wie sie sind und leben!
Ich finde überall nur Schmeichelei,
Betrug, Verrath und Ungerechtigkeit.
Ich halt's nicht aus, bin wüthend, habe vor,
Mit diesem Menschenvolke ganz zu brechen.

Philinte. Zu streng ist dieser philosoph'sche Zorn;
Ich lache nur zu solchen Anwandlungen,
Und finde uns den beiden Brüdern ähnlich,
Die uns die Schul' der Ehemänner schildert,
Wovon —

Alceste. Laßt doch den albernen Vergleich!

Philinte. Nein, ganz im Ernst. Ereifert Euch nicht mehr,
Die Welt wird sich durch Euren Zorn nicht ändern;
Und da Euch Offenheit so angenehm,
Sag' ich Euch frei heraus, daß diese Krankheit,
Wo Ihr Euch sehn laßt, zur Komödie wird;
Daß dieses Eifern gegen' unsre Zeit,
Euch lächerlich bei den Vernünft'gen macht.

Alceste. Um so viel besser nur, das will ich grade,
Ein gutes Zeichen ist's, das mich sehr freut.
Mir sind die Menschen so verhaßt, daß ich
Mich ärgerte, säh'n sie für klug mich an.

Philinte. Ihr haßt also die menschliche Natur?

Alceste. Ja, einen tiefen Haß faßt' ich für sie —

Philinte. Und all' die armen Sterblichen verfolgt
Ihr ohne Ausnahme mit Eurem Haß?
Noch mancher Gute lebt in uns'rer Zeit —

Alceste. Nein, ohne Ausnahm' trifft mein Haß sie alle.
Die Einen, weil sie schlecht und boshaft sind,
Die Andern, weil sie sich den Schlechten fügen,
Und nicht den heft'gen Haß für sie empfinden,
Den edlen Seelen flößt das Laster ein.
Wie weit geht nicht die Nachsicht, die man an
Dem Schurken übt, mit dem ich processire.
Man sieht recht gut den Heuchler, trotz der Maske,
Und weiß, was man von ihm erwarten kann.
Sein Augendrehen und sein sanfter Ton
Kann Leute mit gesundem Sinn nicht täuschen.
Man weiß, daß dieser heuchlerische Lump
Durch schmutz'ge Händel sich empor gebracht,
Und daß sein Glück, das er gemacht, die Tugend
Erröthen läßt, und das Verdienst beschämt.
Wie viel man Titel auch ihm geben mag,
Für seine Ehre tritt doch Niemand ein.
Nennt ihn betrügrisch, ruchlos und infam,
Ihr findet Keinen, der Euch widerspricht;
Und doch ist seine Fratze gern gesehn,
Er weiß sich einzuschmeicheln überall.
Ist irgendwo ein Amt neu zu besetzen,
Läuft er den Rang den besten Männern ab.

Beim Himmel! Umbringt mich's, seh' ich, wie man
Dem Laster gegenüber schonend ist,
Und oftmals faßt mich plötzlich ein Gefühl,
Den Menschen zu entfliehn in eine Wüste.

Philinte. Mein Gott, sei'n wir nicht allzustrenge mit
Dem Zeitgeist und der menschlichen Natur;
Wir müssen's so genau nicht mit ihr nehmen,
Und Nachsicht gegen ihre Fehler üben.
Die Menschen wollen mild beurtheilt werden,
Zu große Weisheit wird oft tadelnswerth;
Die wahre Klugheit meidet die Extreme,
Verlangt, daß man nicht allzu weise sei.
Die rauhe Tugend der antiken Welt
Paßt nicht für unsre Zeit und unsre Sitten.
Sie fordert von den Sterblichen zu viel.
Man muß gutwillig in die Zeit sich fügen,
Und eine Thorheit ist es ohne Gleichen,
Sich mit der Weltverbess'rung zu befassen.
Wie Ihr, bemerk' ich täglich hundert Dinge,
Die anders angefangen, besser gingen,
Und ob ich gleich auf jedem Schritt sie sehe,
Gerath ich doch nicht so in Zorn wie Ihr.
Ich nehm' die Menschen einfach wie sie sind,
Gewöhne mich an ihre Art zu leben,
Und glaube, daß am Hof wie in der Stadt,
Mein Phlegma klüger sei als Eure Galle.

Alceste. Dies Phlegma, das so klug Euch reden läßt —
Kann dieses Phlegma nichts ins Feuer bringen?
Wenn bei Gelegenheit ein Freund Euch täuschte,
Euch zu bestehlen eine Fall' Euch stellte,
Wenn man Euch schändlich zu verleumden suchte,
Säht Ihr dies ohn' in Zorn zu kommen an?

Philinte. Ja; denn die Fehler, die Ihr rügt, seh' ich
Als Schwächen an der menschlichen Natur,
Und mein Gefühl ist eben so verletzt,
Bemerk' ich böse, eigennütz'ge Menschen,
Als ob ich fleischbegier'ge Geier sähe,
Boshafte Affen, wutherfüllte Wölfe.

Alceste. Verrath, Verleumdung, Diebstahl sollt' ich dulden —

Zum Teufel denn! ich sage weiter' nichts,
Zu abgeschmackt sind alle diese Reden.

Philinte. Ihr thätet sicher wohl daran zu schweigen,
Auf Euren Gegner wen'ger los zu ziehn,
Und lieber Euch um den Proceß zu kümmern.

Alceste. Es fällt mir gar nicht ein, mich drum zu kümmern.

Philinte. Wer aber soll ihn denn für Euch betreiben?

Alceste. Wer? Die Vernunft, mein Recht und das Gesetz.

Philinte. Besuchen wollt Ihr keinen Eurer Richter?

Alceste. Nein. Ist denn meine Sache ungerecht?

Philinte. Bewahre. Nur die Ränke sind zu fürchten.

Alceste. Ich thue keinen Schritt, bekomm ich Recht,
Bekomm ich Unrecht.

Philinte. Seid nicht allzusicher.

Alceste. Ich rühr' mich nicht.

Philinte. Doch stark ist Euer Gegner,
Und kann er durch Cabalen —

Alceste. Einerlei!

Philinte. Ihr könnt Euch täuschen!

Alceste. Sei's! Ich wart' es ab.

Philinte. Doch —

Alceste. Mich wird's freu'n, verlier' ich den Proceß.

Philinte. Wenn aber —

Alceste. Zeigen wird mir dieser Streit,
Wie weit die Menschen wol die Frechheit treiben;
Ob sie so schlecht, verrucht und gottlos sind,
Mein Recht vor aller Welt mir abzustreiten.

Philinte. Was für ein Mensch!

Alceste. Ich möcht' um jeden Preis,
Weil's einzig dastünd', den Proceß verlieren.

Philinte. Man würde allen Ernstes über Euch
Sich lustig machen, hört' man Euch so reden.

Alceste. Nur um so schlimmer!

Philinte. Diese Biederkeit,
Die Ihr gewissenhaft verlangt in Allem,
Die strenge Rechtlichkeit, die Ihr so pflegt,
Bemerkt Ihr sie an der Geliebten auch?
Ich staune nur, da mit dem menschlichen
Geschlechte Ihr zerfallen scheint, daß Ihr,

Trotz Allem, was es haffenswerth Euch macht,
Doch Eure Liebe einem Wesen schenktet?
Und was mich mehr noch Wunder nimmt, das ist
Die eigne Wahl, die Euer Herz getroffen.
Die treue Eliante hat Euch gern,
Arsinoé warf auch den Blick auf Euch,
Und doch entzieht sich ihnen Eure Seele,
Indeß der Ketten Celimene spottet,
Die, übermüth'gen Sinnes und kokett,
Ganz in die heut'gen Sitten scheint zu paffen.
Wie kommt's, wenn Ihr dieselben tödtlich haßt,
Daß Ihr sie dulden könnt bei der Geliebten?
Sind's an der Schönen etwa keine Fehler?
Entschuldigt Ihr sie, oder seht sie nicht?
    Alceste. Nein. Was ich fühle für die schöne Wittwe,
Macht mich durchaus nicht blind für Ihre Schwächen.
Und wie ich für sie glühe auch, ich bin
Der erste, sie zu sehn und zu verdammen.
Trotz all' dem kann ich meine Schwäche nur
Bekennen; sie versteht's, mir zu gefallen.
Mag ich auch ihre Fehler sehn und tadeln,
Ich muß sie wider meinen Willen lieben,
Und hoff' ich von den Lastern unsrer Zeit,
Durch meine Liebe sie zu reinigen.
    Philinte. Nichts Kleines ist es, wenn Ihr das vollbringt!
Glaubt Ihr, von ihr geliebt zu sein?
    Alceste. Gewiß!
Ich würde sie nicht lieben, glaubt' ich's nicht.
    Philinte. Doch wenn sie ihre Liebe Euch gestand,
Was sorgt Ihr Euch um Eure Nebenbuhler?
    Alceste. Weil wahre Lieb' allein besitzen will;
Und komm ich in der Absicht her, ihr Alles
Zu sagen, was die Leidenschaft mir eingiebt.
    Philinte. Was mich betrifft, wenn ich zu wünschen hätte,
Ich würde nur um Eliante seufzen;
Ihr Herz, das hoch Euch schätzt, ist brav und treu,
Und paffender wär' diese Wahl für Euch.
    Alceste. Ja, mein Verstand sagt mir dasselbe täglich;
Doch der Verstand bestimmt die Liebe nicht.

Philinte. Ich fürchte sehr für Eure Glut, denn was
Ihr hofft —

Zweiter Auftritt.
Oronte. Alceste. Philinte.

Oronte (zu Alceste). Ich höre unten, Eliante
Sei ausgegangen, und auch Celimene.
Als man mir aber sagte, Ihr wär't hier,
Kam ich herauf, um Euch zu sagen, daß
Mein Herz die höchste Achtung für Euch hat,
Daß diese Achtung lange schon in mir
Den Wunsch erzeugte, Euer Freund zu sein.
Gern laß ich dem Verdienst Recht widerfahren,
Und brenne drauf, daß Freundschaft uns vereine.
Ich glaube, daß man einen solchen Freund
Wie ich, so leicht nicht von sich stoßen wird.
(Während der Rede Oronte's ist Alceste zerstreut und scheint nicht zu hören, daß
man zu ihm spricht. Er erwacht erst aus seiner Zerstreutheit, als Oronte fortfährt.)
Ihr seid's, an den ich diese Rede richte.

Alceste. An mich, mein Herr?

Oronte. An Euch.   Verletzt sie Euch?

Alceste. Nicht doch.   Die Ueberraschung nur ist groß,
Und unerwartet kommt mir diese Ehre.

Oronte. Es darf Euch meine Achtung nicht befremden,
Denn von der ganzen Welt könnt Ihr sie fordern.

Alceste. Mein Herr —

Oronte. Dem glänzenden Verdienst, das man
An Euch bemerkt, kommt nichts im Staate gleich.

Alceste. Mein Herr —

Oronte. Was mich betrifft, ich zieh' Euch Allem,
Was ich hier Schätzenswerthes sehe, vor.

Alceste. Mein Herr —

Oronte. Der Himmel straf' mich, wenn ich lüge!
Um gleich Euch zu bestät'gen, was ich fühle,
Erlaubt, daß ich von Herzen Euch umarme,
Und Platz in Eurer Freundschaft mir erbitte.
Schlagt ein darauf, wenn's Euch beliebt.   Ihr sagt
Mir Freundschaft zu?

Alceste. Mein Herr —

Oronte. Was! Anstand nehmt Ihr?

Alceste. Mein Herr, Ihr thut mir zuviel Ehre an.
Allein die Freundschaft schließt sich nicht so schnell,
Und man entheiligt sicher ihren Namen,
Wenn man bei jedem Anlaß ihn gebraucht.
Einsicht und Wahl läßt diesen Bund entstehn,
Eh' wir ihn schließen, müssen wir uns kennen;
Wir könnten beide so geartet sein,
Daß wir es späterhin bereuen müßten.

Oronte. Mein Treu, das heißt als weiser Mann gesprochen,
Und schätze ich Euch deshalb um so mehr.
Vielleicht, daß mit der Zeit wir Freundschaft schließen;
Bis dahin aber bin ich ganz der Eure.
Kann ich bei Hofe irgend wie Euch nützen?
Man weiß, ich gelte etwas bei dem König;
Er hört auf mich und geht, bei meiner Treu!
Auf ehrenvollste Weise mit mir um.
Kurz, ich steh' Euch in jeder Art zu Dienst.
Und, da Ihr seid ein Geist von großer Klarheit,
Möcht' ich, um unsre Freundschaft anzuknüpfen,
Euch zeigen ein Sonett, das ich jüngst machte,
Und wissen, ob zum Druck es gut genug.

Alceste. Mein Herr, das zu entscheiden, taug' ich nicht;
Erspart es mir.

Oronte. Warum?

Alceste. Ich hab' den Fehler,
Daß ich zu ehrlich bin in solchen Dingen.

Oronte. Das grade fordre ich, und unrecht wär's,
Da ich mich Euerm Urtheil unterworfen,
Wenn Ihr mich täuschtet und etwas verschwiegt.

Alceste. Da's Euch genehm, mein Herr, bin ich's zufrieden.

Oronte. Sonett. 'S ist ein Sonett—Die Hoffnung—ist
An eine Dame, die mir Hoffnung gab.
Die Hoffnung — Keine schweren Verse sind's,
Nur leichte Verse, zärtlich, süß und schmachtend.

Alceste. Wir werden sehn.

Oronte. Die Hoffnung — Wissen möcht' ich,
Ob Euch der Styl wird leicht genug erscheinen,
Und ob der Ausdruck Euch befried'gen wird.

Alceste. Wir werden sehn, mein Herr.

Oronte. Auch müßt Ihr wissen,
Daß ich's in einer Viertelstunde machte.

Alceste. Sehn wir, mein Herr; die Zeit thut nichts zur Sache.

Oronte (liest).
„Die Hoffnung, es ist wahr, scheucht uns're Sorgen,
Und schläfert eine Zeit den Unmuth ein,
Doch bin ich deshalb, Phillis, nicht geborgen,
Zeigt hinter ihr sich nur ein leerer Schein."

Philinte. Ich bin von diesem Stückchen schon entzückt.

Alceste (leise zu Philinte).
Ihr habt die Dreistigkeit, das schön zu finden!

Oronte. „Ihr habt Euch gütig gegen mich bewiesen,
Doch hättet Ihr es wen'ger nur gethan,
Und möchtet Ihr es jetzt damit beschließen,
Da Ihr mir Nichts gabt als der Hoffnung Wahn."

Philinte. Ja, reizend ist Dies alles ausgedrückt!

Alceste (leise zu Philinte).
Ei was, die Albernheiten könnt Ihr loben?

Oronte. „Soll mir für ewig nur das Harren bleiben,
Und meine Liebe auf das Höchste treiben,
So bleibt mir nur der Untergang zum Schluß.
Umsonst, o Phillis, wollt Ihr mich zerstreuen,
Man muß zuletzt sich der Verzweiflung weihen,
Wenn man vergeblich immer hoffen muß."

Philinte. Der Schlußfall macht sich allerliebst, vortrefflich!

Alceste (leise bei Seite).
Fluch über Deinen Fall, verwünschter Schmierer!
Fielst Du doch lieber selbst, und brächst die Nase!

Philinte. Ich hörte niemals so gewandte Verse.

Alceste (leise bei Seite). Wetter!

Oronte (zu Philinte). Ihr schmeichelt mir und glaubt vielleicht —

Philinte. Ich schmeichle nie.

Alceste (leise bei Seite). Was thust Du denn, Verräther?

Oronte (zu Alceste).
Was Euch betrifft, Ihr kennt die Abmachung;
Sagt mir, ich bitt' Euch, offen Eure Meinung.

Alceste. Mein Herr, so was ist immer delicat;
Schöngeister wollen gern geschmeichelt sein.

Doch als ich einst von Einem, den ich hier
Nicht nenne, Verse sah, die er gemacht,
Sagt' ich, daß sich ein Mann beherrschen müsse,
Wenn seine Lust zu schreiben gar zu groß sei;
Bezähmen müsse er die Neigung, die
Durch solchen Zeitvertreib will Aufsehn machen;
Und daß man eine schlechte Rolle spiele,
Zeigt man sein Machwerk überall herum.

  Oronte. Wollt Ihr mir dadurch zu erkennen geben,
Es sei nicht recht von mir —

  Alceste. Das sag' ich nicht.
Ihm aber sagt' ich noch, daß sich ein Mann
Durch schlechte Verse brächte in Verruf,
Und hätt' er hundert gute Eigenschaften,
Man sieht stets auf die Schwächen nur der Leute.

  Oronte. Habt Ihr vielleicht an dem Sonett zu tadeln?

  Alceste. Das sag' ich nicht. Ihm aber stellt' ich vor,
Wie diese Schreibe-Sucht in unsrer Zeit,
Sehr ehrenhaften Leuten schon geschadet.

  Oronte. Soll ich damit gemeint sein, schreib' ich schlecht?

  Alceste. Das sag' ich nicht. Ihm aber sagt' ich noch,
Ist's denn durchaus nothwendig, daß Ihr reimt?
Und wer, zum Henker, treibt Euch denn zum Druck?
Ein schlechtes Buch ist nur den armen Teufeln,
Die schreiben um zu leben, zu verzeih'n.
Glaubt mir, und widerstehet der Versuchung;
Bringt Eure Arbeit nicht ins Publikum,
Und gebt um Alles nicht den Namen hin,
Den Ihr als Ehrenmann am Hofe habt,
Um aus den gier'gen Händen eines Druckers,
Den eines schlechten Autors zu erhalten. —
Das ist's, was ich ihm beizubringen suchte.

  Oronte. Sehr gut, und glaube ich Euch zu verstehn.
Doch möcht' ich wissen, was an dem Sonett —

  Alceste. Aufrichtig denn, es taugt fürs Cabinet.
Ihr habt nach schlechten Mustern Euch gebildet,
Und wißt Euch nicht natürlich auszudrücken.
Was heißt das: Schläfert unsern Unmuth ein?

Und das: Zeigt hinter ihr sich leerer Schein?
Was: Möchtet Ihr es jetzt damit beschließen,
Da Ihr mir Nichts gabt als der Hoffnung Wahn.
Und was: Man muß sich der Verzweiflung weihen,
Wenn man vergeblich immer hoffen muß.
Der bilderreiche Styl, mit dem man prangt,
Entbehrt der Eigenthümlichkeit und Wahrheit;
Nur Spielen ist's mit Worten, Ziererei,
Denn die Natur spricht nicht auf diese Weise.
Die schlechte Richtung unsrer Zeit erschreckt mich,
Viel besser hatten's hierin unsre Väter.
Und mehr lieb' ich, als was man jetzt bewundert,
Ein altes Lied, das ich Euch sagen will.

> „Möcht' König Heinrich geben
> Mir auch sein ganz Paris,
> Daß ich darum mein Leben,
> Mein Liebchen, Dich verließ.
> Nein, nein, spräch' ich zum König,
> Behaltet Eu'r Paris,
> Das ist mir viel zu wenig,
> Daß ich mein Liebchen ließ.‟

Der Reim ist dürftig, und der Styl ist alt.
Doch seht Ihr nicht, daß dies mehr werth, als all'
Die Künstelein, die das Gefühl verletzen?
Daß der Affect darin sich wahr ausspricht?

> „Möcht' König Heinrich geben
> Mir auch sein ganz Paris,
> Daß ich darum mein Leben,
> Mein Liebchen, Dich verließ.
> Nein, nein, spräch' ich zum König,
> Behaltet Eu'r Paris,
> Das ist mir viel zu wenig,
> Daß ich mein Liebchen ließ.‟

So ist die Sprache eines Liebenden. (Zu Philinte, der lacht.)
Ja, mein Herr Spötter, Euern Schöngeistern
Zum Trotz, acht' ich dies mehr als all' den Pomp
Falscher Brillanten, über die man staunt.

Oronte. Und ich sag' Euch, daß meine Verse gut sind.

Alceste. Um das zu finden, habt Ihr Eure Gründe,
Doch gebt auch zu, daß ich darf andre haben,
Die sich den Euern niemals unterwerfen.

Oronte. Mir ist's genug, daß Andre Werth drauf legen.

Alceste. Weil sie zu heucheln wissen, und ich nicht.

Oronte. Ihr haltet also Euch allein für geistreich?

Alceste. Ich würb' es mehr sein, lobt' ich Eure Verse.

Oronte. Ich kann mich trösten, daß sie Euch mißfallen.

Alceste. Ihr werdet Euch darüber trösten müssen.

Oronte. Wol möcht' ich sehn, wie Ihr auf Eure Weise
Denselben Gegenstand behandeln würdet?

Alceste. Ich könnte auch so schlechte Verse machen,
Doch würde ich mich hüten, sie zu zeigen.

Oronte. Ihr sprecht sehr kühn, und diese Anmaßung —

Alceste. Laßt Euch von einem Andern Weihrauch streun.

Oronte. Mein kleiner Herr, nehmt es nicht allzu hoch.

Alceste. Mein großer Herr, ich nehm' es wie es recht.

Philinte (zwischen beide tretend).
Ei, meine Herrn, das geht zu weit. Laßt ab!

Oronte. Ja, Unrecht hab' ich und ich räum' das Feld.
Ich bin, mein Herr, Eu'r ganz ergeb'ner Diener.

Alceste. Und ich, mein Herr, bin gleichfalls Euer Diener.

Dritter Auftritt.

Philinte. Alceste.

Philinte. Da seht Ihr's nun! Weil Ihr zu offen seid,
Zieht Ihr Euch schlimme Händel auf den Hals;
Ich sah wol, daß Oronte, gelobt zu sein —

Alceste. Kein Wort mehr!

Philinte. Doch —

Alceste. Nichts von Geselligkeit!

Philinte. Das ist zu arg —

Alceste. Laßt mich!

Philinte. Wenn ich —

Alceste. Still, sag' ich!

Philinte. Was! Ihr —

Alceste. Ich höre nichts.

2

Philinte. Doch. —
Alceste. Genug!
Philinte. Man schilt —
Alceste. Den Teufel auch! Zu viel ist's. Folgt mir nicht.
Philinte. Ihr spottet meiner. Ich verlaß Euch nicht.

Zweiter Aufzug.

Erster Auftritt.

Alceste. Celimene.

Alceste. Madame, soll ich aufrichtig mit Euch sprechen?
Euer Betragen kann mir nicht gefallen;
Mein ganzes Herz lehnt sich dagegen auf,
Wir werden mit einander brechen müssen.
Ja, spräch' ich anders, würde ich Euch täuschen;
Früh oder spät, der Bruch ist unvermeiblich.
Und wenn ich tausendmal das Gegentheil
Euch sagen würde — halten könnt ich's nicht.

Celimene. Wie es den Anschein hat, habt Ihr mich nur
Nach Haus begleitet, um mich auszuschelten?

Alceste. Ich schelte nicht. Jedoch, Madame, Ihr schließt
Dem ersten Besten Euer Herz gleich auf.
Zu viel Verehrer sind's, die Euch umschwärmen,
Und nie kann sich mein Herz daran gewöhnen.

Celimene. Ihr werft mir vor, daß ich Anbeter habe?
Kann ich's verhindern, Leuten zu gefallen,
Und, wenn mich zu besuchen sie sich drängen,
Soll ich mit einem Stock hinaus sie jagen?

Alceste. Nicht doch, Madame, 'nes Stocks bedarf es nicht,
Nur eines wen'ger zugänglichen Herzens.
Eu'r Reiz, ich weiß es, folgt Euch aller Orten;
Doch Jeden, den Ihr anzogt, fesselt Ihr
Durch Euern allzuartigen Empfang,
Und Eure Huld noch mehr als Eure Reize
Besiegte, die sich Euch gefangen gaben.

te kleinste Hoffnung, die Ihr ihnen macht,
ehaart um Euch diese Dienstbeflissenen.
it etwas weniger Gefälligkeit
erjagtet Ihr den Schwarm der Schmachtenden.
un aber sagt mir doch, Madame, wodurch
litandre hat das Glück, Euch zu gefallen?
uf welch' Verdienst und welche Tugend stützt Ihr
ie Ehre, Eure Achtung ihm zu zollen?
t's seines kleinen Fingers langer Nagel,
er Eure Achtung ihm erworben hat?
rgabt Ihr Euch, und alle schöne Welt,
em glänzenden Verdienste seiner blonden
errücke? Ziehn Euch die Kanonen an?
at seiner Bänder Reichthum Euch bezaubert?
ielleicht daß er durch seine ungeheuren
heingrafen* Euer Herz gefangen nahm?
teckt das Geheimniß Euch zu rühren etwa
n seinem Lachen, seinem Fistelton?

Celimene. Wie ungerecht habt Ihr ihn im Verdacht!
ißt Ihr denn nicht, daß ich ihn schonen muß,
Und daß er mir versprochen hat, für meinen
Proceß all' seine Freunde zu gewinnen?

Alceste. Laßt den Proceß verloren gehn, und schont
Nicht einen Nebenbuhler, der mich kränkt.

Celimene. Ihr seid auf alle Welt auch eifersüchtig.

Alceste. Weil alle Welt bei Euch willkommen ist.

Celimene. Das sollte Euer furchtsam Herz beruh'gen,
Da ich für Alle freundlich bin gesinnt;
Ihr hättet mehr Grund, Euch gekränkt zu fühlen,
Wenn Ihr mich säht mit Einem freundlich sein.

Alceste. Doch ich, den Ihr der Eifersucht anklagt,
Was habe ich voraus vor ihnen Allen?

Celimene. Das Glück zu wissen, daß Ihr seid geliebt.

Alceste. Und was für Grund hab' ich, daran zu glauben?

Celimene. Ich denke, da ich's überhaupt Euch sage,
So muß ein solch Geständniß Euch genügen.

---

* Sehr weite und große Pluderhosen, die nach ihrem Erfinder, einem
Rheingrafen genannt wurden.

Alceste. Wer aber bürgt mir, daß zur selben Zeit
Ihr Andern nicht vielleicht dasselbe sagt?

Celimene. Für einen Liebenden sind's schöne Reden,
Und Ihr behandelt mich als nette Dame!
Nun wol, Euch solcher Sorge zu entheben,
Nehm' ich zurück, was ich vorhin Euch sagte,
Und nichts kann Euch mehr täuschen als Ihr selbst;
Seid nun zufrieden.

Alceste. Muß ich Euch nicht lieben?
Ach, könnte sich mein Herz von Euch losreißen,
Ich würde für dies Glück dem Himmel danken!
Ich hehl' es nicht, ich thue was ich kann,
Zu lösen dieses Herz aus seinen Banden;
Doch all' mein Mühen war bis jetzt umsonst,
Und eine Strafe ist's, Euch so zu lieben!

Celimene. Ja, Eure Glut für mich ist ohne Gleichen.

Alceste. Aufnehmen kann ich's mit der ganzen Welt,
Denn meiner Liebe kommt Nichts gleich, und nie,
Madame, hat Einer Euch wie ich geliebt!

Celimene. Gewiß; nur die Methode ist ganz neu.
Ihr liebt die Leute, um Streit anzufangen,
Nur in Scheltworten zeigt sich Eure Glut,
Und nie war wol ein Liebender so zänkisch.

Alceste. Doch liegt's an Euch nur, seinen Unmuth zu
Zerstreun, und abzubrechen allen Streit.
Wir wollen offen reden und versuchen —

Zweiter Auftritt.

Celimene. Alceste. Basque.

Celimene. Was ist?

Basque. Acaste ist unten.

Celimene. Laß ihn kommen.

Dritter Auftritt.

Celimene. Alceste.

Alceste. So kann man also nie allein Euch sprechen?
Jedweden zu empfangen seid Ihr stets
Bereit, und könnt für ein'ge Augenblicke
Euch nicht entschließen, nicht zu Haus zu sein?

Celimene. Wollt Ihr, daß ich mit ihm mich überwerfe?

Alceste. Ihr nehmt Rücksichten, die mir nicht gefallen.

Celimene. Er ist ein Mann, der mir es nie verziehe,
Wüßt er, er könnte je mir lästig sein.

Alceste. Und darum wollt Ihr Euch so zwingen lassen?

Celimene. Mein Gott, an seines Gleichen Gunst liegt viel;
Es sind die Leute, die, ich weiß nicht wie,
Am Hofe sich das Wort errungen haben.
Man sieht sie sich in jeden Cirkel drängen.
Sie nützen nicht, doch können sie Euch schaden,
Und niemals, welche Stütze man auch habe,
Darf man mit diesen Schwätzern es verderben.

Alceste. Was man dagegen auch einwenden mag
Ihr findet Gründe, alle Welt zu dulden,
Und wie Ihr Euch zu rechtfert'gen versteht —

Vierter Auftritt.

Alceste. Celimene. Basque.

Basque. Clitandre ist auch hier, Madame.

Alceste. Recht so. (Er will gehen.)

Celimene. Wo wollt Ihr hin?

Alceste. Fort will ich.

Celimene. Bleibt!

Alceste. Warum?

Celimene. Bleibt!

Alceste. Nein, ich kann nicht.

Celimene. Doch ich will's!

Alceste. Durchaus nicht!
Solche Gespräche sind mir nur langweilig,
Und 's ist zu viel, mich ihnen auszusetzen.

Celimene. Ich will's, ich will's!

Alceste. Es ist mir ganz unmöglich!

Celimene. So geht denn, geht, macht's ganz wie's Euch
gefällt.

Fünfter Auftritt.

Eliante. Philinte. Acaste. Clitandre. Alceste. Celimene. Basque.

Eliante (zu Celimene). Mit uns zugleich erscheinen die Marquis.
Man hat's Euch doch gesagt?

Celimene. Ja. (Zu Basque.) Sessel her!
(Basque bringt Sessel und geht ab.)
(Zu Alceste.) Ihr gingt nicht?

Alceste. Nein, Madame. Eu'r Herz soll sich
Erklären erst für Jene oder mich.

Celimene. Schweigt still!

Alceste. Ihr müßt Euch heute noch erklären.

Celimene. Ihr seid sinnlos!

Alceste. Gar nicht. Entscheidet Euch!

Celimene. Ah!

Alceste. Faßt nun Eu'rn Entschluß!

Celimene. Ihr scherzt wol nur? –

Alceste. Nein. Wählen müßt Ihr; schon zu lange währt's.

Clitandre. Parbleu! vom Louvre komm ich, wo Cleonte
Sich beim Lever höchst lächerlich benahm.
Hat er denn keinen Freund, der mileidsvoll
Ihm über sein Benehmen Licht verschafft?

Celimene. Bei aller Welt bringt er sich in Verruf.
Wo er sich zeigt, fällt sein Benehmen auf,
Und wenn man ihn ein Weilchen nicht gesehen,
So findet man noch närrischer ihn wieder.

Acaste. Parbleu! wenn man von närr'schen Menschen spricht,
So hielt ich einem von den schlimmsten Stand:
Damon, dem Schwätzer, der wol eine Stunde
Im Sonnenbrand mich aufgehalten hat.

Celimene. Der ist ein eig'ner Schwätzer, und besitzt
Die Kunst mit vielen Worten nichts zu sagen.
Geschwätz sind seine Reden, die er hält,
Und Alles, was man hört, ist nur Geschrei.

Eliante (zu Philinte).
Der Anfang ist nicht schlecht; die Unterhaltung
Ist über unsern Nächsten gut im Zug.

Clitandre. Timante, Madame, ist auch von guter Art.

Celimene. Der ist vom Wirbel bis zur Zeh' Geheimniß.
Verwirrt blickt er Euch im Vorbeigehn an,
Hat nichts zu thun und ist doch stets geschäftig.
Was er Euch vorträgt, ist begleitet von
Grimassen, Leute damit umzubringen.
Stets hat er, seid Ihr im Gespräch, Euch ein

Geheimniß zu vertrau'n, an dem nichts ist.
Aus Kleinigkeiten macht er Wunderdinge,
Und „guten Tag" selbst sagt er euch ins Ohr.
    Acaste. Nun, und Gerald, Madame?
    Celimene. O, der Aufschneider!
Der hört nie auf, den großen Herrn zu spielen,
Befaßt sich immer mit den höchsten Kreisen,
Und hat nur Fürst und Fürstin stets im Munde;
Sehr hoch will der hinaus; er unterhält
Euch nur von Pferden, Equipagen, Hunden,
Duzt im Gespräch die Hochgestelltesten,
Und das „mein Herr" ist bei ihm außer Brauch.
    Clitandre. Er soll gut mit Belisen stehn.
    Celimene. Mit der
Beschränkten Frau! so trocken im Gespräch!
Besucht sie mich, bin ich wie auf der Folter;
Man müht sich, was man mit ihr reden soll,
Denn durch die Armuth ihres Geistes stockt
In jedem Augenblick die Unterhaltung.
Umsonst greift Ihr, um ein Gespräch in Gang
Zu bringen, zu den alltäglichsten Dingen.
Schön Wetter, Regen, Frost und Hitze, das
Sind Stoffe, die mit ihr man bald erschöpft.
Ihr schon so unerträglicher Besuch
Zieht sich dabei noch schrecklich in die Länge;
Man fragt wie viel die Uhr, gähnt zwanzigmal,
Sie rührt sich nicht vom Fleck, wie ein Stück Holz.
    Acaste. Was meint Ihr zu Adraste?
    Celimene. Ach, der Hochmüth'ge!
Er ist von Eigenliebe aufgeblasen.
Niemals zufrieden mit dem Hof, macht er
Sich's zum Geschäft, täglich auf ihn zu schimpfen,
Und man vergibt kein Amt noch Benefiz,
Daß gegen sein Verdienst kein Unrecht wäre.
    Clitandre. Der junge Cleon, der heut bei sich sieht
Die ersten Leute, was sagt Ihr zu dem?
    Celimene. Daß er durch seinen Koch in Ruf sich brachte,
Und seiner Tafel man Besuch nur macht.
    Eliante. Die köstlichsten Gerichte setzt er vor.

Celimene. Ja; setzte er sich nur nicht selber vor;
Denn seine Dummheit ist 'ne schlechte Schüssel,
Die jedes Gastmahl mir bei ihm verdirbt.

Philinte. Man macht sehr viel aus seinem Oheim Damis;
Gefällt er Euch?

Celimene. 's ist einer meiner Freunde.

Philinte. Er scheint ein guter Mann, und sieht sehr klug aus.

Celimene. Ja; aber er will gar zu geistreich sein,
Ist stets geziert, und sieht man ihn sich abmühn,
Mit jedem Wort was Witziges zu sagen.
Seit er sich's in den Kopf gesetzt, gescheidt
Zu sein, kann er an Nichts Geschmack mehr finden.
Er sucht bei Allem, was man schreibt, nach Fehlern,
Und loben, denkt er, zieme keinem Schöngeist,
Nur der sei Kenner, der zu tabeln finde,
Die Dummen nur bewundern und belachen;
Und da bei ihm kein neures Werk soll gelten,
Stellt er sich über alle andern Leute.
An den Gesprächen selbst hat er zu tabeln;
Sie sind nicht hoch genug, um daran Theil
Zu nehmen; schweigend, mit gekreuzten Armen,
Hört er nur gnädig an, was Jeder sagt.

Acaste. Gott straf mich, wenn das nicht sein ähnlich Bild!

Clitandre (zu Celimene).
Bewundernswürdig zeichnet Ihr die Leute.

Alceste. Nur immer zu, Ihr gleißnerischen Freunde!
Ihr schonet Keinen, Jeder muß heran;
Doch zeigte einer sich von Jenen jetzt,
Säh man Euch freudig ihm entgegen eilen,
Die Hand ihm reichen, und mit einem Kuß
Bestegeln das Gelübde, ihm zu dienen.

Clitandre. Was greift Ihr uns an? Fühlt Ihr Euch verletzt,
Muß Euer Vorwurf an Madame sich wenden.

Alceste. Zum Henker, nein, an Euch! Denn Euer Beifall
Entlockt die scharfen Pfeile ihrem Geiste.
Ihr Hang zum Spott ist stets genährt durch den
Strafbaren Weihrauch Eurer Schmeichelein;
Sie würde nicht den Reiz am Spotte finden,
Wenn sie nicht wüßte, daß man ihn beklatscht.

Drum sind die Schmeichler schuld an allen Lastern,
In die verfallen man die Menschen sieht.

Philinte. Doch was nehmt Ihr Partei für jene Leute,
Der Ihr, was man an ihnen tadelt, auch
Verdammen würdet?

Celimene. Ei, wie soll der Herr
Sich je der allgemeinen Stimme fügen,
Und sich mit seinem Geist des Widerspruchs,
Den ihm der Himmel mitgab, nicht hervorthun?
Die Meinung Andrer hat nie seinen Beifall,
Er zeigt sich stets als deren Widersacher.
Er würde ja als Alltagsmensch erscheinen,
Säh man ihn die Gesinnung Andrer theilen.
Der Widerspruch hat so viel Reiz für ihn,
Daß oft er gegen sich ergreift die Waffen,
Und seine eigne Meinung niederschlägt,
Sobald ein Andrer sie im Munde führt.

Alceste. Die Lacher sind für Euch, Madame, Ihr könnt
Also nun Euern Spott an mir auslassen!

Philinte. Wahr ist es aber auch, daß Euer Sinn
Sich gegen Alles auflehnt, was man sagt,
Und daß in Eurem Mißmuth, der sich kund giebt,
Ihr weder loben hören mögt, noch tadeln.

Alceste. Weil nie, zum Teufel! Recht die Menschen thun,
Weil man stets Grund zum Grollen hat mit ihnen,
Und weil ich seh, daß sie in allen Dingen
Lobredner oder freche Krittler sind.

Celimene. Doch —

Alceste. Nein, Madame, nein, müßt ich dran vergehen,
Ihr macht Euch Freuden, die mir nicht gefallen,
Und man thut Unrecht hier, in Euch die Neigung
Zu Fehlern, die man tadelt, noch zu nähren.

Clitandre. Das weiß ich nicht; doch ich gestehe offen,
Ich hielt bis jetzt Madame für fehlerfrei.

Acaste. Mit Reiz und Anmuth seh ich sie geschmückt,
Doch Fehler sah mein Blick an ihr noch nicht.

Alceste. Der meine sieht sie alle, und sie weiß,
Daß ich mich mühe, sie ihr vorzuhalten.
Je mehr man liebt, je wen'ger schmeichelt man;

Die wahre Liebe zeigt sich in der Strenge;
Und ich verbannte alle die Anbeter,
Die jeder meiner Neigungen sich fügen,
Voll Dienstbeflissenheit bei jedem Anlaß
All' meinen Ausschreitungen Weihrauch streun.

Celimene. Nun, ging's nach Euch, so müßt ein liebend Herz,
Um recht zu lieben, Zärtlichkeit verbannen;
Denn wahre Liebe setzt den Ruhm darein,
Die Leute, die man liebt, recht auszuschelten.

Eliante. Im Allgemeinen macht's die Liebe nicht so,
Denn ein Verliebter rühmt stets seine Wahl,
Nie findet seine Leidenschaft zu tadeln,
Und da an dem geliebten Gegenstand
Ihm Alles liebenswürdig scheint, so zählt
Er selbst die Fehler zu Vollkommenheiten,
Und weiß sie alle günstig auszulegen.
Die Blasse gleicht an Weiße dem Jasmin;
Die Rabenschwarze wird zur schönen Braunen;
Die Mag're gilt für zierlich und behende,
Die Dicke hat in ihrer Haltung Würde;
Die Schmutzige, Reizlose, die auf sich
Nichts hält, wird frei von Eitelkeit genannt;
Die Riesin scheint den Augen eine Göttin,
Die Zwergin als ein kleines Himmelswunder;
Der Stolzen Herz ist einer Krone würdig;
Die List'ge geistreich, herzensgut die Dumme;
Die Schwätzerin von heiterem Gemüth,
Und züchtige Verschämtheit hat die Stumme.
Auf diese Weise wird ein heiß Verliebter
Sogar die Fehler der Geliebten lieben.

Alceste. Und ich behaupte —

Celimene. Brechen wir hier ab,
Und gehn ein wenig in die Galerie.
Was, meine Herrn, Ihr geht schon?

Clitandre und **Acaste.** Nein, Madame.

Alceste. Die Angst, sie möchten gehn, scheint bei Euch groß?
Geht, meine Herrn, wenn's Euch gefällt; doch ich,
Ich werde nicht eh'r gehn, bis Ihr gegangen.

Acaste. Wenn ich nicht lästig falle der Madame,

So treibt mich hier den ganzen Tag Nichts fort.

Clitandre. Und ich, kann ich bei dem Coucher nur sein,
Ich bin an weiter kein Geschäft gebunden.

Celimene (zu Alceste). Ihr scherztet wol, glaub' ich?

Alceste. In keiner Weise,
Wir wollen sehn, ob ich's bin, den Ihr fortschickt.

Sechster Auftritt.

Alceste. Celimene. Eliante. Acaste. Philinte. Clitandre. Basque.

Basque (zu Alceste).
Ein Mann ist da, der Euch zu sprechen wünscht;
Er sagt, es sei etwas sehr Wichtiges.

Alceste. Sag' ihm, ich habe nichts so Wichtiges.

Basque. Er trägt 'nen Rock, mit großen, falt'gen Schößen,
Mit Treffen drauf.

Celimene (zu Alceste). Seht nach, wer's ist, oder
Laßt ihn herein.

Siebenter Auftritt.

**Alceste. Celimene. Eliante. Acaste. Philinte. Clitandre. Ein Bote
des Marschall=Amtes.**

Alceste (dem Boten entgegengehend). Was ist Euch denn gefällig?
Herein, mein Herr.

Der Bote. Mein Herr, zwei Worte nur.

Alceste. Sprecht laut, mein Herr, was Ihr zu sagen habt.

Der Bote. Die Herrn Marschälle gaben den Befehl,
Euch aufzufordern gleich vor ihnen zu
Erscheinen.

Alceste. Ich?

Der Bote. Ihr selbst.

Alceste. Was soll ich dort?

Philinte (zu Alceste). Das ist von der Geschichte mit Oronte.

Celimene (zu Philinte). Wie so?

Philinte. Oronte und er erzürnten sich,
Weil er ihm ein paar Verse nicht gelobt,
Und will man jetzt die Sache wol beilegen.

Alceste. Ich werde nie die feige Nachsicht haben!

Philinte. Doch dem Befehle müßt Ihr folgen; geht!

Alceste. Wie will man uns vereinigen? Wird mich

Der Ausspruch dieser Herrn verdammen, gut
Zu finden diese Verse, die den Streit
Veranlaßt? Ich beharre, daß ich sie
Abscheulich finde.

Philinte. Doch nachsichtiger —

Alceste. Ich geh' davon nicht ab, sie sind abscheulich.

Philinte. Ihr müßt Euch wenigstens versöhnlich zeigen.
Geht, schnell!

Alceste. Ich gehe, doch ich nehme nicht
Zurück, was ich gesagt.

Philinte. Geht doch nur hin!

Alceste. Wenn nicht der König mir befiehlt, die Verse,
Um die man sich so kümmert, gut zu finden,
So werd' ich stets behaupten, daß sie schlecht sind,
Und der gehängt muß werden, der sie machte.

(Zu Clitandre und Acaste, die lachen.)

Beim Element! Ihr Herrn, ich glaubte nicht
So spaßhaft Euch zu sein.

Celimene. Macht doch nur, daß
Ihr hinkommt!

Alceste. Ja, Madame, und gleich kehr' ich
Hierher zurück, um unsern Streit zu schlichten.

Dritter Aufzug.

Erster Auftritt.

Clitandre. Acaste.

Clitandre. Du bist zufriedenen Gemüths, Marquis,
Lachst über Alles, machst aus Nichts Dir Sorgen.
Nun, ehrlich, ohne Selbsttäuschung, hast Du
Besondern Grund, so heiter zu erscheinen?

Acaste. Bei meiner Treu'! Ich finde nichts, wenn ich
Mich prüfe, was betrübt mich machen sollte.
Ich habe Geld, bin jung, aus einem Hause,
Das sich mit Recht zählt zu den vornehmsten,
Und durch den Rang, den mir mein Name gibt,

Ist beinah' keine Stellung mir verschlossen.
Was Muth betrifft, den wir besonders schätzen,
So weiß man, ohne Lob, daß ich ihn habe.
Man hat gesehn, mit welcher Kühnheit ich
Ein Abenteuer zu betreiben wußte.
Geist hab' ich ohne Zweifel, und Geschmack
Zu urteln über Alles ohne Kenntniß;
Bei Neuigkeiten, die ich schwärm'risch liebe,
Als Kenner auf der Bühne vorn zu sitzen,
Zu kritisiren, und Beifall zu klatschen
Bei allen schönen Stellen, die's verdienen.
Ich bin gewandt; ich hab' ein gutes Aussehn,
Besonders schöne Zähne und Figur.
Was gut sich anzuziehn betrifft, so würde
Man schlecht ankommen, mir es abzustreiten.
Ich sehe überall mich hochgeschätzt,
Geliebt von Damen, und in Gunst des Herrn.
Und damit, glaube ich, Marquis, kann man
An jedem Ort mit sich zufrieden sein.

    Clitandre. Ja. Doch wenn anderswo Erobrungen
So leicht sind, warum hier vergebens seufzen?

    Acaste. Ich? Nun wahrhaftig, ich bin nicht darnach,
Die Kälte einer Schönen zu ertragen.
Mißrathne, unbeholfne Leute mögen
Für eine strenge Schöne ewig glühen,
Zu ihren Füßen schmachten, sich verzehren,
Zu Seufzern und zu Thränen Zuflucht nehmen,
Durch vielerlei Bemühungen Das zu
Erringen suchen, was man ihnen weigert.
Doch Leute meines Schlags sind nicht gemacht,
Auf leere Hoffnung hin umsonst zu lieben.
Wie hoch sich auch die Schöne stellen mag,
Ich denke, man hat seinen Werth wie sie;
Wer solch ein Herz wie mein's gewinnen will,
Der muß es sich auch etwas kosten lassen;
Um Alles hübsch ins Gleichgewicht zu bringen,
Muß man auf halbem Wege sich entgegenkommen.

    Clitandre. Du glaubst also hier gut zu stehn, Marquis?

    Acaste. Ich habe Grund, Marquis, es anzunehmen.

Clitandre. Glaub' mir, Du bist in ungeheurem Irrthum;
Du schmeichelst Dir, und täuschst Dich selbst, mein Lieber.

Acaste. Jawol, ich schmeichle mir, und täusche mich.

Clitandre. Was läßt Dich an Dein Glück so sicher glauben?

Acaste. Ich schmeichle mir.

Clitandre. Auf was stützt sich Dein Glaube?

Acaste. Ich täusche mich.

Clitandre. Hast Du so sichre Proben?

Acaste. Ich irre mich.

Clitandre. Hat etwa irgend ein
Geständniß Celimene Dir gemacht?

Acaste. Nein, schlecht steh ich mit ihr.

Clitandre. Antworte doch!

Acaste. Es schlug mir Alles fehl.

Clitandre. Hör auf zu scherzen!
Sag' mir, ob sie Dir Hoffnung gab?

Acaste. Ich bin
Der Abgewies'ne, Du der Glückliche.
Man hat nur Widerwillen gegen mich,
Und werd' ich nächstens mich erhängen müssen.

Clitandre. Wolan, Marquis, wir wollen uns, um uns
Nichts weiß zu machen, dahin einigen,
Wer von uns durch ein Pfand beweisen kann,
Antheil an Celimenens Herz zu haben,
Dem soll als Sieger Platz der Andre machen,
Und ihn befrein von einem Nebenbuhler.

Acaste. Mein Tren, 'ne solche Sprache läßt sich hören,
Und herzlich gern verpflicht' ich mich dazu.
Doch still —

Zweiter Auftritt.

Celimene. Acaste. Clitandre.

Celimene. Noch hier?

Clitandre. Die Lieb' hält uns zurück.

Celimene. Soeben fuhr ein Wagen vor; wißt, Ihr,
Wer's sein kann?

Clitandre. Nein.

Dritter Auftritt.

Celimene. Acaste. Clitandre. Basque.

Basque. Arsinoé, Madame,
Sie stieg schon aus.

Celimene. Was will die Frau von mir?

Basque. Sie unterhält sich noch mit Elianten.

Celimene. Was fällt ihr ein? und was führt sie hierher?

Acaste. Für äußerst tugendhaft ist sie bekannt,
Ihr frommer Eifer —

Celimene. Ja, nichts als Grimassen,
Im Herzen ist sie weltlich, und thut Alles,
Um Einen anzulocken, doch umsonst.
Sie sieht mit neid'schem Blick nur die erklärten
Liebhaber, welche einer Andern folgen,
Ihr schal Verdienst, das Keinen anzieht, wüthet
Stets gegen die Verblendung unsrer Zeit.
Sie sucht mit einem falschen Tugendschleier
Die Oede ihres Innern zu verhüllen,
Und um die Ehre ihrer schwachen Reize
Zu retten, legt sie als Verbrechen aus,
Was sie unfähig zu vollbringen sind.
Indeß möcht' ein Galan der Dame schon
Gefallen, denn sie schwärmt selbst für Alceste.
Daß er um mich sich müht, beleidigt sie;
Sie thut, als ob ich Raub an ihr beginge,
Und ihr Verdruß, den sie mühsam verbirgt,
Macht, wo er kann, sich in der Stille Luft.
Kurz, ich sah nie etwas so Närrisches;
Sie ist im höchsten Grade unverschämt,
Und —

Vierter Auftritt.

Arsinoé. Celimene. Clitandre. Acaste.

Celimene. Ah, welch glücklich Schicksal führt Euch her?
Ich war wirklich besorgt um Euch, Madame.

Arsinoé. Ich komme nur, Euch einen guten Rath zu geben.

Celimene. Mein Gott, wie glücklich bin ich, Euch zu sehen!
(Clitandre und Acaste gehen lachend ab.)

Fünfter Auftritt.

Arsinoé. Celimene.

Arsinoé. Es trifft sich grade recht, daß sie jetzt ginge
Celimene. Doch setzen wir uns erst!
Arsinoé. Das ist nicht nöthig.
Madame, die Freundschaft zeigt besonders sich
In Dingen, die uns Schaden bringen können;
Und da es keine größre Wichtigkeit
Für uns gibt als die Ehre und den Ruf,
So will ich Euch durch einen Rath, der Eure
Ehre betrifft, beweisen meine Freundschaft.
Ich war bei höchst ehrbaren Leuten gestern,
Wo im Gespräch auf Euch die Rede kam;
Und da, Madame, hat man zum Unglück Euer
Auffälliges Betragen nicht gelobt.
Die Menge Leute, die Ihr täglich bei
Euch seht, das Aufsehn, das Ihr dadurch macht,
Fand viel mehr Tadler, als nothwendig war,
Und sehr viel strengre, als ich wünschen konnte.
Welche Partei ich nahm, könnt Ihr wol denken!
Ich that, Euch zu vertheidgen, was ich konnte;
Ich hob Eure Gesinnung sehr hervor,
Und wollte mich für Euer Herz verbürgen.
Jedoch es gibt im Leben Dinge, die man
Beim besten Willen nicht entschuldgen kann.
So sah ich mich gezwungen einzustimmen,
Daß Eure Lebensart Euch etwas schade;
Euch bei der Welt stell' in ein schlechtes Licht,
Daß man sich überall davon erzählt;
Und daß, wenn Ihr nur wolltet, Eu'r Betragen
Den Tadlern wen'ger Anlaß könnte geben.
Nicht daß die Ehrbarkeit verletzt ich glaubte,
Der Himmel schütze mich vor dem Gedanken!
Doch schon der Sünde Schatten schenkt man Glauben,
Und nicht genug ist's, gut für sich zu leben.
Für zu vernünftig halt ich Euch, Madame,
Um übel mir den guten Rath zu nehmen,
Und nicht den Eifer darin zu erkennen,

Der Euer Bestes nur im Auge hat.

Celimene. Dankbar muß ich Euch sein für solchen Rath,
Madame, und fern, ihn übel Euch zu nehmen,
Beweise ich Euch gleichfalls meine Freundschaft
Durch einen Rath, der Euern Ruf betrifft.
Und da Ihr Euch als meine Freundin zeigtet,
Mir nicht verschwieget, was man von mir spricht,
So will ich Eurem schönen Beispiel folgen,
Und was von Euch man spricht, Euch gleichfalls sagen.
Ich traf an einem Ort, wo ich Besuch
Jüngst machte, einige höchst würdge Leute,
Die von der Frömmigkeit sich unterhielten,
Und dabei auch auf Euch zu reden kamen.
Da ward die Tugend, die zur Schau Ihr tragt,
Nicht als das beste Muster angeführt.
Der angenomm'ne Ernst in Eurem Aeußern,
Euer Geschwätz von Schicklichkeit und Ehre,
Eure Gesichter und Euer Geschrei
Schon bei dem Schatten von Zweideutigkeit,
Den auch das unschuldigste Wort kann haben,
Die Achtung, die Ihr vor Euch selber habt,
Den Blick des Mitleids, den Ihr werft auf Alle,
Eu'r ew'ges Pred'gen, Euer bittrer Tadel,
Der selbst die unschuldigsten Dinge trifft.
Das Alles, wenn ich offen sprechen soll
Mit Euch, Madame, ward einstimmig getadelt.
Wozu das ehrbare Gesicht, sprach man,
Wenn alles Andre es doch Lügen straft?
Sie ist im Beten wol genau und pünktlich,
Doch ihren Leuten zahlt sie keinen Lohn.
In allen Kirchen zeigt sie große Andacht,
Doch schminkt sie sich und will noch schön erscheinen.
Sie läßt, was nackt auf Bildern ist, bedecken,
In Wirklichkeit jedoch liebt sie es sehr.
Ich suchte Euch bei Jedem zu vertheid'gen,
Und schwur, dies Alles sei nichts als Verleumdung.
Doch alle kämpften gegen meine Ansicht,
Und kamen überein, Ihr thätet besser,
Euch um das Thun von Andern nicht zu kümmern,

3

Und mehr das eigene im Aug' zu haben;
Ein Jeder müsse sich erst selbst betrachten,
Eh' er die Andern zu verdammen denke;
Daß man ein Musterleben führen müsse,
Wenn man den Andern Bess'rung pred'gen wolle,
Daß man dies denen überlassen müsse,
Die von dem Himmel dazu eingesetzt.
Auch ich, Madame, halt' Euch für zu vernünftig,
Um übel mir den guten Rath zu nehmen,
Und nicht den Eifer darin zu erkennen,
Der Euer Bestes nur im Auge hat.

Arsinoé. Auf was, wer tadelt, auch gefaßt sein mag —
Ich hatte solche Antwort nicht erwartet,
Madame; ich seh aus Eurer Bitterkeit,
Daß mein aufricht'ger Rath Euch hat verletzt.

Celimene. Im Gegentheil, Madame! Und wär' man klug,
So nähme gegenseitig Rath man an.
Man heilte dadurch, ehrlich sich behandelnd,
Die Blindheit über sich, in der man ist.
Von Euch hängt's ab, daß wir mit gleichem Eifer
Fortfahren Freundschaftsdienste uns zu leisten,
Und uns getreulich Alles sagen, was
Wir hören, Ihr von mir, und ich von Euch.

Arsinoé. Ach über Euch, Madame, werd' ich nichts hören,
An mir nur kann man auszusetzen haben.

Celimene. Es läßt sich Alles loben, Alles tadeln,
Und je nach Alter und Geschmack hat man
Auch Recht. 's ist für die Liebe eine Zeit,
Und ebenso auch für die Sprödigkeit,
Zu der aus Klugheit man wol greifen muß,
Wenn unsrer Jugend Glanz ist im Erlöschen.
Damit verdeckt man widerwärt'ge Mängel.
Vielleicht mach ich's einst ebenso wie Ihr,
Das Alter bringt's so mit sich, doch man braucht
Mit zwanzig Jahren noch nicht spröde sein.

Arsinoé. Ihr brüstet Euch mit einem schwachen Vorzug,
Und hängt Eu'r Alter an die große Glocke.
Was man auch mehr an Jahren zählt als Ihr,
Hat solchen Werth nicht, so darauf zu fußen,

Und ich verstehe nicht, Madame, was Euch
So reizt, auf diese Art mich anzugreifen?

Celimene. Und ich, Madame, kann gleichfalls nicht verstehn,
Warum Ihr aller Orten auf mich loszieht.
Müßt Ihr an mir ein Aergerniß stets nehmen?
Kann ich dafür, daß man Euch nicht mehr huldigt?
Wenn mich die Leute liebenswürdig finden,
Und wenn man täglich Huldigungen mir
Darbringt, die Ihr im Herzen mir beneidet;
Ich kann's nicht ändern, meine Schuld ist's nicht.
Ich laß Euch freien Spielraum, hind'r Euch nicht,
Durch Euern Reiz die Leute anzuziehen.

Arsinoé. Glaubt Ihr, daß wegen der Bewundrer Schaar,
Auf die Ihr stolz seid, man sich Sorgen macht,
Und daß es uns nicht leicht sei zu errathen,
Um welchen Preis man heute sie gewinnt?
Wollt Ihr, wie jetzt die Welt ist, glauben machen,
Daß Eu'r Verdienst allein anzieht die Menge?
Daß sie in zücht'ger Liebe für Euch glühn,
Und Euch den Hof für Eure Tugend machen?
Man läßt sich nicht durch leere Ausflucht täuschen;
Die Welt ist nicht so dumm. Ich kenne Fraun,
Die für die Liebe wie geschaffen sind,
Und doch Liebhaber nicht zu fesseln wissen,
Woraus sich sicher schließen läßt, daß man
Sich nicht umsonst um eine Schöne müht,
Daß Keiner nur um unsre Angen seufzt,
Und daß man solche Gunst sich muß erkaufen.
Seid also nicht geschwellt von einem Ruhm,
Bei dem der Sieg ein zweifelhafter ist,
Und bessert Enern Stolz auf Eure Schönheit,
Der andre Leute in den Staub ziehn will.
Wenn wir voll Neid auf Eure Siege blickten,
So könnte man's, denk ich, wie Andre machen,
Den Ruf nicht schonen, und Euch wol beweisen,
Daß man Liebhaber haben kann, wenn man
Nur will.

Celimene. So habt sie denn, Madame; sucht nur
Durch Euer seltenes Geheimniß zu

Gefallen und —

Arsinoé. Genug von dem Gespräch,
Madame; es führte beide uns zu weit.
Ich würde schon mich Euch empfohlen haben,
Müßt' ich nicht meinen Wagen noch erwarten.

Celimene. So lang es Euch gefällt, könnt Ihr hier bleiben,
Madame; Ihr braucht Euch darum nicht zu eilen.
Doch ohne Euch noch zu belästigen
Will ich Euch besserer Gesellschaft lassen,
Und dieser Herr, den grad der Zufall herführt,
Wird Euch an meiner Stelle unterhalten.

Sechster Auftritt.
Alceste. Celimene. Arsinoé.

Celimene. Alceste, ich habe einen Brief zu schreiben,
Den ich nicht länger mehr verschieben kann.
Bleibt bei Madame; sie wird die Güte haben,
Diese Unhöflichkeit mir zu verzeihen.

Siebenter Auftritt.
Alceste. Arsinoé.

Arsinoé. Ihr seht, sie will, daß ich Euch unterhalte,
So lang' ich noch auf meinen Wagen warte;
Und nichts hätt' sie mir bieten können, das
Mir lieber wär' als solche Unterhaltung.
Ja, Leute eines seltenen Verdienstes
Erzwingen sich von Jedem Lieb' und Achtung;
Das Eure hat, ich weiß nicht welchen Zauber,
Der Euch mein ganzes Herz gewinnen läßt.
Ich wünschte, daß der Hof, drauf hingelenkt,
Gerechter wäre gegen Euern Werth.
Ihr habt Euch zu beklagen, und mich ärgert's,
Täglich zu sehn, daß man nichts für Euch thut.

Alceste. Für mich, Madame? Auf was hätt' ich den Anspruch?
Und welchen Dienst hab' ich dem Staat geleistet?
Was that ich, sagt, so Glänzendes, mich zu
Beklagen, daß der Hof nichts für mich thut?

Arsinoé. Nicht immer haben Die, die bei dem Hof
In Gunst, so großer Dienste sich zu rühmen.

Gelegenheit bedarf's und Fähigkeit,
Und das Verdienst, das Ihr uns sehn laßt, müßte —
    Alceste. Laßt doch um Gotteswillen mein Verdienst.
Um was soll sich der Hof nicht Alles kümmern?
Er würde viel zu schaffen haben, wenn er
Aufstöbern müßte das Verdienst der Leute.
    Arsinoé. Ein glänzendes Verdienst hebt sich allein.
Das Eure schätzt man hoch an vielen Orten.
Ihr wurdet gestern erst, kann ich Euch sagen,
Von einflußreichen Leuten sehr gelobt.
    Alceste. Ei nun, Madame, man lobt heut alle Welt,
In unsrer Zeit darf das nicht überraschen.
Jeder ist mit Verdiensten gleich begabt,
's ist keine Ehre, sich gelobt zu sehen;
Man ist ganz Lob, man wird damit beworfen,
Und mein Lakai sogar stand in der Zeitung.
    Arsinoé. Ich möchte wol, Euch mehr hervorzuheben,
Ein Amt am Hofe stäch' Euch in die Augen,
Ihr brauchtet uns nur einen Wink zu geben,
Man kann, um Euch zu dienen, manches thun,
Ich habe Leute an der Hand, die Euch
Recht gern den Weg zu ebnen suchen werden.
    Alceste. Und was wollt Ihr, Madame, daß ich dort thäte?
Mein ganzes Wesen hält mich von ihm fern;
Der Himmel schuf mich nicht mit einer Seele,
Die mit der Luft des Hofes sich verträgt.
Mir fehlen die nothwendigen Talente,
Dort zu gedeihn, und meinen Weg zu machen.
Mein Haupttalent ist Offenherzigkeit;
Ich kann die Menschen nicht durch Worte täuschen,
Und wer nicht, was er denkt, verschweigen kann,
Der hat an diesem Ort nicht seines Bleibens.
Fern von dem Hof kommt man zu nichts, erlangt
Man nicht die Titel, die er heute gibt;
Doch wenn man diesen Vortheil aufgibt, hat
Man auch den Aerger nicht, den Narr'n zu spielen;
Man hat nicht tausend Kränkungen zu dulden,
Man braucht die Verse nicht von Dem und Dem
Zu loben, Der und Der nicht Weihrauch streuen,

Die Narrheit der Marquis nicht auszuhalten.

Arſinoé. So brechen wir denn ab vom Hof; doch auch
In Eurer Liebe ſeid Ihr zu beklagen,
Und, um Euch frei zu ſagen was ich denke,
Ich wünſchte ſie wol beſſer angebracht.
Ihr habt ein anderes Geſchick verdient,
Denn die Euch feſſelt, iſt nicht Eurer würdig.

Alceſte. Bedenkt Ihr auch, Madame, wenn Ihr ſo ſprecht,
Daß dieſe Dame Eure Freundin iſt?

Arſinoé. Ja. Aber mein Gewiſſen kann nicht länger
Das Unrecht dulden, das man Euch anthut.
Zu ſehr betrübt mich Euer Zuſtand, und
Ich ſag Euch, daß man Eure Glut verräth.

Alceſte. Das nenn’ ich Mitgefühl! und ſolcher Wink,
Madame, verpflichtet einen Liebenden.

Arſinoé. Obwol mir Freundin, iſt ſie doch unwürdig,
Zu feſſeln eines edlen Mannes Herz,
Denn ihres heuchelt Euch nur Zärtlichkeit.

Alceſte. Kann ſein, Madame, man ſieht nicht in die Herzen.
Doch Euer Mitleid hätte lieber nicht
In meines ſolchen Argwohn werfen ſollen.

Arſinoé. Wenn man die Augen Euch nicht öffnen ſoll,
So kann man ja auch ſchweigen; das iſt leicht.

Alceſte. Nein. Wie man auch dergleichen nehmen mag,
Die Zweifel bleiben immer doch das Schlimmſte;
Und ich, für mein Theil, wünſchte nicht zu wiſſen,
Was man nicht klar mich ſehen laſſen kann.

Arſinoé. Nun, damit iſt genug geſagt. Ihr ſollt
Das vollſte Licht in dieſer Sache haben.
Nur Euren eignen Angen ſollt Ihr trauen.
Geleitet mich nur erſt nach Hauſe; dort
Will ich Euch treulich überzeugen von
Dem ungetreuen Herzen Eurer Schönen;
Und könntet Ihr für andre Augen glühen,
So würde man Euch ja wol tröſten können.

Vierter Aufzug.

Erster Auftritt.
Eliante. Philinte.

Philinte. Nein, niemals sah man solchen Eigensinn,
Nie schwerer schlichten eine Streitigkeit;
Umsonst versuchte man ihn zu bekehren,
Er ließ Nichts gelten außer seiner Meinung,
Und ein so sonderbarer Streit hat wol
Die Klugheit dieser Herrn noch nie beschäftigt.
„Nein, meine Herrn, sprach er, Nichts widerruf' ich,
Ich wäre einig bis auf diesen Punkt.
Wodurch ist er verletzt? Was will er mir?
Gefährdet's seinen Ruhm, nicht gut zu schreiben?
Was thut ihm meine Ansicht, die er schief nahm?
Ein braver Mann kann schlechte Verse machen;
Dergleichen kann die Ehre nicht berühren.
Ich halte ihn für einen Ehrenmann,
Für einen Mann von Stand, Verdienst und Muth,
Für was Ihr wollt, nur nicht für einen Dichter.
Ich will gern seine Lebensweise loben,
Die Kunst, die er im Reiten, Fechten hat,
Jedoch für seine Verse muß ich danken.
Denn, wenn man keine bessern machen kann,
So soll man, ist man nicht verdammt dazu
Bei Todesstrafe, lieber gar nicht dichten."
Genug, er wollte von Vergleich nichts wissen,
Blieb fest bei seiner Meinung mit den Worten,
Die er noch milde auszudrücken glaubte:
„Mein Herr, es thut mir leid, so streng zu sein;
Aus Freundschaft für Euch wünscht ich herzlich gern,
Daß Eu'r Sonett mir mehr gefallen hätte."
Sie mußten hierauf Beide sich umarmen,
Und damit war die Sache abgemacht.
Eliante. In solchen Dingen ist er sonderbar.
Ich aber habe für ihn große Achtung,
Und die Aufrichtigkeit, auf die er hält,

Ist ja an sich sehr edel und erhaben.
Ist eine seltne Tugend heutzutage,
Und wünscht ich, Jeder hätte sie wie er.

Philinte. Doch ich, je öfter ich ihn seh', je mehr
Erstaun' ich über seine Leidenschaft.
Bei der Gemüthsverfassung, die er hat,
Begreif' ich nicht, wie er drauf kommt, zu lieben;
Und wen'ger noch begreif' ich, wie er grade
In seiner Wahl auf Eure Muhme fiel.

Eliante. Das zeigt uns, daß nicht immer bei der Liebe
Die Gleichheit der Gesinnung braucht zu herrschen;
Was man von Uebereinstimmung der Herzen
Auch spricht, dies Beispiel hier straft Alles Lügen.

Philinte. Jedoch nach Dem, was man so sieht, glaubt Ihr,
Daß sie ihn liebt?

Eliante. Der Punkt ist schwer zu wissen.
Wer kann beurtheilen, ob sie ihn liebt?
Ein Herz ist oft sich selbst nicht klar darüber;
Es liebt zuweilen, ohne es zu wissen,
Und glaubt auch oft zu lieben, wo's nicht ist.

Philinte. Ich glaube, unser Freund wird durch die Muhme
Mehr Herzeleid noch haben, als er ahut;
Und frei heraus gesagt, fühlt er wie ich,
Er richtete den Wunsch auf eine Andre;
Man sähe ihn die Huld, die Ihr ihm zeigt,
Madame, durch eine beßre Wahl benutzen.

Eliante. Was mich betrifft, ich müh' mich nicht und denke,
Man muß in solchem Punkt Vertrauen haben.
Ich bin durchaus nicht gegen seine Neigung,
Im Gegentheil, mein Herz ist sehr dafür,
Und hätte ich die Sache zu entscheiden,
Ich selbst vereinte ihn mit seiner Liebe.
Doch, wenn bei dieser Wahl, 's ist Alles möglich,
Sein Herz vielleicht ein Mißgeschick erführe,
Wenn eines Andern Liebe sie erhörte,
So will ich gern mich seinen Wünschen fügen;
Denn daß ihn eine Andre vor mir abwies,
Läßt mich durchaus nicht abgeneigt ihm sein.

Philinte. Und ich, Madame, bin meinerseits nicht gegen

Die Huld, die Eure Schönheit für ihn hat.
Er selber, wenn er will, kann Euch berichten,
Was ich hierüber oft zu ihm gesagt.
Doch wenn der Ehe Band die Beiden noch
Vereinte, und er Euch entzogen würde,
Dann suchte ich die Gunst mir zu erringen,
Die Euer Herz so huldvoll ihm verheißt.
Ja, glücklich fühlt' ich mich, wenn sie von ihm,
Madame, auf mich dann übergehen möchte.

Eliante. Ihr scherzt wol nur, Philinte.
Philinte. O nein, Madame,
Ich spreche jetzt zu Euch aus voller Seele.
Ich warte nur auf die Gelegenheit,
Euch frei und offen meine Hand zu bieten,
Und heiß ersehn' ich den Moment herbei.

Zweiter Auftritt.
Alceste. Eliante. Philinte.

Alceste. Ach, steht mir bei, Madame, in einer Kränkung,
Die alle meine Festigkeit mir raubt!
Eliante. Was ist es denn? Was kann Euch so bewegen?
Alceste. Ich kann's nicht fassen, ohne zu vergehen;
Und der Naturgesetze Umsturz würde
Mich nicht wie dies Ereigniß niederschlagen.
Vorbei — die Liebe — Worte sind ich nicht.
Eliante. Versucht erst wieder zu Euch selbst zu kommen.
Alceste. Gerechter Himmel, kann in solcher Schönheit
So eine schwarze Seele sich verbergen!
Eliante. Doch sagt, wer kann —
Alceste. Ach, Alles ist verloren!
Ich bin verrathen, ja, ich bin betrogen.
Sie, Celimene — sollte man es glauben?
Sie täuscht mich, und ist eine Ungetreue!
Eliante. Habt Ihr auch wirklich Grund, um das zu glauben?
Philinte. Vielleicht ist's nur ein Argwohn, und Ihr nehmt
In Eurer Eifersucht Trugbilder für —
Alceste. Zum Henker, Herr, bekümmert Euch um Euch!
(Zu Eliante.) Nur zu gewiß ist ihr Verrath, ich hab' ihn
Von ihrer Hand geschrieben in der Tasche.

Ein Brief, Madame, geschrieben an Oronte,
Enthüllt mein Mißgeschick und ihre Schande;
Oronte, den ich verschmäht von ihr geglaubt,
Den ich als Nebenbuhler nie gefürchtet!

Philinte. Ein Brief kann leicht uns täuschen durch den Schein,
Und ist oft nicht so strafbar, als man denkt.

Alceste. Mein Herr, ich wiederhol's Euch — kümmert Euch
Um Eure eignen Angelegenheiten.

Eliante. Mäßigt doch Eure Aufregung; die Kränkung. —

Alceste. Nur Ihr, Madame, könnt mich beruhigen;
Ihr seid's, bei der mein Herz Zuflucht heut sucht,
Um sich von seinem Kummer zu befrein.
Rächt mich an Eurer undankbaren Muhme,
Die eine treue Liebe so verräth;
Rächt mich an ihr, die Ihr verabscheun müßt.

Eliante. Euch rächen, wie?

Alceste. Wenn Ihr mein Herz empfangt.
Nehmt es, Madame, anstatt der Ungetreuen.
Dadurch nur kann ich Rache an ihr nehmen;
Ich will sie strafen durch aufricht'gen Sinn;
Durch wahrer Liebe ehrfurchtsvolle Glut,
Und durch die treuste Dienstbeflissenheit,
Die Euch jetzt dieses Herz zum Opfer bringt.

Eliante. Glaubt mir, ich theile Euern Schmerz, und weiß
Das Herz, das Ihr mir bietet, wol zu schätzen;
Doch ist vielleicht das Uebel nicht so schlimm,
Als man sich's denkt, und Ihr besinnt Euch noch.
Kommt die Beleidigung von einer Schönen,
So will man Manches thun, und thut doch Nichts.
Mag man auch trift'gen Grund zum Bruche haben,
Die Schuld'ge, die man liebt, ist schuldlos bald.
Der Rachedurst vergeht, und was der Zorn
Des Liebenden zu sagen hat, weiß man.

Alceste. Nein, nein, Madame, die Kränkung ist zu schwer,
Hier ist kein Ausweg, ich muß mit ihr brechen;
Nichts kann den Vorsatz ändern, den ich faßte,
Und strafen würd' ich mich, liebt' ich sie noch!
Dort naht sie. Meine Wuth verdoppelt sich.
Ich will sie über ihre Schändlichkeit

Zur Rede stellen, will sie überführen,
Und dann Euch widmen dieses Herz, ganz frei
Von ihr.

Dritter Auftritt.

Celimene. Alceste.

Alceste (für sich.) O Himmel, wie beherrsch' ich mich?
Celimene (für sich).
O weh! (Zu Alceste.) Warum seid Ihr denn so verwirrt?
Was haben diese Seufzer zu bedeuten,
Und diese Blicke, die Ihr auf mich werft?
Alceste. Daß einer Seele abscheuvollste That
Nicht zu vergleichen ist mit Eurer Falschheit,
Daß nie die Höll' und der erzürnte Himmel
Etwas geschaffen, das so schlecht wie Ihr!
Celimene. Das sind mir ja recht schöne Schmeichelei'n!
Alceste. O, scherzet nicht, die Zeit ist nicht darnach.
Erröthet lieber, Ihr habt Grund dazu,
Denn die Beweise hab' ich Eurer Falschheit.
Das ist's, was meine Seele so bewegt,
Ich habe nicht umsonst davor gezittert;
Mein Argwohn, der so lästig war, half mir
Das Unglück suchen, und mein Auge fand es;
Denn ungeachtet Eurer Kunst zu heucheln,
Weissagte mir mein Stern schon dieses Schicksal.
Vermuthet aber nicht, daß ungerächt
Ich die Beleidigung ertragen werde.
Ich weiß, daß Neigung sich nicht läßt beherrschen,
Daß Liebe ohne Zwang sich will entfalten,
Daß nie ein Herz ward durch Gewalt erobert,
Und daß es frei sich seinen Sieger wählt.
Auch würd' ich keinen Grund zu klagen haben,
Wenn Euer Mund mir nicht geheuchelt hätte;
Und wär' ich gleich im Anfang abgewiesen,
So hätt' ich nur das Schicksal anzuklagen.
Doch scheinbar meine Liebe billigen,
Das ist Verrath, ist eine Hinterlist,
Die nicht genug gezüchtigt werden kann,
Und freien Lauf darf meine Rache nehmen.

Ja, ja, nach solcher Kränkung fürchtet Alles!
Ich kenne mich nicht mehr, so wüthend bin ich.
Seit Ihr den Todesstreich auf mich geführt,
Hat die Vernunft mich ganz und gar verlassen;
Ich thu was ein gerechter Zorn mich heißt,
Und steh' nicht dafür ein, was noch geschieht.

    Celimene. Was bringt Euch denn in eine solche Wuth?
Sagt, habt Ihr alle Urtheilskraft verloren?

    Alceste. Ich habe sie verloren, ja, als ich
Das Gift aus Euerm Anblick sog, das tödtet,
Als ich Aufrichtigkeit zu finden glaubte
In all' den Reizen, die mich so umstrickten.

    Celimene. Doch über was habt Ihr Euch zu beklagen?

    Alceste. Daß Euer Herz so falsch und heuchl'risch ist!
Doch dem ein Ziel zu setzen, hab ich Mittel.
Blickt her, erkennt Ihr Eure Handschrift? Dies
Billet genügt, um Euch zu überführen,
Und dieser Zeuge macht Euch wol verstummen.

    Celimene. Das also ist's, was Euch den Kopf verwirrt?

    Alceste. Ihr seht dies Schreiben, und erröthet nicht?

    Celimene. Aus welchem Grunde sollte ich erröthen?

    Alceste. Was! kommt zu Eurer Heuchelei noch Frechheit?
Verläugnet Ihr's, weil keine Unterschrift?

    Celimene. Was sollt' ich ein Billet von mir verläugnen?

    Alceste. Und sehen könnt Ihr's, ohne über den
Verrath an mir vor Scham gleich zu vergehen?

    Celimene. Ihr seid wahrhaftig doch ein rechter Narr!

    Alceste. Was! diesem schlagenden Beweis trotzt Ihr?
Wie er mir Eure Huld zeigt für Oronte,
Soll's mich nicht kränken, und Euch tief beschämen?

    Celimene. Oronte? Wer sagt Euch, daß der Brief an ihn?

    Alceste. Die Leute, die ihn heut mir übergaben.
Jedoch gesetzt, er sei an einen Andern,
Hab' ich drum wen'ger Grund, Euch anzuklagen?
Seid Ihr drum wen'ger schuldig gegen mich?

    Celimene. Doch wenn an eine Frau ist dies Billet,
In was verletzt es Euch, was ist dran strafbar?

    Alceste. Ah, schön sich ausgeredet und entschuldigt,
Auf diese Wendung war ich nicht gefaßt,

Und muß ich wol mich für besiegt ansehn.
Wagt Ihr's, zu solcher groben List zu greifen?
Und haltet Ihr die Leute für so unklar?
Laßt doch mal sehn, auf welche Art und Weise
Ihr diese Lüge aufrecht halten wollt,
Wie ihr die Worte drehen werdet, die
In dem Billet an eine Frau sein sollen.
Rechtfertigt mir den Treubruch, den ich Euch
Vorlesen will.

Celimene. Es fällt mir gar nicht ein.
Euch solche Herrschaft anzumaßen, und
Mir solche Dinge in's Gesicht zu sagen!

Alceste. Ereifert Euch doch nicht, bemüht Euch nur,
Was hier geschrieben steht, mir zu erklären.

Celimene. Ich denke gar nicht dran, und was Ihr auch
In diesem Falle glaubt, ist mir gleichgiltig.

Alceste. Beweist mir doch nur, ich bin ja zufrieden,
Daß dies Billet an eine Frau sein kann.

Celimene. Nein, es ist an Oronte, Ihr könnt's ja glauben.
Sehr gern empfang' ich seine Huldigungen,
Ich höre gern ihm zu, ich schätze ihn,
Und bin in Allem mit Euch einverstanden.
Entschließt Euch, macht, geht, bleibt, thut was Ihr wollt!
Und macht mir länger nicht den Kopf verdreht.

Alceste (bei Seite). Himmel, ward je Grausameres ersonnen,
Und je ein Herz so arg mißhandelt? Was!
Gerecht ist gegen sie mein Zorn; ich bin's,
Der Grund zu klagen, und mich schilt sie! Meinen
Argwohn und Schmerz treibt sie aufs Aeußerste,
Sie läßt mich Alles glauben, rühmt sich noch,
Und dennoch ist mein Herz zu feige, um
Die Kette, die es fesselt, zu zerbrechen,
Und mit Verachtung sich zu waffnen gegen
Die Undankbare, die es nur zu sehr liebt! (Zu Celimene.)
Ah, wie gut wißt Ihr wieder meine Schwäche
Gegen mich selbst, Treulose, zu benutzen,
Und Euch die Glut verhängnißvoller Liebe,
Die Euer Blick hervorrief, zu erhalten!
Vertheidigt doch die That, die mich vernichtet,

Hört auf, Euch schuldig gegen mich zu stellen.
Macht dies Billet, wenn's möglich, unverdächtig;
Ich bin bereit, entgegen Euch zu kommen.
Bemüht Euch jetzt doch nur, mir treu zu scheinen,
Ich werde mich bemühn, es Euch zu glauben.

Celimene. Geht, Ihr seid närrisch schon vor Eifersucht,
Und nicht verdient Ihr's, daß man Euch noch liebt.
Wol möcht' ich wissen, wer mich zwingen könnte,
Zur Heuchelei mich zu erniedrigen,
Und wenn mein Herz für einen Andern glühte,
Warum ich's nicht aufrichtig sagen sollte?
Wie! das Gelöbniß meiner Zuneigung
Vertheidigt mich nicht gegen Euern Argwohn?
Bei solcher Bürgschaft hat er noch Gewicht?
Heißt seine Stimme hören mich nicht kränken?
Da sich das Herz mit Ueberwindung nur
Entschließt zu dem Geständniß, daß es liebt,
Und unsre Ehre, feindlich stets der Liebe,
Sich heftig widersetzt solchem Geständniß,
Darf ungestraft ein Liebender, für den
Sie Allem trotzt, an unserm Ausspruch zweifeln?
Ist er nicht strafbar, wenn ihm das nicht bürgt,
Was man nach schwerem Kampf ihm nur gesteht?
Geht, meinen Zorn verdient ein solcher Argwohn,
Ihr seid nicht werth, daß man Euch noch beachtet.
Dumm bin ich, und mich ärgert meine Einfalt
Für Euch Anhänglichkeit noch zu bewahren;
Ich sollte mich an einen Andern binden,
Und Grund Euch zu gerechter Klage geben.

Alceste. Verräthrin, meine Schwäche für Euch ist
Unglaublich! Ihr täuscht mich mit süßen Worten,
Doch einerlei, ich folge meinem Schicksal;
Ganz hingegeben bin ich Eurer Trene;
Ich will doch sehn, wie weit Eu'r Herz wird gehn,
Ob es so schändlich ist, mich zu verrathen.

Celimene. Nein, wie man lieben soll, liebt Ihr mich nicht!

Alceste. Ah, Nichts ist meiner Liebe zu vergleichen,
Und in der Glut, wie sie sich offenbart,
Hegt sie sogar oft Wünsche gegen Euch.

Ich wünschte, Keiner fänd' Euch liebenswürdig,
Ihr wäret einem traurigen Geschick
Anheimgegeben, wäret arm geboren,
Ihr hättet weder Rang, Geburt noch Geld,
Damit mein Herz durch Opfer Euch ersetzte,
Was ungerecht das Schicksal Euch versagte,
Und ich die Freude hätte und den Ruhm,
Daß Ihr nur meiner Liebe Alles danktet.

    Celimene. Das heißt auf eigne Art mir wohlthun wollen!
Behüte mich der Himmel, daß Ihr je —
Seht Dubois dort, wie drollig aufgeputzt!

<h3 style="text-align:center">Vierter Auftritt.</h3>

Celimene. Alceste. Dubois.

    Alceste. Was soll der Aufzug, die bestürzte Miene?
Was hast Du?

    Dubois. Herr —

    Alceste. Nun?

    Dubois. 's ist was Wichtiges!

    Alceste. Was ist's?

    Dubois. Herr, unsre Sachen stehen schlimm.

    Alceste. Was?

    Dubois. Soll ich's laut Euch sagen?

    Alceste. Ja, sprich! schnell!

    Dubois. Ist da nicht Jemand?

    Alceste. Halte mich nicht auf!
Sprich endlich!

    Dubois. Herr, wir müssen fort von hier.

    Alceste. Wieso?

    Dubois. Ganz in der Stille von hier abziehn.

    Alceste. Warum?

    Dubois. Ja, ja, wir müssen fort von hier.

    Alceste. Warum?

    Dubois. Und ohne Abschied erst zu nehmen.

    Alceste. Aus welchem Grunde führst Du diese Reden?

    Dubois. Weil wir uns aus dem Staube machen müssen.

    Alceste. Ich schlage Dir den Schädel ein, Du Schlingel,
Wenn Du nicht deutlicher Dich willst erklären!

    Dubois. Ein Mann in schwarzem Rock und Aussehn, Herr,

Kam uns bis in die Küche und ließ uns
Ein Stück Papier, auf solche Art bekritzelt,
Daß es der Teufel selbst nicht lesen könnte.
Euern Proceß betrifft's unzweifelhaft;
Jedoch der Teufel selbst wird nicht draus klug.

Alceste. Nun, dies Papier, was hat es denn zu schaffen
Mit der Abreise, Schuft, von der Du sprichst?

Dubois. Noch wollt ich sagen, Herr, daß bald darauf
Ein Mann sehr eilig Euch zu suchen kam,
Der Euch sonst auch besucht, und als er Euch
Nicht fand, trug er mir heimlich auf — er weiß,
Mit welchem Eifer ich Euch diene — Euch
Zu sagen — Wartet mal, wie heißt er doch?

Alceste. Er heiße wie er will! Was sagt' er Dir?

Dubois. 's ist einer Eurer Freunde, das genügt.
Er sagte, daß es hier gefährlich sei
Für Euch, Ihr könntet eingesteckt noch werden.

Alceste. Ei was, hat er nichts Nähres Dir gesagt?

Dubois. Nein. Tinte und Papier hat er verlangt;
Er schrieb Euch Etwas auf, woraus Ihr wol
Genau erfahren werdet, wie es ist.

Alceste. So gieb denn her!

Celimene. Was kann der Inhalt sein?

Alceste. Mich selbst verlangt, darüber klar zu werden.
Bist Du nun bald so weit, Du Teufelskerl?

Dubois (nachdem er lange nach dem Billet gesucht hat).
Ja, Herr, ich hab's auf Eurem Tisch gelassen.

Alceste. Ich weiß nicht, was mich abhält —

Celimene. Seid nicht heftig,
Und eilt, der Sache auf den Grund kommen.

Alceste. Es scheint, das Schicksal hat sich's vorgenommen
Jedes Gespräch mit Euch mir zu vernichten;
Doch um es zu besiegen, gönnet mir,
Madame, Euch vor heut Abend noch zu sehen.

Fünfter Aufzug.

Erster Auftritt.
Alceste. Philinte.

Alceste. Ich hab' es fest beschlossen, sag ich Euch.
Philinte. Doch wie der Schlag auch sei, muß er Euch
zwingen —
Alceste. Nein, thut und redet was Ihr wollt, ich bin
Von dem, was ich gesagt, nicht abzubringen.
Zu viel Verderbtheit herrscht in unsrer Zeit,
Und ich will mich zurückziehn von den Menschen.
Was! Ehre, Rechtlichkeit, Gesetz und Sitte
Sind all' zusammen wider meinen Gegner;
Ganz offen spricht man überall es aus,
Daß ich das Recht auf meiner Seite habe,
Und doch bin ich enttäuscht durch den Erfolg;
Trotz meinem Recht verlier ich den Proceß!
Ein Schuft, der in dem schlechtsten Rufe steht,
Hat über mich gesiegt durch Lug und Trug,
Das gute Recht weicht seiner Schurkerei!
Mich würgend weiß er Mittel, Recht zu haben!
Durch Ränke aller Art, in denen er
Zu Hause ist, macht Unrecht er zu Recht,
Und ein Verhaftbefehl krönt seinen Frevel!
Noch nicht genug an Dem, was ich erdulde,
Macht ein abscheulich Buch auch noch die Runde,
Das nur zu lesen schon verdammenswerth,
Ein höchst strafbares Buch, von dem der Schuft
So frech ist, mich als Autor anzugeben.
Oronte, der im Geheim mir grollt, versucht
Boshaft die Lüge aufrecht zu erhalten.
Er, der als Ehrenmann am Hofe gilt,
Dem ich nichts that als aufrichtig zu sein,
Der gegen meinen Willen, zudringlich,
Mein Urtheil über seine Verse fordert,
Und weil ich ihn mit Ehrlichkeit behandle,
Nicht ihm zu nahe trete noch der Wahrheit,

Beschuldigt er mich solcher Handlung mit!
Er ist mein größter Gegner jetzt geworden,
Und niemals wird sein Herz es mir verzeihn,
Daß ich nicht gut gefunden sein Sonett!
Zum Henker! Sind die Menschen so geartet?
Verleitet Ehrsucht sie zu solchen Thaten?
Ist das die Treu und Redlichkeit, die Tugend,
Die Ehre, die man unter ihnen findet?
Nein, zu viel Aerger hat man mir gemacht,
Hinweg von hier, aus dieser Mördergrube,
Denn nicht wie Menschen, wie die Wölfe lebt Ihr,
Mich sollt Ihr nie mehr sehen, ihr Verräther!

    Philinte. Ihr seid mit Eurem Vorsatz gar zu schnell;
Das Uebel ist so groß nicht, als Ihr's macht.
Was Euer Gegner wagt Euch anzuhängen,
War nicht darnach, verhaften Euch zu lassen;
Man sieht, nicht stichhaltig sind seine Lügen,
Und kann er dadurch um sein Ansehn kommen.

    Alceste. Er? Solche Streiche schrecken ihn nicht ab!
Er hat Erlaubniß, Bösewicht zu sein;
Und weit entfernt, sein Ansehn einzubüßen,
Wird man ihn morgen fester darin sehn.

    Philinte. Fest steht auch, daß man nicht viel giebt auf die
Gerüchte, die er gegen Euch verbreitet.
Von dieser Seite habt Ihr nichts zu fürchten.
Was den Proceß betrifft, den Ihr beklagt,
So habt Ihr ja das Recht, zu appelliren,
Und gegen dies Urtheil —

    Alceste. Das thu ich nicht.
Wie weh mir auch ein solches Urtheil thut,
Ich werde mich wol hüten, drein zu sprechen;
Es zeigt zu klar das gute Recht mißhandelt,
Und soll's erhalten bleiben für die Nachwelt,
Als unumstößlicher Beweis, als Zeichen,
Wie schlecht die Menschen heut zu Tage sind.
Mag es mir zwanzigtausend Francs auch kosten;
Ich habe für die zwanzigtausend Francs
Das Recht, der menschlichen Natur zu fluchen,
Und einen ew'gen Haß für sie zu nähren!

Philinte. Doch kurz —

Alceste. Doch kurz, Ihr müßt Euch ganz umsonst.
Was könnt Ihr mir hierauf noch sagen, Herr?
Habt Ihr die Dreistigkeit mir noch die Gräu'l,
Die man erlebt, entschuldigen zu wollen?

Philinte. Gar nicht, ich stimme Euch in Allem bei.
Kabale, bloser Eigennuß lenkt Alles;
Die Schlauheit nur kommt heut zu Tage vorwärts,
Und besser müßt' es um die Menschen stehn.
Doch ist's ein Grund, weil sie leichtfertig sind,
Von ihrem Umgang sich zurückzuziehn?
Die menschlichen Gebrechen geben uns
Gelegenheit zur Uebung in der Weisheit;
Hier kann die Tugend sich am schönsten zeigen.
Wär' Biederkeit bei Jedermann zu finden,
Und jedes Herz aufrichtig und gerecht,
Dann wäre manche Tugend überflüssig,
Die uns befähigt, ohne Ungeduld
Zu tragen Andrer Ungerechtigkeit,
Und, wie ein wahrhaft tugendhaftes Herz —

Alceste. Ich weiß, mein Herr, daß Ihr zu sprechen wißt,
An schönen Redensarten fehlt's Euch nie;
Jedoch umsonst verliert Ihr Eure Worte.
Die Klugheit fordert, mich zurückzuziehen.
Ich kann die Zunge nicht genug beherrschen,
Nicht dafür stehn, was ich noch sagen würde,
Und was ich Alles auf den Hals mir zöge.
Laßt ruhig mich auf Celimene warten,
Sie muß die Absicht bill'gen, die mich herführt;
Ich will doch sehn, ob mir ihr Herz gehört,
Und dies ist der Moment, mir's zu beweisen.

Philinte. Laßt uns bei Elianten sie erwarten.

Alceste. Nein, zu bekümmert ist mein Herz; geht Ihr
Nur hin, mich laßt in diesem dunkeln Winkel
Mit meinem Lebensüberdruß allein.

Philinte. Solche Gesellschaft lädt nicht ein zum Warten;
Ich gehe, Elianten herzuholen.

Zweiter Auftritt.

Celimene. Oronte. Alceste.

Oronte. Ja, prüft Euch nun, ob durch der Ehe Band
Ihr Euch mit mir verbinden wollt, Madame.
Ich muß versichert Eures Herzens sein;
Ein Liebender hat hierin gern Gewißheit.
Wenn meiner Liebe Glut Euch rühren konnte,
So haltet nicht zurück, es mir zu zeigen!
Und als Beweis verlang' ich nur von Euch,
Alcestens Werbung nicht mehr anzunehmen,
Kurz, ihn aus Eurer Nähe zu verbannen.

Celimene. Was aber bringt Euch gegen ihn so auf,
Euch, den ich sein Verdienst sonst rühmen hörte?

Oronte. Es handelt sich nicht um Erklärungen,
Madame, um Eure Neigung handelt sich's.
Wählt nun, den Ihr von uns behalten wollt.
Ich warte nur, was Ihr beschließen werdet.

Alceste (aus seinem Winkel hervorkommend).
Der Herr hat Recht, Madame, gewählt muß werden,
Und seinem Wunsche stimmt der meine bei.
Die gleiche Glut und Sorge treibt mich her,
Auch ich will den Beweis von Eurer Liebe.
Die Dinge sind nicht länger hinzuziehn,
Und dies ist der Moment, Euch zu erklären.

Oronte. Ich werde Euer Liebesglück, mein Herr,
Niemals durch eine läst'ge Liebe stören.

Alceste. Und ich, ob eifersüchtig oder nicht,
Mein Herr, ich will ihr Herz mit Euch nie theilen.

Oronte. Wenn Eure Liebe sie vorzieht der meinen —

Alceste. Wenn sie der kleinsten Neigung für Euch fähig —

Oronte. So schwör' ich, abzustehn von meiner Werbung

Alceste. So schwör' ich heilig, nie sie mehr zu sehn.

Oronte. Madame, an Euch ist's, ohne Zwang zu sprechen

Alceste. Madame, Ihr könnt Euch ohne Furcht erklären

Oronte. Ihr dürft nur sagen, wem Ihr zugethan.

Alceste. Ihr dürft Euch nur entscheiden, wen Ihr wählt

Oronte. Wie! eine solche Wahl macht Euch verlegen?

Alceste. Wie! Eure Seele schwankt, ist ungewiß?

Celimene. Mein Gott, wie unschicklich ist dieses Drängen!
Wie unverständig zeigt Ihr beide Euch!
Ich weiß, wem ich den Vorzug geben würde,
Und sicher ist es nicht mein Herz, das schwankt.
Es ist in keinem Zweifel über Euch,
Und wäre nichts so leicht mir als zu wählen.
Doch ist mir's, aufrichtig gesagt, zu peinlich,
Ein derart'ges Geständniß auszusprechen.
Ich meine, daß man Worte, die verletzen,
Nicht ins Gesicht den Leuten sagen sollte.
Ein Herz giebt seine Neigung zu erkennen,
Auch ohne daß man offen sie erklärt;
Und rücksichtsvoll giebt einem Liebenden
Man zu verstehn, daß er vergeblich schmachtet.

Oronte. Nein, nein, ein offnes Wort verletzt mich nicht,
Mir ist es recht.

Alceste. Und ich verlange es.
Die Offenheit ist's grade, die ich fordre,
Und will ich, daß Ihr auf Nichts Rücksicht nehmt.
Zu schonen alle Welt ist Euer Streben;
Doch keine Ungewißheit mehr, kein Zögern,
Wenn Ihr nicht rundheraus Euch jetzt erklärt,
So nehm ich Eure Weig'rung für ein Urtheil;
Ich, meinerseits, verstände dieses Schweigen,
Und hielte für gesagt was ich mir denke.

Oronte. Ich weiß Euch Dank, mein Herr, für diesen Zorn,
Und wiederhol' ich ihr, was Ihr gesagt.

Celimene. Wie quält Ihr mich durch solchen Eigensinn!
Habt Ihr ein Recht zu Eurer Forderung?
Hab' ich Euch nicht gesagt, was mich zurückhält?
Eliante kommt, sie soll den Ausschlag geben.

Dritter Auftritt.

Eliante. Philinte. Celimene. Oronte. Alceste.

Celimene. Ich seh' mich, Muhme, hier verfolgt durch Männer,
Die sich verabredet zu haben scheinen,
Sie fordern beide mit derselben Hitze,
Daß ich den nenne, den mein Herz sich wählt,
Durch einen Ausspruch, offen ins Gesicht,

Einem von ihnen alle Hoffnung nehme.
Sagt mir, ob je so was schon dagewesen?

Eliante. Mich ziehet hierbei lieber nicht zu Rathe,
Ihr kämt am Ende übel dabei weg.
Ich bin für die, die sprechen wie sie denken.

Oronte. Umsonst, Madame, sucht Ihr uns auszuweichen.

Alceste. Umschweife sind hier nicht mehr angebracht.

Oronte. Hier muß gesprochen und entschieden werden.

Alceste. Fahrt nur so fort, Stillschweigen zu bewahren.

Oronte. Ein Wort nur, und zu Ende ist der Streit.

Alceste. Ich weiß woran ich bin, wenn Ihr nicht sprecht.

Bierter Auftritt.

Arsinoé. Celimene. Eliante. Alceste. Philinte. Acaste. Clitandre.
Oronte.

Acaste (zu Celimene).
Erlaubt, Madame, wir kommen, um mit Euch
Hier aufzuklären eine kleine Sache.

Clitandre (zu Oronte und Alceste).
Gut trifft sich's, meine Herrn, Euch hier zu finden,
Denn Ihr seid auch betheiligt in der Sache.

Arsinoé (zu Celimene). Ihr werdet überrascht sein, mich zu sehn,
Madame, doch diese Herrn sind Schuld daran.
Sie kamen, über einen Fall bei mir
Sich zu beklagen, der unglaublich ist.
Ich achte Euch im Grunde viel zu hoch,
Um solcher That für fähig Euch zu halten.
Mein Auge strafte die Beweise Lüge.
Und da die Freundschaft nicht nachtragend ist,
So bin ich ihnen gern gefolgt, zu sehn,
Wie Ihr von der Verleumdung Euch rein wascht.

Acaste. Ja, sehen wir gelassen zu, Madame,
Wie Ihr vermögt Euch hier heraus zu winden.
Von Euch ist dieser Brief hier an Clitandre.

Clitandre. Dies Liebesbriefchen schriebt Ihr an Acaste.

Acaste (zu Oronte und Alceste).
Ihr, meine Herrn, kennt diese Züge wol,
Denn viel zu artig ist sie, um Euch nicht
Mit ihrer Hand bekannt gemacht zu haben.

Doch dies zu lesen ist der Mühe werth.

„Ihr seid ein sonderbarer Mensch, daß Ihr meine Fröhlichkeit verdammt, und mir vorwerft, ich sei nie so vergnügt, als wenn ich nicht bei Euch wäre. Nichts ist ungerechter, und wenn Ihr nicht schleunigst kommt, mir diese Beschuldigung abzubitten, so werde ich sie Euch mein Lebelang nicht vergeben. Der lange schlaffe Mensch, der Vicomte —"

Wäre er doch hier!

„Der lange schlaffe Mensch, der Vicomte, mit dem Ihr Euer Klagelied anfangt, ist ein Mensch, aus dem ich mir gar nichts mache; seitdem ich sah, wie er dreiviertel Stunden lang in einen Brunnen spuckte, um das Wasser zu bewegen, habe ich nie eine gute Meinung von ihm fassen können. Was den schwächlichen Marquis betrifft —"

Das bin ich, meine Herren, ohne alle Eitelkeit.

„Was den schwächlichen Marquis betrifft, der mir gestern immer die Hand drückte, so finde ich, daß es nichts so Winziges gibt als seine Persönlichkeit, sein ganzes Verdienst besteht in Mantel und Degen. Was den Mann mit den grünen Bandschleifen betrifft —"

(Zu Alceste.) Jetzt kommt Ihr an die Reihe, mein Herr!

„Was den Mann mit den grünen Bandschleifen betrifft, so macht er mir zuweilen Spaß durch sein auffahrendes Wesen und seine Zanksucht; die meiste Zeit aber ist er der lästigste Mensch von der Welt. Und was den Sonettmacher betrifft —"

(Zu Oronte.) Jetzt kriegt Ihr Euer Theil!

„Und was den Sonettmacher betrifft, der sich auf die Schöngeisterei geworfen hat und aller Welt zum Trotz ein Dichter sein will, so gebe ich mir gar nicht die Mühe auf Das zu hören, was er sagt, und seine Prosa ist mir so langweilig wie sein Vers. Stellt Euch also vor, daß ich mich nicht immer so gut unterhalte als Ihr meint; daß ich an all' den Gesellschaften, in die man mich zieht, mehr auszusetzen finde, als ich wünschte, und daß die beste Würze der Vergnügungen, die man genießt, die Gegenwart der Leute ist, die man liebt."

Clitandre. Jetzt komme ich heran.

„Euer Clitandre, von dem Ihr mir sprecht, der immer
den Süßlichen macht, ist der Letzte von Allen, für den ich
Freundschaft hätte. Er ist so thöricht, sich einzureden, daß
man ihn liebt, und Ihr seid es, zu glauben, daß man
Euch nicht liebt. Seid so vernünftig, Eure Gesinnung
gegen die seinige auszutauschen, und besucht mich so oft
Ihr könnt, um mir den Verdruß über seine Belagerungen
tragen zu helfen."
Da sieht man ja ein Muster von Charakter,
Madame, und Ihr wißt wol, wie man dies nennt.
Genug. Wir beide gehen jetzt, der Welt
Zu zeigen Eures Herzens schönes Bild.

Acaste. Ich könnte Euch noch viel hierüber sagen,
Jedoch ich halt' Euch meines Zorns nicht werth.
Ihr sollt bald sehn, daß schwächliche Marquis
Zu ihrem Troste edle Herzen haben.

Fünfter Auftritt.
Celimene. Eliante. Arsinoé. Alceste. Oronte. Philinte.

Oronte. Auf diese Weise seh ich mich geschmäht,
Nach Dem, was Ihr an mich geschrieben habt!
Und Euer Herz, das so schön Liebe heuchelt,
Verspricht sich einem Manne nach' dem andern!
Ich war ein Thor, ich will es nicht mehr sein.
Ein Glück, daß Ihr mich Euch erkennen laßt;
Ein Herz, das so Ihr mir zurückgebt ist
Gewinn, und Eu'r Verlust ist meine Rache.
(Zu Alceste.) Mein Herr, ich stehe Euch nicht mehr im Wege,
Ihr könnt Euch mit Madame zusammenthun.

Sechster Auftritt.
Celimene. Eliante. Arsinoé. Alceste. Philinte.

Arsinoé (zu Celimene).
Die schwärz'ste Handlung von der Welt ist dies.
Ich kann dazu nicht schweigen, bin empört!
Kam ein Benehmen je dem Euren gleich?
Wie's allen Andern geht, ist mir gleichgiltig;
(Auf Alceste deutend.) Doch der Herr, der Euch glücklich machen
wollte,

Ein Mann wie er, von Ehre und Verdienst,
Und der abgöttisch Euch verehrte, mußte
Auch r —

Alceste. Ich bitte Euch, Madame, laßt selbst
Mich meine Angelegenheiten abthun,
Und macht Euch keine überflüff'gen Sorgen.
Wie sehr Ihr auch Partei hier für mich nehmt,
Mein Herz ist nicht im Staube Euch zu lohnen;
Und Ihr seid's nicht, an die ich denken würde,
Rächt' ich mich je durch eine andre Wahl.

Arsinoé. Ei, glaubt Ihr, Herr, daß man an so was dächte,
Und Euch zu haben, so begierig sei?
Ich find', Ihr habt nicht wenig Eitelkeit,
Wenn Ihr mit diesem Glauben Euch könnt schmeicheln.
Was die Madame wegwirft, ist eine Waare,
Für die man nicht kann eingenommen sein.
Seht Euern Irrthum ein, seid nicht so eitel,
Leute wie ich, die könnt Ihr nicht gebrauchen.
Ihr werdet wohl thun noch für sie zu seufzen,
Und brenn' ich diesen schönen Bund zu sehn.

Siebenter Auftritt.

Celimene. Eliante. Alceste. Philinte.

Alceste (zu Celimene).
Wolan, ich schwieg, trotz Allem, was ich sah,
Und habe Jedem erst das Wort gelassen.
Heißt das noch nicht sich selbst beherrschen können?
Und darf ich jetzt —

Celimene. Ja, Ihr dürft Alles sagen;
Ihr seid im Rechte, wenn Ihr Euch beklagt,
Und mir wer weiß wie viel Vorwürfe macht.
Ich habe Unrecht, ja, — doch such ich nicht
Durch irgend eine Ausflucht Euch zu täuschen.
Den Zorn der Andern nahm ich ruhig hin;
Doch gegen Euch bekenn' ich mich für schuldig.
Ihr seid im vollen Recht, erzürnt zu sein;
Ich weiß, wie strafbar Ihr mich halten müßt,
Daß Alles scheint, als hab' ich Euch verrathen,
Kurz, daß Ihr allen Grund habt, mich zu hassen.

So thut es denn.

Alceste. Kann ich's, Verrätherin?
Kann ich Herr werden über meine Liebe?
Und wenn ich Euch auch glühend hassen wollte,
Wär wol mein Herz bereit, mir zu gehorchen?

                    (Zu Eliante und Philinte.)

Ihr seht, wohin unwürd'ge Liebe führt,
Und mach' ich Euch zu Zeugen meiner Schwäche.
Doch wahr zu sprechen, das ist noch nicht Alles,
Ihr werdet sehn, wie ich noch weiter gehe,
Wie sehr mit Unrecht man uns weise nennt,
Und wie wir immer Menschen sind und bleiben. (Zu Celimene.)
Ich will vergessen, Falsche, was Ihr thatet,
Will Eure Frevel zu entschuld'gen suchen,
Und sie als eine Schwäche von Euch ansehn,
Zu der Verderbniß unsrer Zeit Euch trieb,
Wenn Ihr vermöchtet einzugehn auf den
Entschluß, den ich gefaßt, zu fliehn die Menschen,
Und Euch entschlößt, mir in die Einsamkeit,
In der ich fortan leben will, zu folgen.
Das ist's allein, wodurch Ihr bei der Welt
Das Ueble Eurer Briefe könnt gut machen,
Und nach dem Aufsehn, das ein edles Herz
Verabscheut, ich Euch ferner lieben kann.

Celimene. Ich auf die Welt verzichten, eh' ich alt're,
Und mich in Eure Einsamkeit begraben?

Alceste. Ei nun, wenn Ihr erwidert meine Liebe,
Was kann Euch an der Welt gelegen sein?
Befried'ge ich nicht alle Eure Wünsche?

Celimene. Die Einsamkeit erschreckt mit zwanzig Jahren.
Ich fühle mich nicht groß, nicht stark genug,
Um einen derart'gen Entschluß zu fassen.
Wenn ich durch meine Hand Euch kann beglücken,
So könnt' ich mich zu solchem Bund entschließen,
Und Hymen —

Alceste. Nein, mein Herz verabscheut jetzt Euch,
Denn diese Weig'rung schmerzt mich mehr als Alles.
Da Ihr in solchem süßen Bund in mir
Nicht Alles finden könnt, wie ich in Euch,

So geht, ich mag Euch nicht, und diese Kränkung
Befreit für immer mich aus Euern Banden.

Achter Auftritt.
Eliante. Alceste. Philinte.

Alceste (zu Eliante). Euch schmücken hohe Tugenden, Madame,
Und sah ich nur Aufrichtigkeit in Euch;
Seit lange schon halt' ich Euch hoch in Ehren;
Doch laßt mich immer ebenso Euch schätzen,
Und zürnt nicht, daß mein Herz in diesem Aufruhr
Sich nicht von Eurer Liebe fesseln läßt.
Unwürdig fühl' ich mich und sehe ein,
Daß ich für solchen Bund nicht war geschaffen,
Daß zu gering die Huld'gung für Euch wäre,
Die ein verschmähtes Herz Euch bieten kann,
Kurz daß —

Eliante. An den Gedanken haltet Euch;
Ich bin um einen Mann gar nicht verlegen,
Denn Euer Freund hier würde ohne Säumen,
Wenn ich es wollte, meine Hand annehmen.

Philinte. Ach, diese Ehre ist mein höchster Wunsch,
Für den ich Blut und Leben opfern würde.

Alceste. O könntet Ihr zu Eurem Glück Euch die
Gesinnung für einander stets bewahren!
Verrathen und getäuscht will ich entfliehn
Dem Abgrund, wo das Laster triumphirt,
Und mir ein Plätzchen suchen auf der Welt,
Wo man mit Freiheit Ehrenmann kann sein.

Philinte. Auf, auf, Madame, laßt Alles uns versuchen,
Um ihn von seinem Vorsatz abzubringen.

Ende.

Miniaturausgaben
in eleganten und soliden Ganzleinenbänden.

	Sgr.		Sgr.
Andersen, Bilderbuch o. Bilder.	6	Jean Paul, Flegeljahre.	12
Archenholz, Geschichte des sie=		—, Quintus Firlein.	8
benjährigen Krieges.	12	—, Hesperus. 2 Leinenbände.	20
Blumauer, Aeneis.	8	—, Dr. Katzenbergers Badreise.	8
Börne, Skizzen u. Erzählungen.	10	—, Der Komet.	12
Bürger, Gedichte.	10	—, Levana.	10
—, Münchhausens Reisen und		—, Siebenkäs.	12
Abenteuer.	6	Jerrold, Frau Kaudels Gardinen=	
Burns' Lieder und Balladen.	8	predigten.	8
Busch, Gedichte.	6	Immermann, Die Epigonen.	15
Chamisso, Gedichte.	12	—, Münchhausen.	20
—, Peter Schlemihl.	6	—, Tulifäntchen.	6
Gaudy, Aus dem Tagebuche eines		Kleist, E. Chr. v., sämmtl. Werke.	6
wandernden Schneidergesellen.	6	Körner, Leyer und Schwert.	6
Geijer, Gedichte.	6	Kortum, Die Jobsiade.	10
Gellert, Fabeln u. Erzählungen.	8	Kosegarten, Jucunde.	6
Goethe, Gedichte. Goldschnitt.	12	Lavater, Worte des Herzens.	6
—, Faust. 2 Theile in 1 Band.	8	Lessing, Dramatische Meisterwerke.	
—, — Mit Goldschnitt.	10	(Nathan der Weise. Emilia	
—, Hermann und Dorothea.	6	Galotti. Minna v. Barnhelm.)	8
—, Dramatische Meisterwerke.		Longfellow, Evangeline.	6
(Götz v. Berlichingen. Egmont.		—, Gedichte.	8
Iphigenie auf Tauris. Tor=		—, Hiawatha.	9
quato Tasso.)	10	Matthisson, Gedichte.	6
—, Reinele Fuchs.	6	Mendelssohn, Phädon.	6
—, Werthers Leiden.	6	Ovid, Verwandlungen.	8
Goldsmith, Landprediger von		Platen, Gedichte.	8
Wakefield.	8	Puschkin, Der Gefangene im	
Gottschall, Rose vom Kaukasus.	6	Kaukasus.	6
Hauff, Lichtenstein.	10	St. Pierre, Paul und Virginie.	6
—, Der Mann im Monde.	8	Salis, Gedichte	6
—, Märchen.	10	Schenkendorf, Gedichte.	10
—, Memoiren des Satan.	10	Schiller, Gedichte.	6
—, Phantasien im Bremer Raths=		—, — Mit Goldschnitt.	10
keller.	6	—, Don Carlos.	6
Hebel, Allemannische Gedichte.	6	—, Tell.	6
—, Schatzkästlein.	8	—, Wallenstein.	8
Herder, Der Cid.	6	Schulze, Die bezauberte Rose.	6
Hermannsthal, Ghaselen.	6	Seume, Spaziergang n. Syrakus.	10
Herz, König René's Tochter.	6	Silberstein, Trutz=Nachtigal.	6
Hoffmann, Elixire des Teufels.	10	Sterne, Empfindsame Reise.	6
—, Kater Murr.	12	Tiedge, Urania.	6
—, Klein Zaches.	6	Voß, Luise.	6
Homers Werke. (Ilias. Odyssee.)		Wieland, Abderiten.	10
Von Voß.	15	—, Oberon.	8

Die Gezierten.

Lustspiel in einem Aufzuge

von

Molière.

Uebersetzt von

Auguste Cornelius.

Leipzig,

Druck und Verlag von Philipp Reclam jun.

Perſonen.

La Grange,
Du Croiſy, } abgewieſene Bewerber.

Gorgibus, ein Bürger.

Madelon, ſeine Tochter. } Gezierte.
Cathos, ſeine Nichte.

Marotte, deren Dienerin.

Almanzor, deren Lakai.

Der Marquis von Maſcarill, Diener von La Grange.

Der Vicomte von Jodelet, Diener von Du Croiſy.

Zwei Sänftenträger.

Nachbarinnen.

Muſikanten.

Erster Auftritt.

La Grange. Du Croisy.

Du Croisy. Mein Herr La Grange!

La Grange. Was?

Du Croisy. Seht mich einmal an, ohne zu lachen!

La Grange. Nun?

Du Croisy. Was sagt Ihr zu unserm Besuch? Seid Ihr sehr zufrieden damit?

La Grange. Mir scheint, wir haben Beide nicht eben Ursache dazu.

Du Croisy. Das scheint mir auch.

La Grange. Ich meines Theils bin ganz empört! Sah man je sich zwei Landgänschen spröder geberden als diese beiden? Wurden je zwei Männer mit größerer Verachtung behandelt als wir? Kaum ließ man sich herbei, uns Stühle anzubieten. Nie sah man sich so viel in die Ohren flüstern, wie diese, so viel gähnen, sich die Augen reiben, und sagen: Wie viel Uhr ist es? Hatten sie auf Alles, was wir ihnen sagten, wol je eine andere Antwort, als Ja oder Nein? Wären wir die geringsten aller Männer gewesen, man hätte uns nicht abscheulicher behandeln können!

Du Croisy. Es scheint, Ihr nehmt die Sache sehr zu Herzen.

La Grange. So sehr, daß ich mich rächen will für diese Ungezogenheit. Ich weiß recht gut, warum sie uns verachten. Dies lächerlich gezierte Wesen ist nicht nur in Paris, sondern auch in den Provinzen gang und gäbe, und unsre beiden Jüngferchen sind ganz gehörig davon angesteckt. Mit einem Wort, ihr Wesen ist ein Gemisch von Geziertheit und Gefallsucht, und ich weiß sehr wohl, wie man beschaffen sein muß, um bei ihnen zu reüssiren. Wenn Ihr einwilligt, werden wir ihnen einen Streich spielen, der ihnen die Augen

über ihre Geziertheit öffnen, und sie lehren soll, Leute unseres Schlages etwas besser zu würdigen, als dies geschehen.

Du Croisy. Was meint Ihr?

La Grange. Mein Diener, Mascarill, gilt bei Vielen für
eine Art Schöngeist. Man kommt ja heut zu Tage sehr
leicht zu diesem Ruf. Er ist ein Narr, der sich in den
Kopf gesetzt hat, den Gebildeten zu spielen, und sich nicht
wenig auf seine Verse und galanten Manieren einbildet.
Er verachtet alle andern Bedienten, die er grobe, unge-
schliffene Subjecte nennt.

Du Croisy. Ganz wol. Was habt Ihr mit ihm vor?

La Grange. Er soll ... doch kommt erst fort von hier.

Zweiter Auftritt.

Gorgibus. La Grange. Du Croisy.

Gorgibus. Nun, Ihr war't bei meiner Tochter und Nichte?
Wie seid Ihr zufrieden mit dem Resultat Eures Besuchs?

La Grange. Das werdet Ihr am besten von ihnen selber
erfahren. Alles was wir Euch sagen können, ist, daß wir
Euch für die uns erzeigte Gunst auf's verbindlichste danken
und Eure gehorsamen Diener sind.

Du Croisy. Eure ganz gehorsamen Diener.

Gorgibus (allein). Hm — die scheinen mir nicht sehr befriedigt von hinnen zu gehn. Was mag wol die Ursach
ihrer Unzufriedenheit sein? Ich werde gleich erfahren, wi
die Sachen stehen. Holla!

Dritter Auftritt.

Gorgibus. Marotte.

Marotte. Was wünscht der Herr?

Gorgibus. Wo sind Deine Herrinnen?

Marotte. In ihrem Cabinet.

Gorgibus. Was machen sie da?

Marotte. Lippenpomade.

Gorgibus. Immer Pomade! Ruf' sie herunter.

Vierter Auftritt.
Gorgibus (allein).

Lippenpomade! Ich glaube die verwünschten Mädel haben's darauf abgesehen, mich zu ruiniren. Ueberall sehe ich nur Eiweiß, Jungfernmilch und Gott weiß was alles für Ingredenzien, die ich nicht kenne. Sie haben, seitdem wir hier sind, den Speck von wenigstens einem Dutzend Schweinen consumirt; und von den Hammelfüßen, die sie gebraucht haben, könnte ich alle Tage vier Bediente ernähren.

Fünfter Auftritt.
Madelon. Cathos. Gorgibus.

Gorgibus. Lohnt sich's wol der Mühe, so viel Zeit und Geld zu verschwenden, um Euch den Schnabel zu schmieren? Sagt mir doch: Was habt Ihr mit den Herren angefangen, die so beleidigt von hier fortgingen? Hatte ich Euch nicht befohlen, sie wie Männer zu empfangen, die Eure Ehemänner werden sollten?

Madelon. Welch ziemlicheres Benehmen sollten wir wol gegen Männer beobachten, die sich selber so unziemlich benahmen, mein Vater?

Cathos. Lag es wol in der Möglichkeit, daß ein nur einigermaßen gebildetes Mädchen sich mit dem Benehmen dieser Herren befreunden konnte, lieber Onkel?

Gorgibus. Aber was habt Ihr denn an ihnen auszusetzen?

Madelon. Das ist eine schöne Galanterie, die gleich mit der Thüre in's Haus fällt, die gleich zu Anfang von Heirath spricht!

Gorgibus. Aber womit in aller Welt soll sie denn debutiren, etwa mit dem Concubinat? Ich denke diese Procedur verdient unser Aller volles Lob. Kann man verbindlicher und rücksichtsvoller sein? Giebt es wol ein besseres Zeugniß für die Ehrenhaftigkeit ihrer Absichten, als das heilige Band, wonach sie streben?

Madelon. O Himmel, wie spießbürgerlich Ihr die Dinge betrachtet, mein Vater! Ich schäme mich fast, Euch so reden zu hören. Ihr solltet Euch bemühen die Sachen von einer etwas poetischeren Seite anzusehen.

Gorgibus. Was hat die Poesie mit der Heirath zu schaffen. Ich sage Dir: Die Ehe ist eine heilige Sache, und der Mann, der damit beginnt, ist ein Ehrenmann.

Madelon. Mein Gott! Wenn Jeder dächte wie Ihr, wie bald wäre dann ein Roman zu Ende! Das wäre eine schöne Geschichte gewesen, wenn Cyrus sich auf der Stelle mit Mandane und Arons sich ohne Weiteres mit Clelia vermählt haben würde!

Gorgibus. Was schwatzt die mir da?

Madelon. Hier, meine Cousine wird mir's bezeugen, daß eine Heirath nur erst nach einer ganzen Reihe von Abenteuern folgen darf. Ein Liebhaber muß es verstehen, seine schönen Gefühle in schöne Worte zu kleiden; er muß je nach den Umständen, sanft, gefühlvoll und stürmisch leidenschaftlich sein, und seine Werbung darf die schönen Formen nie verletzen. Er muß zuerst die Dame seines Herzens in einem Tempel, auf der Promenade oder bei irgend einer öffentlichen Festlichkeit erblicken, oder sein Verhängniß ihn in Gestalt eines Freundes oder Verwandten in ihre Nähe führen. In schwermüthige Träumerei versenkt wird man ihn von ihr scheiden sehen. Er wird dem Gegenstand seiner Anbetung eine Zeit lang seine Leidenschaft verbergen, ihm jedoch wiederholte Besuche abstatten, bei welchen er dann niemals versäumt, eine oder die andere Frage auf's Tapet zu bringen, welche die Geister der Anwesenden beschäftigt. Endlich erscheint der Tag der Erklärung, die in der Regel in der Allee eines Gartens, während die übrige Gesellschaft sich etwas entfernt hat, statt findet. Der Erklärung folgt ein augenblicklicher Zorn, der sich in unserm plötzlichen Erröthen kund giebt, das für eine Zeit lang den Geliebten aus unserer Nähe verbannt. Bald jedoch gelingt es ihm,

uns zu beruhigen; allmählich gewöhnen wir uns an die
Sprache der Leidenschaft, und jenes süße Geständniß, das
uns so schwer fällt, wird uns entlockt. Nun kommen die
Abenteuer, die Nebenbuhler, die das Glück der Liebe zu
stören suchen, die Väter mit ihren Verfolgungen, die durch
Mißverständnisse entstandene Eifersucht, die Klagen und
Verzweiflung, Aufklärung, Versöhnung und schließliche Ent=
führung. Das ist, vom Standpunkt der Poesie aus be=
trachtet, der Verlauf, welchen nach den Regeln ächter Ga=
lanterie die Dinge nehmen müssen. Aber mit der Thüre
ins Haus zu fallen, mit dem Ende der Liebes=Idylle, dem
prosaischen Heirathscontract zu beginnen, ist denn doch
ein wenig gar zu kaufmännisch, mein Vater, und schon
die blose Vorstellung erregt mir Uebelkeit.

Gorgibus. Was für Kauderwelsch sprichst Du mir da?
Zum Teufel mit den hochtrabenden Redensarten!

Cathos. In der That, sie trifft den Nagel auf den Kopf,
mein lieber Oheim. Wie kann man Leute gut aufnehmen,
die von der wahren Galanterie auch nicht den entferntesten
Begriff haben? Ich möchte darauf schwören, daß sie nie=
mals die Karte des Reiches der Liebe studirt haben, und
folglich nicht wissen, daß man, um in die Stadt der Zärt=
lichkeit zu gelangen, zuerst die Dörfer „Liebesbriefchen"
„Zarte=Aufmerksamkeiten", „Niedliche=Verse," u. s. w. pas=
siren muß. Saht Ihr denn nicht, daß ihre ganze Persön=
lichkeit jenes gewisse Etwas entbehrt, das schon beim ersten
Anblick für sie einnimmt? Mit einfachen Strümpfen,
einem Hut ohne Federn, natürlichem Haar und einem
Rock zu kommen, der an einer vollständigen Abwesenheit
von Bänderzierrath krankt — O was für eine Sorte Freier
ist das! Welche Frugalität der Kleidung, welche Dürre in
der Unterhaltung! Nein, es ist nicht auszuhalten! Ich
habe außerdem bemerkt, daß ihre Kragen nicht von der
Hand der ersten Nähterin genäht, und daß ihre Beinkleider
zu eng waren.

Gorgibus. Ich glaube, die Mädel sind Beide toll, denn ich verstehe kein Wort von ihrem Geplapper. Höre, Cathos, und du, Madelon —

Madelon. Um's Himmels Willen, Vater! gewöhnt es Euch doch endlich ab uns mit den sonderbaren Namen zu benennen.

Gorgibus. Wie so denn, sonderbar? Sind es nicht Eure Taufnamen?

Madelon. O Himmel, wie gemein seid Ihr! Mich wundert Nichts so sehr, als daß Ihr einer so geistreichen Tochter das Leben gabt. Der schöne Styl weiß nichts von einer Cathos oder einer Madelon; einer dieser Namen genügte, um den besten Roman um seinen guten Ruf zu bringen.

Cathos. Wahr ist es, lieber Oheim, ein fein gebildetes Ohr erträgt nicht ohne Schauder den Klang dieser Namen. Wie anders klingt dagegen: Polyxena, der Name, den meine Cousine wählte, oder Amynta, wie ich mich nenne. Den Wohllaut dieser Namen könnt Ihr gewiß nicht läugnen, Oheim.

Gorgibus. Hört nun mein letztes Wort: Ich will's nicht haben, daß Ihr Euch andre Namen gebt als die Eurer Pathen und Pathinnen; und was die Herren betrifft, die sich Euch vorstellten, so kenne ich ihre Familie und ihr Vermögen, und verlange entschieden, daß Ihr sie als Eure künftigen Ehemänner betrachtet. Ich bin es müde, Euch auf dem Hals zu behalten, denn es ist kein Spaß für einen Mann in meinem Alter, zwei junge Mädchen zu hüten.

Cathos. Was mich betrifft lieber Oheim, so gestehe ich offen, daß ich das, was man Ehe nennt, sehr unanständig finde. Wie kann man neben einem Mann im Bette liegen, der nicht angezogen ist?

Madelon. Gestattet uns, in der schönen Welt von Paris erst ein wenig Athem zu schöpfen; wir sind ja eben erst angekommen. Laßt uns mit Muße an dem Gewebe unseres

Romane spinnen, und bringt nicht gar zu sehr auf den
Schluß.

Gorgibus (bei Seite). Sie sind übergeschnappt, es ist klar.
(Laut.) Hört, Ihr Mädchen, ich verstehe nichts von Euren
Faseleien, und um diesen ein für alle Mal ein Ende zu
machen, sage ich Euch: Ich bin hier der Herr. Entweder
Ihr entschließt Euch zur Heirath, und zwar in der aller=
kürzesten Frist, oder Ihr geht alle Beide in's Kloster.
Verstanden?

Sechster Auftritt.
Cathos. Madelon.

Cathos. O Liebe, wie tief steckt Dein Vater noch in der
Materie! Wie vernagelt ist diese Intelligenz! O, in welche
dichte Finsterniß ist diese Seele gehüllt!

Madelon. O meine Theure! Ich schäme mich in seiner
Seele, und kann es oft gar nicht glauben, daß ich in
Wahrheit seine Tochter bin. Ich hoffe immer auf den
Tag der Entdeckung irgend eines interessanten Geheim=
nisses, welches mich über meine hohe Geburt aufklärt.

Cathos. Es hat allerdings den Anschein, daß diese Hoff=
nungen sich dereinst realisiren werden, und ich empfinde
Gleiches, denn wenn ich mich betrachte —

Siebenter Auftritt.
Cathos. Madelon. Marotte.

Marotte. Ein Lakai frägt an, ob Ihr zu Hause seid;
sein Herr wolle Euch seine Aufwartung machen.

Madelon. So lerne doch endlich Dich beim Anmelden
etwas weniger gemein auszudrücken, Du einfältiges Ge=
schöpf. Kannst Du nicht sagen: Ein Unvermeidlicher erkun=
digt sich, ob Ihr in der Commodität seid, sichtbar zu sein?

Marotte. Potztausend! Ich verstehe kein Latein und habe
nicht, wie Ihr, die Viel= aussauf=vieh aus dem großen
Zieh=roß ge=studirt.

Madelon. Impertinenz im Gewande der Dummheit! Ist das wol zu ertragen? — Wie nennt der Lakai seinen Herrn?

Marotte. Marquis von Mascarill.

Madelon. O meine Werthgeschätzte, ein Marquis! Geh, sage, daß wir für ihn zu sprechen sind. Es ist ohne Zweifel ein Schöngeist, der von uns gehört hat.

Cathos. Ganz sicher, meine Unvergleichliche.

Madelon. Anstatt in unserm Zimmer wollen wir ihn hier in diesem Saal empfangen. Ordnen wir schnell noch ein wenig unsere Toilette, auf daß wir unserem Rufe Ehre machen. Entfleuch, Marotte, und bringe uns mit Windeseile den Rathgeber der Grazien.

Marotte. Den Rathgeber der Grazien? Meiner Tren, ich weiß nicht, was das für ein Thier ist. Sprecht wie ehrliche Christenmenschen, wenn ich Euch verstehen soll.

Cathos. O über die stupide Ignorantin! Bringe den Spiegel, dummdreiste Creatur, doch hüte Dich die reine Glasfläche durch den Reflex Deiner materiellen Züge zu entweihen. (Sie entfernen sich.)

Achter Auftritt.

Mascarill. Zwei Sänftenträger.

Mascarill. He! Holla! Sachte, sachte! Ich glaube die Schurken haben vor, mich umzubringen, so haben sie mich gegen Steine und Mauern geschleudert.

Erster Träger. Sapperment! Die Thüre ist so eng. Warum wolltet Ihr auch bis hierher getragen sein?

Mascarill. Sollte ich etwa, um Euch eine Unbequemlichkeit zu ersparen, Ihr Tölpel, meine Schuhe mit Koth beschmutzen und meinen wallenden Federnschmuck dem Regenwetter aussetzen? Jetzt scheert Euch mit Eurer Sänfte zum Teufel.

Zweiter Träger. Erst bezahlt uns.

Mascarill. Was?

Zweiter Träger. Ich sage, wenn's Euch beliebt, sollt Ihr uns bezahlen.

Mascarill (giebt ihm eine Ohrfeige). Was! Elender Geldschneider! Eine Person von meinem Range soll Dich bezahlen?

Zweiter Träger. So pflegt Ihr arme Leute abzufinden? Von Eurem Rang können wir doch nicht leben.

Mascarill. Canaillen! Ihr sollt mich kennen lernen. Wie, Ihr wagt es, mir zu widersprechen?

Erster Träger (löst einen Stab von der Sänfte ab). Nun, wird's bald?

Mascarill. Was willst Du?

Erster Träger. Mein Geld, und das auf der Stelle.

Mascarill. Der Mensch ist doch vernünftig.

Erster Träger. Schnell, schnell!

Mascarill. Das lasse ich mir gefallen! Du sprichst wie es sich gehört; der Andere aber ist ein Schlingel, der nicht weiß was er will. Hier, nimm. Bist Du nun zufriedengestellt?

Erster Träger. Durchaus nicht. Ihr habt meinem Kameraden eine Backpfeise gegeben, und . . . (Er erhebt den Stab.)

Mascarill. Sachte, sachte. Hier ist auch noch Etwas für die Backpfeise. Man kann Alles von mir erlangen, wenn man es nur in der richtigen Weise anzufangen versteht. Geht, geht und holt mich in einer halben Stunde wieder ab, um mich zum petit coucher in's Louvre zu tragen.

Neunter Auftritt.

Marotte. Mascarill.

Marotte. Mein Herr, die Damen werden gleich erscheinen.

Mascarill. Sie sollen sich nicht übereilen; ich bin hier ganz bequem postirt und habe Zeit zu warten.

Marotte. Da sind sie schon.

Zehnter Auftritt.

Madelon. Cathos. Mascarill. Almanzor.

Mascarill (nachdem er gegrüßt hat). Die Freiheit, welche ich mir nehme, setzt Euch ohne Zweifel sehr in Erstaunen, meine Damen; doch Euer Ruf entschuldigt meine Kühnheit. Das Verdienst übt eine Gewalt über mich aus, der ich mich nie entziehen konnte.

Madelon. Wenn Ihr dem Verdienst nachjagt, müßt Ihr's auf anderen Gefilden suchen.

Cathos. Ihr müßtet es selber mitbringen, wenn Ihr es hier entdecken wolltet.

Mascarill. Dagegen muß ich protestiren. Die Fama hat Euren Ruf unwiderruflich festgestellt. Eure Vortrefflichkeit macht alle Vortrefflichkeit in Paris zu Schanden.

Madelon. Die Höflichkeit läßt Euch das Lob, das Ihr uns spendet, übertreiben; wir müssen auf der Hut sein, daß unser Ernst im Honig Eurer Schmeicheleien nicht versinkt.

Cathos. Willst Du nicht Sessel bringen lassen, Theuerste?

Madelon. Holla, Almanzor!

Almanzor. Gnädiges Fräulein —

Madelon. Kutschire uns sogleich die Gemächlichkeit der Unterhaltung herbei.

Mascarill. Doch, meine Damen, bin ich auch hier in Sicherheit? (Almanzor ab.)

Cathos. Was fürchtet Ihr?

Mascarill. Den Raub meines Herzens — den Mord meines Friedens. Ich sehe hier Augen, die mir ganz den Eindruck machen, als ob sie die Freiheit eines Cavaliers sehr ernstlich bedrohten und mit der Seele so wenig Umstände machten wie Türken mit Mohren. Was Teufel! Gleich bei der ersten Annäherung legen sie sich mörderisch auf die Lauer. Ich laufe fort, oder verlange vollgültige Caution, daß sie mir Nichts zu Leibe thun.

Madelon. O meine Liebe, welch ein heiteres Naturell!

Cathos. Er ist das personificirte Scherzando, ein ganzer Amilcar!

Madelon. Fürchtet nicht, daß unsere Augen schlimme

Absichten haben; Euer Herz kann sich mit vollkommenster Sicherheit ihrer Redlichkeit anvertrauen.

Cathos. Aber seid doch nicht unerbittlich gegen diesen Lehnstuhl, Herr Marquis, der Euch schon seit einer Viertelstunde die Arme entgegenstreckt; stillt doch seine Sehnsucht, Euch zu umfangen.

Mascarill (nachdem er sich gekämmt und seinen Anzug geordnet). Nun, meine Damen, was sagt Ihr zu Paris?

Madelon. Ach, was sollen wir dazu sagen? Man müßte der Gegenfüßler der Vernunft sein, wenn man nicht eingestehen wollte, daß Paris das Schatzkästlein der Wunder, der Mittelpunkt des guten Geschmackes, der Aesthetik und der Galanterie sei.

Mascarill. Was mich betrifft, so muß ich gestehen, daß ich es für eine Unmöglichkeit erachte, daß ein anständiger Mensch wo anders leben kann als in Paris.

Cathos. Das ist eine unbestreitbare Wahrheit.

Mascarill. Es ist freilich ein wenig schmutzig in den Straßen; aber dafür hat man ja die Sänften.

Madelon. Ja gewiß, die Sänfte ist eine wunderbare Verschanzung gegen die Unbilden des Straßenkothes und des schlechten Wetters.

Mascarill. Ihr empfangt wol viel Besuche? Welche schönen Geister bilden denn Euren Cirkel?

Madelon. Ach! Wir sind noch nicht bekannt; doch hoffen wir, es bald zu werden. Eine unserer intimen Freundinnen versprach, uns sämmtliche Herren der „Versammlung gewählter Poesien" zuzuführen.

Cathos. Und noch einige Andere, die man uns als die competentesten Schiedsrichter der schönen Literatur gerühmt.

Mascarill. O, was das betrifft, so wäre ich sicher die geeignetste Person für Euch. Ich empfange jeden Morgen ein halbes Dutzend Schöngeister.

Madelon. Ihr würdet uns ganz unaussprechlich verpflichten, wenn Ihr uns diesen Freundschaftsdienst erweisen

wolltet. Man muß doch alle diese Herren kennen, wenn
man zur schönen Welt gehören will. Sie sind es, die den
Ruf gründen, die den ersten Anstoß geben. Ihr wißt,
daß, um zu dem Ruf einer Kennerin zu gelangen, uns
nur Dieser und Jener zu besuchen braucht, wenn auch sonst
Nichts dahinter steckt. Worauf es mir jedoch hauptsächlich
ankommt, ist, durch solche geistreiche Besuche tausend Dinge
kennen zu lernen, die man nothwendig wissen muß, weil
sie das Wesen des schönen Geistes bilden. Auf diese Weise
erfährt man täglich die kleinen galanten Neuigkeiten; man
erhält Kenntniß von allen den nieblichen Correspondenzen
in Prosa und in Versen. Man weiß genau, welch' aller=
liebste Stücke dies oder jenes Sujet hervorgerufen, wer zu
dieser oder jener Melodie die zierlichen Verse geliefert. Der
oder Jener hat ein Madrigal über eine Schäferstunde, Der
oder Jener eine Stanze über die Treulosigkeit gedichtet.
Herr So und So richtete gestern Abend ein Triolet an
Fräulein Die und Die, und wurde ihm am nächsten Morgen
in Versen die Antwort zugesandt. Dieser oder jener be=
rühmte Autor hat soeben den Plan einer neuen Arbeit
entworfen; ein anderer hat den dritten Theil seines inter=
essanten Romans begonnen; und wieder ein anderer über=
giebt soeben sein Werk der Presse. Das ist es, was man
wissen muß, um Ansehn in Gesellschaft zu gewinnen; und
für den Geist, der von diesen Dingen Nichts weiß, wüßte
er sonst auch noch so viel, gebe ich nicht eine Stecknadel.

Cathos. Es ist in der That der Gipfel aller Lächerlich=
keit, wenn Jemand, der Ansprüche macht, für geistreich zu
gelten, nicht genau das allerkleinste Quatrain kennt, das
täglich das Licht der Welt erblickt. Ich würde vor Scham
in die Erde sinken, wenn man mich früge, ob ich Dies oder
Jenes gesehen, von dem ich Nichts wüßte.

Mascarill. Es ist allerdings eine Schande, nicht Alles
aus erster Hand zu erfahren; seid indessen unbesorgt; ich
werde eine Akademie von schönen Geistern bei Euch in's

Leben rufen, und verspreche Euch, daß in ganz Paris kein Vers gemacht werden soll, den Ihr nicht früher als alle Anderen auswendig wissen sollt. Ich selber habe meine poetischen Stunden, und es wird Euch Gelegenheit geboten werden zwei hundert Chansons', eben so viel Sonette, vier hundert Epigramme und an die tausend Madrigale, Charaden und Portraits, die aus meiner Feder geflossen sind, in den verschiedenen galanten Alkoven in Paris auftauchen zu sehen.

Madelon. Ich hege eine fanatische Vorliebe für Portraits.

Mascarill. Diese poetische Form ist nicht leicht, sie verlangt einen tiefen Geist. Ihr werdet mit meiner Art, sie zu behandeln, zufrieden sein.

Cathos. Ich schwärme für die Charaden.

Mascarill. Sie üben den Verstand; ich habe diesen Morgen vier verfertigt, die ich Euch aufzurathen geben werde.

Madelon. Auch Madrigale sind sehr anmuthig, wenn sie sich durch hübsche Wendungen auszeichnen.

Mascarill. Darin excellire ich; ich bin gegenwärtig damit beschäftigt die ganze römische Geschichte in Madrigale zu bringen.

Madelon. O das ist ja ein entzückend schönes Project! Ich bitte um ein Exemplar, wenn Ihr sie drucken laßt.

Mascarill. Ich verspreche Jeder von Euch ein prachtvoll eingebundenes Exemplar. Mein Stand verbietet mir eigentlich, mich mit dergleichen Dingen zu befassen, aber ich thue es, um den Buchhändlern etwas zu verdienen zu geben, die mir keine Ruhe lassen.

Madelon. Ich kann mir eine Vorstellung davon machen, welch himmlisches Vergnügen es gewähren muß, sich gedruckt zu sehen.

Mascarill. Das ist es ohne Zweifel. A propos: Ich muß Euch doch ein Impromtu mittheilen, das ich gestern bei einer mir befreundeten Herzogin machte; ich bin nämlich ganz verteufelt stark im Improvisiren.

2

Cathos. Die Improvisation ist der Probirstein des Geistes.

Mascarill. Hört also.

Madelon. Wir sind ganz Ohr.

Mascarill. O! O! Ich war zerstreut und unvorsichtig,
Dacht' an nichts Böses, schaute Euch nur flüchtig,
Da stahl mir Euer Auge unbewußt,
Dieb, Dieb, Dieb, Dieb, das Herz aus meiner Brust.

Cathos. Ach, das ist ja ganz entzückend galant!

Mascarill. Meine Verse sind stets die eines vollendeten Cavaliers; sie sind niemals pedantisch.

Madelon. O nein, sie sind tausend Meilen von der Pedanterie entfernt.

Mascarill. Habt Ihr auch wol das Sinnvolle des Anfangs gehörig gewürdigt? Es liegt nämlich etwas ganz merkwürdig Ausdrucksvolles in dem plötzlichen Ausruf: O! O! Er hat so etwas Ueberraschendes. Es ist der dem sich blitzschnell besinnenden Improvisator unwillkürlich entschlüpfende Ausruf: O! O!

Madelon. O, dieses O, O! ist wirklich von ganz bewunderungswürdigem Effect!

Mascarill. Und doch hat es den Anschein, als ob es gar nichts wäre.

Cathos. Den Anschein? Guter Himmel, was sagt Ihr da? Gerade diese kleinen Feinheiten sind in der Poesie von unberechenbarem Werthe.

Madelon. Ganz gewiß; und möchte ich lieber der Verfasser dieses bedeutsamen „O! O!" sein, als der eines epischen Gedichtes.

Mascarill. Nun, ich muß sagen, Ihr habt Geschmack!

Madelon. Nun ja doch, daran fehlt es uns wohl nicht.

Mascarill. Bewundert Ihr nicht auch das kleine Wort „zerstreut", das hier eine Fülle von Gedanken birgt? z. B. Ich war ganz ohne Arg; ich dachte an nichts Uebels; wie ein Lämmchen ohne Tücke, sah ich Euch in aller Unschuld in die Augen, u. s. w.

Cathos. Ja, Ihr habt Recht, das Wort ist meisterhaft gewählt.

Mascarill. Und was sagt Ihr nun erst zu dem gestohlenen Herzen, und dem wiederholten Ausruf: Dieb! Dieb! Dieb! Dieb! Sieht man nicht förmlich den schnellfüßigen Langfinger fortlaufen, und die Menge hinter ihm herschreien: Dieb! Dieb! Dieb! Dieb! Haltet den Dieb?

Madelon. Ich muß gestehen, diese Wendung ist ganz besonders geistreich und galant.

Mascarill. Nun will ich Euch auch die Melodie singen, die ich dazu componirt habe.

Cathos. So? Ihr habt also auch die Musik studirt?

Mascarill. Studirt? Ich? Nicht im Geringsten.

Cathos. Wie ist es möglich, zu componiren, ohne die Musik gründlich erlernt zu haben?

Mascarill. Leute von Stand können Alles, ohne je etwas gelernt zu haben.

Madelon. So ist es, meine Liebe.

Mascarill. Nun hört mir zu; ich bin begierig ob Euch die Melodie behagen wird. Hm, hm, la, la, la, la, la — mein Gott! Die Brutalität der Jahreszeit hat meine zarten Stimmorgane ganz entsetzlich afficirt; aber es thut nichts, ich singe ohne Stimme, wie ein ächter Cavalier. (Er singt.) „O! O! ich war zerstreut und unvorsichtig!"

Cathos. Es liegt eine fast tödtliche Leidenschaft in dieser Musik.

Madelon. Ja wol, sie ist ganz hinreißend chromatisch.

Mascarill. Findet Ihr nicht, daß diese Musik den Gedanken ganz vortrefflich wiedergibt? Zuerst fortissimo, als ob Einer mit erhöhter Stimme riefe: „Dieb, Dieb!" dann ein vorhauchendes piano: „Dieb, Dieb!" wie Einer dem der Athem ausgegangen ist.

Cathos. Ich habe nie etwas so bezaubernd Reizvolles vernommen.

2*

Mascarill. Ja seht, das ist das Wahre. Mir kommt Alles natürlich, wie im Schlafe; ganz ohne Studium.

Madelon. Die Natur behandelt Euch wie eine zärtliche Mutter; Ihr seid ihr Schooßkind.

Mascarill. Nun sagt: Womit verbringt Ihr Eure Zeit, meine Damen?

Cathos. Unsre Zeit? O mit gar Nichts!

Madelon. Was unsere Zerstreuungen betrifft, so war unsere Zeit bisher eine trostlose Fastenzeit.

Mascarill. Ich werde mir die Freiheit nehmen, Euch nächstens in's Theater zu führen; man giebt dieser Tage ein Lustspiel, das ich mir gern in Eurer Gesellschaft ansehen möchte.

Madelon. So etwas läßt sich nicht ausschlagen.

Mascarill. Ihr müßt aber hübsch applaudiren helfen, denn ich habe dem Dichter, der mir es noch heute Morgen bringend an's Herz gelegt, versprochen, es durchbringen zu helfen. Es ist nämlich hier Sitte, daß die Autoren ihre neuen bramatischen Erzeugnisse zuerst uns Lenten von Stand vorlesen, damit wir sie schön finden und ihnen Ruf verschaffen. Ich brauche Euch wol nicht zu sagen, daß, wenn wir ein Stück protegiren, das Parterre sich nicht mucksen darf; und wenn ich einem Dichter mein Wort gegeben habe, rufe ich schon Bravo, ehe noch die Lichter angezündet sind.

Madelon. Ach, Paris ist doch eine reizende Stadt! da gehen täglich hundert Dinge vor, von denen man in der Provinz keine Ahnung hat, und wenn man auch noch so geistreich ist.

Cathos. Seid ruhig, wir wissen jetzt was wir zu thun haben, und werden nach jeder Phrase pflichtschuldigst Beifall klatschen.

Mascarill. Ich müßte mich sehr irren, wenn Ihr Euch nicht schon selber in der bramatischen Dichtkunst versucht hättet; Ihr seht mir ganz barnach aus.

Madelon. Eure Vermuthung ist vielleicht nicht ganz un-gegründet.

Mascarill. Wirklich? O dann muß es auf die Bühne! Unter uns gesagt, ich habe auch ein Lustspiel geschrieben, das ich aufführen lassen werde.

Cathos. Ei! Und von welcher Truppe?

Mascarill. Natürlich von der des Hotel de Bourgogne; nur diese versteht eine dramatische Arbeit zur Geltung zu bringen. Alle übrigen Comödianten sind Ignoranten, die die Verse nur so hinplappern, ohne durch ein gewisses künstlerisches Verweilen die Aufmerksamkeit bei schönen Stellen zu firiren, und die Verse durch ein gewisses be-deutsames Schnarren hervorzuheben. Wie soll denn sonst der Zuhörer gewahr werden, wenn eine schöne Stelle kommt, die applaudirt werden muß?

Cathos. Es giebt natürlich eine gewisse Art, den Zu-hörern die Schönheit eines Werkes begreiflich zu machen; die Dinge haben genau nur den Werth, den man ihnen selber beizulegen versteht.

Mascarill. Was haltet Ihr von meinem Gänseklein?*) Harmonirt es nicht ganz vortrefflich mit meiner übrigen Kleidung?

Cathos. Bewundrungswürdig!

Mascarill. Das Band ist gut gewählt, nichtwahr?

Madelon. Unvergleichlich! Man sieht es auf den ersten Blick, es ist von Perdrigeon, nichtso?

Mascarill. Und was sagt Ihr zu meinen Kanonen?**)

Madelon. Prächtig! Sie sind außerordentlich reich mit Spitzen garnirt.

Mascarill. Ich darf mich rühmen, daß sie um eine gute viertel Elle weiter sind, als alle übrigen.

---

*) Mit Gänseklein bezeichnete man Bänder, Spitzen, Federn, Handschuhe, die zum Anzug gehörten.

**) Kanonen, breite Binde von Zeug, mit Spitzen besetzt, die man über dem Knie befestigte, und die die Hälfte des Beines bedeckte.

Madelon. Ich muß gestehen, daß ich nie eine so vollendete Eleganz gesehen habe.

Mascarill. Lenkt doch, ich bitte Euch, nur einen Augenblick die Reflexion Eurer Geruchsnerven auf meine Handschuhe.

Madelon. Sie riechen schrecklich gut.

Cathos. Nie schwelgte meine Nase in so himmlischen Gerüchen!

Mascarill (er hält ihnen seine gepuderte Perücke zum Riechen hin). Doch nun erst diese!

Madelon. Sublime! Entzückend! Wahrhaft berauschend!

Mascarill. Und Ihr sagt mir Nichts über meine Federn?

Cathos. Ach, die sind ganz entsetzlich schön!

Mascarill. Wißt Ihr aber auch, daß jedes einzelne Hälmchen daran einen Louisb'or kostet? Das ist einmal mein Steckenpferd; ich muß von Allem das Schönste und Beste haben.

Madelon. Da geht's Euch just wie mir. Auch ich bin furchtbar eigen in diesen Dingen. Alles was ich trage, bis auf die Strümpfe, muß von der berühmtesten Nähterin angefertigt sein.

Mascarill (plötzlich aufschreiend). Au, au, au! Sachte! Gott verdamme mich, meine Damen, das ist zu toll. Ich habe mich ernstlich über Euch zu beklagen; Ihr geht nicht redlich mit mir um.

Cathos. Was ist Euch denn? Was habt Ihr?

Mascarill. Wie! Ist's wol in der Ordnung, daß Zwei zu gleicher Zeit ein Herz belagern? Nein, das ist gegen alles Völkerrecht. Der Kampf ist ungleich, ich werde Mordio schreien.

Cathos. Ich muß gestehen, seine Einfälle sind ganz einzig!

Madelon. Seine Wendungen sind ganz entzückend!

Cathos. Eure Furcht ist schlimmer als das Uebel und Euer Herz schreit ehe man es verwundet.

Mascarill. Den Teufel auch! Es ist schon ganz zerrissen.

Eilfter Auftritt.

Cathos. Madelon. Mascarill. Marotte.

Marotte. Ein Besuch, meine Damen.

Madelon. Wer ist es?

Marotte. Der Vicomte von Jodelet.

Mascarill. Der Vicomte von Jodelet?

Marotte. Ja, gnädiger Herr.

Cathos. Kennt Ihr ihn?

Mascarill. Er ist mein bester Freund.

Madelon. So führe ihn schnell herein.

Mascarill. Wir haben uns lange nicht gesehen, und ich freue mich dieser Gunst des Zufalls.

Cathos. Da ist er!

Zwölfter Auftritt.

Cathos. Madelon. Jodelet. Mascarill. Marotte. Almanzor.

Mascarill. Ah, Vicomte!

Jodelet. Ah, Marquis! (Sie umarmen sich.)

Mascarill. Welche Freude, Dir hier zu begegnen!

Jodelet. Wie angenehm, Dich hier zu treffen!

Mascarill. Habe doch die Güte, mich noch einige Male zu umarmen.

Madelon (zu Cathos). Wir fangen an bekannt zu werden, meine Süße! Du siehst, die schöne Welt findet den Weg zu unseren Gemächern.

Mascarill. Gestattet mir, meine Damen, Euch diesen Cavalier vorzustellen, denn er verdient es, von Euch gekannt zu sein.

Jodelet. Es ist nur in der Ordnung, daß man Euch giebt, was Euch zukommt, meine Damen; denn Eure Reize verlangen oberlehnsherrlichen Tribut von Allen, die Euch nahen.

Madelon. Das nennt man den Gipfel der Höflichkeit erklimmen.

Cathos. Der heutige Tag soll als der glücklichste in unserm Almanach verzeichnet werden.

Madelon (zu Almanzor). He, Kleiner! muß man Dir Alles wiederholen? Siehst Du nicht, daß wir des Zuwachses eines Lehnstuhles bedürfen?

Mascarill. Wundert Euch nicht über die blassen Wangen des Vicomte, meine Damen; er ist erst seit Kurzem von einer Krankheit erstanden.

Jodelet. Das sind die Früchte der langen Abende bei Hofe, und der Strapazen des Kriegs.

Mascarill. Ihr müßt wissen, meine Damen, daß Ihr in dem Vicomte einen der tapfersten Degen des Jahrhunderts vor Euch seht. Ein wahrer Ritter ohne Furcht und Tadel.

Jodelet. Du stehst mir in Nichts nach, lieber Marquis; wir wissen, was auch Du für Thaten vollbracht hast.

Mascarill. Jeder von uns hatte Gelegenheit des Andern Bravour schätzen zu lernen, wir sind mit einander im Feuer gewesen.

Jodelet. Wir fochten, wo es sehr hitzig zuging.

Mascarill (Madelon und Cathos ansehend). Es war aber doch nicht so heiß wie hier. Hi, hi, hi!

Jodelet. Wir lernten einander im Felde kennen. Als ich den Marquis zum ersten Mal sah, commandirte er ein Cavallerie-Regiment auf den Galeeren von Malta.

Mascarill. Ganz recht; doch Du warst eher im Dienste als ich, denn ich erinnere mich, daß ich noch ein kleines Officierchen war, als Du schon zweitausend Pferde commandirtest.

Jodelet. Es wäre eine ganz hübsche Sache um den Krieg, wenn nur der Hof Dienstleistungen wie die unsrigen, besser zu würdigen wüßte.

Mascarill. Ganz recht; und deshalb werde ich auch meinen Degen fortan an den Nagel hängen.

Cathos. Ich gestehe, daß ich eine ganz fürchterliche Schwäche für die Soldaten habe.

Madelon. Ich liebe auch die Tapferkeit; nur muß der Geist sie würzen.

Mascarill. Weißt Du noch, Vicomte, wie wir bei der Belagerung von Arras dem Feind den Halbmond ab= nahmen?

Jodelet. Ein halber Mond? Irrthum: Es war ein ganzer.

Mascarill. Du magst Recht haben.

Jodelet. Ob ich Recht habe! Ich werde es doch wol wissen, denn ich wurde damals von einer Granate am Bein verwundet; es setzte eine tüchtige Narbe ab. Untersucht sie einmal, Ihr könnt' fühlen, was für eine Wunde das war.

Cathos (nachdem sie die Stelle befühlt). Ja wahrhaftig, es ist eine ganz gehörige Narbe.

Mascarill. Gebt mir doch einmal Euer Händchen, und fühlt hierher, hier am Hinterkopf. Habt Ihr's ausgefunden?

Madelon. Jawol, hier fühle ich etwas.

Mascarill. Es ist ein Musketenschuß, den ich beim letzten Feldzug erhielt.

Jodelet (seine Brust entblößend). Ich kann Euch auch einen Musketenschuß zeigen, den ich beim Sturm von Graeve= lingen erhielt. Seht, hier ging er hinein und hier wieder heraus, er ging durch und durch.

Mascarill (legt die Hand auf einen Knopf seines Beinkleides). Ich werde Euch sogleich noch eine fürchterlichere Wunde zeigen.

Madelon. Bemüht Euch nicht! Wir glauben ohne zu sehen.

Mascarill. Das sind die richtigen Ehrenzeichen, die be= weisen, was Einer werth ist.

Cathos. Wir bezweifeln Euren Werth durchaus nicht.

Mascarill. Vicomte, ist Deine Kutsche hier?

Jodelet. Warum?

Mascarill. Nun, ich denke wir machen eine kleine Spa= zierfahrt mit den Damen und bieten ihnen Etwas zu ge= nießen an.

Madelon. Wir müssen heute das Haus hüten.

Mascarill. So wollen wir einige Geigen bestellen, und ein Tänzchen machen.

Jodelet. Ein prächtiger Einfall, auf Ehre!

Madelon. Herrlich! Aber da müssen wir noch Gesellschaft bitten.

Mascarill. Heda! Champagne, Picard, Cascaret, Basque, La Verdure, Lorrain, Provençale, La Violette! Wo zum Teufel stecken die Schufte von Lakeien? Es existirt kein Edelmann in ganz Frankreich, der schlechter bedient wird, als ich. Kein einziger von den Schlingels läßt sich blicken.

Madelon. Almanzor, sage den Leuten des Herrn Marquis, sie sollen Musikanten bestellen und einige Herrn und Damen aus der Nachbarschaft einladen, um unsern Kreis zu vervollständigen. (Almanzor ab.)

Mascarill. Was sagst Du zu diesen Augen, Vicomte?

Jodelet. Wie erscheinen sie Dir, Marquis?

Mascarill. Ach, ich fürchte sehr, daß unsere Freiheit hier Schaden nehmen wird. Ich wenigstens fühle mich schon jetzt ganz bedeutend unsicher, mein Herz hängt nur noch an einem Faden.

Madelon. O diese einzig graziösen Wendungen in seinem Gespräch! Wie reizend natürlich klingt Alles, was er sagt!

Cathos. Es ist wahr, er macht einen ganz eminenten Aufwand an Geist und Witz.

Mascarill. Um zu beweisen wie aufrichtig ich es meine, werde ich Euch sogleich eine Improvisation über dieses Thema zum besten geben. (Er sinnt nach.)

Cathos. Ach, bitte, ja, ich beschwöre Euch bei der aller-glühendsten Verehrung meines Herzens, laßt uns Etwas hören, was speciell für uns gedichtet ist!

Jodelet. Ich hätte die größte Lust, gleichfalls eine der-artige Improvisation von mir zu geben, doch meine poe-tische Ader ist durch die vielen Blutabzapfungen, die sie in letzter Zeit erlitten, etwas verkümmert.

Mascarill. Das ist verteufelt sonderbar, auf Ehre! der

erste Reim ist, wie gewöhnlich, wundervoll gelungen, allein die andern lassen mich im Stiche; die Zeit ist freilich auch ein wenig gar zu knapp gemessen; ich werde Euch, wenn ich mehr Muße dazu habe, ein Impromtu machen, das Euch entzücken soll, wie Nichts auf dieser Welt!

Jodelet. Er ist witzig wie ein Dämon.

Madelon. Und welche Gewandtheit des Ausdrucks!

Mascarill. Sag doch, Vicomte, hast Du die Gräfin lange nicht gesehen?

Jodelet. Vor drei Wochen habe ich ihr die letzte Visite gemacht.

Mascarill. Weißt Du auch, daß der Herzog heute Morgen bei mir vorsprach, und mich zur Hirschjagd einlud?

Madelon. Ah, da kommen unsre Freunde!

Dreizehnter Auftritt.

Lucilie. Celimene. Cathos. Madelon. Mascarill. Jodelet. Marotte. Almanzor. Musikanten.

Madelon. O meine theuren Liebenswürdigen, wir bitten, uns entschuldigen zu wollen. Diese Herren hatten den Einfall, die Seelen unserer Füße zu erwecken; deshalb gestatteten wir uns, Euch zu ersuchen, das Fest durch Eure Gegenwart zu verherrlichen.

Lucilie. Wir sind Euch dafür sehr verbunden.

Mascarill. Es ist eben nur ein improvisirter Ball, doch in einigen Tagen werden wir einen in aller Form geben. Sind die Musikanten schon hier?

Almanzor. Ja gnädiger Herr, sie erwarten Eure Befehle.

Cathos. So laßt uns unsere Plätze einnehmen, meine Allertheuersten.

Mascarill (den Tanz einleitend, indem er allein tanzt und singt): La, la, la, la, la, la.

Madelon. Seht doch die elegante Tournüre.

Cathos. Man erkennt schon aus der Haltung den flinken gewandten Tänzer.

Mascarill (Madelon zum Tanze führend). Mein Herz wird die Courante so gut wie meine Füße tanzen. Aber was macht Ihr denn, ihr Schlingel? Ihr spielt ja nicht im Takt! La, la, la, la, la, la, la, la, la. Ihr seid ja nicht zusammen! La la la, la la la — — O über die ungeschickten Stümper! Nach der Musik mag der Teufel tanzen. O welch' elendes Dorfmusikantengedudel ist das!

Jodelet (der auch den Tanz begonnen). Langsamer, langsamer doch! Ich bin noch viel zu angegriffen von der Krankheit, um — — —

Vierzehnter Auftritt.

Du Croisy. La Grange. Cathos. Madelon. Lucilie. Celimene. Jodelet. Mascarill. Marotte. Musikanten.

La Grange (einen Stock in der Hand). Oho, Ihr Schlingel, hier steckt Ihr also? Und schon seit drei Stunden suchen wir Euch. (Er schlägt Mascarill.)

Mascarill. Au, au, au! das ist gegen die Abrede, die Prügel waren nicht ausbedungen.

Jodelet (der gleichfalls Prügel bekommt). Au, au, au!

La Grange. Du Lumpenkerl! Ich will Dich lehren, den großen Herren hier zu spielen!

Du Croisy. Das soll Euch lehren, wer Ihr seid.

Fünfzehnter Auftritt.

Cathos. Madelon. Lucilie. Celimene. Mascarill. Jodelet. Marotte. Musikanten.

Madelon. Was soll das heißen?

Jodelet. Es war eine Wette.

Cathos. Wie könnt Ihr Euch aber so schlagen lassen?

Mascarill. Ich bin zu heftig, ich wäre zu wüthend geworden, und that deshalb lieber, als ob ich Nichts merkte.

Madelon. Aber wie ist es möglich, einen solchen Schimpf zu ertragen, und noch dazu in unserer Gegenwart?

Mascarill. Es hat Nichts zu bedeuten. Laßt uns nur

weiter tanzen. Wir sind alte Bekannte; seinen Freunden
muß man schon etwas zu Gute halten.

Sechzehnter Auftritt.

Du Croisy. La Grange. Madelon. Cathos. Celimene. Lucilie.
Mascarill. Jodelet. Marotte. Musikanten.

La Grange. Wartet, Ihr Schelme, Ihr Spitzbuben, Ihr
sollt Euch nicht wieder auf unsere Kosten amüsiren. Heda!
Kommt herein, Ihr da draußen! (Drei oder vier Raufbolde
treten ein.)

Madelon. Was ist das für eine Frechheit, uns in unserem
eigenen Hause zu überfallen?

Du Croisy. Verzeihung, meine Damen! Aber Ihr könnt
unmöglich erwarten, daß wir es ruhig mit ansehn werden,
daß unsere Lakeien besser von Euch aufgenommen werden
als wir selber, daß sie Euch auf unsere Kosten den Hof
machen und Euch einen Ball geben.

Madelon. Eure Lakeien?

La Grange. Nun freilich, unsere Lakeien! Es ist nicht
schön und sehr unrecht von Euch, sie in dieser Weise von
ihren Pflichten abzuziehen.

Madelon. O Himmel! welche Unverschämtheit!

La Grange. Aber sie sollen sich nicht wieder unserer Kleider bedienen, um Euch in die Augen zu stechen; wenn Ihr
sie liebt, so werden sie Euch auch ohne diesen Tand gefallen. Man ziehe ihnen auf der Stelle die schönen Kleider ab!

Jodelet. Fahr wohl, du glänzendes Gefieder.

Mascarill. Da liegen Marquisat und Vicegrafschaft an
der Erde.

Du Croisy. Ohö, Ihr Schurken! Ihr wolltet Euch er-
dreisten, uns in's Gehege zu kommen? Holt Euch wo
anders Euren Flitterstaat her, wenn Ihr Euch für Eure
Schönen herausstaffiren wollt, versteht Ihr mich?

La Grange. O es ist zu toll, sich ausstechen lassen, und noch dazu in seinen eignen Kleidern!

Mascarill. O du unbeständiges Glück!

Du Croisy. Schnell, nehmt ihnen Alles ab, selbst die geringste Kleinigkeit.

La Grange. Schnell, schnell, tragt Alles fort. Nun, meine Damen, mögt Ihr Euren begonnenen Liebesroman mit diesen gerupften Vögeln fortsetzen, so lange es Euch beliebt. Wir lassen Euch alle nur erdenkliche Freiheit; Ihr dürft es mir sowol, wie Herrn Du Croisy glauben, daß wir nicht im mindesten eifersüchtig sein werden.

Siebzehnter Auftritt.

Madelon. Cathos. Jodelet. Mascarill. Musikanten.

Cathos. Welche Demüthigung!

Madelon. Ich ersticke vor Aerger!

Erster Musikant (zu Mascarill). Was wird denn das? Wer wird uns nun bezahlen?

Mascarill. Fragt den Herrn Vicomte.

Zweiter Musikant (zu Jodelet). Wer wird uns nun bezahlen?

Jodelet. Fragt den Herrn Marquis.

Achtzehnter Auftritt.

Gorgibus. Madelon. Cathos. Jodelet. Mascarill. Musikanten.

Gorgibus. Ihr liederlichen Dirnen! das sind ja saubere Geschichten, die mir die Herren von Euch erzählen, die eben fortgehn!

Madelon. O mein Vater, man hat uns einen schändlichen Streich gespielt!

Gorgibus. Jawol, einen schändlichen Streich; der jedoch die natürliche Folge Eurer Impertinenz war, Ihr Närrinnen! Sie haben sich für die niederträchtige Behandlung rächen wollen, die Ihr ihnen angedeihen ließet, und ich armer unglücklicher Mann muß den Schimpf hinunter schlucken.

Madelon. Aber es wird auch für uns der Tag der Rache

anbrechen, und müßten wir dadurch zu Grunde gehen. Und Ihr, gemeinen Schurken, wagt es noch, hier zu bleiben nach Eurer Missethat?

Mascarill. So behandelt Ihr einen Marquis? So geht es in der Welt; selbst die, die uns noch eben jetzt auf Händen trugen, verachten uns, wenn uns Fortuna mißgünstig den Rücken kehrt. Komm, Kamerad, wir wollen unser Glück wo anders suchen; man liebt hier nur den Schein, prunklose Tugend wird nicht anerkannt.

Neunzehnter Auftritt.

Gorgibus. Madelon. Cathos. Musikanten.

Erster Musikant. Mein Herr, wir hoffen, daß Ihr für die Andern eintreten, und uns bezahlen werdet.

Gorgibus (schlägt sie). Ja freilich will ich Euch bezahlen, und zwar mit dieser Münze. Ich weiß nicht, was mich abhält, es mit Euch, Ihr Galgenvögel, eben so zu machen. Die ganze Stadt wird uns verhöhnen; wir werden das Stichblatt des Witzes werden. Das haben wir Euren Extravaganzen zu verdanken. O geht mir aus den Augen, Ihr garstigen Geschöpfe, und laßt Euch nie wieder blicken. (Allein.) Und ihr, die Ursachen ihrer Thorheit, ihre abgeschmackten Spielereien, Romane, Verse und Sonette, verderblicher Zeitvertreib für Müßiggänger, o möchte euch Alle der Teufel holen!

Ende.

VERLAG VON PHILIPP RECLAM JUN. IN LEIPZIG.

Gesammelte dramatische Werke

von Charlotte Birch-Pfeiffer.

1. Bd.: Herma. — Pfeffer-Rösel. — Rubens in Madrid.
2. Bd.: Die Marquise v. Villette. — Schloß Greiffenstein. — Der Pfarr
3. Bd.: Der Goldbauer. — Nacht und Morgen. — Eine Frau aus der Ci
4. Bd.: Fräulein Höckerchen. — Lady v. Worsley-Hall. — Elisabeth v. Eng
5. Bd.: Eine Tochter des Südens. — Kaiser Karls Schwerdt. — Ein derling und seine Familie.
6. Bd.: Eine deutsche Pariserin. — Die Rose von Avignon. — Iffland.
7. Bd.: Der Leiermann und sein Pflegekind. — Königin Bell. — Magdal
8. Bd.: Eine Sylvesternacht. — Die Taube von Cêrdrons. — Johannes tenberg.
9. Bd.: Die Walpurgisnacht. — Ulrich Zwingli's Tod. — Mutter u. To
10. Bd.: In der Heimath. — Gasthaus-Abentheuer. — Junge Alte. — dinand Avelli.
11. Bd.: Die Frau in Weiß. — Der Herr Studiosus. — Revanche. — Glöckner von Notre-Dame.
12. Bd.: Hinko. — Das Testament eines Sonderlings. — Simon.
13. Bd.: Die Ritter von Malta. — Wer ist sie? — Peter von Szápár.

Preis jedes Bandes: 1 Thlr. 10 Sgr.

Gesammelte Novellen und Erzählunge

von Charlotte Birch-Pfeiffer.

1. Bd.: Anna Laminit. — Der Leiermann und sein Pflegekind. — Tänzerin.
2. Bd.: Künstlers Rache. — Der Holländische Kamin. — Der Rubin. Aus dem Leben Katharinens II.
3. Bd.: Die Hand des Herrn. — Räthsel der Natur. — Der Creole.

Preis jedes Bandes: 1 Thlr. 10 Sgr.

Geschichte der französischen Revolution
1789—1814
von F. A. Mignet.
Deutsch von Dr. Friedrich Köhler.
Mit 16 Illustrationen von J. G. Flegel in Leipzig.
Ladenpreis geheftet 16 Sgr. Elegant in Leinen mit Goldtitel gebunden 20 S

W. Shakspere's
Hamlet, Prince of Denmark.
Mit
nebenstehender deutscher Uebersetzung